Carol O'Connell

Née en 1947, Carol O'Connell a étudié l'art en Californie et en Arizona avant de s'installer à New York. Après *Meurtres à Gramercy Park* (1995), et *L'homme qui mentait aux femmes* (1996), son troisième roman, *L'assassin n'aime pas la critique* (1998), a fait de Kathy Mallory, cette si étrange héroïne, une incontournable personnalité de la littérature policière. *Les larmes de l'ange* (1999), *L'appât invisible* (2000), et *L'école du crime* (inédit, 2003) ont déjà rencontré un succès considérable aux États-Unis.

D0040470

MEURTRE EN DIRECT

DU MÊME AUTEUR
CHEZ POCKET

CAROL O'CONNELL

MEURTRE
EN DIRECT

*Traduit de l'anglais
par Alexis Champon*

© by Carol O'CONNELL 2004.

FLEUVE NOIR

Titre original :
SHELL GAME

Le Code de la propriété intellectuelle n'autorisant, aux termes des paragraphes 2 et 3 de
l'article L. 122-5, d'une part, que les « copies ou reproductions strictement réservées à
l'usage privé du copiste et non destinées à une utilisation collective » et, d'autre part, que
les analyses et les courtes citations dans un but d'exemple ou d'illustration, « toute représentation ou reproduction intégrale ou partielle faite sans le consentement de l'auteur ou
de ses ayants droit ou ayants cause est illicite » (article L. 122-4). Cette représentation ou
reproduction, par quelque procédé que ce soit, constituerait donc une contrefaçon sanc-
tionnée par les articles L. 335-2 et suivants du Code de la propriété intellectuelle.

© by Carol O'Connell, 1999.
© 2004, Editions Fleuve Noir, département d'Univers Poche,
pour la traduction française.
ISBN : 2-266-13072-2

Remerciements

Dianne Burke de Search and Rescue Research Ltd., Temple, Arizona.

Peter Gill, Peerless Handcuff Company, Springfield, Massachusetts.

Law Enforcement Equipment Company, Kansas City, Missouri.

Des remerciements particuliers pour un peintre polonais inconnu qui a créé le poster avec cette légende : « Guerre, quelle femme tu es ! » Je l'ai vu il y a bien des années et ne l'oublierai jamais. Si je finis par retrouver l'artiste, son nom sera cité dans les prochaines éditions.

Ce livre est dédié à une génération des enfants du jazz et de la fumée de cigarettes, aux fermiers du Nebraska à Paris, aux femmes en uniforme, aux femmes en paillettes, aux bombes qui explosent en pleine ville, aux morceaux de Gershwin et de Billie Holiday, aux rangées interminables de tombes qui parsèment le globe, aux villes qui sont tombées et aux vainqueurs.

PROLOGUE

Le vieil homme resta à leur hauteur, puis les dépassa, poussé par la peur – comme s'il aimait Louisa plus qu'eux. L'homme et l'enfant coururent vers le cri, une longue note aiguë, un hurlement continu, inhumain dans sa durée.

Le corps de Malakhai tout entier fut secoué de spasmes, violents moulinets des bras, contractions des jambes, et il se réveilla en sursaut dans un monde réel qui prenait la forme de draps trempés entortillés. En se levant trop vite, il renversa la table de chevet, le réveille-matin s'écrasa au sol, le verre du cadran se brisa et la sonnerie s'arrêta.

Il ouvrit la porte d'un coup de pied ; le courant d'air froid le revigora. Une applique allumée dans le couloir projeta son ombre sur le parquet de la chambre, et, en se retournant lentement, il vit un mobilier qu'il ne reconnut pas. Une longue robe noire recouvrait le bras d'un fauteuil. Il saisit le vêtement d'une main tremblante et s'en enveloppa comme d'une cape.

Une fenêtre à guillotine avait été entrouverte. Des rideaux blancs gonflés par le vent semblaient flotter dans la pièce et les gouttes d'eau qui ruisselaient d'une gouttière giclaient sur le rebord. Une mouche noire bourdonnait, tournant en rond autour d'un lustre de bougies électriques éteintes.

Malakhai se rua dehors, la longue robe flottant derrière lui, et fonça dans le couloir flanqué de portes closes qui débouchait sur un vaste salon baigné de lumière. Il y avait trop de tissus, trop de couleurs. Il ne distinguait que des fragments éclatés : le motif du plafond étamé, les murs vert bouteille, la tranche des livres, les veines du marbre, les volutes d'acajou sculptées, les patchworks de brocart.

Il surprit un léger mouvement de tête dans la glace, au-dessus de la cheminée. Il leva le bras pour protéger ses yeux d'une vision improbable. Il vit alors la peau ridée de sa main, les veines gonflées et les taches brunes de vieillesse.

Il referma la robe sur son corps, cuirasse de soie, protection dérisoire contre le désarroi. Les réveils étaient toujours cruels.

Quels pans de sa vie s'étaient-ils effilochés, avaient disparu avec les cellules mortes de son cerveau ? Son trouble n'était-il que le compagnon provisoire d'une attaque récente ? Malakhai tira le rideau de velours pour regarder par la fenêtre. Il n'avait pas encore défini le jour ni même l'année, il pressentait seulement qu'il faisait nuit et qu'il était vieux.

Le réveille-matin avait été réglé pour sonner à une heure précise. Sans le secours de personne, Malakhai devait se souvenir dans quel but. Demander de l'aide revenait à s'humilier en public.

Avec en tête des souvenirs allant de son adolescence jusqu'à un âge avancé, il s'approcha de la glace pour constater les dégâts. Ses cheveux avaient blanchi. La chair était ferme, mais veinée de rides qui témoignaient d'une longue vie riche d'expériences. Seuls ses yeux, encore bleus comme l'acier, n'avaient étonnamment pas changé.

L'épais tapis était moelleux sous ses pieds nus, ses couleurs vives, même si les bords montraient des signes d'usure. Il se rappela l'avoir acheté chez un antiquaire. La desserte en bois de rose provenait du même magasin. Sur la petite table, un service en cristal égayait un plateau en argent. Plus familier avec ces objets anciens, Malakhai prit la carafe et se versa un verre de xérès.

Deux fauteuils faisaient face à la télévision. Forcément – un pour le vivant, et l'autre pour la défunte. Une habitude, même si sa femme était morte depuis longtemps.

La taille impressionnante de l'écran de télévision constituait le meilleur indice pour déterminer la date. Conjugués à la maladie, les tours que lui jouait sa mémoire lui avaient fait commencer son périple dans le couloir au milieu des années 40, et, tel un voyageur à travers le temps qui reprend son souffle et cherche des points de repère sur sa boussole, il se trouvait maintenant dans un fauteuil bien rembourré, vers la fin du xxe siècle. Il n'était plus en France, mais dans l'aile d'une clinique privée, au nord de l'État de New York, et il se rappellerait bientôt pourquoi le réveille-matin avait sonné.

Une télécommande était posée sur le bras du fauteuil, et une lumière rouge clignotait sous l'écran. Il alluma la télévision ; l'écran s'éclaira aussitôt, foisonnement d'images turbulentes et de voix tonitruantes. Malakhai coupa le son.

Quelque chose d'important allait se produire, mais quoi ? Ses mains se crispèrent de rage et du xérès déborda de son verre.

Elle était à côté de lui à présent, emplissant son âme d'une douce chaleur, si compréhensive. Un second verre était posé sur la desserte, près de son fauteuil, un peu de xérès pour Louisa – encore assoiffée après toutes ces années passées dans une tombe glaciale.

Sur l'écran, des vieillards en smoking agitaient leurs hauts-de-forme pour la caméra. Derrière eux se dressait le kiosque à musique de Central Park. Son arc en pierre était flanqué d'élégantes corniches du début des années 1900. Les motifs hexagonaux du mur concave renvoyaient aux dessins des pavés de la place où des spectateurs se pressaient derrière des cordons en velours. Au-dessus de la tête des vieux magiciens, une banderole déployée en travers du toit du kiosque claquait au vent, annonçant en lettres rouge vif l'imminent festival de la magie à Manhattan.

L'avant-première – bien sûr !

C'était donc le mois de novembre et dans une semaine Thanksgiving serait suivi du festival des magiciens, les retraités de l'ancienne génération côtoyant les artistes éblouissants de la nouvelle. Sous l'image d'un journaliste équipé d'un micro, une bande défilait pour indiquer qu'il s'agissait d'un spectacle en direct, sans truquage photographique. Il n'y aurait ni coupe ni montage.

Malakhai sourit. La télévision promettait de ne pas tromper les spectateurs, alors que le principe même de la magie consistait à détourner leur attention et les diriger vers de fausses pistes.

La place devait être bien illuminée car il faisait clair comme en plein jour. Une grande caisse en bois, de trois mètres carrés, dominait la plate-forme du kiosque. Malakhai connaissait les dimensions précises ; il avait, longtemps auparavant, prêté la main à la construction du matériel original, or celui-ci en était la réplique exacte. Treize marches menaient à la plate-forme. De chaque côté de la première marche, deux paires de socles, surmontés d'arbalètes braquées sur une cible ovale aux cercles concentriques noirs et blancs, étaient encastrés dans le bois. Comme la caméra ne montrait pas les épingles qui retenaient la cible entre les poteaux, on avait l'impression qu'elle flottait au-dessus de l'estrade.

La mémoire avait presque achevé son raccordement

au présent. Oliver Tree était sur le point de faire un come-back pour une carrière qu'il n'avait jamais eue. Malakhai se pencha vers le fauteuil vide de Louisa.

— Tu arrives à voir Oliver au milieu de tous ces vieux ? demanda-t-il en désignant le plus petit du groupe, un vieil homme avec l'air radieux de l'enfant qu'on a autorisé à veiller tard en compagnie des adultes.

Ses cheveux et sa barbe étaient coupés si court qu'Oliver semblait être recouvert de fourrure blanche, tel un ours en peluche sur le retour.

— Où était-il passé pendant tout ce temps ?

En posant la question, Malakhai se rappela qu'Oliver avait occupé sa retraite à élaborer une solution pour l'Illusion Perdue.

Les socles des arbalètes recelaient des mécanismes d'horlogerie géants, un engrenage de trois roues de cuivre dentées. Bientôt, les flèches jailliraient dans une séquence mécanisée, quatre bombes à retardement réglées pour exploser avec le tic-tac des horloges et le déclic métallique des cordes. Tous les yeux étaient braqués sur la cible ovale. La caméra de la télévision fit un gros plan sur le magasin d'une des arbalètes. L'étroit caisson en bois était prévu pour contenir trois flèches.

Elle recula pour prendre un plan large de deux policiers en uniforme sur la plate-forme. L'un d'eux tenait bien droit un mannequin en toile cependant que l'autre l'attachait au poteau en fer à l'aide de menottes. Ensuite, ils s'agenouillèrent sur le plancher pour le lier, jambes écartées, au trépied. Maintenant, le mannequin était écartelé sur toute la surface de la cible. Debout en dessous du kiosque, le journaliste parlait dans le micro, sans doute pour raconter l'histoire de l'Illusion Perdue et de son créateur défunt, le grand Max Candle.

Malakhai se tourna de nouveau vers le fauteuil de Louisa.

— Je n'aurais jamais cru que ce serait Oliver qui résoudrait le problème.

Quelle surprise ! Le menuisier à la retraite en robe de magicien était autrefois le moins doué de la troupe, un enfant de l'Amérique profonde, coincé en Europe en pleine guerre mondiale, incapable de rentrer chez lui. Jusque-là, il n'avait pas été plus loin que New York. Paris avait peut-être corrompu son éducation de paysan du Midwest.

Malakhai se rappela encore autre chose. Il toucha le bras du fauteuil vide et déclara :

— Oliver m'a fait promettre que tu regarderais. Il veut que tu assistes à son heure de gloire.

La caméra balayait la place.

— Il y a peut-être mille spectateurs dans le parc. Et des millions regardent la télévision. Aucun membre de notre équipe n'a jamais connu une telle audience.

Oliver Tree les avait tous surpassés.

Des pans entiers de souvenirs refirent surface lorsque Malakhai lut le carton d'invitation, trouvé sur la desserte, pour un spectacle de magie dans Central Parc. Une écriture élégante. Malakhai s'adressa à la femme qui n'occupait plus le fauteuil depuis des années.

— Il te dédie son spectacle, Louisa.

Le reste du texte était plutôt sibyllin. Était-ce une allusion au déroulement du futur spectacle ?

Sur l'écran, les deux policiers finissaient d'armer les arbalètes. Ils réglèrent le mécanisme des socles, les roues dentées se mirent à tourner lentement. Un rouage vint toucher le déclencheur d'une arbalète. La première flèche fusa, trop vite pour l'œil humain. Aussitôt, à l'impact, dans le cou du mannequin, une gerbe de sciure gicla. Une deuxième flèche suivit, puis une autre. Lorsque les projectiles furent épuisés, le mannequin était cloué à la cible, un carreau dans le cou, deux dans les jambes, et le quatrième en plein cœur.

16

Les policiers grimpèrent sur la plate-forme, déverrouillèrent les fers, et le mannequin s'affaissa. Ils le ramassèrent et l'emportèrent. Lorsqu'ils redescendirent, la sciure coula sur les marches. Ensuite, ils réarmèrent les arbalètes.

Oliver Tree, qui se tenait en bas, confia son haut-de-forme à un autre magicien. Puis il se drapa dans une cape écarlate et rabattit la capuche sur ses cheveux blancs. Il gravit lentement l'escalier, une longue traîne balayant les marches derrière lui.

Parvenu en haut, le vieil homme, tournant le dos à la foule, leva les bras. La cape cachait entièrement la cible, sauf le sommet. La soie écarlate scintillait dans la lumière des projecteurs. Puis le vêtement glissa au sol. Alors, comme s'il venait juste de se matérialiser dans cette position, la foule put voir Oliver attaché à la cible, bras et jambes écartés. On enclencha le mécanisme des socles. Bientôt, les carreaux jailliraient.

Malakhai battit des mains. Jusqu'à présent, c'était impeccable. S'il avait monté le son, il aurait pu entendre la foule applaudir. Oliver Tree avait attendu ce moment toute sa vie.

Le magicien inclina la tête de côté – le mauvais côté – lorsque le mécanisme du premier socle s'arrêta et que l'arbalète libéra le trait. Un cri tordit son visage. Du sang maculait sa cravate blanche et son col. Il remuait frénétiquement les lèvres, suppliant sans doute ses bourreaux d'empêcher les arbalètes de tirer encore et de le tuer. Les policiers et le journaliste ignorèrent ses pressants appels à l'aide. On les avait probablement informés que le grand Max Candle avait prononcé les mêmes suppliques lors de son tour de magie inaugural – juste avant de mourir comme à chaque représentation.

Une autre flèche fila, puis une troisième. Pendant qu'Oliver se tordait de douleur, le journaliste souriait de bon cœur à la caméra, sans comprendre que le vieillard sur la plate-forme était mortellement blessé. Cet enfant de l'ère de la télévision ne voyait peut-être pas que c'était du vrai sang, que les flèches qui clouaient les jambes du malheureux étaient bien réelles.

Les spectateurs regardaient bouche bée. Sans pour autant être initiés à l'art de la magie, ils savaient reconnaître un vrai mort d'un faux, et ne se méprirent pas un seul instant lorsque la dernière flèche se planta dans le cœur d'Oliver. Les hurlements du vieil homme cessèrent. Il pendait au bout de ses chaînes, sans plus se débattre. Ses yeux ouverts étaient fixes, agrandis par la peur.

Malakhai avait l'expérience de la mort. Il savait qu'elle ne vient jamais instantanément. L'espace d'une seconde, peut-être, Oliver eut conscience des gens qui accouraient vers la plate-forme pour lui venir en aide – comme si c'était possible !

Le journaliste, hilare, chassait les sauveteurs, criant, gesticulant, leur expliquant sans doute que la mort faisait partie du tour de magie, un effet spécial calculé pour le seul plaisir du spectateur. Mais il leva alors les yeux vers le cadavre enchaîné et, comprenant que ce n'était pas une illusion d'optique, il abandonna son sourire professionnel.

C'était la mort en chair et en os.

Les policiers, plus familiarisés avec la camarde, se tenaient déjà en haut des marches. Ils détachèrent les menottes d'Oliver et le déposèrent doucement sur le sol. Des femmes couvrirent les yeux de leurs enfants. Le cameraman ignorait les gestes désordonnés du journaliste, qui lui demandait d'arrêter de tourner. Trop fasciné par son sujet, il resserra le plan sur le visage horrifié du magicien et sur son sang plus que réel.

Le verre de Louisa tomba par terre et le liquide rouge foncé se répandit sur le tapis.

Malakhai leva machinalement les mains. Il s'efforça

de ne pas les frapper l'une contre l'autre afin de ne pas blesser Louisa en simulant bruyamment une ovation. Il ouvrit la bouche pour pousser un cri muet, imitant celui d'Oliver qui s'était éteint avant que sa vie ne s'éteigne elle aussi. Puis il se mit à applaudir à tout rompre, avec une frénésie délirante, tandis que des larmes coulaient le long de ses joues, puis entre ses lèvres, en petits ruisselets salés.

Quel formidable tour de passe-passe – assassiner un homme en direct sous le regard de millions de téléspectateurs !

CHAPITRE 1

Il se demandait parfois pourquoi les enfants ne faisaient pas de scènes pour exiger de voir de tels monstres – hérisson bleu géant, ver monstrueux, chat de la taille d'un immeuble. Et il y avait encore des tas de créatures que le sergent Riker ne réussissait pas à identifier.

C'était un matin glacial. Garçons et filles étaient emmitouflés dans de longs manteaux et des écharpes de laine. Ils poussèrent des oh ! et des ah ! lorsque le chat avec un nœud papillon de cinq mètres apparut. Son haut-de-forme aurait pu abriter un bistrot. Des humains lilliputiens dirigeaient à l'aide de longues cordes le ballon en forme de chat ricanant. Le vent soufflait fort, le chat traînait ses porteurs et on ne savait plus qui pilotait qui.

Le ballon était pris en sandwich entre deux attractions terrestres, un chariot de la conquête de l'Ouest tiré par quatre chevaux et un char tiré par une voiture, qui exhibait, dressée sur ses deux pattes, la plus grande cacahuète du monde. D'autres chars fantastiques attendaient à l'arrière, dans la 85ᵉ Rue, les instructions pour démarrer, chacun entre deux ballons géants gonflés à l'hélium retenus par des sacs de sable, parqués dans les rues adjacentes de chaque côté du musée d'Histoire naturelle.

Des barrières bleues en bois arrêtaient la cohue des curieux le long de Central Park. À la moitié du circuit, la foule s'étendait sur cinquante rangées, se densifiant encore dans Herald Square où les artistes de Broadway se martelaient la poitrine pour se tenir chaud. Cependant qu'en haut du West Side, où tout commençait, seule une épaisse file de spectateurs longeait le boulevard.

Dans le char des magiciens, assis sur le large bord d'un haut-de-forme taillé pour King Kong, les jambes dans le vide, Riker ramena son manteau contre lui pour se protéger du vent violent. L'inspecteur, qui avait la meilleure vue de la ville sur le défilé, en voulait à sa collègue. Il se tourna vers la jeune blonde affublée de lunettes d'aviateur.

— Redis-moi un peu, Mallory. Qu'est-ce que je fous ici ?

— Tu es en train de gagner un repas chez Charles.

Le détective Mallory abaissa ses lunettes noires pour fixer Riker de son regard sévère et lui faire bien comprendre qu'elle ne tolérerait aucune rébellion. Un marché était un marché.

Dans les fentes de ses yeux éblouis par le soleil brûlait une perverse flamme verte dépourvue de chaleur. Riker trouvait ce trait exceptionnel légèrement moins crispant désormais. Lorsqu'elle était encore une enfant, elle effrayait les gens.

Ah, mais elle les effraie toujours, n'est-ce pas ?

Pour être juste, Kathy Mallory était plus grande maintenant, un mètre soixante-dix-sept, et elle était armée. Quinze ans plus tôt, la gosse des rues brillait comme un sou neuf en sortant de la baignoire, sa peau blanche lumineuse contrastant avec ses lèvres rouges boudeuses. Et même alors, les os délicats de son visage semblaient sculptés pour la dramatisation des jeux d'ombre et de lumière.

Ce matin, bien qu'elle portât un long trench-coat en cuir noir trop léger pour le climat, elle ne paraissait pas souffrir du froid. Cela renforçait Riker dans son idée qu'elle provenait de la planète, sombre et glacée, la plus éloignée du soleil.

— Mallory, on perd notre temps. Même Charles croit qu'il s'agit d'une mort accidentelle. Demande-lui. C'est ce que j'ai fait, moi.

Il savait qu'elle ne demanderait jamais. Mallory n'aimait pas qu'on la contredise. Malgré tout, huit millions de New-Yorkais croyaient qu'Oliver Tree était mort parce que son tour de prestidigitation avait foiré.

Riker se tourna vers le jeu de cartes géant glissé sous l'énorme bande métallique scintillante du chapeau. La carte du milieu, entre l'as et le deux, représentait le grand Max Candle, mort trente ans auparavant. Quatre mètres au-dessus du rebord du chapeau, le jeune cousin du magicien défunt était debout sur le sommet du haut-de-forme avec deux hommes en cape de satin rouge et redingote noire. Plus d'un mètre quatre-vingt-dix, Charles Butler faisait lui aussi figure de géant sur la haute scène circulaire.

Bien que Charles ne fût pas un vrai magicien, on comprenait vite pourquoi il avait été invité sur le char. La ressemblance avec son célèbre parent était frappante. À quarante ans, Charles approchait de l'âge du magicien sur la photo. Il avait les mêmes yeux bleus, les mêmes cheveux châtain clair, coupés de la même manière, de sorte que les boucles retombaient juste sous son col. Les deux hommes possédaient la même bouche sensuelle. La similitude s'arrêtait là. Feu Max Candle avait été bel homme. Le visage de Charles flirtait avec la caricature. Un long nez crochu, pareil au bec d'un oiseau, des yeux aux lourdes paupières renflées comme celles d'un crapaud, des iris minuscules perdus dans un océan de blanc. Max Candle avait un sourire éblouissant. Son jeune cousin souriait comme un benêt, mais un benêt si charmant qu'on avait envie de lui rendre son sourire.

Charles Butler était Max Candle au palais des glaces déformantes.

Maintenant, Riker surprenait son propre reflet dans la large bande de métal poli du haut-de-forme. Il fixa son visage mal rasé et ses yeux injectés de sang. Des mèches de cheveux grisonnants s'étaient échappées de son vieux feutre. Il portait le pardessus en tweed le plus luxueux qu'il ait jamais eu, taillé pour un millionnaire, cadeau d'anniversaire de Mallory – ce qui expliquait pourquoi il ressemblait à un clochard en vêtements volés.

Il voulut remercier de nouveau sa collègue, lui dire quelque chose de sentimental, à l'eau de rose.

Non !

— T'es complètement à côté de la plaque, cette fois, mon petit.

Les débordements affectueux lui auraient coûté trop cher avec elle.

— On ne peut pas être sûrs que ce n'est pas un meurtre, répliqua Mallory.

— Je me fie au rapport du détective du West Side. La machinerie a été vérifiée. Les arbalètes n'ont fait que ce qu'elles devaient faire. Le vieux a merdé, c'est tout.

C'était de l'hérésie ; Mallory se détourna de lui, elle ne voulait pas en entendre davantage.

Riker se dévissa le cou pour regarder en haut du chapeau. Charles Butler jonglait avec cinq balles rouges. Les autres magiciens faisaient apparaître et disparaître des oiseaux et des bouquets de fleurs pour la plus grande joie des spectateurs. Amateur parmi les magiciens les plus célèbres de leur époque – bien qu'oubliés depuis longtemps car leur gloire remontait à la Seconde Guerre mondiale –, Charles s'amusait manifestement beaucoup.

Riker reporta son attention sur Mallory. Elle scrutait la foule, attendant qu'un quelconque contribuable commette un acte criminel.

— Peut-être qu'Oliver Tree voulait mourir, mon petit.

— On ne sait jamais, acquiesça Mallory. Mais la plupart des suicidés en herbe préfèrent une mort sans douleur à quatre flèches aiguisées.

Les musiciens d'une fanfare scolaire accordaient leurs instruments sur le trottoir. Le trombone, indifférent à la foule qui se pressait autour de lui, faillit décapiter un piéton en se retournant d'un coup sec. Les cors d'harmonie et le tuba faisaient la guerre à la clarinette, et le batteur était dans son petit monde à lui, poussé, sans doute par l'ennui, à brutaliser les oreilles de quiconque passait à portée d'ouïe.

Foutus collégiens !

Un escadron de majorettes encadrait le char des magiciens. Deux jolies filles firent des signes à Riker, améliorant grandement son opinion sur les adolescents en tant qu'espèce. Riker sourit à l'effigie aéroportée d'un pompier. C'était un ballon qu'il se rappelait avoir vu, perché sur les épaules de son père, quand il avait cinq ans. Cinquante ans plus tard, de nouveaux personnages avaient remplacé ses préférés partis à la retraite. Ah, une autre figure familière faisait la queue de l'autre côté du carrefour !

À travers une toile d'araignée de branches nues, Riker reconnut le ballon géant de Woody Woodpecker allongé à plat ventre, et qui flottait juste au-dessus de la chaussée, les bras et les jambes écartés, une main gantée de blanc recouvrant une automobile. Les porteurs chargés de diriger le ballon étaient tous habillés en pivert, et, à l'instar de minuscules insectes, ces fourmis bleues laborieuses, cheveux rouges et chaussures jaunes, s'ac-

24

tivaient à replier les filets et à détacher les sacs de sable des bras et des jambes de l'oiseau.

— Hé, Mallory, voilà Woody, ton préféré. Tu te rappelles ?

Elle avait l'air de s'ennuyer, mais lorsqu'elle était enfant, le même ballon géant lui faisait écarquiller les yeux d'étonnement.

— Je l'ai jamais aimé, dit-elle.

— Menteuse !

Riker en avait la preuve ; il se souvenait très bien du défilé, quinze ans plus tôt, quand il avait encore le droit de l'appeler Kathy. Elle avait dix ans, à l'époque, et il lui tenait compagnie par une froide journée de novembre. Elle ressemblait alors à une tortue blonde dressée sur ses pattes arrière, parce qu'Helen Markowitz l'avait enveloppée dans plusieurs couches de chandails, d'écharpes de laine, le tout sous un épais manteau long. C'était le jour où ils avaient dû arracher la petite Kathy Mallory à la contemplation du pivert géant, resplendissant avec sa touffe de cheveux rouges et son magnifique bec jaune.

Riker leva les yeux vers les porteurs qui détachaient le ballon. Maintenant au moins, le puissant volatile se dressait vingt mètres au-dessus de la foule et bouchait une partie du ciel bleu. Si Woody l'avait voulu, il aurait pu explorer les pièces des étages supérieurs du musée et même examiner son toit.

— Tu adorais ce ballon, insista Riker.

Mallory l'ignora.

Il baissa les yeux sur ses chaussures éraflées, inclina son chapeau pour se protéger de la lumière crue du soleil matinal. Un pincement lui serra le cœur. La nostalgie apportait toujours son lot de chagrin sur un plateau pendant les vacances. Ses amis lui manquaient. La douce Helen était morte trop tôt, trop jeune. Et, peu après, l'inspecteur Louis Markowitz avait été enterré prématurément à côté de son épouse.

Dans son for intérieur, Riker croyait que Lou Markowitz ne dormait pas du repos éternel ; il vivait probablement une expérience hautement désagréable. L'inspecteur sentait parfois l'esprit du vieux planer au-dessus de Mallory, tremblant de voir sa fille adoptive se transformer en sauvageonne prête à terroriser la ville.

Comme si elle avait tellement changé !

Woody Woodpecker filait majestueusement vers Central Park ; à côté de lui, les arbres et même les hauts immeubles qui bordaient le boulevard semblaient minuscules, et Riker revivait le premier défilé de Kathy Mallory. Ce jour-là, il s'était hardiment porté volontaire pour la mission « microbe » – nom de code dans le service pour la surveillance de la sale gamine – afin qu'Helen et Lou puissent aller saluer librement leurs amis dans la foule. Pour sa première année de placement dans sa famille nourricière, Kathy ne pouvait être confiée à d'innocents civils, de crainte qu'ils ne perdent une main en lui caressant la tête. Heureusement, Helen avait emprisonné la mioche sous une tonne de lainages, restreignant ses mouvements et entravant ses menottes. Ce jour-là, Riker n'avait eu aucun mal à attraper la voleuse en herbe en train de dérober le portefeuille d'une passante dans son sac. Oubliant à qui il avait affaire, il l'avait vertement grondée comme s'il s'adressait à une enfant normale.

— Voyons, Kathy, pourquoi faire une si vilaine chose ?

La gamine l'avait regardé d'un air tellement incrédule que ses grands yeux disaient nettement : « Parce que voler, c'est mon passe-temps, crétin. » Cet incident avait donné le ton de leur relation pour les années à venir.

Riker hocha lentement la tête. Lou Markowitz avait sûrement eu une crise cardiaque en apprenant que sa fille adoptive avait plaqué le collège Barnard pour s'engager dans la police. Maintenant, Riker contemplait le magnifique manteau que Mallory lui avait donné pour remplacer son vieux pardessus tout élimé, plus digne de son salaire… et de celui de Kathy.

Il se tourna vers elle, avec une autre idée en tête pour l'asticoter.

— Les journaux prétendent que le vieux n'était même pas un magicien. Juste un quidam, un menuisier de Brooklyn. Oliver Tree ne savait peut-être même pas…

— Charles affirme qu'il avait travaillé avec Max Candle. Ça veut dire qu'il devait savoir ce qu'il faisait.

Mallory se détourna, signifiant par là qu'elle avait arrêté son opinion ; le débat était clos.

Naturellement, Riker s'entêta.

— C'était un septuagénaire. Tu ne crois pas qu'il fonctionnait un peu au ralenti ?

— Certainement pas !

Elle s'énervait, sa voix grimpait dans les aigus.

Tant mieux !

— Ah, parce que tu es une experte en magie ?

— Le principe de la magie, c'est l'esbroufe. Aucun risque. Il n'aurait jamais dû mourir.

L'avait-il vue faire la moue ? Oui, elle boudait. *De mieux en mieux.*

— Pas de risque, hein ? Jamais ? Charles ne t'a pas dit ça.

Le jeune cousin de Max Candle avait plus de tours de magie dans son sac qu'un magasin de farces et attrapes.

— Tu ne le lui as pas demandé, je parie ?

Non, naturellement. Riker se pencha pour la regarder de plus près.

— Et la sénilité ? Supposons que le vieux était…

— Son dossier médical ne mentionne pas de sénilité.

Mallory lui tourna le dos, comme si cela pouvait l'empêcher d'avoir le dernier mot.

Riker était prêt à parier sa pension qu'elle n'avait pas lu le dossier médical de la victime. Il savait en outre, c'était un fait, qu'elle n'avait même pas lu le rapport de l'accident. Mallory se fiait à son instinct, point final.

Riker comprit la place qu'il occupait dans les plans de Mallory. Elle ne l'avait emmené que pour une démonstration de force. Elle se proposait de transformer le banquet de Charles en interrogatoire pour vieux magiciens – tous témoins d'un foutu *accident*.

— Je trouve quand même que ce n'est pas juste, mon petit. Tu ne peux pas inventer de nouvelles affaires. Surtout quand le NYPD[1] est submergé de crimes non élucidés.

Mallory ne l'écoutait plus. Elle scrutait les visages dans la foule qui se pressait le long des barrières.

— D'accord, fit Riker avec un geste d'apaisement, disons que c'était un homicide. Par quel tour de passe-passe en conclus-tu qu'un autre meurtre se produira pendant le défilé ?

Elle n'avait pas de réponse à cela, il le savait. Elle inventait au fur et à mesure.

— Mon coupable adore le spectacle, dit Mallory en se tournant soudain vers lui, l'œil pétillant d'enthousiasme. Il a tué un homme en direct à la télévision. Ce défilé est diffusé dans tout le pays. S'il doit recommencer, c'est aujourd'hui.

Son coupable ? Elle en était déjà au moment où l'affaire serait classée, le suspect identifié, les preuves fournies.

— Mallory, avant de supposer que les meurtres se déroulent suivant une trame commune, on attend d'habitude d'avoir au moins deux homicides à se mettre sous la dent.

— Et si l'homicide suivant, c'était Charles ?

1. New York City Police Department. *(N.d.T.)*

Elle marquait un point, à condition de pousser le bouchon un peu loin. Elle avait eu la sagesse de l'inciter à faire ce travail de baby-sitting sur son temps libre. Le lieutenant Coffey n'aurait jamais gobé son conte de fées ni ne lui aurait attribué un cent sur le budget de la Brigade spéciale. Et elle n'aurait jamais pardonné au lieutenant de lui avoir ri au nez. Mallory ne supportait pas le ridicule.

C'est une idée tellement tordue ! Et pour une menteuse chevronnée, une élucubration plutôt médiocre. Il se dit qu'elle était seulement dans un mauvais jour.

Néanmoins, les instincts de Mallory s'avéraient souvent judicieux. Le coup n'était pas forcément perdu d'avance. Riker devait se poser la question : « Pourquoi Oliver Tree avait-il pris tant de risques ? » Les trucs de casse-cou sont d'habitude réservés aux jeunes. Mallory avait peut-être raison. On avait pu manipuler l'équipement. Bien que le tour fût très ancien, seul un magicien mort depuis longtemps aurait su comment il fonctionnait. D'après Charles Butler, c'était pour cela qu'on l'appelait l'Illusion Perdue de Max Candle.

Un ballon en forme de crème glacée géante s'écrasa sur une branche pointue et éclata au milieu des hourras des enfants pourtant blasés.

Riker comprit soudain pourquoi Mallory n'avait pas demandé le dossier de l'accident mortel. Elle ne voulait pas mettre en doute le travail d'un autre inspecteur avant d'avoir quelque chose de solide. Elle apprenait enfin à la jouer finement avec le reste de la troupe. C'était un progrès, une avancée, et cela méritait des encouragements. Il se promit de ne plus la titiller.

— Je maintiens que c'était un accident, dit-il, la titillant encore un peu.

Oh, merde !

Mallory avait repéré un quidam. Elle le suivait des

yeux, à la façon d'un chat qui n'aurait pas mangé depuis des jours.

Mais pourquoi ?

Le jeune type était vêtu comme les hommes en haut-de-forme sur le char. Il paraissait déplacé, mais beaucoup moins suspect que les individus qui marchaient sur des échasses et ceux déguisés en banane humaine.

Mallory fixait le suspect d'un œil glacial qui le stoppa net. Voyait-il de si loin que tous les muscles du corps de la jeune femme étaient tendus dans le but de lui sauter dessus ? Le jeune magicien se fondit dans la foule des piétons ; Riker pensa à relâcher le souffle qu'il retenait ; Mallory se dressa sur la pointe des pieds pour mieux surveiller la souris qui tentait d'échapper à ses griffes.

Les hommes et les femmes de la police montée s'étaient joints au défilé. Ils firent leur apparition en casque, blouson de cuir noir et bottes de cheval. Ils portaient des banderoles à l'emblème de la police. Cependant qu'ils alignaient leurs montures en travers du boulevard, les bannières claquèrent au vent, et leurs chevaux soufflèrent par les naseaux des nuages de buée blanche.

Le pilote kamikaze d'une voiturette de golf fonça vers le centre de l'alignement, croyant sans doute que les chevaux s'écarteraient pour le laisser passer. Ils ne bronchèrent pas. Le pilote freina à un mètre des genoux d'un étalon. Riker grimaça lorsque l'imbécile se dressa sur son siège de toute sa hauteur. Gonflant son blouson de gala, il fit signe aux cavaliers de s'effacer.

Les officiers de la police montée braquèrent leurs lunettes noires dans la direction de l'intrus. Raides comme des piquets sur leurs montures, ils semblaient tout juste un peu distraits. De redoutables matraques pendaient à leurs ceintures, où des étuis renfermaient des armes encore plus meurtrières. Ils détournèrent leur regard du civil impétueux et contemplèrent le ciel. Les flics ne prenaient leurs ordres que d'autres flics. Le message était clair : « *Si tu te fais remarquer, prépare-toi à numéroter tes abattis.* »

La voiturette monta sur le trottoir afin de les contourner.

De microscopiques lutins du Père Noël, oreilles pointues et longue cape rouge, se rassemblèrent autour de la police montée et tentèrent de caresser les chevaux. Non loin, une équipe de télévision se préparait à filmer le char des magiciens, imitée en cela par des badauds équipés de Caméscope. La caméra des journalistes était dirigée vers le coin du musée où un autre ballon, pris dans les vents contraires, entraînait l'équipage qui s'efforçait de le retenir.

Dans les appartements de la 81e Rue, des enfants – qui avaient reconnu le personnage de leur dessin animé préféré – se penchaient aux fenêtres, hurlant et saluant le chien jaune d'or géant. Même les lutins avaient cessé de caresser les chevaux et, tout excités, sautant sur place, pointaient du doigt le ballon qui projetait sur eux une ombre aussi grande qu'un chapiteau de cirque. Il était magnifique, rendant par sa taille toute vie sur terre insignifiante. Son collier seul devait faire neuf mètres de diamètre. Sa queue, de la taille de trois limousines, s'agitait dans le vent et frôlait une fenêtre au dixième étage.

Les ornements à deux pattes d'un arbre de Noël étaient sans doute aussi des enfants déguisés, car ils effrayaient les chevaux en pirouettant comme des fous et en sautant en l'air d'enthousiasme. Leurs cris rivalisaient avec la cacophonie des deux fanfares, cependant ils n'avaient pas réussi à distraire Mallory de l'observation de son suspect en costume de magicien. Le jeune homme avait battu en retraite sur le trottoir, derrière la barrière bleue, près d'un visage familier.

Riker salua le médecin légiste qui se tenait là avec son épouse et sa jeune fille. L'homme lui renvoya son salut et abandonna sa famille pour se glisser sous la barrière.

— 'jour, Riker.

Le docteur Slope s'approcha du char avec la démarche altière d'un général, dont il partageait d'ailleurs le courage.

— Kathy, s'écria-t-il, risquant une balle en l'appelant par son prénom devant tous ces flics. La partie de poker aura lieu demain soir chez le Rabbi Kaplan. Tu y seras ?

Mallory cessa un instant de surveiller son suspect pour toiser le médecin légiste.

— Vous jouez toujours comme des gonzesses, pour des clopinettes ?

Le docteur Slope ne se démontait pas facilement.

— Tu planques toujours des cartes dans tes socquettes ?

— Je n'ai jamais fait ça, protesta Mallory.

— On ne t'a jamais pris la main dans le sac, tu veux dire, corrigea le docteur, qui se retourna pour faire un clin d'œil à Riker. Elle avait treize ans la dernière fois qu'elle s'est assise à notre table de poker.

Riker sourit.

— Oui, j'ai entendu parler du petit chariot rouge que Markowitz lui avait acheté… pour qu'elle puisse emporter ses gains.

Feignant une surdité soudaine, le docteur Slope s'adressa de nouveau à Mallory.

— Rabbi Kaplan aimerait que tu viennes. À huit heures tapantes. Je lui dis que tu y seras ?

— Je ne joue plus à des jeux avec des noms sophistiqués, dit Mallory. C'est du poker classique ou rien.

— Marché conclu !

Une rafale de vent poussa le ballon doré, entraînant un peloton de porteurs, fourmis minuscules essayant de restreindre les cabrioles du chien colossal qui s'écartait du défilé. Le vent animait le ballon, lui donnant l'enthousiasme débridé d'un jeune chiot. Ses pattes aux griffes gigantesques semblaient pédaler dans une course folle. Sa langue rouge vif pendait, ses yeux étaient grands ouverts. Son énorme bouche se tordait dans un sourire joyeux.

Sur la scène, au sommet du char haut-de-forme, un vieillard agenouillé lançait à un enfant une balle qui venait de se matérialiser dans ses mains.

Riker et l'équipe de télévision étaient en train de regarder le ballon lorsqu'une flèche frappa le flanc du char, vibrant sous l'impact. La hampe métallique cloua le vieil homme par la queue de sa redingote.

Une arbalète disparut sous la cape rouge du magicien déjà noyé dans la foule. Le jeune homme avait donc frappé pendant qu'ils étaient tous deux distraits par le docteur Slope.

Avant que Riker ne réagisse, Mallory s'était lancée aux trousses du coupable. Il sauta du char et atterrit rudement sur la chaussée. Il n'espérait pas rattraper sa jeune collègue, mais il la suivit des yeux alors qu'elle poursuivait le suspect parmi les cordes branlantes des porteurs du ballon qui tombaient comme des quilles.

Un coup de feu retentit.

Nom de Dieu !

Riker reçut un choc à l'estomac. Une montée d'adrénaline le fit accélérer. Mallory déconnait ! Elle savait pourtant qu'il ne fallait jamais se servir de son arme au milieu d'une foule. Même une balle tirée en l'air risquait de tuer un innocent en retombant avec assez de vélocité pour transpercer son crâne.

Et tous ces gosses... Jésus !

Riker sentit son cœur tambouriner, ses poumons étaient en feu. Ralentissant pour reprendre son souffle, il remarqua quelques provinciaux dans la foule, des mères qui empoignaient un peu plus fort leurs enfants. Les vrais New-Yorkais n'avaient pas cillé lorsque le coup de feu était parti. L'incident était déjà oublié, remplacé par le vacarme d'une autre fanfare étudiante. Les minuscules fans du chien gargantuesque l'acclamaient avec des : « *Goldy ! Goldy ! Goldy !* »

Lorsqu'il rattrapa sa collègue, elle était assise à califourchon sur le corps du magicien solitaire et lui passait les menottes dans le dos. L'arbalète gisait sur la chaussée, inoffensive sans son carreau. Grand ouvert, le pardessus de Mallory claquait au vent de sorte que Riker s'aperçut qu'elle avait rengainé son revolver. Ainsi, son intuition ne l'avait pas trompée. Mais la fusillade allait faire des remous. Et ce n'était pas tout.

Que se passait-il donc ?

La police poursuivant un malfaiteur, c'était un spectacle de choix à New York. Toute arrestation avait droit à une audience attentive. Riker trouva donc anormal que la foule continue de regarder en l'air.

— Le chien ! cria un gamin de cinq ans planté sur le trottoir.

Riker leva les yeux vers le ballon doré. L'air se vidait de sa queue monstrueuse qui pendait piteusement entre ses pattes de derrière. Le corps gigantesque dériva et alla se plaquer contre le mur en granit d'un immeuble. Au balcon, des fourmis humaines entraient chez elles en courant, comme victimes d'une attaque aérienne. Ce qui était le cas, songea Riker. On se serait cru dans un film d'horreur.

Dans un effort désespéré, une patte blessée tenta de se raccrocher à un balcon, lâcha prise et atterrit sur le haut d'un arbre. La tête du chien s'aplatit contre le douzième niveau d'un immeuble en pierre, puis glissa, étage après étage. Le chien en caoutchouc dégringolait, se dégonflait, mourait.

Le gamin montrait Mallory du doigt.

— C'est elle ! Celle qu'a le gros pistolet. Elle a tiré sur Goldy. Elle l'a tué !

Mallory fusilla le gosse du regard et Riker eut un aperçu de la Kathy de dix ans qu'il avait connue. Sur son visage se devinait la réplique enfantine : « *C'est pas vrai, c'est pas moi !* » Le gamin abandonna sagement et alla se cacher derrière le manteau de sa mère.

Un policier à cheval arriva au galop. Il désigna le ballon en souriant.

— Bien visé, inspecteur !

Les porteurs, qui avaient lâché les cordes du ballon, s'enfuyaient pour ne pas se trouver emprisonnés sous le chien géant qui perdait de l'hélium et de l'altitude.

— Bravo, Mallory, insista le flic sur son cheval. Moi, je n'ai jamais tiré sur une proie aussi grosse.

Riker s'approcha du policier et fit jouer la hiérarchie.

— La ferme, Henderson. C'est un ordre. Dégage vite fait avant qu'elle descende ton foutu canasson.

— C'était pas moi ! répéta Mallory dans son dos.

Naturellement, elle allait essayer de s'en sortir par un mensonge, c'était couru. Tirer dans la foule était une grave violation du règlement, mais crever un ballon risquait de lui coûter encore plus cher. Elle deviendrait la risée de la police de New York, et Riker avait déjà pitié d'elle.

Les autres cavaliers convergèrent vers eux, les sabots de six chevaux martelant les pavés. Deux policiers descendirent de cheval et emportèrent le prisonnier. Ils avaient raté l'humiliation de Mallory mais étaient arrivés à temps pour assister à celle d'Henderson. Sa monture avait peur des coups de feu, mais la vue d'un ballon gigantesque tombant du ciel était plus que le pauvre animal ne pouvait supporter. Il se cabra et désarçonna son cavalier.

Sur le trottoir, deux enfants harcelaient Mallory.

— *T'as tué Goldy !* s'égosillaient-ils en pointant un doigt accusateur sur elle. *T'as tué Goldy, tu l'as tué... tu l'as tué...*

Mallory dégaina son .357 Smith & Wesson.

Les enfants s'arrêtèrent net.

Elle présenta l'arme dans la paume de sa main.

— Touche, Riker. Il est encore froid. Je n'ai pas tiré ! Le revolver n'a pas quitté son étui. Il y a un sniper dans la foule.

Riker saisit l'arme. Le métal n'était pas chaud. Mais le vent glacial avait fait chuter la température en dessous de zéro. Combien de temps s'était-il écoulé ? Combien de temps un revolver gardait-il la chaleur ?

Riker scruta les visages dans la foule massée derrière les barrières.

Tous ces enfants !

Et si Mallory ne mentait pas ?

Lentement, il dirigea son regard vers le millier de fenêtres qui surplombaient la route du défilé. Un tireur dans la foule – mais où ? Et qui visait-il maintenant ?

CHAPITRE 2

Dans la salle de la Brigade spéciale, une fenêtre occupait la partie supérieure de la cloison de séparation. C'était une pièce austère, des classeurs gris tapissaient un mur blanc sale et une rangée de fenêtres aux carreaux crasseux donnait sur Soho Street. Cependant, l'atmosphère était étrangement à la fête. Il n'y avait pas un civil dans l'immeuble, pas même parmi les employés – seulement des hommes armés qui s'activaient autour de bureaux métalliques surmontés d'écrans d'ordinateurs et encombrés de piles de dossiers sur les homicides récents.

Estimant que ses subordonnés travaillaient mieux sans le regard de leur chef dans leur dos, Jack Coffey tirait d'habitude les stores – mais pas aujourd'hui. Dix inspecteurs réjouis étaient agglutinés autour du saladier de punch qui trônait sur le bureau du milieu. Seuls cinq d'entre eux étaient censés travailler en ce jour férié. Les conversations ne traversaient pas l'épaisse vitre, mais la tension était palpable.

Qu'est-ce qu'ils vont lui faire ?

Le lieutenant Coffey était un homme de taille moyenne et d'aspect insignifiant. Même ses cheveux et ses yeux étaient d'un marron banal. Toutefois, à trente-six ans, il était anormalement jeune pour un poste à responsabilité ; voilà du moins ce que les huiles de One Police Plaza[1] avaient contesté. Au fil des années, le stress avait dégarni le haut de son crâne ; des rides profondes s'étaient creusées autour de ses yeux dans lesquels se lisaient d'innombrables soucis. Ainsi, son aspect, prématurément vieilli, collait mieux avec ses fonctions.

Dans le fond de son bureau, un homme craqua une allumette, ajoutant à l'air déjà confiné une bouffée de soufre, suivie d'un filet de fumée grisâtre.

Le lieutenant Coffey aurait aimé que pour une fois – juste une fois – le sergent Riker demande la permission de fumer. Il ravala une réprimande acerbe en voyant le reflet de l'impudent dans la vitre. Figé au garde-à-vous, Riker attendait que le spectacle commence.

De l'autre côté, dans la salle des inspecteurs, des hommes en bras de chemise, leurs armes dans leurs holsters, servaient le lait de poule à la louche dans des gobelets en carton et ouvraient des barquettes de plats chinois. Au bout de la salle, deux flics en tenue gardaient leurs distances.

Ce qui, en soi, était étrange.

Les deux policiers échangeaient des regards gênés. Ils se demandaient sans doute ce qu'ils fabriquaient là. Les agents chargés des rondes ne faisaient jamais la fête avec les inspecteurs ; ils ne fréquentaient même pas les mêmes bars.

Invités comme témoins ? C'était fort possible, car un inspecteur choisit ce moment pour déballer une peluche, réplique du chien que Mallory avait récemment expédié au paradis des ballons.

Le lieutenant Coffey jeta un coup d'œil par-dessus son épaule. Adossé au mur du fond, le sergent Riker paraissait soudain extrêmement las, son chapeau

1. Quartier général de la police new-yorkaise. *(N.d.T.)*

enfoncé sur les yeux pour se protéger de la lumière des plafonniers. Riker devait avoir des projets pour le repas de Thanksgiving. Il louchait sans cesse sur sa montre bon marché et n'avait pas encore quitté son manteau neuf, qui, lui, ne paraissait pas si bon marché que ça.

— Belle étoffe, remarqua Coffey, dont le propre manteau provenait d'une solderie du New Jersey. Cher, je parie. On va dire que vous en croquez.

Riker sourit tout en brossant la cendre qui venait de tomber sur son revers.

— Un cadeau de Mallory.

— Ne dites ça à personne.

Il y avait déjà assez de rumeurs sur la seule femme du service. Coffey reporta son attention sur la salle des inspecteurs où ses hommes, perchés sur les bureaux, surveillaient la porte en échangeant des sourires complices. Les deux flics en uniforme semblaient de plus en plus gênés. On devinait qu'ils auraient préféré être en bas avec leurs collègues.

Coffey imaginait plus ou moins ce qui allait suivre.

— Elle ne va pas s'en tirer facilement cette fois, dit-il à son subordonné sans quitter la salle des yeux.

— Mallory affirme qu'elle n'a pas tiré.

— Ça ne m'étonne pas d'elle. Mais vous, Riker ? Vous savez très bien qu'elle ment.

— Le revolver était froid.

— Il faisait froid, bon Dieu !

Coffey se retourna vers son sergent.

— Même si les tests balistiques sont négatifs, ça ne la disculpera pas – pas à mes yeux. Vous ne l'avez pas fouillée au cas où elle aurait une arme de réserve ?

Le bref sourire de Riker était éloquent : « *Question stupide.* »

De l'autre côté de la vitre, un homme empoigna le téléphone, écouta un instant, puis leva son pouce. Aussitôt, tous les autres convergèrent vers la porte.

Une embuscade !

Le sergent de garde avait dû les prévenir que Mallory arrivait.

Que le spectacle commence !

Aujourd'hui, la fille de Markowitz cesserait d'être le centre du monde. Elle était allée trop loin pour bénéficier encore une fois de l'influence de son père défunt.

Le sergent Riker gagna la fenêtre pour suivre l'action de près. Il ne tenterait rien pour prévenir sa collègue. Même feu l'inspecteur Markowitz n'aurait pas essayé d'intervenir. C'était peut-être la dernière chance pour Mallory de s'intégrer au troupeau. Tout dépendait de la façon dont elle allait réagir.

Elle n'avait pas d'amis parmi ceux qui l'attendaient derrière la porte. Ils la considéraient comme une intruse, elle ne buvait pas avec eux, ne partageait pas son pain avec eux. Le pire étant peut-être qu'elle gardait tout pour elle ; son silence alimentait leur paranoïa. Dans le monde fermé de la police, les solitaires étaient suspects.

Les deux policiers en uniforme restaient en retrait ; ils ne voulaient pas être mêlés à l'histoire.

Pourquoi ?

La porte palière s'ouvrit. Riker aperçut des boucles blondes derrière les hommes attroupés. Ils se séparèrent en deux files menant au jouet en peluche, réplique parfaite de Goldy, qui gisait sur le sol, un ruisselet de ketchup s'écoulant de sa plaie mortelle. Les inspecteurs avaient tracé à la craie un contour autour du cadavre – parfaite imitation d'une scène de crime.

Mallory contempla la peluche inanimée cependant que les flics s'exclamaient à l'unisson :

— C'est pas moi !

Le leitmotiv de Mallory.

Tête baissée, les yeux rivés sur le jouet, elle se raidit légèrement lorsqu'un inspecteur lui plaqua une étoile en papier géante sur l'épaule. Inscrit au feutre en grosses lettres noires, le slogan proclamait : « Un bon chien est un chien mort. »

Mallory allait exploser d'une seconde à l'autre – à moins qu'elle ne trouve une parade. Les inspecteurs trépignaient de plaisir. C'était un Thanksgiving qui resterait dans les mémoires.

Mallory leva les yeux sur eux, un sourire radieux aux lèvres – un sourire à la Markowitz. Le père et sa fille adoptive ne se ressemblaient pas… mais pas du tout. Cependant, c'était bien le fantôme de Markowitz, sorti de sa tombe pour séduire tous les mauvais plaisantins de la salle.

Oh, Jésus, c'est scandaleux !

Mallory avait même adopté les maniérismes du vieux ; tirant sur son lobe d'oreille, elle fixa les hommes tour à tour, donnant l'impression à chacun qu'il était le centre du monde, le seul qui comptait à ses yeux – les yeux de Markowitz. Combien d'heures s'était-elle entraînée devant sa glace afin de parfaire son imitation – et pourquoi ?

Coffey dévisagea ses inspecteurs – tous sauf un, Riker, qui s'était détourné de la vitre, refusant d'en voir davantage. Le charme magique de Mallory opérait. Les visages affichaient le ravissement, les sourires proclamaient : « *Bienvenue, vieux, content de te revoir !* »

Voir Markowitz sous les traits de Mallory, c'était révoltant… obscène. Intrigues et machinations.

Tellement habile !

Elle avait peut-être appris ses leçons à la dure, mais elle s'adaptait à une vitesse inhumaine.

Les hommes étaient aux anges, riaient, se donnaient des tapes dans le dos, la bourraient gentiment de coups. Mallory la solitaire les avait séduits – avec le charisme emprunté à un mort. La seule femme de l'équipe était finalement l'un des leurs – exactement ce que Coffey avait espéré, et il la maudit pour son habileté à se sortir de ce mauvais pas.

Il ouvrit la porte à la volée et hurla :

— Mallory ! Amenez-vous ici !

L'humeur changea brusquement dans la salle, Coffey essuya les regards renfrognés de tous les flics, même des deux patrouilleurs.

Génial ! Tout simplement génial ! Elle les avait retournés contre lui. Mais la vengeance, le ridicule, n'étaient pas loin, ils arriveraient le lendemain avec la lecture de la presse. Coffey était impatient de lui parler de l'arbalétrier.

Elle marcha vers la porte en prenant son temps, soucieuse de ne pas donner l'impression d'obéir à un ordre. Le sourire s'effaça de ses lèvres dès qu'elle franchit le seuil du bureau du lieutenant. Le spectacle était terminé.

Il claqua la porte derrière son dos et alla s'asseoir à son bureau.

— Mallory, vous allez prendre un peu de vacances.

Elle ôta l'étoile en papier de son épaule.

— Il ne me reste aucun jour de congé.

— Je le sais.

Peu désireux de croiser ses yeux avant de s'être calmé, il déplaça avec ostentation des papiers autour de son buvard.

— Disons que c'est un cadeau du divisionnaire Beale.

Il laissa courir son regard sur les jambes de son jean de couturier, repliées sous sa chaise, près de celle de Riker. Elle portait des chaussures de jogging dont il connaissait la marque – deux cents dollars chacune. Le long trench-coat en cuir s'ouvrit lorsqu'elle croisa les jambes. Combien lui avait coûté cette merveille ?

— Je ne peux pas prendre de vacances, dit Mallory.

Elle froissa l'étoile en papier et la lança d'une pichenette dans la corbeille à côté du bureau de Coffey. Panier à trois points !

— J'ai plein de dossiers à traiter.

Elle était trop confiante, Coffey était bien décidé à la faire changer de ton.

— Plus maintenant ! gronda-t-il.

Son attention se reporta sur la cendre de la cigarette de Riker qui menaçait de tomber. Coffey avait mis trois mois à obtenir une moquette neuve. Un nuage de fumée dériva au-dessus de son bureau ; il se demanda si Riker tentait délibérément de le distraire. Il observa de nouveau Mallory. Son visage était dépourvu de la fausse chaleur de Markowitz.

Si une machine avait des yeux…

— Vous êtes en congé jusqu'à ce que cette merde s'apaise, et ça risque de prendre du temps.

Il ramassa un paquet d'extraits de reportages sur le défilé et le lui tendit.

— Le personnage de dessin animé le plus célèbre d'Amérique descendu par… un flic. Vous êtes le nouveau croque-mitaine, les enfants auront peur que vous veniez les punir s'ils ne sont pas sages.

— Ouais, renchérit Riker, émergeant soudain de sa léthargie. J'entends déjà les mamans : « Range ta chambre, sinon l'inspecteur Mallory tuera ton chien. »

Le téléphone sonna. Coffey décrocha aussitôt. C'était l'appel qu'il attendait.

— Passez-le-moi, dit-il après avoir écouté son interlocuteur.

Un ingénieur lui transmit les résultats des tests effectués en un temps record. Normalement, la Brigade spéciale n'obtenait ce genre de faveur que lorsqu'un flic avait tué un citoyen.

Mallory épluchait les citations des journalistes. Avait-elle le trac ? Coffey l'espéra.

— C'est des foutaises, dit-elle. Je n'ai pas tiré sur…

— Non ? fit Coffey, qui couvrit le combiné d'une main. Il manque une balle dans votre revolver.

Il se tourna vers Riker et lança sur les genoux du sergent une feuille mal dactylographiée.

— Vous avez omis de mentionner ce détail dans votre rapport, Riker. Mettez-le à jour. (Puis, s'adressant à son interlocuteur, il demanda :) Quoi d'autre ?... Attendez. (Il plaqua de nouveau sa main sur le combiné.) L'ingénieur prétend que l'arme a servi récemment.

Riker leva les yeux de la feuille.

— Je parie qu'ils ne peuvent pas définir à quel moment, à vingt-quatre heures près.

Coffey fit mine de ne pas avoir entendu – parce que Riker avait vu juste. Tout en remerciant l'ingénieur pour avoir travaillé un jour férié, il calculait mentalement ce que Mallory coûtait à la Brigade spéciale.

— Je me suis servie de mon revolver, hier, déclara Kathy. Pas ce matin.

— Qu'est-ce que vous... ?

— Lieutenant ? fit Riker en hochant lentement la tête. Mieux vaut ne pas le savoir.

— Je voudrais bien qu'on me dise pourquoi !

C'était faux. Il y avait beaucoup à dire sur la part de déni qui entrait dans la politique de la police. Coffey reporta son attention sur Mallory.

— De tous les ballons du défilé, pourquoi avoir tiré sur un chien – un bébé chien, bon Dieu !

— Oui, Mallory, approuva Riker, la tête plongée dans la paperasserie, c'est bizarre. Pourquoi ne pas avoir tiré sur le Woody Woodpecker que tu n'as jamais aimé ?

— Je n'ai pas...

— Entendu.

Si la balistique ne pouvait pas le prouver, elle n'avait donc pas tiré... Coffey connaissait la chanson. Néanmoins, cette fois, il avait des témoins.

— J'ai des dépositions certifiant qu'on vous a vue dégainer.

44

— Maudits civils, lâcha Riker, dont le stylo courait sur la feuille. Les témoins ont entendu un véhicule pétarader, et ils ont vu une arme qui n'était pas là. D'ailleurs, ajouta-t-il à destination de Coffey, qui dit qu'on a tiré sur le ballon ? Un autre a éclaté quand il s'est empalé sur une branche.

Le lieutenant ouvrit un tiroir dont il sortit une bande vidéo qu'il brandit devant Riker.

— Pour rire, un journaliste a demandé au docteur Slope d'examiner le ballon. Il était avec son fils, non ? Il s'est sans doute dit que ça l'amuserait. Alors, je cite le médecin légiste : « Oui, c'est bien un impact de balle. »

Coffey laissa retomber la cassette dans le tiroir, qu'il referma bruyamment.

— J'ai un film du docteur Slope penché au-dessus d'un tas de caoutchouc en train d'expliquer pourquoi la déchirure du trou a été faite par une balle plutôt que par une branche pointue.

— Parfait, dit Mallory. Ça me dédouane. Le type à l'arbalète n'était pas le seul tireur dans la foule.

C'était le moment que Coffey attendait. Il se pencha vers Mallory, sans même chercher à dissimuler sa joie.

— L'arbalétrier avait été engagé par les magiciens du char. C'était de la pub, Mallory, le type était dans le coup. Les magiciens l'avaient payé pour faire ça.

Sur le visage de Mallory, l'expression était facile à déchiffrer. Coffey pensa immédiatement à la cassette qui montrait les enfants le long du trottoir, les têtes levées vers le ciel, regardant le bébé chien géant se dégonfler – les yeux écarquillés d'effroi, en proie sitôt après à une immense consternation.

Deux catastrophes le même jour.

Mallory faisait de grands signes de dénégation de la tête.

— Non. Si c'était un coup de pub, Charles Butler aurait…

— Charles n'était pas au courant, coupa Coffey. Je lui ai parlé moi-même. Les vieux magiciens ne l'avaient pas prévenu. Ils ne lui faisaient pas confiance pour feindre la surprise. Ils voulaient que ça paraisse authentique.

— Ça colle, acquiesça Riker. Charles est incapable de jouer la comédie. Si vous saviez tout ce qu'il perd au poker ! Le docteur Slope le surnomme le tiroir-caisse.

— Je veux voir cet arbalétrier, exigea Mallory.

— Trop tard, dit Coffey qui avait perdu son sourire. Les flics du West Side l'ont jeté dehors il y a vingt minutes. On aura de la chance s'il ne nous fout pas un procès au cul. Alors, surtout, ne vous avisez pas de l'interroger.

Il cogna ses jointures sur le bureau pour s'assurer qu'elle l'écoutait.

— C'est un ordre, Mallory. Ne songez même pas à me désobéir. C'est un luxe que vous ne pouvez plus vous permettre.

— Il y avait un autre sniper dans la foule, déclarat-elle d'une voix presque mécanique, sans prononcer un mot plus haut que l'autre.

— Et après ? concéda Coffey. Le défilé est terminé, ça n'intéresse plus personne.

Mais cela intéressait Mallory, c'était évident. Elle déchira la feuille de citations en petits morceaux.

— Il doit y avoir un témoin à décharge, dit-elle. Je n'ai pas dégainé.

Elle se leva, déposa les confettis dans la corbeille, et en profita pour balayer des yeux le bureau de Coffey.

Le lieutenant farfouilla dans des paperasses d'où il tira la déposition d'un contribuable.

— Voici celle que je préfère, annonça-t-il.

Dans son rapport, Riker décrivait le témoin comme un jeune punk avec trop de boucles d'oreilles qui se comportait mal envers les flics.

— Ce type jure qu'il vous a vue viser le ballon. Ensuite, il vous a entendue dire : « Prends ça, sale con de chien ! »

Mallory ne comprit pas la plaisanterie qui réjouissait tant Coffey, aux anges. Elle n'avait plus aucun recours.

Mais le lieutenant n'avait pas prévu la réplique de son équipier.

— Elle avait de bonnes raisons de se lancer à la poursuite du gosse à l'arbalète. Ce n'était pas un jouet. Les arbalètes sont des armes dangereuses, illégales dans...

— Il avait un permis signé par le maire, bordel ! rugit Coffey.

Il agita une liasse de fax envoyés par le commissariat du West Side.

— Fallait qu'elle lise ça à travers sa poche arrière pendant qu'il s'enfuyait ? demanda Riker. Vous avez pensé au vieux qui est mort la semaine dernière ? Pendant le spectacle d'illusionnisme dans Central Park ? Je vous rappelle qu'il a été tué par des arbalètes – il y en avait *quatre*.

— D'accord, d'accord, concéda Coffey. L'arrestation était justifiée. Mais ne me dites pas qu'il y a un lien avec l'accident de Central Park.

Mallory se rassit, et se rencogna confortablement dans son fauteuil, soudain plus enjouée... ce qui était toujours mauvais signe.

— Et si ce n'était pas un accident ? avança-t-elle. Supposez que je puisse prouver qu'Oliver Tree a été assassiné.

Pour Coffey, cela posait un problème. Mallory était trop pressée de s'affranchir du meurtre du ballon. Elle risquait de manipuler les faits pour faire diversion.

— Jamais de la vie ! C'est une affaire classée. Mort accidentelle, simple et définitif.

— Citez-moi un seul illusionniste mort dans un tour de magie foireux.

47

Mallory marquait un point, mais Coffey refusait de l'admettre – surtout devant elle.

— Il n'y a aucune raison de mettre en doute le rapport d'un autre inspecteur... à moins que vous n'ayez envie de vous faire des ennemis. Feriez mieux d'oublier. Bon, il reste un petit détail : il manquait une balle dans votre revolver.

— Mallory s'en est servie hier, intervint Riker à contrecœur. J'ai retrouvé quatre témoins, tous des flics.

— Allez-y, fit Coffey avec un geste de la main, à l'instar d'un bagarreur qui demande à son adversaire d'approcher. Envoyez la suite.

— Elle a tué Oscar le Rat merveilleux. Il était perché sur le distributeur de bonbons, dans le réfectoire, elle l'a dégommé du premier coup.

Non ! Non ! Non !

Bien qu'en rage contre Mallory, Coffey contempla un instant le plafond avec un calme apparent. *Vous êtes cinglée. Complètement cinglée.*

— D'accord, Riker. Ne parlons pas de la balle manquante dans le rapport. Je ne veux pas que les journalistes apprennent qu'elle tire sur des rats à qui on donne des sobriquets affectueux.

Il s'interrogea néanmoins sur les quatre flics en uniforme qui l'avaient vue dégainer dans le commissariat. Qu'est-ce qui leur avait traversé l'esprit en entendant une déflagration dans un endroit où ils étaient censés être en sécurité ? La plupart des policiers terminaient leurs vingt années de carrière sans tirer un seul coup de feu pendant leur service.

Les patrouilleurs l'avaient-ils déjà cataloguée comme une écervelée à la gâchette facile ? Et combien de temps avant que l'histoire du rat ne traverse la frontière entre ceux-ci et ses inspecteurs ?

Coffey comprenait à présent pourquoi les deux flics en tenue n'avaient pas voulu prendre part à l'humiliation de Mallory. Flic, comptable ou postier, les règles restaient les mêmes : on ne se met pas à dos un collègue dangereux, ce n'est pas prudent.

Les patrouilleurs trouveraient un autre moyen de s'occuper d'elle.

Mallory sortait des papiers des poches profondes de son trench-coat. Elle déplia une feuille qu'elle posa ensuite sur le buvard de Coffey. Elle portait l'en-tête du contrôleur des impôts, et d'après la date, l'information était vieille d'une semaine.

— Oliver Tree a laissé une fortune estimée à plusieurs millions, dit-elle. Et il ne s'agit que des biens tangibles. Je n'ai pas encore vérifié les avoirs fonciers.

Dans le langage de Mallory, cela signifiait qu'elle possédait les relevés bancaires, mais qu'il n'aurait pas aimé savoir par quels moyens elle les avait acquis, pas plus que la banque n'aurait apprécié ses talents de pirate informatique.

Visiblement surpris, Riker se pencha pour détailler la liste des biens immobiliers. Ainsi, Mallory avait attendu une semaine avant de partager le mobile avec son équipier. C'était elle, tout craché !

Elle tapota la feuille d'un ongle au vernis rouge vif.

— Il y a quarante ans, le vieux avait acheté pour une bouchée de pain une rangée de pavillons bourgeois totalement délabrés. Il avait effectué les rénovations lui-même. Il en possédait encore trois à sa mort. Il était aussi propriétaire d'un petit théâtre dans un quartier ultrachic.

Au-dessus de la liasse de papiers, Mallory déposa son propre rapport sur celui de la fusillade du défilé.

— L'arbalétrier était un parent d'Oliver Tree. Je ne sais pas en quelle position il figure sur le testament – pas encore.

À l'expression de Riker, il était clair qu'il entendait ce détail pour la première fois.

Coffey parcourut les passages soulignés à l'encre rouge. L'arbalétrier s'appelait Richard Tree, neveu du magicien mort une semaine plus tôt – tué par quatre flèches.

Mallory plaqua sur la pile un mandat d'arrêt vieux de trois ans.

— Le neveu avait été arrêté pour trafic de drogue lorsqu'il était mineur. La scène du défilé était peut-être un coup de pub, mais un camé tuerait père et mère pour un peu de liquide, et le gosse était dans le parc quand son oncle est mort. J'ai donc le mobile et l'occasion. Je n'ai pas cambriolé les archives des mineurs, ajouta-t-elle vivement comme si elle avait lu dans les pensées de Coffey. J'ai parlé au flic qui l'avait serré.

Naturellement, elle avait trouvé le nom de cet inspecteur en fouillant le sommier des mineurs, mais Coffey préféra ne pas relever.

— J'aime bien le mobile financier, moi aussi, déclara Riker.

Il consulta de nouveau sa montre, se leva et boutonna son manteau. Il évita le regard de Mallory, préférant lui cacher sa colère. Elle avait encore besoin d'apprendre plusieurs leçons, mais Riker tenait apparemment à s'en occuper en tête-à-tête. Une main sur la poignée de la porte, il se retourna vers Coffey.

— Je suis sûr que le maire veut que la mort d'Oliver Tree reste accidentelle. La hausse des statistiques criminelles est mauvaise pour le tourisme. Mais avouez que Mallory tient un filon solide.

Coffey s'adossa à son fauteuil. Il n'était pas surpris que Riker soutienne son équipière, même s'il pensait qu'elle déconnait – or il le pensait sûrement.

— On est en retard, Mallory ! lança Riker.

Refusant de se fier à lui, elle contrôla l'heure sur sa montre de gousset.

— Il me faut le rapport de la police du West Side sur Oliver Tree, dit-elle. Les dépositions, les preuves…

— Pas si vite, l'arrêta Coffey, qui poussa vers elle les documents qu'elle lui avait remis. Vérifiez d'abord ces pistes – discrètement. Riker se chargera de *tous* les interrogatoires. Officiellement, vous êtes en congé. C'est compris, Mallory ? Vous ne menez aucun interrogatoire. Si vous obtenez quelque chose de solide, on verra si on peut marcher sur les pieds d'un commissariat concurrent. Ah, je garde votre arme pour l'instant.

Bien que cela ne lui plût pas, Mallory était prête à céder. D'ailleurs, pourquoi pas ? Elle avait d'autres revolvers chez elle. Coffey croyait qu'elle portait une arme personnelle uniquement parce que le .38 réglementaire faisait des trous trop petits. Elle enfila son trench-coat, ajusta la ceinture, préférant ne pas tenter le diable en s'éternisant.

— Asseyez-vous, inspecteur Mallory. Je n'en ai pas terminé avec vous.

Entre un rat mort et un ballon crevé, Mallory s'était attiré pas mal d'ennuis, mais elle ne s'en rendait pas encore compte. Elle travaillait trop en solitaire, loin du cercle fermé de la Brigade.

Coffey attendit qu'elle se soit rassise, puis abattit une main sur le bureau avec une telle violence que les crayons et les stylos voltigèrent par-dessus bord.

— Ne sortez plus jamais votre arme dans ce commissariat ! Même si vous ne tirez pas – si j'apprends que vous avez dégainé, je vous vire aussi sec !

Dans le dos de Mallory, Riker, impassible, opina de la tête, pour une fois d'accord avec Coffey. Mallory ne pouvait se permettre d'apprendre toutes ses leçons à la dure. Elle n'y survivrait pas.

Coffey attendit que ses paroles fassent leur chemin, puis insista.

— Cette histoire de rat, ça va se retourner contre

vous. Évitez donc de vous faire une réputation de folle de la gâchette. Ça rend les flics nerveux. Vous savez, les patrouilleurs qui vous ont vue tirer sur le rat vont maintenant vous avoir à l'œil, Mallory... ils vont guetter la moindre occasion. Et un jour, vous vous retrouverez dans la merde. Vous aurez besoin de renfort – et les patrouilleurs ne seront pas là pour vous sortir du pétrin.

Ils entendraient peut-être son appel sur leur radio, mais feraient la sourde oreille et la laisseraient crever dans son coin...

— Aucun flic ne braquera son arme sur vous, Mallory, continua Coffey. Ils attendront qu'un voyou s'en charge. Mais ça ne changera rien, vous serez morte.

Bienvenue dans la face cachée du NYPD.

Prenant cela comme une menace, Mallory fulmina. Elle n'avait d'ailleurs pas tort. Quand il avait besoin d'une aide particulière, Coffey s'adressait aux anciens de la Brigade.

Riker s'approcha de Mallory par-derrière, lui posa doucement les mains sur les épaules et la força gentiment à se rasseoir.

— Écoute ça, mon petit, ça va te plaire – vu que tu aimes tellement la propreté.

Tête baissée, penché à son oreille, il lui murmura d'une voix à peine audible :

— Quand j'étais encore un patrouilleur et qu'un flic mourait de cette façon... on appelait ça « un ménage bien fait ».

CHAPITRE 3

Le col ouvert, la cravate desserrée, les manches de chemise roulées jusqu'au coude, Charles Butler battait du pied en mesure avec le concerto pour mandoline de Vivaldi.

La cuisine était la pièce qu'il préférait et aujourd'hui elle ravissait ses cinq sens. Le soleil illuminait les murs jaunes, faisait luire les casseroles en cuivre et scintiller le chrome des poêles ainsi que les bocaux d'épices. Elle embaumait la douce odeur de pain frais beurré à l'ail, et l'arôme du rôti de dinde s'échappait de la porte du four. En empoignant le pinceau pour enduire le volatile de beurre fondu, Charles s'aperçut que son invité levait son verre vide.

— Désolé, Nick, s'excusa-t-il.

Il chercha la bouteille de vin sur le plan de travail parmi les bocaux et les assiettes, mais elle avait disparu. Quelqu'un l'avait peut-être emportée au salon. Il en prit une autre dans le cageot sur la table.

— Pas la peine, Charles.

Le vieil homme déploya une grande serviette de table, la secoua, l'étala sur le billot à découper, puis, tout en soulevant délicatement les coins avec deux doigts, fit apparaître une bouteille de vin rouge.

Exactement comme au bon vieux temps. Charles n'était encore qu'un enfant la dernière fois que Nick Prado était venu manger. Il y a trente ans, il avait des cheveux noirs luisants. Maintenant, ils étaient clairsemés et avaient pris une teinte gris acier. En outre, ses yeux d'Espagnol, délavés par l'âge, étaient désormais d'un marron ordinaire.

— Quand est-ce que Malakhai arrive ? demanda-t-il.

Son accent latin avait entièrement disparu, autre effet déconcertant de l'âge. Le personnage avait perdu de sa saveur.

— Malakhai a téléphoné pour s'excuser, répondit Charles en remplissant deux verres de vin.

Bien que plus grand que la moyenne, il trouvait bizarre de dominer Nick de toute sa taille alors que le vieil homme était autrefois obligé de se courber en deux pour lui parler, comme si l'un avait grandi pendant que l'autre rapetissait.

Nick se tourna vers la rangée d'ustensiles de cuisine et admira son reflet dans le chrome d'une poêle à frire. Bien qu'il eût pu s'offrir des prothèses, il avait gardé ses dents, jaunies par la nicotine, cependant que ses gencives se déchaussaient. À en juger par le sourire qui dévoilait toute sa dentition, il devait percevoir l'usure de l'émail comme un signe de virilité car, malgré la perte des autres caractéristiques qui faisaient son originalité, c'était le Nick Prado dans toute son authenticité. Apparemment, la panse qui débordait de sa ceinture ne changeait pas la bonne opinion qu'il avait de lui. D'ailleurs, il la tapota dans un geste de ravissement.

Un autre invité se présenta, mais on ne vit que sa tête et une partie de son cou lorsqu'il vérifia qui était présent avant d'ouvrir la porte en grand. Quand Franny Futura souriait, ses yeux gris se plissaient et disparaissaient dans les rides et les poches de ses paupières. Il entra dans la cuisine sur la pointe des pieds comme si le carrelage était brûlant. Reniflant, le nez en avant, il s'approcha du four.

— Oh, Charles, comme ça sent bon ! On n'a déjà plus d'amuse-gueules, ajouta-t-il d'une voix attristée.

Le Français parlait un anglais parfait. Et il respirait la propreté comme si quelque soubrette maniaque l'avait aspergé de solvants et de talc, astiqué jusqu'à ce que sa peau devienne écarlate, et récuré tant et si bien son dentier que la blancheur de ses dents semblait surnaturelle.

Charles ne l'avait rencontré qu'une semaine auparavant, mais il devinait que Franny Futura n'avait jamais eu de vrai menton, et maintenant la peau de son cou pendait comme la fraise d'un dindon. Ses cheveux lissés en arrière étaient blancs, mais il avait teint ses sourcils broussailleux en noir pour leur donner un coup de jeune.

Franny remplit son verre de vin avec délicatesse en prenant garde de ne pas renverser la moindre goutte.

— La jolie fille a disparu, annonça-t-il.

— Mallory ?

Charles plongea son pinceau dans une casserole de beurre fondu.

— Elle est sans doute dans son bureau, à l'autre bout du couloir. Elle va revenir.

— Un bureau à l'autre bout du couloir ?

Nick Prado cessa à contrecœur de s'admirer dans le cul de la poêle.

— Tu disais que c'était une vraie détective. Est-ce qu'elle…

— C'est une associée de mon cabinet d'expert-conseil.

Naturellement, c'était un poste clandestin. Le NYPD réprouvait le travail au noir et interdisait catégoriquement les missions extérieures exigeant des talents d'enquêteur.

— Alors, Charles, comment marchent tes affaires ? interrogea Nick.

— Eh bien, les instituts et les universités m'envoient des gens qui ont des capacités intéressantes. Je les évalue et Mallory s'occupe de l'informatique et vérifie leurs antécédents. À partir des données brutes, elle...

— Fascinant, coupa Nick.

Charles comprit qu'il n'intéressait personne. Ses invités paraissaient s'ennuyer.

— En réalité, le boulot de Mallory est mille fois plus fascinant. C'est une...

— Jolie fille, des yeux fabuleux, fit Nick. Et ses cheveux ! J'ai toujours eu un faible pour les blondes. Elle est mariée ?

— Vieux dépravé, s'amusa Franny Futura. Comme si tu avais tes chances !

Charles espéra qu'ils n'allaient pas spéculer sur ses propres chances avec Mallory. Il imaginait déjà leur triste hochement de tête devant la taille de son nez, inversement proportionnelle à son charme. Non qu'il fît une fixation sur le gros crochet qui poussait au milieu de sa figure, mais il n'en était que trop conscient. Où qu'il portât son regard, son nez entrait dans son champ de vision.

Nick Prado déboucha une autre bouteille.

— Pourquoi ne pas l'avoir présentée la semaine dernière, à l'enterrement d'Oliver ?

— Quoi ? fit Charles en se détournant de son travail. Elle y était ?

Comme elle n'avait jamais rencontré Oliver Tree, il se demanda ce qu'elle faisait à ses funérailles.

— Tu es sûr que c'était Mallory ?

— Absolument, dit Franny en ouvrant la porte. Moi aussi, je l'ai vue. Elle était dans le fond, elle prenait des photos.

Nick empoigna la bouteille et suivit son ami hors de la cuisine.

— Je me demande si elle a pris de bonnes photos de moi.

Lorsque Charles eut terminé d'enduire la dinde de beurre fondu, il jeta un coup d'œil vers le salon par la porte ouverte. Mallory était revenue. Elle faisait le tour de la longue table. Il la regarda arranger les assiettes et les couverts avec une précision machinale. Sans avoir besoin de vérifier, il savait qu'elle avait placé chaque objet au centimètre près. Les couteaux, les fourchettes et les cuillères étaient parfaitement perpendiculaires au bord de la table.

Nick Prado s'approcha de Mallory, un verre dans chaque main. Il rentra son ventre et la gratifia d'un sourire qu'il voulait enjôleur, dévoilant ses dents tachées de nicotine, croyant sans doute qu'elle trouverait ce détail attirant, séduisant peut-être, car, après tout, c'étaient ses vraies dents, n'est-ce pas ?

Mallory prit le verre de vin rouge, puis recommença compulsivement à aligner les couverts.

— Puis-je vous appeler Kathy ? demanda Nick.

— Personne ne m'appelle Kathy.

En ayant terminé, elle lui tourna le dos et s'éloigna, sans doute pour redresser les tableaux de la pièce voisine.

Le sourire de Nick s'évanouit. Il devait juger Mallory d'une grossièreté incompréhensible. Lorsqu'il la connaîtrait mieux, il s'apercevrait qu'elle avait utilisé une phrase de cinq mots plutôt qu'un « non » sec. C'était de sa part une politesse inhabituelle due sans doute aux vacances.

Charles attendit avec tact que le vieil homme ait recouvré sa dignité, qu'il ait digéré la rebuffade de Mallory, estimant qu'une femme armée de trois revolvers était forcément timide. Lorsque Nick alla rejoindre les autres invités, Charles emporta un plat d'amuse-gueules au salon. Quatre hautes fenêtres l'inondaient de lumière, rehaussant les couleurs des abat-jour Tiffany et les motifs orientaux du tapis. Les tableaux abstraits qui ornaient les murs étaient remarquablement assortis aux meubles anciens.

Avachi sur le canapé, le sergent Riker avait regroupé à portée de main sa bière et ses cigarettes. Il semblait plus naturel maintenant qu'il avait dénoué sa cravate et froissé son costume. Une demi-heure plus tôt, lorsque Charles lui avait ouvert, son manteau neuf avait créé l'illusion d'un riche nanti dont le chapeau et les chaussures auraient survécu à un terrible accident.

Ignorant superbement Riker, Mallory s'installa dans le fauteuil en face du canapé. Charles ne savait quoi déduire de la tension palpable entre les deux policiers. Bien qu'arrivés ensemble, ils se comportaient comme s'ils ne se connaissaient pas.

Mallory discutait avec Franny Futura. Elle l'avait déjà dressé à l'appeler par son nom de famille, sans ajouter mademoiselle ni madame.

— C'est vous qui avez monté le coup de l'arbalète au défilé.

Cette remarque n'était pas formulée avec la politesse requise.

— Euh, je l'ai organisé, c'est vrai, consentit Franny, dont la tête chancela légèrement comme si elle était mal vissée sur ses épaules.

Il n'avait aucun moyen de savoir que Mallory, chaude partisane de l'égalitarisme, soupçonnait tout le monde avec la même équité.

— Pourquoi une arbalète ?

— Vous trouvez que c'était un peu exagéré ?

Franny se recula contre le dossier du canapé.

— Je veux parler de la similitude avec... euh, la mort d'Oliver.

— C'était exprès, non ?

Franny vacilla, comme si Mallory l'avait accusé de

58

quelque sournoiserie haineuse. Charles s'approcha de lui, prêt à intervenir. Même dans les discussions mondaines, Mallory avait du mal à se départir du ton qu'elle adoptait au cours des interrogatoires. Elle ne faisait d'ailleurs aucun effort pour changer.

— Mais le tour n'était pas une idée à moi, dit Franny. C'est Nick qui avait engagé le type. Il était censé tirer son carreau quand le char passerait devant les caméras de la télé. Mais comme l'équipe de tournage se trouvait juste à côté...

Il ne termina pas sa phrase lorsqu'il s'aperçut que Mallory ne s'intéressait plus à ce qu'il disait.

Nick Prado était sa cible suivante. Il était en train de s'asseoir dans le fauteuil à côté d'elle lorsqu'elle reporta son attention sur lui.

— Pourquoi avoir engagé l'arbalétrier ? demanda-t-elle.

— Vu la façon dont est mort Oliver, c'était de mauvais goût, hein ?

Nick sourit, content de lui.

— Je me prostitue pour la publicité.

Nick aimait se vanter de faire la pute comme publicitaire et il possédait une des plus grosses sociétés de relations publiques de sa ville natale de Chicago.

— Vous saviez que c'était le neveu d'Oliver Tree, déclara Mallory, comme si elle l'avait déjà surpris en train de mentir.

— Naturellement. Il avait besoin d'argent. Et le tour donnait à son oncle quelques minutes de gloire supplémentaires aux infos du soir.

Il se pencha vers Mallory avec un regard mielleux soigneusement étudié.

Charles trouva l'atmosphère pesante. Le visage de Nick était trop près de celui de Mallory. On sonna à la porte. Il alla ouvrir avec un vif soulagement. Lorsqu'il reparut avec le dernier invité, encore un Français, Nick

Prado était toujours en vie, et Mallory cuisinait de nouveau Franny.

— C'est vous qui avez été touché par le carreau.

C'était un simple fait, mais elle réussit à le formuler comme une accusation.

— C'est lui ?

Le dernier arrivant, Émile Saint-John, venait de se joindre à la conversation. C'était le plus vieux des magiciens, presque un octogénaire, mais il paraissait plus jeune que ses deux amis. Un bronzage parfait et la légère marque de lunettes de ski autour des yeux lui donnaient l'apparence d'un homme robuste en excellente santé.

Pendant le défilé, ils n'avaient pas eu le temps d'être présentés, et maintenant, alors qu'Émile serrait la main de Riker, Mallory semblait apprécier sa coiffure d'excellente coupe et son costume gris de grand couturier.

Émile s'assit dans le fauteuil George III, créant une zone tampon entre Mallory et la victime de son interrogatoire. Ses placides yeux bleus braqués sur Franny avec une indulgence souriante calmèrent aussitôt l'infortuné martyr.

— Je croyais que c'était Nick qui devait recevoir le carreau.

— Il ne voulait pas monter sur le char, dit Franny d'un ton plaintif. J'ai dû m'y coller.

Cherchant à l'apaiser, il gratifia Mallory d'un faible sourire.

— Le coup de l'arbalète était tout à fait inoffensif – si, je vous assure. Les spectateurs ne risquaient rien, nous n'avons commis aucune imprudence. Oh, pardon ! s'empressa-t-il d'ajouter en portant la main à sa bouche.

Apparemment, il venait juste de se rappeler qu'on avait accusé Mallory d'« imprudence ».

Nick Prado approcha son fauteuil de la jeune femme.

— Vous nous avez surpassés avec votre course-poursuite. Quelle publicité pour le festival de magie !

— Oh oui, s'illumina Franny. Et quand vous avez tiré sur le ballon…

— Je n'ai pas tiré sur le ballon, rectifia sèchement Mallory.

— Non, bien sûr.

Franny se rapprocha de Riker qu'il jugeait moins redoutable.

— Je m'excuse d'avoir mis ça sur le tapis.

Mallory se posta en face de Nick.

— Vous n'étiez pas sur le char quand le coup de feu est parti, dit-elle en le regardant dans les yeux. Qu'est-ce que Franny voulait dire en affirmant que vous aviez refusé de…

— Suis-je suspect ? demanda Nick que la perspective semblait réjouir. Très bien, alors j'ai tiré sur le ballon. Passez-moi les menottes, dit-il en tendant les poignets. Arrêtez-moi. Non ?

Il voulut lui prendre la main pour la baiser, mais, plus prompte, elle la retira vivement.

Charles crut un instant que Mallory allait s'essuyer sur la nappe tant le dédain se lisait sur son visage.

Souriant, serein, Émile Saint-John leva les yeux vers Charles qui lui passait une assiette d'amuse-gueules.

— Malakhai n'est pas encore arrivé ?

— Il viendra tard ce soir, répondit Charles en s'asseyant à côté de Nick Prado.

Il se mit aussitôt à déboucher une autre bouteille.

Franny Futura inclina la tête à la façon d'un oiseau.

— Pourquoi vient-il ?

— Il avait été invité au festival.

Nick tendit le bras au-dessus des genoux de Mallory sous prétexte de subtiliser l'assiette d'amuse-gueules. Il effleura ses cuisses. Bien qu'affichant un air venimeux, elle ne fit aucun geste agressif.

— On l'invite toujours, dit Franny. Mais il ne vient jamais.

— Malakhai ? fit Riker en se redressant. Je connais ce nom – c'est un ami de Charles. Il vit dans une maison de dingues, non ?

— Je vous en prie, protesta Charles, n'employez pas ce mot-là.

Après avoir débouché la bouteille, il versa un verre à Émile Saint-John.

— Excusez – je voulais dire à l'asile. Et tu prétendais que j'étais mal élevé, lança-t-il à Mallory avec un sourire.

Rien dans son expression ne laissait croire qu'elle avait remarqué la présence de Riker dans la pièce.

— Malakhai est le propriétaire des lieux, expliqua Nick. C'est un vieux manoir fabuleux. Il le loue à l'institution et se réserve l'usage d'un appartement où il vit avec son épouse défunte.

Riker sirota sa bière.

— Donc, il est bien cinglé.

— Non ! soutint Charles.

— Oh, si ! approuva Nick, amusé. Aussi cinglé qu'on peut l'être, mais d'une manière plutôt originale. Son épouse faisait partie de son tour de magie.

— Un tour remarquable, commenta Riker. Mais hautement illégal.

— Il n'y avait pas de cadavre sur la scène, dit Émile Saint-John en posant son verre sur la table basse. Les spectateurs ne pouvaient pas voir Louisa.

— Une femme invisible, fit Riker.

Il avala une dernière goutte de bière.

— De plus en plus dingue.

Il se dirigea vers la cuisine, à la recherche du pack de six qu'il avait apporté. Franny le rappela.

— Il sait que Louisa est morte. Mais il fait comme si elle était là.

— Vraiment ? s'étonna Nick. Vous n'avez pas revu Malakhai depuis la guerre, si je ne me trompe ? Il vit avec une morte. Il dort aussi avec elle.

Il pencha la tête vers Mallory et la gratifia d'un large sourire.

— Il lui fait même l'amour. Elle est plus jeune que vous, et il a soixante-dix ans passés. Ça donne de l'espoir.

Une boîte de bière pleine à la main, Riker revint s'asseoir sur le canapé près de Franny.

— Ça dure depuis combien de temps ?

— Si je me souviens bien, répondit Émile Saint-John, Louisa a commencé à faire partie du tour juste après la guerre de Corée.

Mallory déplaça son fauteuil loin de Nick et s'approcha d'Émile.

— Charles dit qu'elle est morte pendant la Seconde Guerre mondiale.

— Oui, c'est exact, acquiesça Émile. Mais des années plus tard, Malakhai l'a retrouvée dans un camp de prisonniers coréen.

— En Corée ? s'étonna Riker. C'était la guerre de mon père.

Faisant toujours comme si Riker n'existait pas, Mallory dévisagea Émile.

— Comment ça, il l'a retrouvée ?

— La torture, fit Riker, bien décidé à montrer à Mallory qu'il vivait sur la même planète qu'elle. Mon père avait des manies bizarres quand il est rentré d'un de ces camps. C'est peut-être là que Malakhai a perdu la boule. Pauvre vieux.

— Possible, dit Émile, qui parut réfléchir à la question. Mais je peux vous assurer qu'il a toute sa raison maintenant. En tout cas, il va beaucoup mieux. Entre les deux guerres, Malakhai était l'homme le plus inconsolable de la terre. C'est difficile pour une Américaine de votre âge, confia-t-il à Mallory, d'imaginer à quoi ressemblait la vie après une guerre mondiale. Vos villes étaient encore debout, n'est-ce pas ? Vos routes étaient intactes, vos points de repère inchangés.

Émile marqua une pause pour boire une gorgée de vin et tout le monde resta suspendu à ses lèvres. Même Mallory lui reconnaissait l'autorité naturelle du conteur.

— Dans l'Europe d'après-guerre, il y avait tellement de disparus… des personnes déplacées dans des camps de transit, des morts… des réfugiés. Les gens couraient les routes à la recherche de leur famille. Dans les rues animées de Londres ou de Rome, on voyait parfois des individus dévisager les passants – essayant de retrouver des parents perdus à la guerre.

— Malakhai était comme ça à la fin des années 40 et au début des années 50. C'était pénible de le voir sur scène. Il fixait les spectateurs, l'air hagard, oubliant où il en était. On devinait alors qu'il avait repéré une rousse dans le public. Louisa était morte depuis longtemps, et il le savait. Mais il la recherchait quand même parmi la foule.

— Il l'a retrouvée dans une prison nord-coréenne. Une cellule d'à peine deux mètres carrés où on ne pouvait ni se tenir debout, ni s'allonger. Elle était restée un an dans cette cage. Il est entré tout seul et en est ressorti avec Louisa. Un magicien prodigieux.

Franny acquiesça.

— Qu'elle était belle ! Et question musique, ajouta-t-il en se tournant vers Riker, un prodige. Dieu merci, son concerto a survécu à la guerre. (Il leva son verre.) Je propose un toast à Louisa et à sa musique.

— Et à la vente de ses disques, renchérit Nick. Que le *Concerto de Louisa* procure éternellement des royalties.

Mallory se joignit au toast. Elle n'avait pas fini le verre de vin que Nick lui avait servi. Mallory ne buvait jamais plus d'un gramme d'alcool au cours d'une réunion. Elle tenait bien trop à garder le contrôle d'elle-même.

— Oliver aussi aimait Louisa, dit Émile. Il l'adorait. Buvons à l'amour non partagé.

Riker commença par brandir sa bière, puis il arrêta son geste en l'air. Il venait de se rappeler l'éternelle question qui brûle les lèvres de tout policier.

— Comment Louisa est-elle morte ?

— Personne ne le sait, répondit Nick. Elle a pu être fusillée comme espionne ou renversée par un bus.

Riker était l'exemple même de l'incrédulité.

— Vous n'avez jamais demandé à Malakhai ?

Mallory s'était désintéressée de la conversation. Elle connaissait déjà la chute. Charles la lui avait racontée depuis longtemps. Il la répéta pour Riker.

— Inutile de lui demander. Malakhai n'a pas le droit de le révéler. C'est dans son contrat. La maison de disques pensait qu'un mystère serait un bon argument de vente pour le *Concerto de Louisa*.

*
* *

Quand vint l'heure de dîner, Charles s'installa en bout de table et dirigea la circulation des plats et des bouteilles de vin. Émile Saint-John s'assit à l'autre extrémité, et prit aussitôt la tête des festivités. Il avait une autorité qui ne cadrait pas avec le métier de magicien.

Laissant de côté ce puzzle, Mallory dirigea son regard vers Riker, assis en face d'elle. L'air triste et mal à l'aise, il touchait à peine à son plat.

Tant mieux !

Même si ni l'un ni l'autre ne se plaignait jamais de trahison, Mallory comptait les points. Elle avait fini de le punir pour avoir penché du côté de Coffey et du rat mort, mais elle n'était pas près d'oublier. Comme il lui passait un plat de viande, elle croisa son regard pour la première fois de l'après-midi.

— Excellente idée, Riker... de porter une cravate déjà tachée.

— Ouais, fit le sergent en baissant la tête pour admirer la tache rouge, souvenir d'un autre repas. N'est pas bouseux qui veut, ça demande du boulot.

Prenant son sarcasme pour une trêve, il se détendit.

— Comme ça, fit-il en s'adressant à Émile Saint-John, qu'encadraient Franny Futura et Nick Prado, ils ont libéré Malakhai de l'asile. Il vient avec sa femme défunte ?

— Il ne va jamais nulle part sans elle.

Émile passa le saladier à Mallory.

— C'était un compositeur talentueux, un prodige. Je suis sûr que Charles a mentionné le *Concerto de Louisa*.

Mallory acquiesça. « Mentionné » était un euphémisme. Il en avait parlé en long et en large, croyant qu'elle l'écoutait. Il n'aimait que la musique classique. Elle aimait tout le reste. Grâce aux goûts extravagants de son père adoptif, Mallory connaissait le nom de tous les chefs d'orchestre de jazz, de tous les musiciens, de tous les chanteurs de blues et de rock'n'roll, mais elle ne savait pas distinguer un concerto d'une sonate. Si on ne pouvait pas danser dessus, pour elle ce n'était pas de la musique.

— J'ai connu Louisa pendant la guerre, déclara Nick Prado. Celle de 40. Quelle époque, mes aïeux ! Ah, Émile, écoute, ça va te plaire. Malakhai va faire son vieux numéro au Carnegie Hall. Un orchestre symphonique jouera le concerto.

— Il n'était pourtant pas prévu au programme, remarqua Saint-John.

— Il y a eu un changement de dernière minute, expliqua Charles en se levant de table. Une diva a pris froid et a annulé sa représentation. Je reviens tout de suite, ajouta-t-il, je vais juste changer de disque.

Mallory surveillait Riker. Elle devinait exactement ce qui se passait derrière ses yeux injectés de sang. Il ressassait probablement les événements de la journée. Avait-il déjà éventé la contradiction entre le mobile du crime et la méthode employée ? Le mobile de l'argent chez le neveu d'Oliver Tree, qui aimait trop la drogue, ne collait pas avec ce qu'elle avait auparavant défini comme un meurtre pour l'amour du spectacle. Riker devait se demander si elle avait inventé l'histoire pendant le défilé du matin. Ou si elle en avait inventé une autre l'après-midi pour le lieutenant Coffey. Ou encore si les deux versions étaient de pures fictions.

Tu te poses des questions, Riker ?

La musique jouait en sourdine pour ne pas gêner les conversations. Charles avait monté le vieux tourne-disque de la cave pour passer les albums de Max Candle demandés par ses invités. Mallory avait reconnu le dernier Artie Shaw de 1943. Maintenant, on écoutait *Lady Sings the Blues*, musique de Herbie Nichols et paroles de Billie Holiday, bien sûr.

— Pour Malakhai, dit Charles en reprenant place à la table. C'est l'un de ses morceaux préférés.

Apparemment, Malakhai avait un penchant pour les mortes, mais il s'était quand même aventuré jusqu'aux années 50. Mallory data l'enregistrement des dernières années de la trop brève carrière de la chanteuse.

Franny Futura avait éclusé deux verres de vin et perdu ses tics nerveux. Comme la largeur de la table le séparait de Mallory, il n'avait plus l'impression d'être la souris avec laquelle elle s'amusait. Elle lui tendit un bol de confiture de canneberge.

— Depuis combien de temps connaissiez-vous Oliver Tree ? demanda-t-elle d'un ton adouci, moins autoritaire.

— Depuis notre adolescence en Europe.

— En Europe ? s'étonna Riker en se tournant vers l'homme assis à sa droite. Je croyais que c'était un menuisier de Brooklyn.

— Oui, mais en passant par Paris, dit Futura. Oliver était du Nebraska. À la mort de ses parents, on l'a envoyé en France vivre avec sa grand-mère Faustine. On a tous commencé au théâtre de magie de Faustine. Max Candle et Malakhai aussi.

— Ainsi, Oliver Tree avait fait ses preuves dans la magie, remarqua Mallory avec un sourire condescendant pour Riker. (Ça foutait en l'air sa théorie de mort par incompétence.) C'était un bon illusionniste.

— Oh, non ! s'exclama Nick Prado. Mais un excellent menuisier. Il fabriquait de magnifiques accessoires, mais il était nul en magie.

Ce fut au tour de Riker de sourire.

— Exact, renchérit Futura. Sur scène, Oliver se trompait régulièrement dans le minutage des manipulations. Et il ratait tous ses tours de passe-passe.

— L'arbalète… celle du défilé, ce n'était pas un accessoire de son tour de prestidigitation ? demanda Mallory.

Futura parut déconcerté par le changement de sujet.

— Le tour d'Oliver ? Ah, vous voulez parler de l'Illusion Perdue de Max Candle ? Oh, non. C'est un tour qui nécessite des mécanismes à répétition. Mais je suis sûr que l'arbalète à un coup était un truc d'Oliver. Naturellement, sa collection était loin de valoir celle de Max Candle. Il y a des années, je voulais acheter de nouveaux accessoires, des souvenirs du bon vieux temps. Mais la veuve de Max a refusé de les vendre.

— Cette chère Edith, dit Nick Prado d'un ton acide qui suggérait tout sauf l'affection. Elle n'est pas déjà morte ? Oh, je suis navré, Charles. Je suis sûr que vous étiez très proches.

— Y a pas de mal, fit Charles.

Il ne paraissait pas choqué le moins du monde. Apparemment, il savait que la femme de son cousin comptait peu d'admirateurs parmi les invités.

— En effet, elle est morte. Crise cardiaque. C'est arrivé il y a un mois.

Les vieux magiciens semblèrent se réjouir de son décès, ne cherchant même pas à dissimuler leur sourire. Prado était le plus enjoué.

— J'espère que tu hérites de tout, Charles. Tu as la plate-forme de Max, j'imagine ?

— Oui, mais elle n'est pas sortie de sa caisse depuis trente ans. La plate-forme d'Oliver, expliqua Charles à Mallory, était très fidèle à l'original. Max l'avait totalement mécanisée pour se passer d'assistants et éviter les erreurs humaines.

Riker leva les yeux de son assiette.

— Alors, les flics ne faisaient pas partie du tour originel ?

— Euh, si, fit Prado. Mais ils étaient surtout là pour la galerie. La présence de policiers garantit aux spectateurs que les armes et les menottes sont réelles. Charles veut seulement dire que Max préférait se passer d'Edith. C'était son assistante quand il a eu son accident à Los Angeles. Tu t'en souviens, Émile ? Il a dû s'arrêter pendant un an. C'est là qu'il a construit la plate-forme.

Mallory se redressa.

— Vous pensez que la femme de Max a voulu le buter ?

Prado parut méditer la question.

— Ça expliquerait beaucoup de choses.

Charles laissa retomber son couteau et sa fourchette dans son assiette.

— Ça suffit, Mallory. D'abord Oliver, maintenant Max. Les accidents, ça existe.

Mallory ne l'écoutait pas. Elle évaluait ses suspects à leur tenue vestimentaire. Les affaires marchaient bien pour Nick Prado, pour Émile Saint-John aussi. Mais le smoking de Franny Futura ne lui allait pas. C'était probablement un habit de location. Il devait être financièrement aux abois. L'argent était le mobile préféré de Mallory.

— Ici, personne n'aimait Edith Candle ? s'enquit Riker.

— Euh, non, admit Nick Prado. (Il but une gorgée de vin.) Mais je ne suis pas si sûr que Max l'aimait beaucoup. Encore navré, Charles. C'est le vin qui délie les langues, dit-il en levant son verre.

— Mais Max l'a toujours soutenue, dit Futura. Il tenait toujours ses promesses –, ses engagements. Il n'était pas du genre à abandonner une épouse.

— Il a quand même eu une liaison avec une femme mariée, remarqua Prado. C'était pas un saint.

Charles laissa de nouveau tomber sa fourchette. Il n'était pas au courant.

Saint-John repoussa sa chaise. Il sortit un étui à cigares en platine de sa poche et changea de sujet avec tact.

— Mallory, d'après ce que j'ai cru comprendre, vous ne croyez pas qu'Oliver soit mort accidentellement. Pouvez-vous le prouver ?

— J'aimerais d'abord savoir comment marchait le tour des arbalètes.

— Mais personne ne le sait, dit Futura. L'Illusion Perdue n'a été jouée qu'une seule fois.

Il alluma le cigare de son ami avec un briquet bon marché.

— Ça remonte à quand, Émile ? Quarante ans ?

Saint-John acquiesça en recrachant un nuage de fumée bleue.

— De nombreux magiciens ont essayé de retrouver une trace de la représentation, mais Max choisissait toujours des coins perdus pour ses essais. La ville idéale, c'était un bled trop petit pour posséder son propre journal. Sage précaution… il ne souhaitait la présence d'aucun critique quand il mettait au point un nouveau tour.

La fumée s'élevait en volutes dans les derniers rayons du soleil. Mallory trempa ses lèvres dans son verre tout en observant les vieillards aux cheveux blancs. Ils étaient repus, imbibés de vin, satisfaits et somnolents – vulnérables.

— Personne n'a trouvé l'invitation d'Oliver étrange ?

Mallory feignit un moment d'étourderie, mais elle avait attiré leur attention. Elle sortit l'invitation de Charles de la poche de son blazer et la lut à haute voix – comme si elle ne la connaissait pas par cœur !

— « Vous êtes invité à voir la solution de l'Illusion Perdue de Max Candle, où plus d'un dangereux mystère sera dévoilé. » Drôle de formulation, vous ne trouvez pas ?

Et menaçante ?

C'était ce que pensait à l'évidence Riker. Il fixait Mallory d'un air suspicieux qui semblait dire : « *Tu m'as encore caché quelque chose.* »

« *Bien sûr* », fut la réponse silencieuse de Mallory. *Et alors ?*

Il hocha la tête d'un air de dire qu'il ne méritait pas ça, surtout de sa part. N'étaient-ils pas coéquipiers ?

Mais où était son coéquipier lorsqu'elle était sur le gril dans la salle des inspecteurs ? Il se tenait derrière la vitre avec Jack Coffey – il se réjouissait du spectacle.

— Que signifie cette invitation ? demanda-t-elle en reportant son attention sur les vieux illusionnistes, à l'autre bout de la table. Quel est l'autre mystère ?

— Il n'y a rien d'extraordinaire dans sa formulation, déclara le flegmatique Émile Saint-John. Oliver était parvenu à comprendre comment marchaient certains tours de Max, or tous étaient dangereux. Il faisait cadeau du mode d'emploi à ses amis. Il m'avait confié les instructions pour le tour du pendu et pour une réplique de la potence de Max.

— J'ai reçu plusieurs plans et une caisse d'accessoires, dit Nick Prado.

— Moi, déclara Franny Futura, j'ai eu le tour du pendule de Max. Je vais le présenter dans le petit théâtre d'Oliver.

Le sourire qu'affichait Riker disait clairement : « Au temps pour ta nouvelle théorie, partenaire... Échec et mat. »

Pas encore, Riker.

— Pourtant, Oliver vous a légué les tours dans son testament.

Ce n'était pas une question, Mallory le leur apprenait.

— Aucun de vous ne savait ce que signifiait l'invitation – pas avant qu'il ne meure.

Elle lança un regard victorieux à Riker.

— Oh, je savais très bien ce qu'elle voulait dire, rétorqua Nick Prado. Elle datait de plusieurs mois. Les instructions pour mes tours de prestidigitation sont arrivées longtemps avant que je ne quitte Chicago.

Les autres hochèrent la tête. Ainsi, ils avaient tous reçu des lettres explicatives avant la mort d'Oliver. Cependant, l'un d'eux mentait peut-être – ou même tous.

— Naturellement, dit Futura, je ne peux pas présenter le tour du pendule avec les plans d'Oliver. C'est mal ficelé... tout comme le tour qui l'a tué.

Sans regarder Riker, Mallory devina qu'il esquissait un ricanement – prêt à éclater de rire. Il adorait la voir se tromper sur toute la ligne. Mais il avait un désavantage par rapport à elle ; il ignorait qu'il y avait un sniper au défilé du matin. S'il l'avait crue, il ne lui aurait pas confisqué son revolver préféré.

De son côté, Riker se demandait pourquoi elle n'aimait pas partager ses informations.

Elle finit par le regarder et fut surprise de s'apercevoir qu'il ne souriait pas.

— Tu ne peux pas tous les battre, mon petit, dit-il en écrasant son mégot.

Mallory acquiesça. *Entendu.* Mais croyait-il qu'elle porterait le chapeau pour le ballon crevé et qu'elle risquerait des poursuites pour « comportement dangereux » ? *Tu peux toujours courir, Riker.*

Elle s'attarda sur un autre sniper possible, l'homme qui manquait à la compagnie, celui qui vivait avec une morte. Bien que les fous figurent rarement sur sa liste des suspects, elle envisagea néanmoins la culpabilité de Malakhai. *Comment ta femme est-elle morte, mon vieux ? Et où étais-tu ce matin quand le coup de feu est parti ?*

CHAPITRE 4

Ce matin, contrairement à ses habitudes, Charles Butler ne portait pas de costume trois pièces ni de cravate. Exceptionnellement, et par commodité, il arborait un jean et une chemise en denim. Patauger dans la poussière accumulée depuis trente ans exigeait certaines concessions à l'étiquette.

Mallory retroussa les manches de son sweat-shirt. Parce que les armes à feu rendaient les civils nerveux et qu'elle ne portait pas son blazer pour dissimuler l'étui, elle avait laissé son .38 réglementaire à l'étage, dans son bureau. C'était une grave atteinte à son propre code vestimentaire, lequel comprenait un revolver d'un tout autre calibre.

Le rectangle de lumière crue qui tombait de la cage d'escalier s'étendait dans la cave sur un mètre ; au-delà régnait une pénombre impénétrable. Mallory reprit leur éternelle dispute.

— Pourquoi ne pas tout simplement réparer l'installation électrique ?

— Trop d'ennuis pour pas grand-chose.

Charles saisit une torche sur le haut du coffre à fusibles.

— Je trouve que c'est plus charmant comme ça.

Adorateur de l'ancien, Charles trouvait charmant tout ce qui était cassé, même une installation électrique. Mallory préféra ravaler ses suggestions. Mieux valait attendre qu'il trébuche dans le noir et se casse la figure. Elle savait se montrer patiente avec ses amis.

Guidés par la torche, ils descendirent un couloir encombré de caisses et de malles. Le faisceau jaune se posa sur un rocking-chair défoncé, source probable de l'odeur de bois pourri qui flottait dans l'air. Ça sentait la poussière et le moisi. Des tonneaux et des cartons s'empilaient aux quatre coins. En contournant un patron de couturier décapité, Mallory repensa au problème des fils électriques.

À l'origine, l'endroit était une manufacture aussi vaste que la salle de danse d'un hôtel, mais Charles, le hobbit géant, préférait les dimensions modestes, plus humaines. Et sans doute utilisait-il sa torche pour cacher la véritable taille de la cave.

— J'ai sorti les caisses hier soir, dit-il. Les pièces principales sont toutes là. Il manque les pieds en fer, mais je suis sûr qu'on les trouvera. Il faut assembler la plate-forme. Ça risque d'être long.

— J'ai tout mon temps. Jack Coffey m'a accordé un congé illimité.

Mallory ne précisa pas que le lieutenant lui avait aussi confisqué son revolver préféré. L'humiliation était trop fraîche.

— Ce ne sont pas des vacances, j'imagine ?

— Non, mais faisons comme si.

Elle le suivit jusqu'à une cloison de panneaux en bois reliés entre eux par des charnières. Elle se déployait sur toute la cave et fermait l'endroit où se trouvaient les illusions de Max Candle – et où l'électricité fonctionnait encore.

Charles se tint devant les panneaux centraux qui

formaient une sorte de porte, fermée par une chaîne munie d'un cadenas.

— La plate-forme n'a pas été déballée depuis la mort de mon cousin Max, il y a trente ans. Les mécanismes sont peut-être en mauvais état.

Mallory posa un regard dédaigneux sur le cadenas. C'était un objet archaïque aussi gros qu'un réveille-matin.

— Je veux juste voir comment marche le tour.

— Malheureusement, regretta Charles, je ne peux pas t'aider.

Il ouvrit le cadenas avec une clé et libéra la chaîne.

— Personne ne connaît le truc. C'est pour ça qu'on l'appelle l'Illusion Perdue.

Il écarta les panneaux à deux mains. Ils se replièrent en accordéon, dévoilant un espace caverneux. Un haut soupirail projetait un rai de lumière grisâtre. Derrière les carreaux sales et les barreaux, on apercevait des poubelles débordantes de détritus – paradis des rongeurs. Un rat se faufila jusqu'au soupirail pour observer Mallory. Le jugeant trop effronté pour vivre, elle entama une discussion avec Charles sur la nécessité de poser des tapettes pour se débarrasser de ces insolentes bestioles.

— Il n'y a eu qu'une répétition avec les quatre arbalètes, expliqua Charles. Et c'était dans le fameux bled paumé.

— C'était donc un mauvais tour d'illusionnisme ?

— Dangereux, oui.

Charles se baissa pour toucher un globe qui diffusa aussitôt une douce lueur jaunâtre. Un courant alternatif l'allumait et l'éteignait au rythme d'une respiration. Au-dessus du globe, un dragon courait sur la surface des trois panneaux en papier de riz d'un paravent chinois. Grâce à la magie de l'alternateur, le dragon semblait souffler des flammes.

Cinq mètres plus loin, dans un étroit défilé d'étagères

et de cartons, scintillait une rangée verticale de minuscules étoiles, lézarde lumineuse dans une muraille d'ombre. Tandis que Charles contournait le paravent, Mallory s'approcha des étoiles. Elle s'arrêta près d'un lampadaire muni d'un abat-jour à franges, et tira sur la chaînette. Un cercle de lumière se dessina autour d'une vieille malle-penderie, qui, ouverte, dévoilait un mince filet de paillettes scintillantes. Le cuir craquelé de la malle était parsemé d'étiquettes de voyage aux couleurs délavées.

La pochette d'un vieux disque gisait sur le haut de la malle-penderie. À en juger par l'épaisse couche de poussière qui tapissait la pochette et la malle, on n'y avait pas touché depuis des lustres. À ses pieds, Mallory remarqua les traces de larges carrés qui menaient vers l'endroit, derrière le paravent, où Charles était en train d'allumer d'autres lampes. Ainsi l'étroite ouverture avait été protégée par les caisses qu'il avait déplacées la veille. Cela expliquait pourquoi les paillettes scintillaient encore, alors qu'elles auraient dû être ternies par une couche de poussière.

Mallory ouvrit en force la malle dont les gonds étaient presque bloqués par la rouille. À l'intérieur, la moitié gauche était réservée à une étroite commode, tandis que la droite servait de penderie. Mallory passa rapidement sur les couleurs criardes et les paillettes pour s'attarder sur les tissus plus ordinaires. Elle décrocha un costume de son cintre et l'exhiba à la lumière du lampadaire. Le satin qui n'avait pas jauni paraissait au contraire enrichi par l'âge. La veste et le pantalon, taillés pour un homme, avaient été retouchés pour une femme à la taille fine. Mallory examina les coutures. C'était un excellent travail, la coupe était aussi soigneuse que celle de ses propres vêtements.

Charles vint la rejoindre au moment où elle appliquait le tailleur contre son corps.

— Superbe ! fit-il. Où l'as-tu trouvé ?

Elle désigna la malle.

— Ça n'appartenait pas à la femme de ton cousin. Edith était plus petite.

Il effleura du doigt les étiquettes de paquebot.

— Le théâtre de magie de Faustine, dit-il. Je m'en souviens. Ça faisait partie des accessoires d'un théâtre parisien abandonné. Max avait acheté tout le stock après la guerre. Les costumes appartenaient certainement à une des artistes. Quand j'étais gamin, cette malle était toujours fermée.

Mallory fouilla le tiroir supérieur de la commode. Parmi la lingerie, elle trouva un passeport. Sur la première page, on distinguait nettement le nom du possesseur, mais la photo avait été abîmée, le visage raturé par un objet pointu. Mallory s'attaqua alors à la penderie, fouilla les poches une à une, et finit par trouver une carte écrite en français.

— La malle appartenait à Louisa Malakhai, dit-elle. Qu'est-ce qu'Edith pouvait bien penser des vêtements féminins que son mari conservait ?

— Si tu crois qu'elle était jalouse, tu te fourres le doigt dans l'œil. Louisa était morte bien avant que Max ne rencontre Edith.

— Encore un accident ?

Mallory inspecta le cadenas. On l'avait forcé, mais cela remontait à des années. La rouille attaquait les marques faites par l'outil qui avait tordu la fermeture. Charles avait affirmé que la malle était restée fermée quand il était enfant, mais Max Candle était encore en vie quand sa femme l'avait fracturée.

Mallory tendit le passeport de Louisa Malakhai à Charles. Il s'assombrit lorsqu'il vit la première page. Il devinait sans doute qui avait raturé la photo et pourquoi. Maintenant, il examinait le cadenas forcé. Son esprit original fonctionnait plus vite que celui de Mallory.

— Les accidents, ça existe, dit-il en posant le passe-port sur le haut de la malle, prétendant ne pas avoir remarqué la photo rayée d'une rivale. D'ailleurs, c'est pour ça que Max avait annulé le tour des arbalètes après la première représentation. Quelqu'un était mort en essayant de l'imiter.

— Mais c'est de la triche ! s'exclama Mallory. Il faut se donner du mal pour se faire tuer au cours d'un tour de magie.

— La plupart du temps, c'est vrai. Même les prouesses d'Houdini étaient des illusions. Mais Max n'était pas un magicien comme les autres.

Mallory le suivit de l'autre côté du paravent, où d'autres globes et un lampadaire illuminaient les housses en plastique accrochées dans la penderie. À l'intérieur des enveloppes protectrices, un millier de diamants fantaisie propageaient des éclats de lumière. La soie et le satin luisaient. Derrière les tringles, il y avait des rangées d'étagères métalliques, mais Mallory s'en désintéressa. Elle se fichait de leur contenu, cartons à chapeaux couverts de poussière, cartes à jouer géantes, coffrets ouvragés et mallettes. Il y avait tant de cartons et d'objets répandus par terre qu'il faudrait des années pour faire l'inventaire de l'héritage de Charles.

La lampe la plus éloignée du paravent éclairait une guillotine familière. Tout en haut, la lame funeste était suspendue entre deux piliers de bois.

— C'est une lame truquée, dit-elle. J'en suis sûre.

— Max a créé la guillotine à l'époque où Edith fai-sait partie du spectacle ; elle était décapitée tous les soirs. Edith n'était pas du genre à prendre des risques.

Charles porta son regard au-delà des grosses caisses en bois rassemblées par terre. D'épais panneaux étaient inclinés contre un mur d'étagères.

— Si je me souviens bien, la plate-forme est un

assemblage de tenons et de mortaises, semblable à un jeu de construction géant.

Deux heures plus tard, ils avaient monté la charpente, boîte de trois mètres cubes avec un escalier sur le devant. Les trois autres côtés étaient constitués de panneaux en bois de rose. Treize marches menaient à une scène flanquée de deux poteaux en érable. Mallory étudia la cible ovale suspendue entre les deux poteaux. Les chevilles qui retenaient la cible avaient été peintes en noir, de sorte qu'elle paraissait flotter en l'air.

— Ça ressemble exactement à celle qu'Oliver Tree a utilisée, remarqua Mallory.

— Normal, acquiesça Charles. Oliver avait beaucoup travaillé sur celle-ci. C'était un bon menuisier. Il y a toutefois une différence. Les chevilles de Max étaient en bois. Celles d'Oliver en métal.

Mallory regarda les trous carrés creusés dans la première marche, une paire de chaque côté, prévus pour recevoir les poteaux en cuivre à la base des quatre socles.

— Ça aussi c'est différent. D'après les journaux, dans la représentation d'Oliver, les socles étaient rivés.

— Il essayait toujours de trouver des améliorations. Il devait penser que ça procurait une plus grande sécurité. D'après ce que j'ai vu de sa réplique, tout le reste était identique. Mais je n'ai jamais regardé à l'intérieur.

Il passa une main sur le panneau central d'une des parois, à la droite de l'escalier.

— Le cran devrait être là, dit-il.

Il appuya sur une latte de bois. Le panneau s'ouvrit, dévoilant le cœur de la plate-forme. Au-dessus de leur tête, les trappes ouvertes laissaient passer une faible lumière. Charles entra, tira la chaînette d'une lampe, et l'abat-jour métallique diffusa un cercle jaunâtre sur le sol, laissant le plafond dans l'ombre.

— Incroyable ! s'étonna-t-il. Cette ampoule doit avoir au moins trente ans.

Mallory se pencha à l'intérieur de la petite chambre, examina les rainures, les tenons et les mortaises qui attendaient leur pièce assortie.

— Je n'ai jamais vu Max assembler les mécanismes, dit Charles qui contemplait depuis le seuil les caisses encore fermées. Ça va être un sacré puzzle.

Il alla à la caisse la plus proche et lut l'étiquette.

— Pinces à zigzag. Je sais où ça va – sous la trappe centrale. C'est le seul endroit.

Mallory contourna l'escalier pendant que Charles et la caisse disparaissaient sous la charpente.

— Si tu te retrouves seule là-dedans, lança-t-il, n'oublie pas qu'il n'y a pas de poignée à l'intérieur. Un jour, quand j'étais gosse, je suis resté enfermé.

— Et les trappes ?

— On ne peut pas les ouvrir de l'intérieur. Seulement avec les leviers, sur la scène.

— Imprudent comme système, non ?

— S'il y a un autre moyen de les ouvrir, Max ne me l'a pas révélé. Il ne voulait pas que je joue là-dedans tout seul. Il disait que c'était trop dangereux.

En effet.

Mallory se trouvait au milieu de l'escalier lorsqu'elle entendit la voix de Riker.

— Hé, où êtes-vous tous ?

D'où elle était, Mallory pouvait voir par-dessus le paravent chinois. Son coéquipier se tenait de l'autre côté, dans un lamentable mélange de vêtements vieux et neufs. Décidée à décrasser Riker, Mallory envisagea de lui piquer son chapeau afin de l'épousseter. Elle aurait plus de mal avec ses chaussures éraflées, bien sûr.

Il fit le tour du paravent, se planta devant la plate-forme et désigna l'ouverture sombre dans la paroi en accordéon derrière lui.

— J'ai failli me casser la gueule là-bas.

— T'es en retard.

Elle jeta un coup d'œil au sac en papier qu'il tenait à la main. Il était assez grand pour contenir son revolver .357.

— Je me suis arrêté pour acheter le journal, dit-il en le déployant pour qu'elle voie la première page. Félicitations. C'est le titre le plus long que ce torchon ait jamais publié. « Un flic abat un ballon-marionnette sous le regard de milliers d'enfants. »

Ayant obtenu la réaction prévue – Mallory était plus qu'excédée –, il replia le journal et le fourra dans la poche de son manteau.

— T'as de la chance qu'ils n'aient publié que la photo du ballon, et pas la tienne. Les gamins ne te reconnaîtront pas dans la rue – ils ne te jetteront pas leurs boîtes de bière à la figure.

Riker semblait aux anges.

Pas Mallory.

— Qu'est-ce que Coffey a dit ? Il croit toujours que je suis une folle dangereuse ?

C'est aussi ce que tu penses ?

— Quoi ? fit Charles, surpris. Jack Coffey a dit ça ?

— Non, elle exagère.

Riker leva les yeux sur Mallory, qui se tenait six marches plus haut.

— Le lieutenant ne t'a jamais traitée de folle. Il veut simplement que les gars ne s'imaginent pas que tu as la gâchette facile. C'est pas pareil.

Mallory le regarda d'un œil mauvais.

— Alors, tu soutiens toujours Coffey ?

— Ah, tu veux parler de son petit sermon sur les flics abattus ? Ça fait partie de ton éducation, mon petit. T'avais besoin de l'entendre.

Il gravit les marches pour la rejoindre.

— Mais je suis de ton côté. Comme toujours.

Pas toujours. Pas hier, en tout cas.

Charles disparut de nouveau dans la chambre de la plate-forme. Un enchevêtrement de métal tordu monta lentement du trou carré. On aurait dit les baleines d'un parapluie déchiré. La chose resta un instant en l'air, puis s'affaissa dans un fracas métallique, et rentra de nouveau sous le plancher ; le visage réjoui de Charles pointa alors hors de l'embrasure. D'où elle était, Mallory pouvait croire que sa tête avait été décapitée et abandonnée négligemment sur le plancher.

— Il y a encore quelques petits défauts à corriger, annonça Charles.

Sa tête plongea de nouveau sous le sol.

— C'est génial ! siffla Riker.

Mallory fixait le sac en papier qu'il serrait dans sa main.

— Tu as récupéré mon revolver ?

— Le canon ? Non, le lieutenant dit que tu devras te contenter de ton .38. Tu sais, celui qu'on t'a donné quand tu t'es engagée. Le revolver réglementaire.

— Il a peur que je déconne encore ?

— Non, mais il t'en veut toujours d'avoir abattu le rat. Y a des gens qu'ont la passion des chiens. Le lieutenant a un faible pour les rats à qui on donne des petits noms affectueux.

Charles pointa sa tête hors de l'embrasure carrée.

— Tu as tué le rat apprivoisé de ton chef ?

— Ah, Charles, tu ne vas pas t'y mettre, toi aussi ! fulmina Mallory.

Il plongea de nouveau sous la plate-forme et elle l'entendit murmurer.

— Je suis sûr que le rat a vu le coup venir.

Riker grimpa sur la plate-forme et s'accroupit près de la trappe.

— Le rat s'appelait Oscar.

— Ç'aurait pu être pire, dit Charles depuis son trou. Elle aurait pu tuer le chien de Coffey.

Mallory leva les yeux au plafond. Après s'être calmée, elle reporta son attention sur son coéquipier.

— Tu as trouvé quelque chose ?

— Tu crois que je serais venu les mains vides ? rétorqua-t-il en reculant vers l'escalier.

Toujours caché à la vue des deux autres, Charles lança :

— Certainement pas, sachant qu'elle a encore deux revolvers.

Mallory escalada les marches et s'approcha de Riker, ignorant Charles qui la regardait en souriant depuis le fond de la trappe.

— Tu as au moins le dossier sur Oliver Tree ?

— Pas la peine.

Riker plongea une main dans le sac en papier et en sortit une chemise en papier kraft.

— Les flics du West Side en ont eu marre d'être poursuivis par les journalistes. Ils ont publié un communiqué de presse. Tout est là. Ça sera dans les journaux de demain.

Mallory lui prit la chemise des mains. Il n'y avait que deux feuillets à peine remplis. *Insuffisant !*

— Tu n'as pas parlé à l'inspecteur du West Side ?

— Le lieutenant Coffey y a mis son veto, rappelle-toi. Mais, peu importe. Tous les faits sont là, ajouta-t-il en tapotant la chemise. Les arbalètes étaient normales. On les a toutes vérifiées. Les menottes appartenaient aux flics qui participaient à la représentation. Personne n'avait pu les trafiquer. Le vieux est mort à cause de sa propre clé. Elle s'est cassée dans la serrure des menottes.

Mallory froissa machinalement les feuillets.

— Et le notaire d'Oliver Tree ? T'a-t-il donné une analyse du testament ?

— Je n'ai pas pu lui parler. Il est en croisière. Il ne rentrera pas avant trois jours.

Ainsi, Riker n'avait pas interrogé les personnes prévues. Et cependant, il semblait content de lui.

— C'est clair, Mallory. Mort accidentelle. Si la clé ne s'était pas cassée, le vieux serait encore en vie.

— Pour quelques millions de dollars, quelqu'un a pu la trafiquer. Il me faut la copie du testament...

— C'était un vieux morceau de métal. Pas besoin de dépenser une fortune en examens de laboratoire pour le voir. Pas de trace de lime, ni de scie.

— Tu connais le nom de la compagnie maritime qui organise la croisière ?

— Pour quoi faire ? C'est une mort accidentelle, mon petit. On ne peut pas compter sur le notaire pour obtenir des informations, et on ne peut pas non plus le tirer de sa croisière. De toute façon, ça serait une perte de temps. Sans mandat, le notaire ne daignerait même pas me répondre.

Riker tendit le sac à Mallory.

— Tiens, un cadeau d'un des flics qui participait au tour de magie d'Oliver Tree.

Elle sortit une paire de menottes du sac.

— Pas de scellés ? Pas de rapport ?

— Écoute, mon petit, ils ne se donnent pas tant de mal pour une mort accidentelle.

Mallory fit exprès d'examiner les menottes. Une semaine plus tôt, elle les avait étudiées avec davantage de soin quand elles étaient encore attachées au poignet du cadavre, sur la table d'autopsie du docteur Slope. Mais elle avait omis de parler à Riker de son passage à la morgue.

Elle désigna le bout de métal brisé qui dépassait de la serrure.

— Où est le reste ?

— Ah, jamais contente, hein ? Les mannequins ne l'ont pas retrouvé.

Riker déboutonna son manteau, prêt à prendre racine.

— Le flic qui possédait les menottes la bouclera. Coffey ne saura même pas qu'on a interrogé quelqu'un du commissariat du West Side.

Je m'en contrefous. Ainsi, personne ne s'était préoccupé des menottes.

— Pas de dossier retraçant les différents propriétaires. Ça ne pourra pas servir de pièce à conviction devant un tribunal.

— Regarde bien, Mallory. Il y a un morceau de clé coincé dans la maudite serrure. Ça renforce la thèse de l'accident.

Mallory descendit les marches, vint se poster sous le lampadaire, et approcha les menottes de l'ampoule. Le morceau de métal brisé était à la fois brillant et sombre.

— C'est une pièce à conviction – ou ça en aurait été une si les flics faisaient leur boulot.

Manifestement, elle incluait Riker dans ses reproches.

La semaine dernière, elle avait été la seule à assister à l'autopsie d'Oliver Tree. Le docteur Slope avait fermé les yeux effrayés du petit vieux et refusé d'accéder à sa requête, qu'il avait qualifiée d'inutile et de morbide. Le médecin légiste n'avait même pas ouvert le corps, car les accidents ne justifiaient pas une autopsie complète. Finalement, Mallory avait dû s'en charger elle-même. Préférant ne pas abîmer la pièce à conviction en décoinçant la clé ou en sciant les menottes, elle avait brisé la main du menuisier d'un coup de marteau.

Elle s'était escrimée à ménager les menottes au mépris de l'intégrité du cadavre, mais qu'étaient-elles devenues ? L'inspecteur du West Side les avait rendues à son propriétaire – en souvenir, peut-être ?

Que pouvait-elle sauver du naufrage ?

— Si je confie ces menottes à Heller, il dira que c'était une vieille clé qu'on a polie pour la rendre…

Riker descendit les marches en hochant lentement la tête.

— Heller sera aussi muet qu'une tombe ! Les gars du labo ne perdront pas leur temps ni leur argent avec ça. Et ton suspect préféré ? Tu crois vraiment qu'Oliver Tree avait laissé son fric à un camé ? Réfléchis un peu, mon petit. Pourquoi le neveu aurait-il tué pour plusieurs millions, et ensuite empoché cent dollars pour faire le tour de l'arbalète pendant le défilé ? Comme mobile, ça ne tient pas debout.

Certes, mais Mallory continuait de penser que le neveu pouvait lui servir.

— Tu n'as pas l'intention de mentionner ce petit détail à Coffey, j'espère ?

Riker avait l'air d'un homme qui découvre qu'on a baptisé son vin.

— Tu n'as jamais réellement suspecté le camé. Tu as embobiné Coffey, hein ?

Mallory semblait figée ; elle attendit patiemment que sa colère s'apaise. Si Riker avait seulement cru qu'un sniper avait crevé le ballon, elle n'aurait pas eu besoin d'embobiner qui que ce soit pour rester dans le coup.

— Vous avez peut-être raison tous les deux, intervint Charles.

Il encastrait la base d'un des socles dans un trou carré. Trois roues dentées en cuivre terni formaient une colonne d'un mètre vingt.

— L'Illusion Perdue était un tour dangereux, reprit-il. Supposez qu'Oliver ait aggravé les risques en utilisant une vieille clé.

— Il n'était pas bête à ce point, contesta Mallory, essayant de décoincer la tige cassée avec ses ongles. Mais remplacer une clé neuve par une vieille, ça prouve que l'assassin avait bien calculé son coup. Un défaut dans une clé neuve n'aurait pas échappé à un examen approfondi.

La clé se débloqua et sortit de la serrure. Mallory examina les détails du panneton.

— On a poli le métal pour faire croire qu'il était neuf. Qui donc possède une vieille clé de menottes ? J'ai réduit la fourchette des suspects aux flics et aux magiciens.

Charles arriva derrière elle pour regarder la clé cassée par-dessus son épaule.

— Le panneton est intact, dit-il. C'est seulement la rallonge qui est cassée.

— Le panneton ?

Elle remarqua la ligne de jointure entre les dents et la bouterolle.

— Tu as déjà vu ça ? demanda-t-elle à Charles.

— Oui, c'est comme celle de Max. Un truc délicat. C'est peut-être le seul élément qu'Oliver pouvait améliorer.

Il retourna sur la plate-forme et s'agenouilla pour fouiller dans une boîte à outils.

— Il y a toutes sortes de moyens d'ouvrir une paire de menottes. On peut même le faire avec du fil de fer.

— Pas les menottes du NYPD, protesta Riker. C'est les meilleures.

— En tout cas, on peut ouvrir la plupart des menottes avec du fil de fer ou une aiguille.

Mallory comprit que Charles faisait preuve de tact. Chez Riker, la connaissance des fermetures se limitait à la languette d'aluminium qui permet d'ouvrir les boîtes de bière.

Charles sortit un étui en velours vert de la caisse à outils.

— Mais si ta vie en dépend, et que le temps presse, il est toujours plus sage d'utiliser une clé.

Mallory s'accroupit près de la caisse, fascinée par le F brodé de l'étui en velours. Il était identique à celui que le docteur Slope avait trouvé dans les vêtements d'Oliver Tree. Elle se demanda ce que le génial inspecteur du West Side avait fait de cette pièce à conviction.

Charles ouvrit l'étui et en sortit une série de courts pannetons métalliques suspendus au petit anneau d'une tige de dix centimètres.

— Tu vois la rainure ? C'est la même que celle de ton morceau de clé.

Mallory examina les bouts des pannetons. Certains étaient creux et quelques-uns pleins. Ils avaient l'épaisseur et les mêmes dents que les clés des menottes, mais ils étaient trop courts pour servir.

— C'est un vieux souvenir du théâtre de magie de Faustine, expliqua Charles.

Il dévissa un embout de la tige rainurée et vida une douzaine de pannetons dans sa main.

— Certains sont des antiquités, dit-il en en montrant un. Celui-ci est la clé avec laquelle Houdini ouvrait les menottes anglaises. On les appelait des Darby, je crois.

Il exhiba un autre panneton avec des dents de chaque côté.

— Celui-ci ouvre les menottes Marlin Daley à étranglement. Il y a aussi un passe-partout pour le modèle de la guerre des Boers, semblable à celui du vieux cadenas sur la porte en accordéon. Les autres…

— Un passe-partout ?

Mallory se releva pour examiner un panneton à la lumière. Elle remarqua les détails de fines rainures au sommet.

Riker lui prit la clé cassée des mains et la dévissa de sa tige. Puis il coula un œil vers le panneton qu'elle examinait.

— Ce sont tous des passe-partout ? demanda-t-il.

— Oui, acquiesça Charles. Un des nombreux maris de Faustine était outilleur.

Il vissa un panneton au bout de la tige.

— Ça rallonge la portée, de sorte qu'on peut ouvrir la serrure même si on est menotté.

Il se leva et montra les menottes que Mallory tenait à la main.

— Puis-je ?

Il s'en empara, tourna le dos un instant, et les lui tendit de nouveau.

— Tiens, attache ce bracelet à ma main droite et ne lâche surtout pas l'autre.

Elle s'exécuta, referma une menotte sur le poignet de Charles. Il leva sa main droite au-dessus de sa tête, entraînant le bras de Mallory dont la main serrait l'autre bracelet. Lorsqu'il rabaissa sa main, le bracelet tomba de son poignet et se balança au bout de celui que Mallory tenait encore.

Étonné, Riker prit la clé de Charles et la compara à la clé cassée.

— Comment avez-vous fait si vite ? Ma parole, je ne vous ai même pas vu trifouiller la serrure.

— Facile, dit Charles en dévisageant Mallory d'un air presque contrit. C'est peut-être un excès de sentimentalisme qui a tué Oliver – il a préféré utiliser une des vieilles clés de Faustine.

— Et il s'est trompé de panneton, dit Riker. La clé de Charles ne correspond pas à la clé cassée. Désolé, mon petit. Ton meurtre s'envole. Le métal s'est cassé parce que le vieux forçait la mauvaise clé dans la serrure.

Mallory lui arracha les clés des mains et les serra dans son poing.

— Combien de personnes peuvent posséder ces passes ?

— Tous ceux qui ont travaillé avec Faustine, répondit Charles. Et ils ont peut-être les originaux. De nos jours, ça coûte bien trop cher d'en fabriquer des neufs. Un serrurier ne saurait pas s'y prendre. Il faudrait trouver un artisan qualifié qui accepte de faire du sur mesure.

Mallory sourit.

— Ah, mon suspect fait donc partie du cercle de ces vieux magiciens.

Riker leva les bras, exaspéré.

— C'était la mauvaise clé. Tu essaies de tordre les faits pour coller à ta…

— Tu t'imagines qu'Oliver n'a pas essayé la clé ? Charles n'a mis que trois secondes pour trouver le bon passe-partout.

— Oliver était peut-être nerveux, objecta Charles. Le trac – les accidents, ça arrive…

— Oliver s'occupait de restauration. Il connaissait l'usure du métal. Quelles sont les chances qu'il ait pu utiliser la rallonge d'une clé vieille de cinquante ans qui risquait de lui coûter la vie ? Non, quelqu'un les a échangées. C'est pour ça que c'est la mauvaise clé.

Bien que loin d'être convaincu, Riker n'avait pas envie de chicaner.

— Ça ne suffira pas à convaincre un jury, dit-il.

— Peut-être pas. Mais c'est un sacré bon début. Si le neveu avait accès aux arbalètes d'Oliver, il connaissait certainement l'existence de cette clé. Il faut que tu l'interroges aujourd'hui.

— Les journalistes aussi veulent l'interviewer. Ils aimeraient connaître son point de vue sur le meurtre du ballon. Mais le bonhomme est introuvable.

— Continue de le chercher. Et je veux récupérer mon .357.

— Oh, laisse tomber ton flingue de merde ! T'as rien de mieux à faire que d'énerver Coffey ? Ton .38 fait de plus petits trous, mais ça suffira.

Charles esquiva la dispute. Il ramassa un poteau de trois mètres, grimpa sur la plate-forme et, perché sur un escabeau, ajustait soigneusement les tenons en face des mortaises lorsque Mallory lui lança :

— Ça n'était pas sur la plate-forme d'Oliver.

Charles opina tout en fixant les tenons.

— Je sais, mais tu vois ça ?

Il désigna une douille encastrée dans la partie inférieure de la traverse.

— Ça permet aussi d'attacher des rideaux. Il y a une tringle qui court tout du long…

— Oliver n'utilisait ni rideaux ni lampe.

— Commençons par assembler tout le dispositif, Mallory. Après, tu élimineras les pièces que tu voudras.

Riker se plia en deux pour sortir une arbalète d'une caisse ouverte. Un épais ruban de fils pendait. La crosse et la détente ressemblaient à celles d'un fusil. Mais à la place du chien, un long morceau de métal pointait depuis la crosse.

— Hé, Charles ? fit Riker en montrant l'étroit coffre en bois au-dessus du manche. C'est le magasin ?

— Oui, c'est une arbalète à répétition.

Charles descendit les marches deux à deux.

— Le magasin peut contenir trois flèches. (Il prit l'arbalète des mains de Riker.) Elle a besoin d'être nettoyée et huilée. Sinon, elle risque de s'enrayer.

Il emporta l'arbalète sur la plate-forme et cala la crosse dans un sillon du mécanisme d'horlogerie, en haut du socle. L'arbalète était désormais braquée sur la cible ovale.

— Ne joue jamais avec ça si tu es toute seule ici, Mallory. C'est dangereux.

— Entendu.

— Je te l'ai déjà dit. Quelqu'un en est mort.

Riker leva les yeux de la caisse dont il examinait le contenu.

— Quelqu'un d'autre qu'Oliver Tree ?

— Oui. Max essayait son tour dans une petite ville. Deux jeunes du pays se sont glissés dans les coulisses après la représentation. L'un d'eux a parié avec son copain qu'il avait pigé comment marchait le tour. Il en est mort – il avait dix-sept ans.

— C'était donc réellement un tour dangereux, déclara Riker.

Il regarda Mallory d'un air d'affirmer : « *Je te l'avais bien dit !* » Puis ses yeux se posèrent sur les caisses ouvertes et les mécanismes.

— Ça en fait du matos pour un tour merdique !

— Cette plate-forme fonctionne pour plusieurs tours différents, rectifia Charles. Les caisses contiennent des accessoires pour au moins douze d'entre eux. Ça va nous prendre pas mal de temps pour tout débrouiller.

Mallory se tint à côté d'un des socles composés de larges roues de cuivre dentées. L'arbalète n'avait pas encore été installée. Une fiche métallique tomba d'un trou près du bord de l'engrenage supérieur.

— Je vais réparer ça, dit Charles.

Il ramassa la fiche et la remit en place.

— Il devrait y avoir un drapeau rouge sur la fiche afin que les spectateurs puissent la suivre au fur et à mesure qu'elle tourne sur l'engrenage. Quand la fiche parvient au sommet, elle frappe la détente de l'arbalète. Oliver avait oublié ce détail… il n'y avait pas de drapeau.

— Ça pousse à se demander ce qu'il avait oublié d'autre, dit Riker.

Charles remonta le mécanisme à l'aide d'une clé située sur le côté du socle, puis appuya sur un bouton, près du sommet. Les roues en cuivres commencèrent à tourner en grinçant.

— Ça aussi, dit Charles, faudrait le huiler.

Il alla prendre un atomiseur dans la caisse à outils. Après avoir vaporisé le mécanisme d'huile, il enclencha de nouveau le système. Les roues tournèrent lentement avec le tic-tac régulier d'une horloge. Mallory regarda la fiche grimper au sommet de son orbite où serait bientôt installée l'arbalète, puis elle reporta son attention sur les armes restées dans la caisse, à ses pieds.

— Elles fonctionnent toutes ? demanda-t-elle.

— Espérons-le, acquiesça Charles. Ce ne sont pas des arbalètes truquées, si c'est ça que tu veux dire. Mais on ne pourra pas les essayer aujourd'hui. Elles ont besoin d'un bon nettoyage et de cordes neuves.

Riker s'assit sur la marche inférieure de la plate-forme et leva les yeux vers Mallory.

— Ton suspect figure parmi les vieux magiciens ?

Les roues continuaient de tourner. *Tic, tac, tic, tac…*

— Ils étaient à Central Park pour la représentation d'Oliver. Et également au défilé.

— Charles aussi, dit Riker en souriant.

Tic, tac, tic, tac…

— Charles est excusé.

Mais Riker ne l'était pas.

— D'accord, Mallory, concéda Riker d'un ton un peu trop condescendant. Et pour le sniper, le tueur de ballon ?

Tic, tac…

— Qu'est-ce que ça peut te faire, Riker ? Tu crois, comme le lieutenant, que j'ai menti à propos du tir. C'est pour ça que Coffey refuse que je mène les interrogatoires. Et t'as même pas pris la peine d'étiqueter les pièces à conviction.

Tic, tac, tic, tac…

Pour un homme de sa taille, Charles Butler se déplaçait avec une surprenante rapidité. Il disparut de nouveau à l'intérieur de la plate-forme, où l'atmosphère était moins belliqueuse et sans doute plus sûre.

— Une minute, Mallory ! protesta Riker en se levant. T'es à côté de la plaque.

Tic, tac, tic, tac…

— J'ai été conne de te dire que j'avais tué ce rat, dit Mallory d'une voix égale. C'est toi qui as fourni des munitions à Coffey pour son sermon. Vous marchez bien ensemble, tiens ! Vous vous entraînez souvent, tous les deux ?

94

Elle leva les mains ; il écarquilla les yeux. Il croyait peut-être qu'elle allait le frapper.

Tic, tac…

Les mains au-dessus de la tête dans la posture de la prisonnière, elle tourna lentement sur elle-même pour lui montrer qu'elle n'avait pas d'arme.

— Quand tu feras ton rapport au lieutenant Coffey, dis-lui bien que je ne suis pas armée, aujourd'hui. Les rats peuvent dormir tranquilles.

Le sous-entendu était limpide : il faisait lui aussi partie de la vermine.

Tic, tac…

Riker s'apprêtait à riposter, mais il se ravisa et pinça les lèvres. Il tourna le dos à Mallory, passa de l'autre côté du paravent chinois et se dirigea vers la sortie.

Elle entendit derrière la paroi en accordéon le bruit d'un objet dans lequel on shoote. À en juger par l'impact, Riker avait frappé violemment. Il perdait rarement son sang-froid. Et ne déchargeait jamais sa colère sur elle, malgré les nombreuses épreuves qu'elle lui avait fait subir dans son enfance, et encore récemment.

Elle avait enfin trouvé le détonateur.

Tic, tac, tic, tac…

CHAPITRE 5

Malgré son élégance, Rabbi Kaplan n'avait pas le profil du joueur, surtout avec son col cheminée, sa miche de pain à la main. Sa barbe soigneusement taillée était bien trop distinguée, et la douce tranquillité de son regard contredisait sa capacité à tenir sa place à une table de poker. La première chose qu'il fit en accueillant Charles Butler fut de lui confisquer sa cravate, sous prétexte qu'on ne pouvait pas se concentrer sur ses cartes si on ne respirait pas convenablement.

La cravate alla rejoindre l'étui à revolver de Mallory sur le portemanteau. Comme il était étrange de voir une arme aussi dangereuse dans la maison de David Kaplan !

Au bout du vestibule, Charles jeta un coup d'œil dans le salon. Son seul occupant était un étranger d'un certain âge en costume noir qui avait été autorisé à garder sa cravate. Un pardessus gris était plié sur ses genoux, et un feutre se balançait au bout d'un doigt noueux. Lorsqu'il se leva, ses yeux tristes se posèrent sur Charles, et la déception se lut sur son visage. Il attendait manifestement quelqu'un d'autre. Petit et frêle, il semblait planer au-dessus du tapis, aussi délicat qu'une feuille morte sur le point d'atterrir. Il avait le teint terreux, des yeux couleur poussière.

— Voici M. Halpern, dit le rabbin. Il aimerait dire deux mots à votre ami lorsqu'il arrivera. C'est très important pour lui. J'espère que vous n'y voyez pas d'inconvénient ?

— Du tout.

Parce que M. Halpern portait une cravate, Charles en avait déjà déduit qu'il n'était pas venu jouer au poker. Après les présentations, il s'attarda pour demander poliment :

— Vous êtes sûr de ne pas vouloir vous joindre à nous ?

M. Halpern inclina la tête dans une révérence d'un autre âge.

— Merci. Je préfère attendre ici.

Il montra son chapeau et son manteau pour expliquer qu'il ne resterait pas longtemps.

Charles suivit le rabbin dans le couloir et déboucha dans la bibliothèque où il fut aussitôt assiégé par les couleurs chatoyantes d'étagères remplies de livres reliés en cuir. Près de la porte, une table roulante était dressée, avec tous les ingrédients dont pouvaient rêver les amateurs de sandwiches. L'équipe habituelle était déjà réunie, et la tenue de Charles jurait parmi les sweat-shirts, les jeans et les vêtements kaki. Il ôta sa veste, déboutonna son gilet et roula ses manches de chemise.

Le docteur Slope s'activait avec le plateau de fromages, faisant virevolter son couteau-scie, découpant des tranches jaunes et des blanches. Le médecin légiste avait la physionomie parfaite du joueur de poker, un calme sévère qu'un flush royal n'aurait pas ébranlé. Ses amis l'appelaient Edward. Mais personne ne se serait risqué à utiliser un diminutif. Ed n'était même pas concevable. Il inclina la tête pour saluer Charles tout en empilant les morceaux de fromage sur son assiette.

— Salut, Charles ! lança Robin Duffy.

Ses yeux pétillaient de joie, comme s'ils ne s'étaient

pas vus depuis des années, alors que la dernière partie s'était déroulée chez lui. L'avocat à la retraite était un petit homme grisonnant du genre bouledogue, joueur redoutable car il gardait la même expression enjouée quelles que fussent ses cartes. Toutes ses rides proclamaient sa joie d'être là.

Derrière Robin, Mallory sortait de l'argent de ses poches de jean et de son blazer en cachemire. Elle honorait pour une fois de sa présence la petite congrégation.

Charles remarqua alors la nouveauté dans la bibliothèque du rabbin. L'ancienne table de jeu pliante avait été remplacée par un meuble massif avec de puissants pieds qui se terminaient en griffes de lion.

— Elle est merveilleuse, David !

Le rabbin caressa d'une main amoureuse le rebord en acajou, ses doigts effleurant doucement le feutre vert qui recouvrait la surface.

En approchant une chaise, Mallory détermina la place que chacun occuperait. Comme de juste, elle s'assit face à la porte. Elle s'arrangeait pour ne jamais tourner le dos à l'entrée. Le docteur Slope s'assit à sa gauche. Il aimait être à portée de seringue de Mallory, quelle que fût la disposition des lieux ou l'occasion. Robin Duffy, son admirateur impénitent, s'installa à sa droite, et Rabbi Kaplan prit la chaise en face du médecin et de Mallory afin d'arbitrer si la situation l'exigeait.

Charles s'assit entre Robin et le rabbin, car on attendait encore deux invités qui exigeraient de s'asseoir côte à côte.

Tout autour de la table, des bières étaient disposées sur des dessous-de-verre à côté d'assiettes de sandwiches et de cendriers. Charles remarqua qu'on avait ajouté une seconde nouveauté – des jetons de poker rouges, blancs et bleus, en lieu et place des habituelles pièces de monnaie.

Mallory devança sa réaction.

— Hé, oui ! fit-elle, Comme dans les vrais casinos ! Laissez-moi deviner, ajouta-t-elle à l'adresse d'Edward Slope, et sans prendre la peine de déguiser son sarcasme. Les jetons blancs valent cinq cents, c'est ça ?

Le docteur Slope se pencha vers elle en souriant.

— Tu sais déjà comment utiliser tes gains ? Pourquoi ne pas faire empailler le chien géant et le conserver comme trophée ?

La repartie du médecin déplut à Robin Duffy qui le fusilla du regard.

— Tu ne peux pas prouver qu'elle a tiré sur le ballon.

— Je n'en attendais pas moins d'un avocat, Robin. Mais j'étais là quand elle a fait éclater la pauvre chose.

Le docteur Slope empila vivement ses jetons, construisant des petites tours bancales.

À la façon dont il les disposait et grâce à ses talents de psychologue, Charles devina qu'Edward Slope n'avait rien d'un timide au poker. « *Je suis là pour jouer* », proclamait l'arrangement de ses jetons. Mais c'était aussi ce qu'Edward annonçait chaque fois qu'il s'asseyait à la table.

Le rabbin alignait ses jetons en colonnes précises, marque du miseur refoulé ; c'était pourtant le meilleur bluffeur de la table.

Question cartes, l'éducation de Charles avait été en dessous de tout. Sa première partie avec ces messieurs avait détruit sa croyance en un univers ordonné gouverné par les lois de causalité. Malgré sa connaissance approfondie du langage corporel, son QI élevé et sa logique sans faille, il ne gagnait jamais. Cependant, il revenait chaque fois, semaine après semaine, avec l'attitude d'un chien battu menant une expérience scientifique.

Charles n'avait jamais joué au poker avec Mallory. Bien avant qu'il la rencontre, elle avait cessé de jouer avec les vieux amis de son père adoptif. Il contempla ses

piles de jetons, si impeccablement alignées qu'elles ressemblaient à des colonnes de plastique unies. S'il la
voyait pour la première fois, s'il ne savait pas qu'elle
possédait un nombre impressionnant de revolvers, il
l'aurait prise pour une joueuse en mal d'assurance.

— Je vous ai vu à la télé, Edward, déclara Robin
Duffy en empilant ses jetons n'importe comment.
L'autopsie du ballon ne m'a pas paru très profession-
nelle, mais c'était assez marrant.

— Je reconnais un impact de balle quand j'en vois
un, rétorqua le médecin légiste.

— Ma femme croit que c'est vous qui avez tiré sur le
chien, Edward – juste pour faire porter le chapeau à la
gamine.

Robin se fendit d'un large sourire à destination de
Mallory. Chaque fois qu'il la regardait, il paraissait
émerveillé, comme si elle continuait de grandir sous ses
yeux.

Charles comprit pourquoi le rabbin avait insisté pour
que Mallory se joigne à eux ; c'était pour faire plaisir à
Robin. Depuis la mort de son père adoptif, elle s'aven-
turait rarement jusqu'à Brooklyn, et le vieil avocat se
languissait d'elle.

Charles décapsula une bouteille de bière, boisson
standard les jours de poker. C'est pourquoi il fut surpris
de voir un verre de sherry posé devant l'une des chaises
vides. En outre, l'éclairage n'était-il pas un peu plus
tamisé que d'habitude ?

Ça sentait la collusion ! On avait préparé un coup.

Lorsque la sonnette retentit, Rabbi Kaplan déclara :

— M. Halpern ira ouvrir.

Même si le rabbin pouvait voir la porte d'entrée en
tournant légèrement la tête, il s'en abstint afin d'accorder un peu d'intimité au nouvel arrivant et à M. Halpern.

Mallory n'eut pas cette courtoisie. Son regard alla
droit vers l'entrée.

Charles dut se pencher au-dessus de la table pour avoir une vue dégagée.

Le frêle M. Halpern ouvrit la porte pour laisser passer un grand type vêtu d'un long manteau sombre. Un chapeau noir à large bord masquait son visage. Même en ne distinguant que sa silhouette, les joueurs virent bien que le nouvel arrivant était l'exact opposé de M. Halpern – rien de délicat dans son allure, il dégageait une force massive même au repos. Lorsqu'il parvint dans le vestibule, la lumière frappa des mèches de longs cheveux blancs qui retombaient sur ses larges épaules. Les deux hommes discutèrent à voix basse, inaudible depuis la bibliothèque. Quelques minutes plus tard, ils se serrèrent la main.

Charles eut l'impression que M. Halpern pleurait lorsqu'il franchit le seuil et disparut lentement dans la nuit, refermant doucement la porte derrière lui.

Mallory ne quitta pas l'inconnu des yeux lorsqu'il ôta son manteau et son chapeau, et les accrocha à la patère près de la porte. Elle hochait imperceptiblement la tête, appréciant sans doute le superbe blazer en tweed et la chemise de soie bleue. L'homme avait ouvert les deux premiers boutons de son col, ce qui en faisait un partisan de la théorie du rabbin sur le poker et les cravates qui gênent la respiration.

Lorsque Malakhai parut, toutes les têtes se tournèrent vers lui. Il ne pouvait pas pénétrer simplement dans une pièce, il fallait que son entrée fût majestueuse. Ce n'était pas de l'affectation, mais un fait inévitable, car il attirait immanquablement l'attention dès qu'il pénétrait quelque part. Il sourit, et bien que son visage portât les stigmates de l'âge, quelque chose du bel enfant sauvage d'autrefois persistait dans ses traits. Il n'avait pas encore capitulé devant l'âge, il se tenait droit, sans aucun signe de faiblesse. Sa longue chevelure blanche rayonnait, piège à lumière. Ses yeux étaient tout le contraire, grands et bleu métallique, deux cercles sombres où la lumière n'avait pas sa place.

Charles dévisagea les joueurs réunis autour de la table. L'espace d'un moment, il crut qu'ils allaient applaudir le célèbre magicien pour avoir eu la bonté de se montrer parmi eux.

Tout le monde se leva, sauf Mallory, cependant que Charles faisait les présentations. Il grimaça lorsque Malakhai demanda :

— Puis-je vous appeler Kathy ?

— Non, répondit-elle sèchement.

Charles intervint prestement.

— N'y vois rien de personnel. Tout le monde l'appelle Mallory. Juste Mallory.

— Pas moi, dirent à l'unisson le rabbin et Robin Duffy.

Edward Slope se rassit et poussa le jeu de cartes vers Mallory, prête à commencer la partie... à plusieurs niveaux.

— Il faut choisir le bon moment, monsieur, dit-il. Ne l'appelez Kathy que si vous voulez l'empêcher de se concentrer. Sinon, ça perd de son pouvoir de nuisance. N'est-ce pas, Kathy ?

Elle l'ignora et battit les cartes.

Charles, s'excusant d'avoir négligé la politesse voulant qu'on présente les dames en premier, se tourna vers l'espace vide à côté de Malakhai et déclara :

— Et je vous présente Louisa.

— C'est toujours un plaisir, madame, fit le rabbin en inclinant la tête. Vous n'avez pas changé d'un iota. J'ai vu votre dernière représentation, ajouta-t-il en s'adressant à Malakhai.

— C'était il y a plus de vingt ans.

Malakhai tourna la tête vers l'absente et parut tendre l'oreille, puis sourit au rabbin.

— Louisa vous remercie de vous souvenir de nous.

(Alors, s'adressant à l'assemblée :) Mon épouse est une excellente joueuse de poker. Elle restera pour quelques mains… si personne n'y voit d'inconvénient.

— Votre épouse défunte ? fit Mallory. Certainement pas !

— Kathy ! s'exclama le rabbin. Ce monsieur est mon invité !

— Et alors ? rétorqua-t-elle. Il n'y a rien de personnel, dit-elle à Malakhai. C'est déjà pénible de m'être laissé entraîner à jouer avec ces amateurs. Pas question d'accepter les revenants à la table.

Rabbi Kaplan, qui avait pourtant souffert en silence des pires insultes sur ses capacités au poker, s'apprêta à la réprimander. Il ouvrit la bouche, mais aucun son n'en sortit. Peut-être hésitait-il entre les deux offenses proférées par la jeune femme : son refus d'admettre la présence d'une absente, et l'utilisation du terme injurieux de « revenant ». Pouvait-il lui conseiller d'éviter de blesser un invité en approuvant un mensonge ? À savoir qu'une morte était tout à fait capable de jouer au poker ? La complexité infinie des principes moraux le laissa en définitive bouche bée.

Charles se pencha derrière la chaise de Robin et souffla à Mallory :

— T'ai-je dit que Malakhai avait aidé mon cousin à élaborer les socles pour l'illusion des arbalètes ?

— Asseyez-vous, Louisa, dit Mallory, dont les principes moraux étaient autrement plus souples que ceux du rabbin. Et que tout le monde blinde.

Pendant que les jetons volaient au-dessus de la table, Malakhai tira une chaise pour la Louisa fantôme. Après s'être lui-même assis, il acheta des jetons et en fit deux tas distincts. Charles remarqua que les piles étaient différentes pour le mari et pour l'épouse. Les jetons de Malakhai étaient soigneusement ordonnés, tandis que ceux de Louisa s'étalaient avec la même insouciance que ceux d'Edward Slope.

Après que chacun eut contribué au pot, Mallory distribua les cartes aux six joueurs et à la morte.

— On peut tirer cinq cartes. La quinte bat le brelan et le flush royal bat le carré.

Tandis que les joueurs examinaient leurs cartes, Charles remarqua qu'un filet de fumée s'élevait du cendrier en face de la chaise de Louisa.

— J'ouvre, déclara Edward Slope en lançant un jeton bleu au centre de la table.

La cigarette de Louisa retint alors son attention. Une trace de rouge à lèvres maculait le filtre. Soudain, le cendrier bougea légèrement, comme si quelqu'un venait juste de le bousculer.

Superbement exécuté, comme toujours !

Charles fit signe à Malakhai, qui refermait son jeu pour quitter la partie. Les autres regardaient le cendrier en souriant presque timidement, comme s'il s'agissait d'une entreprise de séduction. Si Mallory avait remarqué la diversion, elle ne le montra pas.

Charles admira le minutage précis. Malakhai devait choisir le moment où les autres regardaient ailleurs pour poser les jetons sur le bord de la table et les lancer d'une pichenette à travers le tapis. À la moindre erreur, l'illusion était éventée.

Après que les joueurs eurent répondu à la mise de Louisa, Mallory s'apprêta à distribuer des cartes à ceux qui en voulaient. Edward Slope pianota sur la table pour indiquer qu'il était servi, mais Malakhai demanda une carte pour Louisa. La carte que la défunte rejetait glissa lentement sur le tapis vers Mallory, comme poussée par une main invisible.

Mallory scruta le feutre vert, cherchant sans doute le fil qui tirait la carte. Il ne pouvait pas être plus gros qu'un cheveu et du même vert que la table, invisible avec la lumière tamisée. Charles devina qu'il y avait un crochet en bout de table, près de Mallory afin que la carte glisse jusqu'à elle, mais il ne daigna pas vérifier. C'était sans doute un mince fil de fer, peint à la couleur du bois. Cela prouvait la collusion entre Malakhai et le rabbin, car de telles dispositions étaient toujours prises à l'avance.

Mallory prit la carte et l'examina. Naturellement, le point adhésif était resté collé au fil lorsque Malakhai l'avait récupéré.

Après un bref instant, le magicien se pencha vers Mallory.

— Mon épouse aimerait avoir sa carte, dit-il. Excusez son impatience, elle est habituée aux tables de Las Vegas, où les parties se déroulent un peu plus rapidement.

Des sourires accueillirent ces propos. Seule Mallory n'était pas séduite par la morte.

— Bien joué ! dit-elle avec un sourire forcé.

Elle lança une carte vers la chaise vide et en distribua deux au rabbin.

— Sans moi, déclara Charles, qui jeta ses cartes, exceptionnellement mauvaises, et coula un œil vers Mallory.

Son visage était aussi impassible qu'une statue, indéchiffrable.

— Comment fonctionne le tour des arbalètes ? demanda-t-elle à Malakhai d'une voix calme.

La question parut amuser le magicien.

— Je ne dévoile jamais les tours de Max Candle.

— À quoi joue-t-on, ici ? demanda Mallory à Charles.

Il n'eut aucune difficulté à saisir son expression. Ses yeux le transperçaient et sa voix était incontestablement exaspérée.

Il ouvrit les mains pour lui montrer qu'il n'était pas armé, et qu'il était donc injuste de s'en prendre à lui.

— Je n'ai jamais promis qu'il te dirait quoi que ce soit.

Mallory dévisagea longuement le magicien aux cheveux blancs, son adversaire, son nouvel ennemi. Il eût été facile de trouver son point faible. Il occupait la chaise vide à côté de lui.

Le docteur Slope monta la mise de deux jetons bleus. Tout le monde se tourna alors vers la chaise inoccupée. Les cartes de Louisa, qui reposaient sur le rebord de la table, se dressèrent un instant, comme si un fantôme les examinait. Une pile de quatre jetons glissa lentement vers le centre du tapis.

— Sans moi, déclara Slope en abattant son jeu.

Mallory fixait le verre de sherry de Louisa, où une trace de rouge à lèvres identique à celle qui maculait le filtre de la cigarette ornait maintenant le rebord. Le rabbin et Robin refermèrent leur jeu et regardèrent le verre avec des yeux ronds. Il s'agitait, sans doute, pour indiquer que Louisa était pressée de continuer à jouer.

Mallory porta lentement sa bouteille de bière à ses lèvres, comme si elle était habituée à trinquer avec les morts. Elle suivit la mise de Louisa, ajoutant quatre jetons dans le pot.

— Pour voir, annonça-t-elle.

L'épreuve de force !

Les cartes de Louisa se retournèrent. Ce n'était pas du bluff, le fantôme détenait une quinte à carreau, battant nettement le full aux valets par les trois de Mallory.

En voyant les yeux verts de la jeune femme cligner, Charles comprit qu'elle calculait les chances de Louisa d'obtenir cette magnifique quinte en tirant une seule carte. Or, la morte avait augmenté la mise avant de tirer – quelle intuition ! Mallory étudiait certainement comment le mari et la femme avaient échangé leurs cartes.

Sans un mot, le paquet passa dans les mains d'Edward Slope. Les trois tours suivants, Louisa renonça, et

Mallory emporta deux pots sur trois. Le tour de la donne avait sauté Louisa pour revenir au rabbin. Après avoir distribué plusieurs mains, celui-ci passa le paquet de cartes à Charles en contemplant ses piles de jetons branlantes.

Ils blindèrent, puis entamèrent les paris. Seule Louisa tira des cartes au cours de cette donne.

— Deux cartes pour Mme Malakhai, annonça Charles en les distribuant.

Malakhai sourit.

— Louisa dit que tu la connais depuis suffisamment longtemps pour l'appeler par son prénom.

— Naturellement. Et que…

— Le sherry ! s'exclama Robin en montrant le verre.

Le verre de Louisa, presque plein l'instant d'avant, était désormais à moitié vide et une fine pellicule coulait lentement le long du cristal. Sur la serviette en papier, à côté de son verre, un triangle de sandwich était orné de la délicate empreinte de ses lèvres rouges. Robin Duffy resta un instant l'œil rivé sur la chaise vide où aurait dû se trouver la défunte.

Mallory était loin d'être ravie.

Charles demanda un temps mort et quitta la table. Lorsqu'il reparut avec des bières, il remarqua le poudrier ouvert sur les genoux de Mallory, la glace dirigée de manière à surprendre les mains qui s'égaraient sous la table. Elle discutait d'un ton civilisé, sans effusion de sang imminente, mais Charles devinait que cela changerait si Louisa gagnait de nouveau.

— Seule une partie du secret réside dans la plateforme, déclarait Malakhai. Il ne faut pas mésestimer l'apport intellectuel. Il faut savoir quels effets Max prévoyait. Alors, on peut partir de la fin pour découvrir le moyen d'y parvenir.

— C'est juste un tour, dit Mallory en étalant ses cartes à cheval sur le bord de la table, les laissant dépasser de la même longueur que celles de Louisa. Elle misa avec confiance ; les autres avaient renoncé… sauf la défunte.

Edward Slope regarda Mallory d'un air inamical.

— C'est du bluff, dit-il. Même moi, je le sais. (Il jeta ses cartes.) Je n'aime pas ça du tout.

— C'est plus une question d'illusionnisme que d'accessoires, dit Malakhai, qui semblait s'intéresser davantage à la conversation qu'au jeu. Si vous n'avez que les pinceaux et les couleurs, pouvez-vous décrire le tableau qu'un artiste a peint avec ce matériel ?

— C'est un simple tour d'évasion, dit Mallory. Menottes, arbalètes – c'est assez banal.

— Super ! Eh bien, pourquoi ne pas le déchiffrer vous-même ?

Malakhai s'adossa et regarda Mallory d'un air quelque peu amusé. Il inclina la tête vers la chaise vide, comme si Louisa avait réclamé son attention, puis il se tourna de nouveau vers Mallory.

— Louisa demande à voir vos cartes.

Deux autres jetons jaillirent de la chaise vide et s'arrêtèrent au milieu du tapis vert. Les cartes de la morte s'étalèrent. Cette fois, Louisa détenait un flush royal.

Les yeux de Mallory lançaient des éclairs. Même un demeuré aurait pu calculer les probabilités d'une main pareille. Bien que parfaitement immobile, Mallory donnait l'image d'une bombe à retardement. Mais rien dans sa voix ne trahit sa fureur.

— Oliver Tree n'aurait jamais dû mourir. Quand je découvrirai comment le tour a été saboté, je saurai qui l'a tué.

— Il a probablement saboté le tour lui-même, dit Malakhai. Ou alors, c'était à cause de ses piètres réflexes. On aurait excusé un homme de son âge d'utiliser des menottes spéciales, mais il a tenu à ce que ce soient celles de la police – juste comme Max. Pauvre Oliver. Toujours aussi pointilleux sur les détails.

Il tendit l'oreille vers la chaise vide.

— Louisa vous rappelle que vous n'avez pas étalé votre jeu. Naturellement, ajouta-t-il en souriant, elle ne souhaite pas vous embarrasser…, si vous préférez ne pas montrer votre main.

Mallory n'entendit pas l'insulte, n'abattit pas ses cartes, elle était trop concentrée.

— Oliver a manœuvré comme il fallait, dit-elle. Cela avait bien marché pendant les dix répétitions.

Malakhai afficha une authentique surprise.

— Comment connaissez-vous le nombre exact des répétitions ? Un des autres magiciens…

— Non. Ils ignoraient le tour avant de le voir dans Central Park. Ils me l'ont certifié.

— Alors, le neveu d'Oliver vous l'a dit ?

Mallory secoua la tête.

— Introuvable. J'espérais que vous sauriez où il est.

Cela ressemblait presque à une accusation.

— Peut-on terminer cette main ? demanda le docteur Slope en tapant sur la table devant Mallory. Je veux voir tes maudites cartes.

— Ainsi, vous ne croyez pas aux accidents, fit Malakhai. Ça arrive pourtant sur scène, vous savez. Ma femme est morte accidentellement pendant un tour de magie.

Ce fut au tour de Charles de manifester sa surprise. C'était plus que personne n'avait jamais appris sur la mort de Louisa. Pourquoi Malakhai dévoilait-il cet incident à des gens qu'il connaissait à peine ? Le contrat pour le *Concerto de Louisa* interdisait toute explication de sa mort, et maintenant une importante sanction financière allait dépendre de la discrétion d'étrangers.

Slope tambourina sur le tapis vert pour inciter Mallory à étaler ses cartes.

Elle ne quitta pas le magicien des yeux.

— Comment peut-on mourir pendant un tour de magie ?

— Louisa a reçu une flèche tirée par une arbalète à vingt pas, expliqua Malakhai du même ton que s'il avait décrit la robe de son épouse. Un quart d'heure plus tard, elle était morte.

Tout le monde était suspendu aux lèvres du magicien, même Edward qui s'était soudain désintéressé de la mystérieuse main de Mallory. Le médecin légiste fixait la chaise vide d'un air ahuri.

— Où a-t-elle été blessée ?

Malakhai effleura une épaule imaginaire à côté de lui.

— Ici ? fit Mallory en montrant sa propre épaule.

Malakhai acquiesça.

— À quoi ressemblait le corps… juste après la mort ?

Le rabbin laissa retomber ses cartes. Il dévisagea Mallory en hochant la tête, l'accusant en silence de son manque flagrant de respect.

Moins choqué que lui, Malakhai se tourna vers la chaise vide.

— Elle avait du sang dans les yeux, un peu d'écume rose aux lèvres.

— Dans les yeux ?

Mallory sourit d'une manière étrangement inconvenante.

— Des éclaboussures de sang ?

— Non, le sang ruisselait seulement de la plaie, dit Malakhai en montrant l'épaule de l'absente. Mais ses yeux semblaient blessés de l'intérieur.

Charles étudia le visage soucieux du docteur Slope. Le médecin légiste s'était calé au fond de sa chaise, comme s'il avait besoin d'un soutien supplémentaire en s'apercevant soudain qu'il était assis à la même table qu'un cadavre sanguinolent, à la place du charmant fantôme que les autres joueurs faisaient semblant de voir.

Mallory était figée au garde-à-vous.

— Y avait-il d'autres marques sur le corps ? Des blessures, des bleus, quelque chose ?

— Non, assura Malakhai, qui poursuivit sa sèche description du cadavre. Juste une sorte de teint rosâtre, comme si elle rougissait d'être vue ainsi – embarrassée par sa propre mort.

Le médecin légiste semblait de plus en plus préoccupé. La brusque apparition d'un cadavre hors de ses heures de travail le contrariait sans doute.

— Et vous dites que c'était un accident ?

— Tout comme la mort d'Oliver, répondit Malakhai. Le vieux aurait peut-être eu sa chance s'il avait vu le tour réalisé par Max. Mais il a été obligé de deviner.

— Le plan d'Oliver était tout ce qu'il y a de simple, déclara Mallory. Il voulait juste s'arracher de la trajectoire des flèches.

— Si vous croyez que c'est aussi facile que ça, vous n'avez pas besoin de mes lumières.

— J'ai jamais dit que j'en avais besoin.

— Tu refuserais de l'admettre, intervint Edward Slope. Même si c'était le cas. Très bien, petite maligne, peut-être daigneras-tu m'expliquer comment une morte peut te battre au poker.

Elle ramassa le paquet et étala les cartes, inspectant soigneusement leur envers. Edward la regarda faire, puis abaissa ses lunettes et se pencha vers elle.

— Où est le problème, Kathy ? Tu as oublié comment tu as marqué les cartes ?

Mallory leva les yeux vers le magicien.

— J'ai noté que Louisa gagnait gros quand quelque chose bougeait sur le tapis. Intéressante diversion. Je parie qu'il manque cinq cartes à ce paquet.

La mâchoire du rabbin tomba de surprise. David Kaplan était un si bon joueur de poker que Charles ne

111

sut dire s'il était innocent ou s'il était le complice de Malakhai.

— Tu ne suggères pas que quelqu'un à cette table a étouffé des cartes, j'espère ?

— Je suggère... un pari de vingt dollars.

Mallory déposa un billet sur la table.

— Qui soutient le pari ?

Malakhai sourit d'un air généreux.

— Vous ne croyez pas à la chance non plus ?

— Il n'y a rien de personnel, lui glissa Edward Slope sur le ton de la confidence. Elle a simplement horreur d'être battue par meilleur tricheur qu'elle.

Mallory ne parut pas indignée le moins du monde, seulement surprise.

— Je n'ai pas besoin de tricher pour battre une bande de gonzesses.

— Tu ne parlerais pas comme ça si ton père était là, dit Rabbi Kaplan.

— Bien sûr que si ! protesta Robin Duffy. C'était la réplique préférée de son vieux. (Il adressa un sourire à Mallory.) C'est une partie amicale, Kathy. Pour l'amour du Christ – désolé, rabbin –, nous ne jouons que pour des centimes.

— Kathy, fit Rabbi Kaplan en adoptant le ton qu'il utilisait pour ses sermons, nous avons une bonne raison pour ne miser que des peccadilles. Sais-tu laquelle ?

— Parce que vos épouses ne vous laissent pas jouer gros.

— À part ça, dit le rabbin.

— Ça incite moins à tricher.

— À part ça, dit Edward Slope.

Le rabbin enlaça Mallory et la serra un instant contre lui.

— Kathy chérie, c'est juste une partie entre amis. L'argent ne compte pas.

— Exactement, approuva le rabbin. C'est seulement un...

— Le but est seulement de gagner, dit Robin.

Le rabbin dut réfléchir un instant à la question. Mallory ramassa les cartes des joueurs, y ajouta les siennes. David Kaplan tendit le bras au-dessus de la table pour poser sa main sur celle de Mallory.

— Je t'interdis de compter ces cartes, Kathy.

Parmi les amis de son père adoptif, seul le rabbin pouvait lui interdire quelque chose et s'en tirer.

Mallory serrait toujours le paquet quand elle repoussa sa main et se leva de table.

— Je reviens tout de suite, annonça-t-elle.

— Où va-t-elle ? demanda Robin en fixant la porte qui se refermait derrière elle.

Charles entendit une autre porte s'ouvrir dans le couloir.

— Dans la cuisine, je crois.

Tous l'entendirent vider les tiroirs et les refermer bruyamment.

— Qu'est-ce qu'elle... ?

Edward fit taire Robin d'un geste afin d'écouter le cliquetis métallique des ustensiles.

— Pourquoi n'as-tu pas fermé tes tiroirs à clé, David ? Tu savais qu'elle viendrait ce soir.

Le bruit d'un moteur retentit, suivi d'un grincement aigu.

— C'est l'aiguiseur, dit le rabbin.

Fascinés, ils tendirent l'oreille.

Un violent coup de marteau sur un billot en bois fit sursauter David Kaplan. Il pencha la tête de côté.

— La planche à pain ?

— Génial ! railla Edward. Elle découpe le jeu de cartes. Petite peste égoïste ! Si elle ne réussit pas à étouffer les quatre as, elle ne laisse personne le faire.

Mais lorsque Mallory retourna dans la bibliothèque,

le paquet était intact – plus ou moins. Il était fiché dans une brochette de barbecue à la pointe aiguisée. Elle libéra les cartes en les faisant glisser le long de la pique en métal, puis posa le paquet sur la table devant Rabbi Kaplan.

— C'est trop !

Le rabbin ramassa le paquet et regarda par le trou qui le traversait de part en part.

Mallory le gratifia de l'ombre d'un sourire.

— Je ne les ai pas comptées, assura-t-elle. D'accord ?

Charles examina le trou, pile au milieu. Si Malakhai conservait encore des cartes pour Louisa, il aurait du mal à les remettre en jeu.

Le magicien s'esclaffa, pas vexé pour deux sous. Le rabbin soupira.

— J'ai cassé ta planche à pain, annonça Mallory en se rasseyant à sa place. Je la remplacerai.

Edward Slope prit le paquet et l'approcha de la lumière.

— Ç'aurait été tellement plus facile avec une balle. D'accord, Kathy, je crois presque que tu n'as pas tiré sur le ballon.

Seul Charles parut profondément ébranlé lorsqu'il reprit ses cartes trouées. Un tel tour aurait dû être impossible. Son cerveau agile calculait la résistance d'un paquet de cartes, évaluait la force nécessaire, la rage indispensable pour faire ce qu'elle avait fait.

Ils jouèrent une autre partie, lancèrent leurs jetons au milieu de la table. Pure coïncidence, sans doute, Louisa connut une série de coups perdants.

Comme par hasard, aurait dit Mallory.

Trois tours plus tard, elle avait la plus grosse pile de jetons et Charles s'interrogeait toujours sur le trou dans le paquet de cartes. Il n'avait entendu qu'un seul coup sur la planche à pain. Peut-être Mallory s'exerçait-elle à la magie. Elle avait pu trouer les cartes une à une, puis casser la planche à pain pour brouiller les pistes. C'était peut-être sa version d'un bras de fer. En envisageant le pire, il se dit qu'elle avait pu trouer le paquet d'un seul coup – guidée par la rage. Les deux hypothèses l'inquiétaient.

Elle continuait de tirer les vers du nez de Malakhai. Les autres joueurs étaient distraits par le verre de Louisa. Il lévitait au-dessus de la table, se renversait comme si quelqu'un buvait le sherry qu'il contenait. Un truquage impossible à éventer. Le verre vint se reposer délicatement sur la table.

Impressionnant !

Toutefois, le magicien n'avait pas réussi à détourner Mallory de ses investigations.

— Je ne vois pas où est le problème, dit-il en levant les mains dans un geste d'impuissance. Vous savez très bien qu'Oliver est mort parce que sa clé s'est brisée dans la serrure des menottes.

Un sourire se dessina sur les lèvres de Mallory, si fragile qu'il en était presque imperceptible.

— Tiens ! fit-elle. Et comment savez-vous ça ?

En effet, comment Malakhai le savait-il ? Charles se souvint que Riker avait dit que le communiqué de presse ne parviendrait aux journaux que le lendemain. Si les autres magiciens avaient connu le détail de la clé, ils en auraient certainement déjà parlé.

— C'est très simple, répondit Malakhai. J'ai demandé à l'inspecteur qui a fait le rapport sur l'accident. C'est son enquête.

Apparemment, Mallory considéra cette précision comme une atteinte à son autorité. Ses yeux se rétrécirent, signe que le conflit allait dégénérer.

— C'est mon enquête, maintenant ! Et quand je l'aurai terminée, je trouverai peut-être encore le temps de découvrir qui a assassiné votre épouse.

— Elle est morte accidentellement, assura Malakhai. Une salle pleine de témoins l'a vu.

— Oliver Tree avait un million de témoins. Et après ? Commençons par la flèche dans l'épaule de Louisa. Ici, avez-vous dit ?

Elle désigna sa propre épaule et se tourna vers le médecin légiste.

— Le deltoïde, c'est ça ? Dire que vous croyez que je ne fais pas attention pendant vos autopsies ! La flèche n'avait rien à voir avec sa mort, dit-elle en s'adressant de nouveau à Malakhai. On l'a tuée plus tard... dans la fourchette des quinze minutes.

— La flèche a atteint une artère, déclara Malakhai. Louisa a perdu beaucoup de sang.

Mallory secoua lentement la tête et reporta son regard vers Edward Slope.

— Corrigez-moi si je me trompe, Doc. Même si je faisais un trou dans votre aorte, vous ne saigneriez pas à mort en un quart d'heure.

— Exact, confirma Edward en étudiant ses cartes. Une blessure à l'épaule comme celle-là – on peut stopper l'hémorragie d'une simple pression. Des soins médicaux dans l'heure auraient suffi à éviter les complications. (Une idée parut lui traverser l'esprit.) On calcule mal le temps dans la panique et...

— En cas de panique, intervint Mallory, les témoins perdent la notion du temps. Si une ambulance arrive en quatre minutes, ils affirment qu'elle en a mis quarante. Donc, si Malakhai parle d'un quart d'heure, c'était peut-être dix minutes, ou même cinq.

Le magicien coula un œil vers la chaise vide.

— Je n'ai jamais parlé de sa mort en public. C'est...

— Un sujet sensible, coupa Mallory d'un air approbateur. Vous avez raison, ne parlez qu'en présence de votre avocat. Votre épouse connaissait son assassin, et elle était seule avec lui quand elle est morte. Je pense donc qu'on l'a transportée en coulisse. C'est là qu'on lui a ôté la flèche. Exact ?

Malakhai acquiesça.

— Elle était dans un lieu clos, fermé par une porte ou une cloison. Encore exact ? Naturellement, dit-elle sans attendre la réponse. Donc, elle est allongée par terre, l'assassin prend un oreiller, un objet mou qui ne laissera pas de marques ni de…

— L'oreiller me pose un problème, intervint le docteur Slope. Pas assez de trauma pour les dégâts rétiniens et la décoloration.

— C'est juste, fit Mallory. Les yeux injectés de sang, le teint rougeâtre. Et vous oubliez l'écume rose aux lèvres. Ajoutons donc une pression sur la poitrine, d'accord ? (Elle se tourna vers Malakhai.) Donc, la voilà étendue par terre, et on l'étouffe. Cependant, l'assassin estime qu'elle ne meurt pas assez vite. Elle se débat, et ne veut pas mourir. C'est de la lutte que provient le sang. La blessure saigne parce qu'elle tente de repousser l'oreiller de toutes ses forces afin de respirer. Elle s'affaiblit – toute cette perte de sang, le manque d'air. Mais elle refuse toujours de mourir. Que fait l'assassin ? Il est effrayé, il panique. Des gens se rassemblent derrière la porte. L'un d'eux risque d'entrer d'un moment à l'autre. Et elle se débat toujours, elle s'accroche à la vie dans l'espoir qu'on vienne la secourir. Alors, il appuie un genou sur sa poitrine et il la cloue au sol… il l'écrase. Elle veut crier, mais il presse toujours l'oreiller sur sa figure et personne ne l'entend. Elle le sait. Dans le silence, elle peut entendre le craquement de ses os dans sa poitrine. Et finalement, finalement…

— Kathy ! s'écria le rabbin, brisant le charme. Ça suffit ! Tu es en train de parler de la mort de sa femme. C'est…

— Très impoli, dit Edward Slope. Et présomptueux. Je peux citer trois poisons rapides qui auraient produit de l'écume et une hémorragie rétinienne.

— Les poisons ne sont pas fiables, argua Mallory,

comme si elle échangeait des recettes culinaires avec le médecin légiste. L'étouffement convient mieux... pas de marque sur la gorge, pas de produit chimique dans l'organisme. Qui vous a tuée, Louisa ? demanda-t-elle à l'absente de la chaise vide.

Malakhai se tourna lentement vers son épouse défunte.

— Elle refuse de répondre, assura-t-il.

— Je l'aurais parié, sourit Mallory. Vous a-t-elle conseillé d'appeler un avocat ?

Le rabbin abattit sa main sur la table.

— Kathy !

Mallory feignit la surprise... sans convaincre.

— Je ne l'ai pas accusé.

Le docteur Slope croisa les bras sur sa poitrine, se désengageant complètement de la partie.

— Qu'a dit le coroner ?

— Il n'y a pas eu d'autopsie, pas d'enquête.

— Naturellement ! fit Mallory. La police locale a préféré conclure à une mort accidentelle, moins de paperasses à remplir... tant que personne ne protestait. Et je parie que vous n'avez pas protesté. L'assassin a eu bien de la chance.

Elle repoussa sa chaise de la table.

— Je crois avoir développé mon point de vue sur la mort accidentelle.

— Mais vous ne l'avez pas démontré, dit Malakhai. Si vous pouvez prouver un meurtre plus de cinquante ans après les faits, je vous expliquerai comment marchait l'Illusion Perdue de Max Candle.

L'équilibre des forces pencha de nouveau en faveur de Malakhai. Il sommait Mallory d'étaler son jeu.

Tous les yeux se tournèrent vers elle.

— Je vous l'ai déjà dit, Malakhai. Je n'ai pas besoin de votre aide. Et je n'ai pas besoin de motivations non plus. Oliver a dédié son dernier tour à votre épouse. Il se

sentait peut-être coupable. Vous rêviez peut-être de vengeance. Si je découvre que c'est lui qui a assassiné votre
femme, vous allez avoir besoin d'un bon avocat d'as-
sises.

— L'inspecteur chargé de l'affaire a dit qu'elle était
close – mort accidentelle. La clé était vieille. Il a dit que
c'était…

Mallory l'arrêta d'une main.

— Oliver faisait de la restauration d'immeubles. Et
pas seulement la charpente – les vis, les tuyaux, les
poutres métalliques. Il en connaissait un rayon sur
l'usure du métal. Il n'aurait jamais risqué sa vie avec
une clé vieille de cinquante ans.

— C'est votre opinion.

— C'est un fait. Il avait commandé des clés neuves à
la serrurerie avec laquelle il était en relation d'affaires.
J'ai vérifié ça il y a trois heures.

Mais si Charles se rappelait bien les événements de la
journée – or il s'en souvenait parfaitement –, elle était
encore en train de manger une pizza dans sa cuisine
deux heures plus tôt.

— Les clés neuves étaient d'un métal de meilleure
qualité – plus résistant, assura Mallory.

Malakhai chassa l'argument – le mensonge – d'un
geste.

— Dans ce cas, Oliver a confondu la clé neuve avec
la vieille.

— Désolée, dit Mallory, qui ne l'était pas du tout. Le
serrurier possède toujours la vieille. Il la garde pour la
dupliquer. Oliver voulait dix clés. D'après le serrurier,
Oliver utilisait une clé neuve pour chaque répétition.
C'était pousser les précautions un peu loin, vous ne
trouvez pas ? Superflu, même si sa vie en dépendait.
Disons que l'usure du métal le rendait paranoïaque.

Était-elle allée trop loin ? Charles se souvint qu'Oliver
était un homme confiant qui signait ses contrats avec une

simple poignée de main. Tout le contraire d'un paranoïaque. Mais des années avaient passé depuis qu'Oliver et Malakhai s'étaient rencontrés. Et Mallory mentait avec un tel aplomb que le magicien parut la croire.

— Il avait peut-être plus d'une vieille clé, avança-t-il.

— Erreur ! Oliver avait dit au serrurier de bien prendre soin de la vieille clé. Il disait que c'était la seule qui lui restait, un souvenir du théâtre de magie de Faustine. Vous y avez donné des représentations, vous aussi. Je parie ma chemise que vous possédiez une clé identique. Vous l'avez toujours ?

— Vous ne pensez pas sérieusement...

— Je sais que vous êtes dans le coup, Malakhai. Vous êtes bien trop pressé de me montrer les failles de mon raisonnement.

Malakhai sourit avec un soupçon de condescendance.

— Non. Vous croyez juste que j'ai deviné par hasard. Désormais, Malakhai, où que vous alliez, protégez vos arrières. Je serai juste derrière vous... et vous avez de quoi vous inquiéter. Demandez à n'importe qui à cette table, on vous dira à quel point je suis vicelarde.

Robin Duffy la regarda, abasourdi, comme si elle venait de lui tirer une balle dans le cœur.

Elle se tourna vers le rabbin, qui la connaissait mieux que quiconque. Provocatrice, elle semblait le défier de nier son affirmation – elle attendait qu'il la contredise. Mais elle s'aperçut qu'elle aurait à attendre longtemps.

Le rabbin détourna les yeux.

Cependant que Charles cherchait des arguments en sa faveur, ce fut Edward Slope qui vint galamment à sa rescousse.

Il l'enlaça par les épaules et secoua lentement la tête pour indiquer qu'il ne partageait pas son opinion sur ses prétendus défauts, puis il déclara à Malakhai :

— Surveillez vos arrières. Vous avez vu ce qu'elle fait aux petits toutous.

CHAPITRE 6

Situé à l'arrière de l'immeuble de Charles Butler, le bureau était protégé du bruit et de la bousculade des rues de SoHo. Il surplombait un jardin municipal envahi de mauvaises herbes, de poubelles et des rats qui vont avec, mais leurs cris aigus et les grattements de leurs petites griffes ne franchissaient pas les fenêtres fermées du premier. Dans la pièce, meublée de métal froid, régnaient l'ordre immuable et la mort. Ce n'était pas une métaphore, Mallory croyait fermement que son environnement ne dévoilait rien de sa personnalité.

Trois écrans d'ordinateurs étaient parfaitement alignés avec leur unique œil bleu scintillant. Des lignes de texte défilaient sur les écrans. Un mur d'étagères abritait des périphériques, des boîtes de disquettes, des outils et des manuels. Le mur adjacent était nu du plancher aux moulures du plafond. Ce soir, il servait d'écran vidéo géant pour visionner la cassette de l'homicide de Central Park, et Oliver Tree donnait sa dernière représentation. Mallory passait la projection en boucle, le vieil homme était assassiné, ressuscitait et était de nouveau tué à l'infini.

Charles Butler avait proposé à Mallory la chaleur de meubles anciens pour remplacer ses classeurs métalliques, son bureau et ses fauteuils. Il avait suggéré des rideaux pour rompre la froideur des stores bureaucratiques. Et il pensait qu'un ou deux tableaux auraient brisé la monotonie du mur où Oliver Tree, suspendu à ses chaînes, était transpercé par les quatre flèches.

Mais elle préférait son propre mobilier succinct. Elle pouvait l'assembler dans n'importe quelle pièce nue, entre quatre murs blancs, et elle s'y sentait aussitôt chez elle, dans un environnement familier, bien que stérile. La surface des instruments de travail était froide au toucher. Par respect pour ses machines, elle maintenait la température en dessous de la norme habituelle.

Dans la projection du spectacle de magie, Oliver était de nouveau en vie, appelant à l'aide, une flèche dans le cou.

Mallory recula son fauteuil. Après quelques heures de recherches, dont certaines légales, elle n'avait trouvé aucune trace de Louisa Malakhai. L'un après l'autre, les archivistes s'étaient plaints de ne posséder aucun portrait, aucun acte de naissance ni de décès, aucune preuve tangible de l'existence de la jeune compositrice – hormis sa musique, l'opus numéro un et unique *Concerto de Louisa*.

Mallory sortit le passeport de Louisa Malakhai de la poche de son blazer. Elle examina la photographie en noir et blanc. Autour du visage raturé, on devinait de longues boucles ondulantes. Les cheveux étaient plus clairs que le visage, sans doute d'une teinte de feu car Émile Saint-John avait fait allusion à une rousse.

C'était un passeport tchécoslovaque, mais le contact de Mallory à Interpol n'avait pas trouvé de fichier tchèque. Mallory feuilleta le passeport jusqu'au dernier tampon des douanes. Il datait de l'arrivée de Louisa en France en août 1942. Elle revint aux tampons précédents qu'elle examina plus attentivement.

Des faux ? Bien sûr !

Seul le dernier était fiable. Ainsi, Louisa avait utilisé

son passeport pour entrer en France. Mais les lettres et les numéros des tampons précédents avaient été écrits par le stylo d'un faussaire, et non par le rouleau encreur d'un fonctionnaire. *Astucieux*. Un passeport neuf aurait éveillé les soupçons dans une Europe en guerre. Un sceau circulaire en relief enjambait la photographie. On ne discernait pas les imperfections.

Mallory remisa le passeport dans sa poche, où il alla tenir compagnie à la carte d'identité française de Louisa, qui expirait fin 1942.

Direction Paris ?

Elle jeta un coup d'œil à l'horloge murale. Minuit passé – trop tôt pour aller naviguer sur Internet. Son contact européen ne serait pas à son bureau avant des heures.

Au début, elle avait fréquenté l'homme d'Interpol pour lui soutirer des informations, pour piller ses données sur son réseau. Mais désormais elle espérait communiquer avec lui par l'intermédiaire de son ordinateur. L'anglais n'étant pas sa langue maternelle, il écrivait avec précision, sans formulation idiomatique, sans argot. Ses commentaires étaient dépouillés, nets et froids. Telles deux machines couplées, leurs relations ne déviaient jamais du software et du hardware.

Le policier français était son unique ami – le seul en tout cas qu'elle n'avait pas hérité de son père adoptif en même temps que sa montre de gousset.

Un ongle verni rouge pressa le bouton d'alimentation et l'écran s'éteignit. Mallory pivota dans son fauteuil vers le mur où Oliver Tree recevait une autre flèche dans sa chair. Elle regarda avec détachement, l'esprit ailleurs, la flèche suivante transpercer le cœur du pauvre vieillard et le sang inonder le devant de sa chemise blanche. Elle coupa le courant, accordant à Oliver un répit dans son agonie à répétition.

Le calepin et le stylo à la main, elle nota les renseignements dont elle aurait besoin sur la plate-forme qui prenait tant de place dans la cave. Elle envisageait de réduire tout cela à des chiffres et à des graphiques de la taille d'un écran d'ordinateur.

Après avoir fermé la porte à clé derrière elle, Mallory passa tranquillement devant les appartements de Charles et s'apprêta à descendre à la cave. Avant même d'avoir entrouvert la porte de l'escalier, elle perçut les notes de musique et la voix plaintive de la chanteuse. Elle la reconnut aussitôt : Billie Holiday.

Un fan de blues passait de vieux albums sur le tourne-disque de la cave.

Mallory se pencha par-dessus la rampe afin de regarder à travers la cage d'escalier en fer forgé. Des ampoules nues projetaient des ombres de métal tordu le long des murs incurvés. En descendant l'escalier en colimaçon, elle tendit l'oreille pour écouter la chanson enregistrée au début de la carrière trop brève de Billie.

Grâce à son père adoptif, Mallory avait reçu une éducation musicale sans pareille. À douze ans, elle pouvait nommer tous les disques de Billie Holiday. Markowitz l'appelait Lady Day. Cette chanson était des années 30, la meilleure époque de sa courte vie, quand elle se laissait aller, sans faire de quartier, et chantait ses morceaux à fond la caisse.

Mallory dégaina son revolver.

Le morceau cessa brusquement lorsqu'elle parvint au palier suivant, à une volée de marches de la cave, et la chanson suivante commença. L'intrus avait changé de disque et d'époque. Celui-ci datait de 1946 et la voix de la Lady s'était durcie.

Mallory marqua une pause. Le volume élevé du son n'indiquait pas un cambriolage discret. Elle savait que ce n'était pas Charles. Il n'aimait que la musique classique. Mais il n'avait peut-être pas verrouillé la cloison de séparation.

Elle rengaina son revolver.

Quel locataire de Charles pouvait bien être à la cave ? Le psychiatre du second ne jouait que du rock'n'roll. Le peintre minimaliste du dernier étage n'écoutait rien sinon les parasites entre les stations de sa radio.

Mallory posa le pied sur la dernière marche. La vieille chanson se termina brusquement, remplacée par un morceau plus récent. Il avait été enregistré en 1955 et Billie Holiday approchait de la fin de sa carrière, trois ans avant sa mort lors d'un festival de jazz.

Mallory poussa la porte de la cave. Au-delà du long champ des ombres, une haute fissure lumineuse partageait la cloison en accordéon. Elle décida de ne pas prendre la torche posée sur la boîte des fusibles. S'il s'agissait d'un cambrioleur débutant, elle ne voulait pas offrir une cible trop facile dans le noir.

Le disque avait à peine commencé lorsqu'un autre encore le remplaça. Lady Day chantait dans le brouillard de Londres lorsque Mallory approcha de la cloison. Elle examina le gros cadenas désuet. Il était fermé et la chaîne encore entrelacée dans les trous des parois mitoyennes. Il y avait assez d'espace pour qu'une main se faufile par l'interstice, mais pourquoi un cambrioleur refermerait-il le cadenas derrière lui ?

Et quel enregistrement recherchait-il ? Un air de 1958 retentit, lorsque Billie Holiday était au bord de la mort.

Mallory plongea une main dans la poche de son jean. Ses doigts se refermèrent sur le trousseau de clés qu'elle avait barboté le matin. Elle l'approcha du long rai lumineux dans la cloison, dévissa l'embout et choisit la clé que Charles avait appelée le passe-partout de la guerre des Boers. Le vieux cadenas s'ouvrit et elle glissa en silence la chaîne hors des trous du bois. Elle poussa à deux mains les lattes de la paroi en accordéon, grimaçant lorsque les gonds grincèrent et que les roues des panneaux coulissants raclèrent les rails par terre.

Maintenant, elle voyait le dos de l'intrus, courbé au-dessus du tourne-disque afin de poser délicatement l'aiguille sur le morceau suivant, un classique de Duke Ellington. Lady Day entonna : « *If you hear a song in blue...* »

Apparemment, c'était le titre qu'il recherchait. Il s'éloigna du vieil appareil et se dirigea vers la malle-penderie. Il ouvrait les tiroirs lorsqu'elle arriva derrière lui.

Malakhai avait dû s'apercevoir qu'il n'était plus seul. Mallory s'était annoncée avec les craquements du bois et les grincements métalliques, et cependant il ne daigna même pas se retourner.

Son flegme était insultant !

Le magicien reporta son attention sur les vêtements suspendus sur les cintres. Le tailleur blanc était à l'endroit où Mallory l'avait laissé le matin, étalé sur les autres habits. Le satin miroita lorsque Malakhai y glissa la main.

— Je crois que ça vous ira, Mallory.

Il se tourna lentement pour lui montrer son profil et le sourire qui étirait ses lèvres.

— Une femme de votre monde. J'ai regardé par-dessus mon épaule... et vous étiez là.

Il balaya de la main le revers du tailleur blanc.

— Vous êtes de la même taille que Louisa. Vous le voulez ?

— Ce n'est pas à vous de m'en faire cadeau, il ne vous appartient pas.

— Oh, mais si. Demandez à Charles.

Il désigna d'un geste les caisses étiquetées au nom de Faustine.

— Max m'a laissé tous les accessoires, la garde-robe, tout ce qui provient du théâtre de Paris. Je ne m'étais jamais préoccupé de venir les chercher, c'est tout.

Il ouvrit un tiroir d'où il sortit un disque de soie noire.

D'un vif tour de poignet, il déploya un haut-de-forme qu'il coiffa aussitôt.

— Faustine m'avait acheté ça. J'étais son apprenti.

— Faustine avait acheté ces vêtements pour Louisa ? demanda Mallory en désignant la malle-penderie.

— Non, elle n'a pas connu mon épouse. Les Allemands sont arrivés un matin de 1940, et elle est morte l'après-midi. Une simple coïncidence, naturellement. Faustine n'a pas connu non plus l'armée allemande.

Mallory leva les yeux vers le soupirail du mur du fond. Les carreaux et les barreaux étaient intacts.

— Comment êtes-vous entré ? Charles vous a ouvert ?

Malakhai eut un geste dédaigneux.

— Oh, je vous en prie ! Je franchissais des portes fermées avant de naître.

Mallory joignit les mains dans un geste qui signifiait : *Naturellement, suis-je bête !* Ses prédispositions criminelles ne l'impressionnaient pas.

— Vous avez allumé toutes les lumières et mis le son bien trop fort. Ensuite, vous avez refermé le cadenas derrière vous, afin que personne ne sache que vous étiez ici. Je me trompe ?

— Je vous ai déconcertée, excusez-moi.

Elle n'était en rien déconcertée. Il avait sans doute remis le cadenas afin de ne pas être dérangé pendant qu'il fouillait la malle-penderie. Elle agita le trousseau de passe-partout.

— Je parie que vous avez le même. C'est plus facile avec un passe, hein ?

La musique s'arrêta. Billie Holiday avait disparu.

Tant mieux ! Elle en avait soupé des mortes pour la soirée.

Malakhai alluma une cigarette et recracha un nuage de fumée en s'asseyant sur une caisse. Un pied-de-biche traînait par terre au milieu des éclats de bois. Un second filet de fumée montait d'un cendrier en haut d'une petite

127

pile de cartons. Le filtre portait l'empreinte rubis d'une bouche.

Malakhai dévisagea Mallory cependant qu'il ôtait sa veste en tweed et roulait les manches de sa chemise de soie bleue. Les sourcils dressés, les yeux écarquillés, il semblait attendre que Mallory s'exprime. Mais elle estimait que ce genre de manipulation lui était réservé à elle ; donc elle se détourna de lui pour s'intéresser aux caisses qui l'entouraient et dont la moitié des couvercles avaient été ouverts à coups de pied-de-biche.

Il ramassa le levier et s'attaqua à une autre caisse.

— Qu'est-ce que vous cherchez ?

— Le vin.

Il appuya de tout son poids sur le pied-de-biche, et le couvercle de la caisse se souleva avec un craquement de bois brisé et des grincements de clous rouillés. Il abaissa les yeux sur le contenu et secoua la tête.

— Non, c'est pas encore celle-là.

Il laissa tomber le pied-de-biche et retourna d'un pas sautillant vers la malle-penderie dont il sortit un tailleur orné de paillettes noires. Elles scintillaient avec des millions de reflets dans la lumière du lampadaire, si éblouissantes qu'elles réussirent presque à distraire Mallory de la fouille que pratiquait Malakhai dans les poches de la veste.

— Ah, il faut que vous preniez celui-ci, dit-il en tendant le tailleur à Mallory. Louisa insiste. Elle dit que le noir va merveilleusement bien aux blondes.

Mallory ne toucha pas au tailleur qui se balança en scintillant sur son cintre.

— Comme vous voudrez, dit Malakhai en remisant le vêtement dans la penderie. Mais vous reviendrez le chercher, j'en suis sûr.

Il coula un regard vers le vide, au-dessus du cendrier où la cigarette continuait de se consumer, puis reporta son attention sur Mallory.

— Louisa dit que vous ne pourrez pas résister à ses tenues.

Il regarda la fumée s'élever lentement de la cigarette, puis hocha la tête d'un air approbateur.

— Les paillettes vous réclameront. Elles ne vous laisseront pas dormir tant que vous ne céderez pas.

Mallory réprima un sourire. Elle savait ce qu'il recherchait dans les plis et les poches pendant qu'il détournait son attention en parlant à la place de son épouse défunte.

Il inclina la tête sur le côté, écoutant de nouveau la voix de l'absente, puis il montra les tissus au bout de la tringle.

— Et ces soieries ? Elles vous forceront à les emporter à une soirée. Elles vous obligeront à danser toute la nuit en buvant du champagne. Louisa veut que vous les écoutiez. Elles savent ce qui est beau pour vous.

— Qu'est-ce que Louisa porte en ce moment ?

— La robe dans laquelle elle est morte.

Il regarda par-dessus son épaule et s'attarda sur la fumée qui montait du cendrier.

— Elle est bleu ciel, presque aussi claire que ses yeux.

Mallory s'approcha de la malle et de Malakhai. Il sentait l'eau de Cologne ; c'était si discret qu'elle ne l'avait pas remarqué pendant la partie de poker. Il y avait aussi une autre odeur, un parfum de fleur mêlé à la poussière de la cave – du gardénia. Mallory remarqua un sachet coincé entre deux vêtements.

— Tous les habits de votre épouse sont là ? demanda-t-elle.

— Eh bien, les escarpins de danse appartenaient à Faustine, mais le reste est à Louisa. Nous n'avions pas d'armoire dans notre chambre. La malle lui servait de penderie. Oui, tous ses vêtements sont là, sauf la robe. Elle a été enterrée avec.

— Dans une robe ensanglantée ?

— Il fallait faire vite.

— Sa seule robe !

Mallory passa la main sur la rangée de cintres.

— Ces vêtements, tailleurs, chemises, pantalons, des vêtements d'homme, recoupés pour aller à une femme. Et cependant, elle portait une robe le jour où elle est morte. Pourquoi ?

— Ah, les femmes !

Il haussa les épaules, comme si c'était une réponse suffisante. Puis il retourna vers les caisses et en prit une. Elle était grande mais il la souleva comme si elle ne pesait que quelques livres et la posa par terre.

— Est-ce celle du vin ? Il y a tant à boire et si peu de temps à vivre.

Mallory porta son regard vers le cendrier où la cigarette de Louisa se consumait.

— Ses cheveux… ils sont coupés très court, n'est-ce pas ?

Apparemment, il n'aimait pas qu'elle joue son jeu avec la femme invisible. Il lui tourna le dos et se pencha au-dessus de la caisse, puis marqua une pause, les mains sur les genoux. Il tourna légèrement la tête, de sorte que Mallory ne vit que le profil de sa joue.

— Comment le savez-vous ?

Donc, elle avait deviné juste. Les longs cheveux du passeport avaient été coupés à Paris.

Il la regarda par-dessus son épaule.

— Les gars vous l'ont dit ?

Les gars ? Il devait parler des vieux magiciens. Elle désigna la malle-penderie du menton.

— Les cheveux courts vont avec les vêtements masculins.

Il baissa la tête pendant qu'il appuyait sur le pied-de-biche de tout son poids.

— Elle portait une cravate avec son tailleur, comme les magiciens. Louisa fascinait tous les spectateurs. En entrant en scène, elle pouvait changer de sexe en modifiant sa démarche.

Il se tourna vers la cigarette qui venait juste de s'éteindre et dont un mince filet de fumée s'élevait encore dans l'air.

— Elle a des yeux si pâles. Ils paraissent parfois presque blancs… très inquiétants. Elle n'avait pas besoin de maquillage.

— Mais ce soir, elle porte du rouge à lèvres, dit Mallory en contournant la caisse afin de voir son visage. Elle était maquillée le soir de sa mort, exact ? Et sa robe, sa seule et unique robe – tout était prévu pour qu'elle meure en femme.

— C'est vrai, dit-il, et ses yeux bleus s'assombrirent tandis qu'il ajustait le pied-de-biche sous le couvercle de la caisse. Elle était très féminine, ce soir-là.

Mallory appuya sa main sur la caisse pour l'empêcher de l'ouvrir.

— De qui vous cachiez-vous ? Des Allemands ou de la police française ?

Le pied-de-biche tomba et ricocha sur le ciment. Mallory ôta sa main et recula d'un pas.

— Je sais beaucoup de choses sur Louisa.

Il secoua la tête avec véhémence.

— Non, ça m'étonnerait. Mais vous en savez beaucoup sur la mort, je vous l'accorde. Votre exposé à la partie de poker était très instructif. Je n'avais pas imaginé que ça avait été aussi brutal.

— Non ? Où étiez-vous lorsqu'elle est morte ?

— Ailleurs.

Mallory fut distraite par la fumée d'une nouvelle cigarette. Quand l'avait-il allumée ?

— J'ai rencontré vos amis de chez Faustine.

— Et ils n'ont même pas pu vous dire où Louisa était née, dit Malakhai en tripotant le papier d'emballage. Je n'ai jamais raconté l'histoire de ma femme à personne.

— Je sais, le contrat de la maison de disques contient une clause de confidentialité.

Il abandonna la caisse et en chercha une autre des yeux parmi celles qui restaient.

— Avez-vous écouté le concerto de ma femme ? Louisa avait commencé à l'écrire quand elle n'avait que quatorze ans. Elle l'a terminé à Paris.

— C'est bizarre que vos amis ne connaissent pas son passé – à moins que vous n'ayez quelque chose à cacher *avant* sa mort. Donc, j'avais raison. Elle était recherchée. Vous n'aviez pas confiance en eux ?

— Vous devriez écouter son concerto – tout y est, sa personnalité, tout. Les critiques disent que l'œuvre est habitée… hantée, si vous préférez. Ah, mais vous ne croyez pas aux fantômes !

— Vous non plus. (Elle le regarda soulever le couvercle.) Ça demande pas mal d'efforts pour faire marcher et parler une morte. C'est vous qui tirez les ficelles.

Il pâlit lorsqu'il vit le contenu de la caisse, une arbalète en bois. Le manche était fendu et la flèche cassée en deux. Il hocha la tête, comme si cela pouvait lui éclaircir la vue. Contrairement aux autres couvercles, il ne prit pas la peine de remettre celui-ci en place.

— Pas de vin non plus dans celle-là.

Il avait repris contenance lorsqu'il leva les yeux vers Mallory.

— Vous ne savez rien sur ma femme.

— Elle n'avait pas les cheveux courts en 1942. (Elle vit ses mains se crisper sur le pied-de-biche.) Pas en août… lorsqu'elle a franchi la frontière française. Une jeune mariée de dix-huit ans.

— Dix-sept, rectifia-t-il. Louisa a fêté ses dix-huit ans à Paris.

— Ah, vous l'avez vieillie d'un an ! Ça faisait partie de son déguisement.

— C'est pas les gars qui vous l'ont dit. Ils l'ignoraient. Vous êtes fascinante, Mallory. Je parie que les gens ont peur de vous.

— Elle avait les cheveux longs, bouclés et rouge feu. Ensuite, elle les a coupés.

Elle porta son regard vers la malle des pantalons, des vestes et des chaussures d'homme… parmi lesquelles une paire d'escarpins dorés de danse.

— Louisa se faisait passer pour un garçon, elle se cachait. Elle a été assassinée dans le théâtre de magie de Faustine pendant l'hiver 1942.

Les détails étaient exacts, elle le lut sur son visage. Si la carte d'identité de Louisa était aussi un faux, la date d'expiration en décembre était au moins fiable.

— Pourquoi portait-elle sa seule robe le jour de sa mort ? Les Allemands recherchaient-ils une femme déguisée en homme ? Louisa essayait de fuir Paris, n'est-ce pas ? (Elle s'approcha de Malakhai par-derrière et lui murmura à l'oreille :) Elle partait sans vous ?

Le bois craqua. Le couvercle de la caisse retomba par terre.

— Ah, j'ai trouvé le vin !

Il sortit un cageot de bouteilles et le posa sur le sol.

— Vous n'êtes pas tout à fait comme je l'imaginais, Mallory. Vous savez déchiffrer les gens… les morts comme les vivants. Charles m'avait donné l'impression que vous préfériez la compagnie des ordinateurs.

Elle connaissait le surnom dont l'avaient affublée les inspecteurs du NYPD : Mallory la Machine. Elle s'assit sur le couvercle renversé. C'était le seul endroit dépourvu de couche de poussière, ennemie redoutée de toute machine. Malakhai aligna les bouteilles devant elle, et elle put lire les étiquettes : cabernet sauvignon, bourgogne, porto.

— Ce cher vieux Max, quel sentimental !

Il souleva un coffret en bois sculpté et le secoua, grimaçant en entendant le bruit de verre brisé.

— Quel dommage ! Les plus beaux verres en cristal de Faustine.

Il ouvrit le coffret, examina les douze verres à pied, bien calés dans la doublure en velours vert. Seule la moitié était intacte. Il en disposa trois par terre, fouilla de nouveau dans la caisse et dénicha un tire-bouchon en argent terni et au manche de nacre. Il en perça le bouchon de la pointe.

— C'est un vin précieux et rare, dit Mallory. Trop cher pour le boire.

— Vous dites ça parce que la bouteille est vieille.

Le tire-bouchon ressortit avec des miettes de liège desséchées.

— Merde !

Il l'enfonça de nouveau, le vissa profondément.

— Je me souviens de ce vin quand il était jeune. Mais vous avez raison, c'était déjà un vin rare.

Le reste du bouchon sortit en petits bouts. Une odeur de vinaigre se dégagea du goulot, le vin avait tourné.

— C'est criminel ! s'exclama-t-il en examinant l'étiquette comme s'il lisait la rubrique nécrologique d'un ami cher. Voilà pourquoi faire des réserves de vin n'est pas dans ma philosophie.

Mallory lut les étiquettes des autres bouteilles.

— Que des vins différents, de vignerons différents. Pourquoi sont-ils tous de 1941 ?

— Une merveilleuse année, Louisa était encore en vie. Les gars étaient encore ensemble – tous les apprentis de Faustine. C'était avant que ça dégénère.

Il reboucha le goulot avec le plus gros morceau de liège afin d'étouffer les effluves de vinaigre.

— Vous ne vous êtes pas trompée sur les dates, Mallory. À la fin de 1942, Louisa était morte, et les gars éparpillés.

Il essuya un verre avec son mouchoir et le mit dans la main de Mallory.

— Je vais vous trouver une bonne bouteille.

Elle reposa le verre par terre et l'éloigna d'elle.

— Pas de vin ? demanda-t-il avec un sourire. Intéressant.

Il se tourna vers le cendrier où une autre cigarette se consumait.

— Mon épouse pense que vous avez peur de perdre le contrôle. Elle aimerait que vous preniez plus de risques. Que vous ayez plein d'amants. Que vous buviez à en perdre la tête.

— Louisa avait-elle beaucoup d'amants ?

Il détourna les yeux et passa d'une bouteille à l'autre, à la recherche d'un vin qui n'avait pas encore viré au vinaigre.

*
**

Le riche bouquet du bourgogne était teinté d'un relent d'huile de moteur. Mallory observait calmement son suspect rassembler une arme mortelle fraîchement graissée, encastrer la longue section incurvée dans la rainure du berceau du carreau.

Ils avaient levé le camp depuis longtemps, emportant des bouteilles de bon vin de l'autre côté du paravent chinois pour s'installer près de la plate-forme. L'horloge interne de Mallory ne tournait plus rond. Le temps défilait dans les vapeurs d'alcool et les blues à répétition. Elle écoutait le même album pour la quatrième fois. Ou était-ce la cinquième ? Assise en tailleur sur le sol en ciment, elle buvait dans le verre en cristal, ayant oublié son horreur du vin et de la poussière.

« *If you hear a song in blue...* » chantait Billie Holiday.

— Vous êtes tellement jeune, dit Malakhai en manipulant une vis pour aligner le viseur de l'arbalète. Ces paroles ne vous disent rien, j'en suis sûr.

— Non, mentit-elle.

Elle ne voulait rien lui dévoiler d'elle-même, ni son rapport avec la panthère de Rilke, ni ses rêveries matinales de T.S. Eliot, ni *a song in blue*.

« *... like a flower crying...* »

Son verre était encore à moitié plein, mais Malakhai le remplit malgré tout. À un certain moment, le haut-de-forme en soie avait voyagé de sa tête sur la sienne, quand et comment, elle n'aurait su le dire, mais le chapeau lui tombait maintenant sur les yeux et elle le repoussa d'une pichenette.

— Max aurait dû être ingénieur. Il a fabriqué cette arbalète, vous savez.

Les veines et les muscles de ses avant-bras ressortirent en relief lorsqu'il tira l'épaisse lamelle métallique pour corder l'arbalète.

— Ça supporte une pression de soixante-dix kilos, mais un enfant peut armer le chien. Le carreau file à soixante-dix mètres à la seconde. C'est mortel.

« *... heart trying to compose...* »

— Je croyais que vous seriez plutôt du genre musique classique comme votre femme. Pourquoi Billie Holiday ?

— Ah, nous étions tous des enfants du jazz à Paris, mais je ne suis venu au blues que plus tard. J'ai découvert Billie Holiday entre la fin de la Seconde Guerre mondiale et le début de celle de Corée.

— Émile Saint-John disait que vous aviez trouvé Louisa en Corée. Après qu'elle était morte depuis…

— C'est plutôt elle qui m'a trouvé. Mais revenons à la guerre de 40. Vous auriez préféré celle-là, Mallory. Plein de gros canons.

« *... a prelude that never dies...* »

— Un monde en guerre.

Il ramassa un étroit caisson, le magasin qui pouvait accueillir trois carreaux.

— J'aimerais pouvoir vous faire revivre tout ça, l'extraordinaire ampleur de la chose. Les bombes ! (Il plaça le caisson au-dessus du berceau de la flèche.) Les défilés, la musique, la foule en délire, des villes entières qui s'écroulaient. (Il resserra les vis qui le fixaient à l'arbalète.) Les nazis au pas de l'oie, les Yankees dans leurs tanks. C'était sublime !

« ... *my prelude to a kiss*... »

Malakhai tira la lamelle métallique incurvée depuis l'arrière de la crosse.

— Charles avait raison. Toutes les arbalètes ont besoin de nouvelles cordes. Mais celle-là devrait tenir encore quelques coups.

Lorsqu'il reposa la lamelle, la corde était prête à recevoir le premier carreau.

Le haut-de-forme retomba sur les yeux de Mallory. Il tendit la main et le repoussa en arrière.

— En 1943, j'ai vu un combat aérien entre chasseurs. L'avion touché a explosé en morceaux et le pilote est tombé à travers les nuages – encore en vie. Son parachute ne s'est pas ouvert – on voyait juste une traînée de soie blanche. Il pédalait des pieds comme un malade. Sans doute croyait-il qu'il s'en sortirait s'il courait au moment de toucher le sol. Le comble de l'optimisme. C'était probablement un Américain.

Malakhai regarda à travers le viseur de l'arbalète. Mallory se demanda s'il se rendait compte qu'il visait le cendrier où la cigarette de Louisa se consumait.

— Mallory, promettez-moi de ne jamais passer devant ces arbalètes quand elles sont chargées sur les socles.

— Max Candle passait devant quatre d'entre elles.

— Oui, mais vous n'êtes pas Max Candle. Oliver non plus ne l'était pas.

Malakhai alla jusqu'à la plate-forme et inséra la crosse de l'arbalète dans l'entaille du socle. Il revint vers Mallory et prit une bouteille à moitié vide.

— Excellente année, remarqua-t-il en remplissant le

troisième verre près du cendrier de Louisa. Max s'est enfui de pension début 41. C'était un Butler, comme Charles. Quand il m'a suivi à Paris, il a pris le nom de Candle pour tromper les gars de l'agence Pinkerton que ses parents avaient engagés. Si vous ne connaissez pas les…

— Oui, des détectives privés, je sais. Vous vous êtes donc connus en pension ?

— Oui. Le père de Max appartenait au corps diplomatique. Ses parents s'apprêtaient à le ramener aux États-Unis quand il s'est enfui.

— Quel est votre véritable nom ?

— Malakhai. Ça vous déçoit ?

Il retourna à la plate-forme et grimpa les marches qui menaient à la scène.

Mallory le regarda empoigner la lourde cible et la soulever aisément.

— Quel est votre prénom ?

— Je vous le dirai peut-être quand on se connaîtra mieux.

Il emporta la cible derrière les rideaux rouges.

Mallory commençait à s'habituer à ses réponses évasives. Elle cessait d'insister, mais continuait de noter les points faibles qu'il dévoilait en refusant de répondre à ses questions.

Louisa fumait comme un pompier. Le cendrier était plein de mégots tachés de rouge à lèvres, et Mallory n'avait pas encore surpris le mari de la morte en train d'allumer la moindre cigarette. Elle se dit que les cigarettes de Louisa avaient préalablement été marquées au rouge à lèvres, cependant elles ne s'allumaient que lorsque Malakhai était loin.

Joli tour de passe-passe.

Mallory dégusta son vin comme un œnologue. Ainsi, c'était la cuvée 1941, quand Malakhai était un adolescent en pleine guerre.

— Comment vous entendiez-vous avec les Allemands pendant l'Occupation ?

— Oh, les soldats étaient nos meilleurs clients. Après la mort de Faustine, nous avons transformé le théâtre en cabaret. On ne joignait pas les deux bouts en faisant seulement payer l'entrée. Nous avons donc enlevé les fauteuils du théâtre et installé des chaises et des tables... pour en faire une grande salle à manger.

— Vous nourrissiez l'ennemi ?

— On l'empoisonnait... si vous aviez goûté la cuisine, horrible !

Il disparut de l'autre côté du paravent chinois d'où sa voix parvint à Mallory.

— Le vin était encore pire. C'est pour ça que nous n'avions jamais d'officiers dans le public.

Elle entendit le bois craquer lorsqu'il ouvrit une autre caisse.

— Nous n'étions que des gosses. Quand on est jeune et pauvre, la bouffe compte plus que la politique.

Il revint à la plate-forme en portant une table ronde de bistrot d'une main et une chaise de l'autre.

— Ça vient de chez Faustine, expliqua-t-il. Max a dû acheter tout le lot sauf le bidet de la vieille.

Il posa la table et la chaise au pied de l'escalier.

— C'est un soldat allemand qui a tué Louisa ?

— Parlons plutôt d'autre chose, dit-il avec un soupçon d'impatience. Vous voulez voir ce tour d'illusionnisme oui ou non ?

Il essuya la chaise avec un torchon et la lui tint.

— Asseyez-vous... s'il vous plaît.

Elle s'installa à la petite table et il joua au garçon, posant un verre et une bouteille de vin devant elle. Ses mains ne tremblaient pas. Mais Mallory espérait que ça allait changer.

— Comment Faustine est-elle morte ?

— Dans son sommeil – sans effusion de sang. Encore déçue ?

Il avait nettoyé le cendrier de Louisa, et il le posa sur la table à côté de la bouteille de vin.

— Vous n'allez sans doute pas aimer ce tour. C'est une petite chose sans prétention. Nous le présentions chaque soir en ouverture du spectacle. C'est Max qui l'avait créé. Louisa n'était pas une magicienne, il s'était donc arrangé pour faire simple.

Malakhai souleva avec précaution un violon d'un coffret poussiéreux et se mit à tourner les chevilles au bout du long manche en bois en spirale.

— Je vous demande un peu d'indulgence, dit-il.

Il pinça les cordes tout en actionnant les chevilles pour les tendre ou les détendre, accordant le violon à l'oreille.

— Prenez ça comme un petit poème, un prélude à la magie.

Elle regardait fixement la cigarette sur le bord du cendrier quand le bout rougit soudain, s'enflamma, et qu'un mince filet de fumée s'éleva au plafond.

Un agent chimique ?

Cela expliquerait pourquoi elle ne l'avait jamais surpris en train d'en allumer une. C'était peut-être destiné à s'enflammer dès qu'on sortait la cigarette du paquet et qu'on l'exposait à l'air libre. Elle prit la cigarette, renifla le bout incandescent, mais ne sentit aucune trace de produit chimique. Elle porta le filtre à ses lèvres et aspira une bouffée pour goûter.

Sa gorge la brûla, elle fut prise d'une quinte de toux. Elle avait du mal à reprendre son souffle.

— C'était donc votre première cigarette, constata Malakhai en lui tapotant gentiment le dos.

Ses poumons étaient en feu, ses yeux larmoyaient à cause de la fumée.

— Il y a quelque chose avec le tabac. Ça brûle…

— C'est toujours comme ça la première fois. C'est à se demander pourquoi on recommence !

Il lui tendit un verre de vin qu'elle but d'une traite… comme une potion médicale.

— Très bien, Mallory, maintenant que nous avons partagé le poison, nous sommes liés l'un à l'autre.

Il garda sa main sur son épaule jusqu'à ce qu'elle cesse de tousser.

— Ainsi, vous avez goûté à une cigarette dangereuse – c'est fort louable. Et vous êtes sur le point d'être soûle. Encore mieux.

Elle reposa son verre et le repoussa loin d'elle.

Malakhai se pencha au-dessus d'une caisse et en sortit un mannequin en toile. Il le balança sur son épaule et alla jusqu'à l'escalier. Hormis les pièces et les rafistolages, c'était la copie exacte de celui qu'Oliver Tree avait utilisé pour sa représentation.

Malakhai l'attacha aux poteaux en fer avec des ficelles en guise de menottes, puis il alluma la lampe sur la traverse au-dessus de sa tête.

— Le mannequin ne fait pas partie du tour. Mais j'ai besoin de vérifier s'il est bien dans la ligne de mire.

Il redescendit de la scène afin de charger une flèche dans le magasin. Lorsque l'arbalète fut armée, il lança à Mallory un sourire de défi.

— Tendue ?

Pas du tout !

Sous son blazer, Mallory sentait le poids rassurant de son revolver, et elle aurait parié sa chemise qu'une balle pouvait battre une flèche.

— À l'origine, il n'y avait pas de magasin. On utilisait un arc en bois qui ne tirait qu'un seul carreau. Et il n'y avait pas de socle – c'était un archer qui visait. Mais comme vous êtes le public à vous toute seule, ça serait malpoli de vous demander de me tirer dessus. (Il actionna un bouton sur le socle.) Nous aurons donc recours à l'automatisation.

Les roues d'horlogerie cliquetèrent lorsque les dents se chevauchèrent. Derrière le socle, Malakhai regarda dans le viseur de l'arbalète.

— Max s'était inspiré d'un tour avec une balle magique. Il ne l'avait pas vu, mais il avait une assez bonne idée de la façon dont ça fonctionnait. Dans la version originale, l'arme était un revolver.

Malakhai alla vers Mallory, les bras chargés de vaisselle.

— Le projectile cassait une assiette dans les mains du magicien, et il attrapait la balle entre ses dents.

Il se courba en deux pour disposer les soucoupes en rond autour de la table de bistrot.

— Mais pendant l'Occupation, les Allemands voyaient d'un mauvais œil les civils armés. (Sur le socle, les roues continuaient de tourner en cliquetant.) Et attraper une flèche entre les dents aurait été trop risqué.

Le tic-tac s'arrêta. La corde se détendit et le carreau jaillit trop vite pour que Mallory suive sa trace du socle au cœur du mannequin, où de la sciure s'écoulait du trou dans sa poitrine.

— Parfait, décréta Malakhai. Maintenant, espérons que la corde ne nous lâche pas. (Il déposa une cigarette sur chaque soucoupe.) L'atmosphère compte pour moitié dans la réussite du tour.

Mallory s'était trompée sur les cigarettes de Louisa. Les filtres étaient intacts.

Malakhai attacha un foulard rouge au bout du carreau qu'il glissa dans le magasin. Lorsqu'il avait décroché le mannequin, il avait fait le tour de la plate-forme, éteignant les globes et le lampadaire ; plongée dans la pénombre, Mallory n'était plus aussi à l'aise. Seule l'ampoule de la plate-forme brillait entre les poteaux, et derrière la scène le noir régnait.

Malakhai gravit les marches, marqua une pause à mi-chemin, au bord du cercle de lumière jaunâtre, et agita la main en lançant :

— Ambiance !

Sur commande, toutes les cigarettes s'allumèrent sur les soucoupes et Mallory fut aussitôt entourée de fumée, ronds blancs tourbillonnant dans la pénombre.

Entendant le tic-tac des roues, elle reporta son attention sur la plate-forme. Malakhai était debout sur la scène. L'ampoule n'éclairait qu'un petit cercle, dissimulant les rides du magicien qui semblait soudain rajeuni. Il tenait le violon et l'archet. Dans le noir, le tic-tac paraissait plus fort.

— Vous êtes dans le théâtre de magie de Faustine. Nous sommes en 1942. Si vous levez les yeux, vous verrez les petits balcons privés. Et au-dessus de votre tête, le plafond est une peinture murale figurant des personnages et des scènes de pièces célèbres. Ah, et le lustre – une énorme boule de cristal et de lumière. Bien trop imposant pour l'endroit. Faustine avait des goûts tapageurs. Mais c'est la guerre. La vieille est morte, et nous n'avons pas de quoi acheter des ampoules. Le lustre reste donc éteint, et la salle est éclairée par des bougies. C'est bourré à craquer. Parisiens et réfugiés en civil. Soldats allemands en uniforme gris, revolver à la ceinture. Les serveurs sont de jeunes gens en smoking et haut-de-forme. Essayez d'imaginer que le vin est de la piquette.

Il n'y avait pas un bruit, excepté le tic-tac des roues dentées, pas un mouvement, excepté les filets de fumée.

— Vous n'êtes plus flic, Mallory. Ce soir, vous vivez dans Paris occupé. Tout ce qui vous était familier et agréable… tout cela a disparu. Vous ne savez pas si vous mangerez demain. Vous ne savez même pas comment la nuit finira. Tout peut arriver.

Le tic-tac était-il encore plus fort ?

143

— Vous pouvez sentir le vin renversé par terre, le parfum bon marché sur les femmes... et la fumée.

Il brandit le violon, le cala entre sa joue et son épaule.

— Maintenant, il faut faire un effort d'imagination. À ma place, vous voyez une adorable jeune femme aux cheveux de feu. Elle n'a que dix-huit ans. Et imaginez que son violon est accordé.

Mallory entendit le mécanisme d'horlogerie grincer malgré le huilage récent. Les roues dentées du socle tournaient, cliquetaient. Le piquet qui devait actionner le chien montait lentement. Malakhai se planta entre les deux poteaux, l'archet suspendu au-dessus des cordes du violon.

— Pendant que Louisa joue, Max Candle entre sur scène par la gauche. Il tient une arbalète à la main. Vous le voyez prendre une flèche dans son carquois. Un long foulard rouge est attaché à la hampe. Il charge le carreau dans son arbalète. Louisa ne le voit pas. Elle est concentrée sur sa musique. (Malakhai ferme les yeux.) Elle tourne lentement sur elle-même, comme si elle ne savait pas qu'on la surveille. Je ne peux pas jouer son concerto pour vous. Ceci est un petit morceau qu'elle m'a appris un après-midi où il pleuvait.

C'était une musique douce, les notes semblaient trébucher. Les roues du socle cliquetaient au rythme d'un métronome... ou d'une bombe. Malakhai pivotait sur place, faisant passer l'archet enduit de colophane sur les cordes. Son autre main pianotait sur la coquille et pinçait des riffs de notes fugaces. Mallory voyait son dos et l'action de l'archet sur les cordes du violon.

L'arme tira. Mallory suivit le carreau grâce à l'éclair du foulard rouge qui filait derrière. Malakhai tapa du pied. La trajectoire du carreau s'arrêta au niveau de son corps, comme s'il l'avait transpercé. Il retrouva son équilibre, pivotant toujours, jouant toujours, achevant un tour sur lui-même jusqu'à ce qu'il se présente face au public... composé seulement de Mallory. Et bien que la musique n'ait jamais cessé, l'archet avait disparu et le magicien passait la flèche sur les cordes pour la note finale. Le foulard rouge était toujours noué sur la hampe.

La lampe s'éteignit. Tout fut plongé dans le noir.

Machinalement, Mallory empoigna son revolver. Elle entendit les chaussures de Malakhai marteler les marches, et elle dressa l'oreille afin d'être sûre de l'atteindre dans le noir.

Un lampadaire s'éclaira au pied de la plate-forme.

— Alors ?

Malakhai se plia en deux pour atteindre le globe posé par terre et la lumière jaillit.

— Ça vous a plu ? demanda Malakhai en contournant la plate-forme pour allumer toutes les lampes.

Maintenant, elle apercevait une autre illusion bien plus effrayante, une ombre qui se faufilait avec agilité parmi les caisses encore fermées. La frêle silhouette courait, comme si elle était en retard et qu'elle se dépêchait d'atteindre la pénombre au fond de la cave. Mais entre la lumière du lampadaire et l'ombre, aucune forme réelle ne se manifestait.

J'ai trop bu. Mallory repoussa son verre. Les cigarettes qui s'allument toutes seules, et maintenant ça !

— Comment avez-vous fait ? Je parle de l'ombre.

— Oh, ça ! Je croyais que vous vous intéresseriez davantage au tour qui a provoqué la mort de Louisa.

— C'était ça ?

— Encore déçue ? (Malakhai sourit.) Bon, vous avez apprécié l'ombre, c'est déjà quelque chose.

— Je sais très bien que vous n'avez pas attrapé la flèche au vol, pas à soixante-dix mètres seconde. Impossible. La flèche ne vous a pas touché. Vous avez caché l'archet sous le violon après l'avoir échangé avec le second carreau.

— Erreur. Il n'y avait qu'une flèche.

— Vous ne l'avez pas attrapée au vol.

Mallory alla jusqu'au socle et vérifia le magasin.

— Je vous ai vu le charger.

— Mais vous ne m'avez pas vu le vider. Vous toussiez, vous vous rappelez ?

— J'ai vu la flèche voler.

— Vous avez vu le foulard, c'est pas pareil. Il était attaché au fil de fer qui allait de l'arbalète à ma main. Le carreau – le seul et unique carreau – a toujours été caché sous le violon.

— Mais vous n'avez pas tiré sur un fil de fer. Je l'aurais vu.

Et le socle était trop loin de lui.

— Le fil de fer s'enroulait autour d'un bout de bois par terre. Quand je lui ai donné un coup de pied, je l'ai envoyé promener assez loin pour que le fil de fer attire le foulard jusqu'à moi.

Mallory essaya de se rappeler l'ordre des événements – le coup de pied avait-il précédé le vol du foulard rouge, ou était-ce l'inverse ? Tout ce dont elle était sûre, c'était qu'il l'avait embobinée comme un gogo, lui faisant voir des choses qui n'existaient pas.

— C'est donc aussi bête que ça ?

— Je savais que ça vous irriterait. C'est toujours facile, une fois qu'on connaît le truc.

— Il n'y a aucun risque à se faire tirer dessus avec un foulard. Vous disiez que…

— Max était un gamin quand il a créé ce tour. Il l'a ensuite amélioré en tirant quatre flèches et en s'attachant à la cible. Personne n'a repris son tour. C'était le seul à accepter de prendre un risque réel.

— Un désir de mort ?

— Rien d'aussi banal.

Malakhai s'assit sur la première marche de la plateforme.

— La guerre a fini trop vite pour Max. Il l'a vue à

146

travers les yeux d'un Yankee – l'épreuve du feu. Sa vie était autrement plus mouvementée pendant la guerre. L'après-guerre était décevante. Sans saveur, sans texture, sans couleur.

— Et il était marié à une femme qu'il n'aimait pas, avança Mallory.

Malakhai acquiesça. Il prit une bouteille et la leva à la lumière.

— Elle est vide, dit-il. Je reviens tout de suite.

Il fit le tour du paravent chinois et posa la bouteille à côté de la malle-penderie. Mallory le rejoignit par-derrière, mais en faisant trop de bruit. Elle le surprit qui retirait vivement une main de la poche d'un vêtement de Louisa.

— Les escarpins dorés de Faustine iraient bien avec ce tissu, dit-il en tapotant un pantalon vert. Je me demande ce qu'ils fichent dans cette malle. Je n'ai jamais vu Louisa les porter.

— Peut-être allait-elle danser avec un autre cavalier. Je vous ai demandé si Louisa avait des amants. Vous ne m'avez pas…

Lorsque l'ombre passa devant la malle, elle dégaina et pivota sur elle-même. Il n'y avait rien, sinon une volute de fumée montant d'un cendrier, par terre.

— Ce n'est que Louisa, dit Malakhai. Elle ne vous fera pas de mal. Elle vous aime bien.

— Comment avez-vous fait ?

— Personne n'a jamais deviné. Mais vous pouvez toujours essayer.

Il fouilla les poches d'un pantalon uni.

— C'est ça que vous cherchez ? demanda Mallory en lui tendant le passeport.

Il était ouvert à la première page où la photographie avait été raturée.

— C'est peut-être Edith Candle qui a fait ça.

147

— C'était la seule photo de Louisa, dit-il. Oui, ça vient peut-être d'Edith. La pauvre – jalouse d'un fantôme.

— Au début, j'ai cru que vous aviez épousé Louisa pour lui donner une nouvelle identité légale. Mais je vous avais sous-estimé, Malakhai. C'est un faux remarquable. J'ai failli m'y laisser prendre.

— Je n'y suis pour rien. C'était Nick Prado qui fabriquait les faux papiers pour les réfugiés.

— Il était dans la Résistance ?

— Oh, non, rien d'aussi glorieux ! C'était un faussaire professionnel. Un imprimeur local lui procurait la clientèle. Nick travaillait dans son arrière-boutique.

— La magie ne payait pas suffisamment ?

— Les apprentis de Faustine ne touchaient aucun salaire. On devait gagner notre croûte nous-mêmes. La vieille ne payait que les costumes. Elle se fichait qu'on crève de faim, du moment qu'on présentait bien sur scène.

— Et après sa mort ?

— Les profits étaient minces. Trop minces pour nous permettre de vivre.

Malakhai regardait toujours la photo d'un air déconfit.

— C'est vraiment dommage qu'Edith ait fait ça.

Mallory lui prit le passeport des mains.

— C'est peut-être vous qui avez raturé la photo. Vous aviez perdu la tête ? Était-ce pour vous venger ?

Il ne répondit pas.

Mallory s'approcha de lui.

— Vous étiez en colère.

Elle tenta le tout pour le tout. Un coup de poker.

— Vous saviez que votre femme vous trompait. Louisa couchait avec Max Candle.

— Oui, je le savais. Mais je leur avais pardonné.

CHAPITRE 7

Le cuir du fauteuil était souple et l'épais coussin moulait ses fesses dans une intimité qu'il n'avait connue avec aucune femme. Cependant, le sergent Riker n'était pas tout à fait à l'aise, et cela n'avait rien à voir avec les relations qui s'étaient tendues depuis quelque temps entre sa coéquipière et lui.

Le salon de Mallory avait l'air froid d'un appartement inoccupé, bien qu'il fût entièrement meublé – cuir noir, moquette blanche, bois aux angles aigus, verre et chrome, trop chers pour le salaire d'un flic. Le détail le plus remarquable était la baie panoramique qui surplombait Central Park. Une situation aussi privilégiée coûtait une fortune.

Riker ne voulait pas savoir d'où venait son argent. Mais il soupçonnait qu'elle avait des activités annexes parfaitement légales. Elle ne cachait pas son niveau de vie et s'habillait ostensiblement avec un luxe à la portée seulement des flics qui en croquaient. Il associait cela à sa patience de félin et à son goût pour les coups montés qui finissaient toujours par des chutes vicieuses. Il ne lui posait donc jamais de questions sur son argent, de crainte d'ajouter son nom à la longue liste des victimes des crocs-en-jambe perfides de Mallory.

Elle lui tourna le dos pour suspendre son manteau neuf dans l'armoire ouverte. Son corps se raidit légèrement, et Riker comprit qu'elle avait vu la tache sur la manche, souvenir d'un plat de spaghettis à la sauce tomate.

— Voilà les derniers rushes sur le défilé, dit-il en posant une pile de cassettes sur la table basse. Les cameramen se concentraient sur le ballon et sur les gosses. Tu ne verras rien sur l'arbalète.

Quand il releva la tête, Mallory avait disparu – sans doute dans la cuisine pour chercher un quelconque détachant... Avec Mallory la propreté passait avant tout.

Il en profita pour examiner un bouquet de roses rouges qu'un fleuriste avait livré dans un haut vase en cristal. Il sortit le carton de l'enveloppe et le lut : « Dîner à huit heures. Je vous promets de ne plus jouer de violon. » Le mot n'était pas signé. C'était une écriture élégante, quoique désuète, avec des fioritures à l'ancienne. Sur l'envers du carton, Riker découvrit l'en-tête d'un hôtel du centre. Il en conclut que l'admirateur de Mallory était très riche, mais il l'avait déjà déduit du vase.

Entendant du bruit derrière lui, il fit semblant de s'intéresser à la vue tout en remettant le carton dans son enveloppe. Lorsqu'il se retourna, elle lui mit une bouteille glacée entre les mains. Il n'était pas encore midi, mais il accepta néanmoins son geste de bonne volonté et avala aussitôt une gorgée de bière d'importation.

Cherchait-elle à faire la paix ? Ou à le soudoyer ?

Elle s'assit sur le canapé et examina les cassettes.

— Tu as retrouvé le neveu d'Oliver Tree ?

Le ton sous-entendait clairement qu'il n'avait peut-être pas pris la peine de chercher.

— L'homme à l'arbalète ?

Il se tassa dans son fauteuil et lui jeta un journal plié en quatre. Mallory le déplia. Un gros titre s'étalait à la une : « L'HOMME À L'ARBALÈTE INTROUVABLE ! »

— Ton bonhomme a dû partir en vitesse, déclara

150

Riker. Personne ne l'a vu depuis le défilé. Si on ne le retrouve pas, la ville entamera peut-être des poursuites. Je crois que le gosse s'est écorché le genou quand tu l'as fait tomber.

Mallory lut l'article en page intérieure.

— Supposons que le coup de l'arbalète ait été une diversion pour une tentative de meurtre. Richard Tree serait alors un témoin de fait. Il n'a peut-être pas disparu. Il est peut-être mort.

Pour ne pas envenimer les choses, Riker s'abstint de lui dire ce qu'il pensait de son hypothèse. Pendant qu'elle parcourait l'article, il se concentra sur sa bière, prenant garde de ne pas en renverser une seule goutte. Dieu qu'il détestait cette moquette blanche. La carpette de son propre appartement était mieux conçue pour les taches. Avec les années, il en avait altéré les motifs avec de multiples jets de sauces provenant de barquettes de plats à emporter.

Il coula un œil sur sa montre, puis s'empara de la télécommande et pressa le bouton. Les portes automatiques d'un secrétaire laqué noir s'ouvrirent lentement et un écran apparut. Il était presque l'heure des infos.

— Mallory ? Tu as regardé les nouvelles ? Ce foutu ballon est en train de devenir une minisérie.

— Non, répondit-elle, le nez toujours plongé dans l'article.

Regardait-elle jamais la télé ? Il essaya de l'imaginer faire quelque chose de purement récréatif. Puis se dit qu'elle avait acheté la télé uniquement pour faire croire qu'un être humain normal habitait ici.

Il se cala dans son fauteuil, la bière à la main, monta le son et tomba amoureux d'une speakerine ultramaquillée assise derrière un long bureau. Elle portait un pull moulant, et une tonne de rouge à lèvres soulignait sa bouche pulpeuse.

Riker soupira. Il avait toujours eu un faible pour les

putes aux cheveux d'un roux électrique qu'on ne trouvait que dans les bowlings de Lodi, dans le New Jersey.

Derrière le bureau se dressait un écran géant où figurait la photo de Mallory debout sur le rebord du char haut-de-forme.

« ... de nouveaux indices dans la fusillade de Goldy... » annonçait la rouquine électrique.

L'image s'estompa, remplacée par le ballon gigantesque en train de se dégonfler. Suivit un gros plan d'une spectatrice âgée. Riker se souvint d'avoir pris la déposition de la femme en priant pour qu'elle ne meure pas avant qu'ils en aient terminé. La caméra s'arrêta sur le portrait cependant que la speakerine susurrait :

« ... le témoin est mort subitement avant d'avoir le temps de répondre à l'enquête en cours... »

— Quelle enquête ? lança Mallory en levant les yeux du journal. C'est officiel, maintenant ?

Naturellement, elle insinuait qu'il lui avait caché quelque chose.

— Je ne sais pas où ils ont eu ça, répondit Riker. Il n'y a pas d'enquête. Il n'y a pas d'affaire du ballon, il n'y a pas d'affaire Oliver Tree non plus.

Elle continua de le fixer, attendant qu'il avoue quelque omission criminelle.

— C'est les médias, Mallory, dit-il pour sa défense. (Il montra le journal qu'elle lisait.) Tu es arrivée au passage où il n'y a plus seulement un coup de feu mais trois ?

Il reporta son attention sur la télévision où le portrait de la vieille dame occupait toujours l'écran.

— Et cette vieille qui meurt mystérieusement.

L'image changea lentement, remplacée par celle d'un vieil homme qui descendait d'une voiture garée dans la rue d'une banlieue résidentielle. Son visage ridé se plissa d'inquiétude lorsqu'il vit la foule approcher, terrifiant abordage de reporters armés de caméras et de micros. Il tourna le dos et détala dans l'allée pavée qui

152

le ramenait dans le sanctuaire de son petit logis. Ses cannes ralentissaient sa fuite et les journalistes parvinrent à la porte avant lui. Il s'arrêta, se couvrit le visage des mains et hurla :

— Elle est morte ! Ma femme est morte ! Vous êtes contents, maintenant ?

Un reporter demanda – cria, plutôt :

— Était-ce une mort brutale ?

— Non. Elle avait quatre-vingt-douze ans. Ça a pris un sacré bout de temps.

En arrière-plan, la porte d'un garage s'ouvrit et une jeune amazone en sortit, pétant le feu. Elle courut vers les journalistes, brandissant une batte de base-ball qu'elle faisait tournoyer au-dessus de sa tête avec fureur.

— Ma grand-mère est morte d'une pneumonie, bande de… glapit-elle.

Les cameramen se dispersèrent vivement, et leurs objectifs enregistrèrent des images tressautantes de multiples paires de pieds martelant la pelouse à vitesse supersonique.

Riker se tourna vers Mallory, dressant les sourcils comme pour commenter : « *Qu'est-ce que je te disais ?* »

— Tu préfères croire ces clowns ou moi ?

Le grand écran derrière le bureau s'éteignit tandis que la rousse se levait pour accueillir un jeune homme svelte affublé d'une poitrine concave et d'une barbiche en broussaille. Riker, qui remarqua les pièces aux coudes de son blazer, en déduisit que le dandy ne travaillait pas réellement – sans doute un écrivain. Mais on le présenta comme un spécialiste des armes à feu.

Allez savoir ! D'après son expérience, Riker considérait que les experts en armes à feu étaient des hommes en chair et en os – parfois même des femmes.

À côté du bureau de la speakerine, un dessin occupait un grand chevalet : le ballon Goldy flottait au-dessus de spectateurs minuscules.

L'expert s'approcha du chevalet et pointa les lignes bleues qui traversaient le corps du chien.

— Voici la trajectoire de la balle. Ces lignes représentent l'entrée du projectile à travers la queue du chien ; il lui a effleuré la patte arrière, transpercé l'arrière-train, est ressorti dans son cou et lui a traversé ensuite la mâchoire. (Il marqua une pause pour reprendre son souffle.) Finalement, la balle est ressortie en haut de son oreille gauche.

Il désigna du doigt un endroit du dessin qui représentait la chaussée, et la caméra fit un gros plan d'une blonde armée d'un revolver.

Riker jeta un coup d'œil à Mallory, soulagé de la voir de nouveau absorbée dans la lecture du journal.

— Et cette ligne, dit le spécialiste des armes à feu, montre que le départ de la balle coïncide avec la position de la femme policier qui a tiré sur le ballon.

Mallory leva la tête lorsque la speakerine s'adressa aux téléspectateurs, arborant un sourire radieux.

— Nous y sommes donc ! C'est un témoignage accablant contre la femme flic qui a tiré sur Goldy. Rappelons que Rolf Warner, notre spécialiste des armes à feu, est un auteur de romans policiers à succès.

— J'ai l'impression de connaître ce plumitif, dit Riker en s'approchant de la télévision. Hé, c'est pas lui qu'ils faisaient venir pour nous expliquer la guerre en Bosnie ?

— Pour ceux d'entre vous qui viennent juste de nous rejoindre, disait la speakerine, nous venons d'apprendre la mort subite d'un témoin de la fusillade. Et la mystérieuse disparition d'un autre témoin, l'homme à l'arbalète.

La rouquine flamboyante s'autorisa un sourire, hypnotisant momentanément Riker avec sa dentition étincelante.

— L'enquête de la police est au point mort. Des

154

sources bien informées nous assurent qu'on cherche à étouffer l'affaire. L'homme à l'arbalète est toujours...

Mallory empoigna la télécommande et coupa le courant.

— Je trouverai ce petit fumier moi-même.

— Certainement pas ! fit Riker. Coffey a raison. N'approche pas de Richard Tree. Le lieutenant a mis deux hommes à plein temps sur le gosse. Ils le trouveront, t'inquiète pas.

— Ah, donc nous avons bien une affaire d'homicide ! La suspicion pimentait de nouveau la voix de Mallory.

— Non, Mallory. Mais il y a eu une fuite ; quelqu'un a transmis le casier judiciaire du gosse à la presse.

Mallory le fixa d'un œil noir comme pour dire : « *Tu me l'avais caché, hein* ? »

Riker savait quand faire une sortie opportune. Il empoigna son chapeau et alla à l'armoire récupérer son manteau.

— Nous suivons les directives de l'attaché de presse du maire. Il veut qu'on retrouve l'homme à l'arbalète et qu'on le refile aux journalistes. Ça n'a rien à voir avec une enquête de police.

Il ouvrit la porte de l'armoire et remarqua un carton assez grand pour contenir un poney du Shetland.

— Qu'est-ce que c'est ?

— La planche à pain de Rabbi Kaplan.

— Ça va, ça va, fit Riker en levant les mains en l'air. J'ai rien dit, oublie la question.

*
* *

Mallory avait laissé son revolver sur la patère, dans l'entrée, mais elle avait encore un air dangereux, penchée au-dessus de l'évier, un tournevis à la main, manipulant un fouillis de fils électriques qui sortaient du mur, déclenchant des gerbes d'étincelles.

Rabbi David Kaplan, qui se tenait près du carton vide, hochait poliment la tête comme s'il l'aidait effectivement à faire passer le courant à travers le plancher jusqu'à la prise du nouveau billot de boucher. Mais il ne connaissait rien à l'électricité. C'était sa femme qui savait comment réparer les circuits en surcharge et où se trouvait la boîte à fusibles. Le rabbin n'avait donc aucune idée de ce que Mallory lui racontait.

Lorsqu'elle remit la plaque de la prise murale, il détourna les yeux pour les reporter sur le meuble qu'elle avait assemblé au milieu de la pièce. Il secoua la tête en silence. Kathy allait toujours trop loin.

Ou bien cherchait-elle à réparer. Mais était-ce pour des crimes passés ou futurs ? Devait-il regretter d'avoir organisé une rencontre avec le vieil homme ?

Trop tard.

M. Halpern était enchanté et il avait hâte de revoir la « jolie petite » qu'il avait brièvement croisée la veille.

Quel mal pouvait-il sortir de leur deuxième rencontre ?

Pour commencer, M. Halpern était très fragile.

Mallory avait fini de vérifier les prises du chariot, et elle dévisageait Rabbi Kaplan d'un air étonné, se méprenant sur son expression.

— Ça ne vous plaît pas ?

— Oh, si, Kathy ! Beaucoup. C'est superbe, mais tellement…

Exagéré ? Tellement suspicieux ?

— Tu as cassé une planche à pain de cinq dollars, tu n'as pas dilapidé un héritage.

Elle lui avait aussi brisé le cœur et ébranlé sa foi. C'était peut-être une mauvaise idée de la laisser s'en tirer. Mais il devait choisir soigneusement ses mots ; elle n'était pas connue pour tolérer la critique.

— Hier soir, tu as prétendu que tout le monde pouvait dire à Malakhai à quel point tu étais vicelarde. Comment pouvais-tu affirmer une chose pareille dans…

— Vous ne vous êtes pas précipité pour me contredire, rabbin.

Comme elle se penchait pour serrer une vis, il ne vit pas son visage, mais il avait noté la froide accusation dans sa voix, la pique préliminaire. La partie commençait.

— Vu les circonstances, Kathy, comment aurais-je pu te contredire ? Je t'aurais gâché la meilleure réplique de la soirée.

Excellente parade.

Le rabbin alla jusqu'au billot de boucher et poussa son avantage.

— Mais maintenant, j'aimerais savoir si tu y croyais vraiment ou si tu disais ça dans un but quelconque.

— Vous y croyiez, vous.

Il prit bonne note de son coup de poignard dans le dos.

— Tu crois que je crois que tu es vicelarde ? C'est faux !

Était-ce vraiment faux ? Euh, non, mais il n'avait pas eu l'intention de mentir – pas cette fois. Certaines de ses reparties étaient de purs actes d'autodéfense, des mots en l'air destinés à parer ses attaques.

— Je te connais depuis que tu as dix ans et…

— Onze.

— Dix. Tu avais menti d'un an sur ton âge. Ne le nie pas.

Il marqua une pause pour se féliciter de sa manœuvre, insistant d'un côté sur l'honnêteté, essayant de l'autre de noyer le poisson.

— Le jugement d'Helen Markowitz a autrement plus de poids que le tien.

Cette dernière réplique l'ébranla quelque peu. Le nom d'Helen avait encore un certain pouvoir sur elle, mais cela ne durerait pas. Il avait besoin de bien davantage pour lutter à armes égales avec elle.

— Je me souviens du soir où Louis t'a ramenée chez Helen.

Comme s'il avait pu oublier une jeune criminelle menottée, une bouche d'enfant capable de dévider des torrents d'obscénités.

— Tu te rappelles ta chambre, de quoi elle avait l'air la première fois qu'Helen t'a mise au lit ?

Mallory opina de la tête.

— C'était la chambre d'amis.

— Oui, c'était comme ça qu'ils l'appelaient. Ils avaient acheté la maison dix ans avant que tu viennes vivre chez eux. Et pendant ces dix ans, Helen changeait les draps de cette chambre toutes les semaines sans exception. Mais quand il y avait un invité, elle dépliait le canapé, dans le salon du bas. Bizarre, tu ne trouves pas ?

Il vit bien qu'elle trouvait cela étrange, elle aussi.

— Dix ans avant ton arrivée, il y avait un berceau dans cette pièce. Louis s'en est débarrassé quand Helen est rentrée de la clinique... sans le bébé.

À part le berceau qui avait été remplacé par un vrai lit, la chambre n'avait pas changé en dix ans. Le papier peint à rayures n'avait pas passé, les couleurs étaient aussi vives que celles d'un livre de coloriage pour enfants. Un tapis moelleux était prêt à accueillir des petits pieds nus, et le couvre-lit était un joyeux patchwork d'animaux de toutes sortes. La chambre avait cet air de piège qu'Helen avait astucieusement échafaudé pour capturer un enfant en plein vol. Pendant dix ans, elle n'avait pas une seule fois évoqué son bébé... mort à la naissance.

Pendant dix ans, la chambre avait pleuré.

— Helen t'attendait depuis longtemps. Tu as complété sa vie, Kathy. Pour elle, tu étais la perfection même – pas vicelarde pour deux sous.

Et à cause de son point faible, un gouffre de lacunes où les crimes haineux disparaissaient, l'amour maternel avait été à la fois imparfait et parfaitement merveilleux.

— Je n'ai jamais contredit Helen, ni en mots, ni en actes… tu le sais très bien, Kathy.

Il paracheva ainsi sa parade grâce à des paroles savamment distillées, mais à quel prix ? Il savait qui était Mallory – même si sa mère adoptive l'avait nié avec véhémence. Helen Markowitz avait déchiré avec rage l'évaluation psychiatrique de l'enfant, refusant catégoriquement qu'on applique le terme de *psychopathe* à une petite fille dont la vie venait à peine de commencer.

Le rabbin Kaplan voulait continuer à croire que Kathy Mallory ignorait qui elle était. Tant qu'elle continuerait à méconnaître la vérité, cette enfant amorale et cruelle pourrait bénéficier d'un état de grâce. Le rabbin se disait parfois que la vérité n'était pas un objet lumineux, mais une arme de destruction. D'autres fois, il se demandait s'il n'était pas devenu un escroc compétent, un menteur professionnel.

Dans le lourd silence qui s'ensuivit, il scruta son visage, y cherchant des signes de rédemption – celle de Mallory ou la sienne ? Difficile à dire. La partie était terminée, et il saignait vraiment très peu… comme d'habitude.

Il passa la main sur la surface du billot de boucher.

— Je ne t'ai pas encore remerciée pour ça. C'est très beau.

Il leva les yeux, content de voir l'ombre d'un sourire éclairer le visage de Mallory.

— Tu as rendez-vous demain avec M. Halpern. Mais ça risque d'être une perte de temps. Il n'était pas à Paris pendant l'Occupation.

— Je sais qu'ils ont un passé commun.

Elle ramassa ses outils et les rangea dans son sac à dos.

— Hier soir, le vieux a pleuré après avoir parlé avec Malakhai.

Ayant obtenu ce qu'elle était venue chercher, elle s'apprêta à partir.

Non, pas si vite !

— Je ne veux pas que tu interroges M. Halpern, Kathy.

Il avait utilisé son ton de professeur. Il n'avait pas encore terminé la tâche prométhéenne qui consistait à parfaire l'instruction morale de Kathy Mallory.

— M. Halpern est un excellent conteur. Tu l'écouteras sans l'interrompre. Il te dira ce qu'il est prêt à te dire. Le reste, ce qui pourrait le faire souffrir, vous ne l'aborderez même pas. Tu t'en tiendras à ce qu'il voudra bien te confier – et rien de plus.

CHAPITRE 8

— Je vois que tu as été très occupée ce matin.

Charles rangea la clé inutile dans sa poche et braqua sa torche sur le boîtier métallique fixé aux panneaux en accordéon. Les chaînes avaient disparu et la séparation fermée ne laissait filtrer qu'un mince rai de lumière électrique. Il fallait pianoter un code sur le clavier à chiffres pour ouvrir le nouveau verrou.

— Tu comptais me donner la combinaison ? demanda Charles.

Mallory tapa quatre chiffres. Une lumière verte clignota en haut du boîtier, suivie d'un déclic métallique.

— C'est une bonne serrure. Malakhai ne pourra pas l'ouvrir.

Charles écarta les panneaux de bois. Les rails avaient été récemment huilés et les gonds ne grinçaient plus.

— Mais Malakhai peut aller et venir comme il veut, ça m'est égal. Je crois…

— C'est charmant.

Elle ajoutait maintenant « les intrus » à la liste des choses qu'il trouvait si attachantes : meubles décrépits, fils électriques en mauvais état…

Charles fit le tour du paravent chinois tout en sortant

une corde d'arbalète neuve d'un sac en papier. Il s'arrêta en face de la plate-forme, ébahi.

— Tu as fait du ménage, Mallory ?

Les débris de la cuite et du tour de magie de la veille avaient disparu. Les bouteilles vides et les cordes d'arbalète cassées avaient pris le chemin de la poubelle, et Mallory avait balayé le sol au pied de la plate-forme. Mais même sans traces dans la poussière, elle voyait bien que Malakhai était revenu. Pendant qu'elle était avec Riker ou avec le rabbin, Malakhai avait étendu sa recherche aux cartons et aux malles de la première rangée d'étagères. Ainsi, il avait réussi à ouvrir le nouveau verrou. Elle devait revoir ses clichés sur l'ancienne génération incapable de programmer un magnétoscope.

Charles était courbé au-dessus de la boîte à outils.

— Tu as suivi les infos aujourd'hui ? (Il sortit une burette d'huile de graissage.) Les journalistes voient la mort d'Oliver d'un autre œil.

Tournevis en main, il alla à l'arbalète qu'il avait montée sur un socle la veille.

— Je ne savais pas que son neveu avait un casier judiciaire. Qu'avait-il fait ? Vol à la tire ? Quelque chose comme ça ?

— Je demanderai à Riker.

Mallory sourit. Le lieutenant Coffey la soupçonnerait d'avoir organisé la fuite, mais il ne pourrait rien prouver. Et les huiles de One Police Plaza harcèleraient Coffey jusqu'à ce qu'il trouve le neveu... même si ça devait grever le budget. Elle avait réussi à faire doubler les effectifs sur une affaire d'homicide qui n'existait pas officiellement.

— J'ai vu la conférence de presse du maire, cet après-midi, dit Charles en dégageant la crosse de l'arbalète de sa mortaise dans le socle. Un journaliste a posé une question sur le meurtre du parc et le maire est devenu blême.

Il a affirmé que Central Park était l'arrondissement le plus sûr de New York. Il l'a répété trois fois.

— Il fait ça à chaque fois qu'on découvre un cadavre dans le parc, déclara Mallory.

Charles dévissa la plaque métallique qui recouvrait le percuteur.

— Central Park n'est pas l'arrondissement le plus sûr de Manhattan ?

— Oh, si ! Les statistiques criminelles y sont plus basses qu'ailleurs. Mais le parc est le seul arrondissement *inhabité*.

Elle posa un regard étonné sur les cartons ouverts des étagères. Ils ne faisaient pas partie de l'expédition du théâtre de magie de Faustine. Qu'est-ce que Malakhai pouvait bien rechercher ? Elle pensa à une autre question sans réponse, celle qui l'avait hantée pendant sa petite enquête sur lui.

— Quel est le prénom de Malakhai ?

Charles parut s'affaisser, il s'agenouilla pour examiner le mécanisme du socle.

— S'il en a un, je ne l'ai jamais entendu prononcer.

Il leva un doigt taché d'huile, preuve manifeste de l'utilisation récente de l'arbalète.

— Est-ce que tu as… ?

— J'ai cherché le nom de l'hôpital dont Nick Prado disait qu'il appartenait à Malakhai.

— Oh, il lui appartient. (Charles essuya son doigt graisseux sur son jean.) Tu n'as pas tiré cette…

— D'après les traces écrites, le propriétaire est un fonds de pension étranger.

— C'est un homme très secret, Mallory.

Charles sortit l'arbalète du socle et la lui montra.

— Je t'avais dit que ces tours étaient dangereux, non ?

Il plia la lamelle métallique tout en fixant la corde

neuve aux pommeaux de l'arc, puis il tourna le dos à Mallory pour réinstaller la crosse dans la mortaise.

Ainsi, il ne voulait plus parler de Malakhai. Peu importe. On change de sujet, on fait un petit détour – pas de problème. Il y a d'autres pistes d'investigation, d'autres suspects. Elle décida de tirer parti de la maîtrise en psychologie de Charles.

— Qu'est-ce que tu peux me dire sur la personnalité narcissique ?

— Ah, Nick Prado figure parmi tes suspects ? Ça lui fera drôlement plaisir.

Charles se pencha pour regarder dans le viseur de l'arbalète.

— Un narcissique serait ravi d'être au centre de ton enquête, qu'il soit coupable ou non. Ça t'aide ?

— Supposons qu'il soit coupable.

Charles secoua la tête, incrédule.

— Nick n'avait aucune raison de vouloir du mal à Oliver.

— Eh bien, aide-moi à l'éliminer en tant que suspect. Si ce n'était pas Prado, dit-elle en posant une main sur le bras de Charles, je ne peux pas lui nuire, n'est-ce pas ? Alors, pour les besoins de l'hypothèse, disons que c'était lui.

— Je ne m'inquiète pas pour Nick. Son ego est indestructible.

Charles engagea une flèche dans l'arbalète, l'arma, et abaissa le levier afin de lancer le mécanisme d'horlogerie du socle. Il se courba en deux au-dessus d'une caisse ouverte et en sortit une autre arbalète. Mallory s'assit par terre à côté de lui tandis qu'il la démontait.

— Entendu, dit Charles. C'est une personnalité narcissique. Tu as dû t'en apercevoir quand il t'a fait la cour l'autre jour. La plupart des hommes n'oseraient pas flirter avec une femme comme toi.

Il leva les yeux des pièces de l'arbalète éparpillées par terre.

— Tu es très belle.

On aurait dit un aveu coupable. Le visage de Charles était comique même dans les moments les plus graves. Il avait des yeux de crapaud amoureux.

— Mais Nick s'imagine qu'il est fait pour toi. Je sais que ça paraît ridicule, mais il se voit comme quelqu'un de jeune et de viril.

Charles fixa l'arc au bout du manche, puis prit une corde dans le sac en papier.

— J'étais sérieux quand je disais qu'il serait ravi d'être le suspect principal d'une enquête criminelle... même s'il était coupable. Le narcissique se croit plus malin que tout le monde.

— Donc, s'il avait planifié un meurtre, il aurait probablement négligé les détails ?

— Non, je ne dirais pas ça. Le plan serait mûrement réfléchi, mais peut-être un peu trop compliqué. Plus le plan est complexe, plus les risques d'erreur sont grands. C'est le talon d'Achille de ce genre de personnalité. Et ça ne cadre pas avec ta théorie de l'échange des clés. C'est beaucoup trop simple pour Nick.

Le tic-tac des roues dentées cessa. Mallory entendit le claquement de la corde en même temps qu'elle vit le carreau se ficher dans la cible et continuer d'osciller un instant.

— Les meurtres les plus simples sont les mieux conçus, déclara-t-elle. Celui-là était presque parfait.

— C'est justement le problème, dit Charles, qui reposa l'arbalète et en prit une autre. Ça ne cadre pas avec le profil d'une personnalité narcissique. Changer les clés ne présente pas assez de difficultés, c'est un simple tour de passe-passe. Non, si Nick avait préparé un crime aussi grave qu'un meurtre, il aurait échafaudé quelque chose de plus alambiqué. C'est sans doute ton suspect le moins plausible.

Il examina une vis rouillée à la lumière, puis s'empara de la burette d'huile.

— Tu sais, Malakhai avait raison. Cette mécanique ne t'aidera pas à comprendre comment marchait l'Illusion Perdue.

— Qu'est-ce qu'il y a à comprendre ? demanda-t-elle en posant son regard sur la cible. Il était censé se débarrasser des menottes avant que la flèche ne le transperce.

— Une improvisation sur le thème de l'évasion ? (Charles secoua la tête.) Oliver essayait de recréer une illusion de Max Candle. Dans le spectacle, il devait y avoir un accident, c'était la marque de fabrique de Max. Oliver l'avait expliqué aux policiers et aux journalistes. Il ne voulait pas être secouru quand il commencerait à hurler. Lorsque la première flèche l'a transpercé, les flics ne m'ont pas laissé monter sur scène. Ils croyaient sans doute que je faisais partie du spectacle, moi aussi.

Charles se releva et épousseta son jean.

— Ouvrir des menottes et éviter les flèches – où est la magie là-dedans ? Si tu avais vu une des illusions de Max, tu comprendrais.

— Eh bien, montre-moi.

— L'ennui, c'est que j'ignore comment les tours les plus fameux fonctionnaient.

Pourtant, Charles était largement plus intelligent que la moyenne. Lui cachait-il quelque chose ? Non, elle l'aurait vu sur son visage.

— Sais-tu au moins comment se déroulaient certains d'entre eux ?

— Je pourrais te montrer un tour que Max avait inventé pour des enfants. Il l'avait appelé « la matière à travers la matière ».

Il grimpa sur la plate-forme. Après avoir détaché la

cible suspendue entre les deux piquets, il la posa par terre, au bord de la scène.

— Le tour marche avec des pinces à zigzag. Tu te rappelles quand Oliver a déployé sa cape et qu'elle a glissé par terre... vide ?

— Le machin métallique qui monte de la trappe ?

— Tout juste, acquiesça Charles en descendant l'escalier. Tu verras au moins comment ça se passe.

Il alla à une caisse ouverte, en sortit un grand objet plat recouvert de tissu matelassé. Il le déballa, dévoilant une glace dans un robuste cadre en érable. Elle avait la taille et la forme ovale de la cible, avec les mêmes tenons noirs sur les côtés. La glace déformait tout ce qui entrait dans son champ. Elle rappela à Mallory les glaces des fêtes foraines qui métamorphosent alternativement en géants et en nains les curieux qui s'y reflètent.

— J'ai appris ce tour quand j'avais neuf ans. Je vais passer à travers ce miroir.

Il emporta la glace sur la scène et fixa le cadre dans les mortaises des piquets afin qu'elle soit suspendue à un mètre au-dessus du sol.

— Max avait créé cette illusion pour une soirée d'Halloween, c'est donc un peu différent de ses tours habituels.

Il tira les rideaux de velours rouge près de la glace, leur faisant presque toucher les piquets.

— Dans ce tour, il ne mourait pas.

— Dommage ! Les enfants auraient adoré. (Mallory alla au pied des marches.) Halloween est censé être terrifiant.

— Non, il refusait de mourir devant un public d'enfants.

Satisfait des préparatifs, Charles redescendit et chercha parmi les cartons dont il examina les étiquettes.

— J'avais l'habitude de voir Max mourir sur scène, mais pas les autres enfants.

Il ouvrit une caisse, et en sortit des tubes et quatre anneaux en cuivre.

— Tu ne comprends toujours pas. Il lui fallait du réalisme. Un public d'adultes croyait effectivement qu'il mourait à la fin de la représentation.

— Du sang et de l'horreur ?

Elle s'assit sur la première marche.

— Non, rien d'aussi grossier.

Il assembla prestement les tubes, en fit quatre piquets puis vissa les anneaux au bout de chacun.

— Les spectateurs ne voyaient jamais une seule goutte de sang, mais leur imagination faisait le reste…

— Il n'avait pas peur qu'un spectateur essaie de le sauver et fasse capoter le tour ?

— Non, jamais. Je crois qu'Houdini a eu ce problème dans les années 30. Mais le monde a changé.

Charles disposa les piquets pour former les quatre coins d'un carré près du pied de l'escalier. Il relia les piquets avec une corde de velours rouge passée dans les anneaux en cuivre.

— Max pouvait toujours compter sur un bon Samaritain qui se précipitait sur scène à la rescousse. Ça ajoutait une note dramatique au spectacle. Mais le type était trop lent et arrivait toujours trop tard. La majorité des spectateurs se contentait de le regarder mourir.

Charles observa la table de bistrot et la chaise que Malakhai avait utilisées la veille.

— Max ne connaissait rien à la psychologie, mais il comprenait la face noire des êtres.

Il emporta la chaise et alla la poser au centre du carré. Puis il plongea une main dans un nouveau carton et en sortit une longue cape de soie écarlate, réplique exacte de celle qu'Oliver Tree avait portée.

— C'est l'instinct de la horde ? C'est ça qui les cloue sur leur siège ?

— Oui, mais pas seulement, dit Charles en examinant

la cape qu'il déploya ensuite sur un socle. J'ai mieux compris le phénomène quand je faisais mes études. J'avais fait un exposé sur une petite ville du New Jersey. Un magasin de vêtements avait pris feu. Une écolière était enfermée derrière la vitrine.

Il s'assombrit cependant qu'il détachait une des cordes en velours et pénétrait dans le carré. C'était un mauvais souvenir.

— Elle s'appelait Mary Kent et elle avait quinze ans.

Debout derrière la chaise, il jeta un coup d'œil vers la plate-forme.

— Elle s'était cassé tous les os des mains à marteler la vitrine à coups de poing, mais celle-ci était trop épaisse et elle n'avait pas la force de la briser. C'était un samedi après-midi, la rue était pleine de monde. Les curieux s'étaient rassemblés devant la vitrine, fascinés par les flammes… et par la fille qui tapait sur la vitre en hurlant. Les badauds devaient se croire devant un écran de télévision géant. Ils la regardèrent mourir.

— Il n'y avait pas de caserne de pompiers ?

— Si, mais personne ne les a appelés. Finalement, un pompier a vu de la fumée depuis l'autre bout de la ville. Mais ils sont arrivés trop tard pour sauver Mary. C'était pas de leur faute.

Il sortit du carré et alla à l'escalier de la plate-forme.

— J'avais interrogé tous les témoins. Ils accusaient les pompiers de la mort de Mary, ils maudissaient leur lenteur d'intervention. Chacun croyait que son voisin les avait appelés – c'est du moins ce qu'ils m'ont assuré. J'ai demandé pourquoi personne n'avait ramassé une pierre pour briser la vitrine. « J'y ai pas pensé », voilà leur réponse. Ça ne leur était même pas venu à l'esprit.

— Tu les as crus ?

— Non. (Il désigna le carré.) Tu vas t'asseoir là. Rappelle-toi, ce tour avait été créé pour une faible audience dans un espace restreint. C'est à cause de la glace. Alors ne sors pas du carré délimité par les cordes en velours rouge. (Il vérifia le reflet dans la glace.) Max avait organisé la soirée d'Halloween pour moi.

Il actionna un commutateur sur le piquet de gauche. Une ampoule fixée dans la traverse s'éclaira.

— Les autres spectateurs étaient des enfants de magiciens – c'était un public difficile.

Mallory s'assit sur la chaise à l'intérieur du carré cependant que Charles dévalait les marches deux par deux pour aller chercher la cape écarlate. Mallory avisa un carton non loin de là d'où débordaient des mètres du même tissu.

— Pourquoi y en a-t-il tant ?

— C'est de la soie véritable, expliqua Charles en éteignant le lampadaire près de la plate-forme. Des fois, elle se déchirait quand les pinces métalliques jaillissaient du plancher. Max avait besoin de plusieurs capes de rechange.

Il disparut derrière le paravent chinois et toutes les lampes de la cave s'éteignirent une à une. Il ne restait que l'ampoule sur la traverse qui projetait un halo blafard autour de la glace.

— Prête ? demanda Charles en revenant vêtu de la cape écarlate, la tête recouverte d'un capuchon de moine qui masquait ses traits.

Il se dirigea vers la plate-forme. La glace ne reflétait que les ombres noires, derrière la chaise de Mallory. Lorsque Charles atteignit le haut des marches, elle vit son visage déformé dans la glace, s'allongeant et se rapetissant pour produire des caricatures grotesques. Il se tint au milieu de la scène et étendit les bras. La cape cacha entièrement la glace lorsqu'il toucha les rideaux de chaque côté des piquets. Peu après, la cape s'affaissa. Charles avait disparu, mais la cape ne glissa pas au sol. Un mince ruban de soie écarlate se faufilait à travers la glace, au centre de celle-ci.

Cependant que la cape disparaissait dans la glace déformante, la tête de Charlie flottait à l'intérieur du cadre ovale. La lumière brillait tout autour du miroir et il n'y avait rien pour produire un tel reflet. Son nez s'étira, devint un groin, et ses yeux s'écarquillèrent, pareils à des soucoupes. Lorsqu'il ouvrit la bouche, ses dents s'allongèrent tellement qu'on eût dit des crocs de fauve.

Deux mains blanches apparurent à côté de la tête flottante du monstre. Il claqua des doigts, et la glace pivota brusquement entre les deux piquets. Lorsque le cadre cessa de tourner et se stabilisa, la tête de Charles n'était plus enfermée dans le verre. Plus aucun reflet n'habitait la glace.

Mallory sentit un doigt lui tapoter l'épaule. Elle sursauta.

Charles était derrière elle, souriant, content de lui.

— Alors ? fit-il. Qu'est-ce que tu en penses ?

— Oui, c'est un bon tour, répondit-elle en regardant la plate-forme par-dessus son épaule. Corrige-moi si je me trompe. La cape était attachée à un fil de fer qui traversait la glace par son milieu. C'est pour ça qu'il utilisait une glace déformante, n'est-ce pas ? Afin que la déformation cache l'imperfection ?

Charles acquiesça. Son sourire s'était évanoui. Il ralluma les lampes.

— Les rideaux sont bordés de noir, reprit Mallory. Je sais que tu ne peux pas déplacer les piquets. Mais le cadre est assez épais pour remettre le miroir en place. Lorsque les pinces en zigzag ont étendu la cape, tu as poussé la glace et tu es passé derrière le rideau. Ensuite, tu te reflétais dans la glace depuis un angle différent.

— Euh… oui, c'est ça, fit-il, en tournant vers elle un visage grimaçant de déception. Mais que penses-tu de l'effet ? Du tour lui-même… ?

— J'ai bien compris le mécanisme ?

Charles ne répondit pas. Il retourna à la plate-forme,

grimpa lentement les marches, comme s'il était soudain très las. Lorsqu'il arriva devant le cadre ovale, il appuya sur le côté de la glace pour la remettre en place. Mallory aperçut alors son reflet déformé dans le miroir. Leurs yeux se croisèrent et il la regarda d'un air malheureux. Dans cet angle particulier, la glace déformante lui raccourcissait le nez et contractait ses gros yeux bulbeux.

Mallory retint son souffle.

Ainsi déformé, Charles était la réincarnation de son célèbre cousin. Mallory ne pouvait quitter des yeux le reflet du beau jeune homme – vivant et cent fois plus séduisant que sur les vieilles photographies. Elle sentit son cœur se serrer et le sang affluer sur son visage. Elle dut lutter pour ne pas bouger, pour ne pas briser la fragile illusion. Un simple geste l'aurait détruite, mais elle se sentait légère, la tête lui tournait, comme enivrée.

Il était si beau !

C'était ce que Louisa avait ressenti le jour où elle avait rencontré Max Candle. Dans la seconde, Malakhai avait compris qu'il allait perdre sa jeune épouse. Cet homme était si…

Soudain, Max disparut, il s'évanouit lorsque Charles souleva le miroir et le détacha des piquets. Il tourna vers elle un visage qui lui était plus familier, avec son nez épaté et ses gros yeux de crapaud triste mais charmant, sans se douter qu'il venait de ressusciter un mort.

— La magie te laisse froide, dit-il.

Après le départ de Charles, Mallory continua d'inventorier les caisses jusqu'à ce qu'elle trouve les fers de l'Illusion Perdue.

Les quatre arbalètes étaient fixées sur leur socle et braquées sur la cible. Elle arma celle qui était la plus proche de l'escalier. Facile, aucun problème. Pas la peine de relancer les mécanismes d'horlogerie. Les arbalètes avaient chacune tiré leur carreau en bon ordre. Maintenant, Mallory avait seulement besoin de comprendre comment marchait le reste de l'appareillage.

La cape jetée sur l'épaule, elle grimpa en haut de la plate-forme et se planta devant la cible. Elle avait vu d'en bas les arbalètes tirer depuis tous les angles possibles. Elle voulait voir désormais le tour depuis la scène, du point de vue d'Oliver Tree.

Elle s'agenouilla pour fixer un fer à l'anneau, au pied de chaque piquet. Les fers n'avaient pas de verrou, seulement des cliquets pour les maintenir fermés. Elle repassa dans sa tête la cassette qu'elle avait visionnée une centaine de fois. Ces fers étaient exactement les mêmes que ceux qu'Oliver avait portés aux chevilles lorsqu'il était accroché à la cible, bras et jambes écartés.

Elle détacha une paire de menottes réglementaires de sa ceinture. Oliver avait utilisé deux paires, mais il n'y avait qu'une seule clé. En agrandissant les images de l'enregistrement de sa représentation, elle avait vu tomber la rallonge cassée. Elle n'avait pas remarqué de seconde clé lorsqu'il avait ouvert en grand sa main gauche sous le coup de la violente douleur.

Par habitude, elle sortit machinalement sa propre clé. Naturellement, ça ne marcherait jamais. Lorsque sa main serait attachée au piquet, que son bras serait étiré, cette clé serait trop courte pour ouvrir le bracelet. Elle posa la sienne par terre et sortit de la poche revolver de son jean le trousseau de passe-partout du théâtre de magie de Faustine. Elle dévissa le bout et choisit un passe dont les dents avaient le même dessin que celui de sa clé de menottes.

Elle se redressa et se tint près d'un des bracelets fixé à l'anneau métallique du piquet de droite. La chaîne de la menotte pendait du bracelet ouvert… à portée de main… encore plus facile pour elle que pour Oliver.

Elle mesurait un mètre soixante-dix-sept. Oliver était plus petit de dix centimètres.

Elle était confrontée à son premier problème. La plate-forme avait été dessinée pour Max Candle, qui faisait dix-huit centimètres de plus qu'Oliver. Mais les anneaux des piquets étaient disposés de la même manière. Sur la réplique d'Oliver, les anneaux semblaient être à égale distance du haut des piquets.

Mallory secoua la poussière de la cape en soie et s'en drapa les épaules, puis elle rabaissa le capuchon sur sa tête. La longue traîne balaya la scène derrière elle. Elle avisa la trappe. par terre, vit la pédale et, lorsqu'elle l'actionna, un trou s'ouvrit derrière ses talons.

Le mécanisme sortit lentement du trou, sous la traîne, déployant en silence ses baleines métalliques pour remplir la cape et donner l'impression que son porteur étendait les bras. Un disque métallique incurvé imitait le haut d'un crâne humain sous le capuchon. Mallory se dégagea de la cape et écarta les jambes afin d'attacher les fers à ses chevilles. Puis elle glissa son poignet droit dans la menotte qui pendait au bout de l'anneau. Elle dut s'escrimer pour refermer le bracelet d'une main tout en serrant le passe-partout. Oliver Tree avait fait cela bien plus vite avec deux paires de menottes.

C'est le tic-tac du mécanisme qui lui fit lâcher la clé.

La bouche sèche, elle vit le passe-partout ricocher par terre avec un bruit métallique et atterrir près de sa propre clé.

La cape déployée lui masquait les arbalètes. Elle tenta d'atteindre la pédale du pied pour faire retomber la cape et avoir une vision claire des armes, mais la chaîne était trop courte. Comment Oliver Tree avait-il procédé ?

Les deux jambes et une main attachées, elle entendit le tic-tac des roues dentées. Cela provenait de sa gauche. Elle imagina la fiche métallique grimper, s'approchant lentement du chien de l'arbalète.

Sur quelle partie de mon corps l'arbalète est-elle braquée ?

Elle avait vu Oliver mourir tant de fois qu'elle connaissait chaque trajectoire par cœur. Le test effectué avec les arbalètes de Max avait confirmé les enseignements qu'elle avait tirés de la cassette de Central Park.

Le tic-tac continuait inexorablement.

Réfléchis ! Où le carreau va-t-il frapper ?

Elle voyait distinctement Oliver maintenant. L'arbalète de gauche visait sa cuisse. Elle eut à peine le temps d'y penser, de reculer sa jambe. Le tic-tac cessa. Le carreau transperça la cape déployée et cloua sa jambe à la cible.

Indolore.

Mallory baissa les yeux sur la flèche qui avait traversé son jean et raté sa cuisse d'un cheveu. Elle respira lentement pour mieux entendre l'éventuel assassin se déplacer dans la cave. Elle ne croyait plus aux accidents.

Elle tenait son revolver de la main gauche, mais ne se souvenait plus de l'avoir dégainé tant tout son être était tendu à l'écoute des bruits de pas dans l'escalier.

Le rideau rouge s'ouvrit.

Malakhai.

Il regardait la flèche qui épinglait sa jambe à la cible. Il jeta un coup d'œil vers la trappe ouverte et actionna la pédale.

— Le mécanisme des pinces en zigzag est très lent, dit-il. Elles vont redescendre dans une minute. (Il ignora le revolver et désigna la pédale.) Vous auriez dû l'actionner avant de fermer les menottes et les fers. Tout est dans le minutage, Mallory.

Il fut légèrement distrait par le canon du revolver qui était maintenant braqué sur son visage.

— Vous avez raison, dit-il. J'en oublie la politesse. Bonsoir, Mallory, vous avez une mine superbe.

— Vous m'avez ratée d'un poil.

175

Il posa son regard sur la flèche.

— Moins que ça, même. Vous avez sans doute heurté le mécanisme d'horlogerie lorsque vous avez armé l'arbalète.

Avec désinvolture, comme s'il conversait banalement avec une femme enchaînée, il sortit un paquet de cigarettes de la poche de son manteau.

— Vous avez bien armé l'arbalète, Mallory, n'est-ce pas ?

— Et vous voulez me faire croire que c'était encore un accident ?

Le sourire de Malakhai suggérait que c'était la version la plus charitable – un accident plutôt qu'une stupide erreur.

— Je vous avais prévenue de ne pas passer devant une arbalète chargée.

L'arbalète était-elle chargée lorsqu'elle l'avait armée ? Elle ne se rappelait pas avoir vérifié s'il restait une flèche dans le magasin. Allait-elle devoir admettre un tel oubli ?

Certainement pas !

Elle tira sur la menotte… suggestion à peine voilée pour qu'il la détache, et tout de suite.

Malakhai alluma sa cigarette.

— Les socles sont aussi délicats que des montres suisses. En réalité, leurs mécanismes *sont* suisses.

Il recracha une lente bouffée de fumée – tel un oisif en promenade.

— Il faut un peu de finesse pour réaliser ce tour d'illusionnisme.

Elle tira sur la chaîne, mais il ne parut pas comprendre la suggestion.

Il fixa le revolver maintenant braqué sur sa poitrine.

— On dirait que vous n'aimez pas les critiques. (Ignorant le revolver, il se baissa pour arracher le carreau.) Vous me faites penser à un vieux proverbe : « La fille qui ne sait pas danser accuse toujours l'orchestre. »

176

Une flèche aiguisée à la main, il se tenait bien trop près. Mallory crispa son doigt sur la détente.

Elle ne savait plus quoi penser. Malakhai n'avait pas peur du revolver. Cela suffit à la mettre en rage. Or elle voulait que cela soit de sa faute à lui, pas de la sienne. Mais il abaissa les yeux sur les clés, soulignant par là ses propres erreurs, et elle ne l'en détesta que davantage. La flèche qu'il tenait toujours l'inquiétait. Avait-il l'intention de la blesser ? Ou jouait-il seulement avec elle à un petit jeu stupide ?

Elle se raidit, prête à la bagarre... comme s'il lui fallait une poussée d'adrénaline pour avoir la force d'appuyer sur la détente. La colère lui brouillait la raison.

Elle s'entendit pourtant ordonner d'une voix calme :

— Jetez cette flèche et reculez.

Une goutte de sueur roula sur sa joue. Le tremblement de sa main était presque imperceptible. C'était le spasme musculaire d'un contrôle pleinement exercé – afin d'empêcher le revolver de partir tout seul.

Elle tira sur la menotte jusqu'à ce que le bracelet lui entaille les chairs. Elle recherchait la douleur, un truc à elle pour s'éclaircir les idées et chasser la colère qui l'aveuglait. Mais elle sentait encore la rage s'accumuler. Si elle n'arrivait pas à se reprendre, elle allait le tuer. Elle tira sur la menotte de toutes ses forces, mais cela ne suffisait pas.

— Jetez-la ! cria-t-elle.

Au moment où Malakhai se détournait pour jeter la flèche loin de la scène, elle tira encore sur la menotte, avec une puissance qu'elle ne possédait pas dans son état normal.

Le craquement fut si tonitruant qu'elle crut un instant que son revolver avait tiré.

Malakhai se retourna, surpris de voir la menotte arrachée du piquet. Le bracelet qui pendait au bout de la chaîne était encore attaché à un éclat de bois.

— Vous saignez ?

— Non.

Elle baissa la tête pour examiner son poignet rougi, ne voulant pas qu'il s'aperçoive qu'elle avait été surprise elle aussi. Elle n'avait pas voulu briser le piquet, seulement avoir mal.

— Donc, vous passiez là par hasard ? C'est votre explication ?

Il empoigna la menotte à deux mains. Elle ne le vit pas manipuler de clé. La menotte s'ouvrit simplement, libérant son poignet. Il brandit les bracelets et l'éclat de bois.

— Je peux réparer ça, dit-il. Mais ne cassez plus rien, d'accord ? Essayez de garder vos mains dans vos poches.

Il s'agenouilla pour défaire les fers aux pieds de Mallory, mais elle le repoussa. Puis elle rengaina à contrecœur son revolver et libéra elle-même ses chevilles. Elle était toujours en colère, mais elle avait repris le contrôle de ses nerfs.

— C'est un bel accroc, dit-il en désignant son jean. Heureusement que vous n'avez rien. La prochaine fois, ce sera peut-être un organe vital – comme ce pauvre Oliver.

— Est-ce une menace ?

— C'est un fait. Il faudra que vous portiez autre chose pour le dîner. J'ai réservé pour huit heures. Nous n'avons pas le temps de passer chez vous pour que vous vous changiez. Les roses vous ont plu ?

— Comment avez-vous eu mon adresse ?

Il se contenta de montrer la malle-penderie qu'on distinguait derrière le paravent chinois.

— Le tailleur de soie verte, peut-être ?

178

Mallory était vêtue pour une autre saison de 1942. En sortant du taxi, elle sentit le vent froid souffler sur ses pieds. Les escarpins de danse n'étaient pas prévus pour un mois de novembre. Bien qu'ils fussent à sa taille, elle avait du mal à marcher à cause des fines lanières et des talons délicats. Près de l'entrée du restaurant, ils s'arrêtèrent devant une glace et Malakhai attira son attention sur le brillant du tissu.

— Louisa dit que la soie s'est un peu décolorée. Avant, elle était d'un vert aussi éclatant que ses yeux.

Le restaurant de Greenwich Village accueillait une clientèle essentiellement européenne. Des accents et des langues de toutes sortes peuplaient la longue salle. Près d'une fenêtre qui donnait sur la 4e Rue, une petite table était dressée pour trois couverts. Trois convives s'assirent – si on comptait Louisa, ce qui était le cas de Mallory. Elle était prête à jouer le jeu.

Malakhai sortit son paquet de cigarettes.

— Vous ne pouvez pas fumer ici, dit Mallory. C'est interdit.

— Ah oui, le nouveau régime draconien ! (Malakhai prit une cigarette.) Mais vous ne pensez tout de même pas qu'ils respectent les petits ordres mesquins du maire ? Ce sont des Français, n'est-ce pas ? fit-il en désignant le nom du restaurant gravé sur le menu. Qu'est-ce que vous croyez ?

Mallory n'avait plus envie de le tuer.

Les clientes regardaient de leur côté – de son côté. Les hommes louchaient aussi vers lui. Leur table avait beau être à côté de la fenêtre, Malakhai était le centre d'attraction du restaurant.

Ses yeux noirs lançaient des flammes.

— Vous aviez l'intention de fouiller la cave ? demanda Mallory. Ou êtes-vous venu dans le seul but de m'effrayer ?

— Y a-t-il quelque chose capable de vous effrayer ?

(Sa voix était dénuée de tout sarcasme.) Les mécanismes des socles sont vieux. Qui sait ce qui peut être cassé... en dehors du piquet ?

— Votre cendrier, monsieur.

Un jeune garçon en smoking rouge s'était matérialisé à leur côté. Ce ne fut pas un cendrier qu'il posa devant Malakhai, mais une grande soucoupe.

— Si quelqu'un doit faire une scène...

— Je sais, Jean. Vous serez scandalisé de me voir fumer dans votre établissement... et vous exigerez à haute voix que j'éteigne ma cigarette sur-le-champ. Je vous promets de me montrer penaud.

Après le départ du garçon, Malakhai roula la cigarette non allumée entre ses doigts.

— Vous voyez la femme, là-bas ? dit-il. Dans la robe violette, avec son air indigné ?

Mallory se retourna pour observer trois clients près de la porte. Ils enfilaient leur manteau et faisaient signe à la femme en violet. Mais elle les ignorait pour fixer ouvertement Malakhai et sa cigarette, une muleta agitée sous le nez d'une militante antitabac.

Il sourit à la femme tout en glissant à Mallory :

— Ses amis et elle s'apprêtent à partir. Mais comment pourrait-elle renoncer à exercer son pouvoir sur un étranger ? (Il sortit un briquet en argent.) Je suis sur le point de m'accorder un petit plaisir inoffensif, or elle peut me l'interdire !

La femme fronça les sourcils, fit signe au garçon comme si elle hélait un taxi. Jean passa en faisant mine de ne pas la voir. Ses trois compagnons de table l'attendaient près de la porte. Elle les rejoignit manifestement à contrecœur. Mais elle n'en avait pas fini avec Malakhai. Sur le trottoir, elle s'arrêta devant la fenêtre pour le fusiller du regard, afin de s'assurer qu'il ne s'en tirerait pas à si bon compte.

Il fit disparaître la cigarette non allumée dans son

poing. Lorsqu'il déploya les doigts et plaqua la main contre la vitre, elle était vide. Les trois compagnons de table applaudirent le tour cependant que la femme en violet s'éloignait d'un pas hautain. Malakhai referma la main. Cette fois, lorsqu'il la rouvrit, il tenait une cigarette allumée entre l'index et le majeur.

Mallory abaissa son regard sur la soucoupe où une seconde cigarette se consumait. Il y avait du rouge à lèvres sur le filtre. Malakhai avait dû la poser en profitant d'un instant de distraction lorsqu'elle admirait son petit tour de passe-passe. Elle fixa, hébétée, les volutes de fumée qui s'élevaient.

— D'où venait Louisa ? demanda-t-elle.

— Si vous le saviez, vous deviendriez célèbre dans le monde musical. Personne ne connaît son passé. Un historien frustré a même fait circuler le bruit selon lequel je l'aurais créée de toutes pièces.

— Pas de rumeur sur son assassinat ?

— Pas mal, si. Nick Prado les a lancées, pour la plupart, afin de doper les ventes de disques dans les années 50. C'était quinze ans avant qu'il ne quitte la scène pour ouvrir sa société de relations publiques. Même à l'époque, il avait l'instinct d'un publicitaire de première classe.

— Prado connaît sa véritable histoire.

— Croyez-vous ? Il n'a jamais dit ça – pas à vous, Mallory.

— Vous n'avez jamais cru à un accident. Vous saviez que Louisa avait été assassinée. Vous le saviez bien avant la partie de poker de l'autre jour.

Elle s'était attendue à ce qu'il nie. Mais il n'en fit rien. Rien dans son expression ne lui disait si elle avait deviné juste ou pas.

— Pourquoi vous intéressez-vous tant à Louisa ?

— Oliver lègue tous ses biens à des œuvres de charité, le mobile de l'argent ne tient donc pas. Je crois qu'il avait, d'une manière ou d'une autre, effrayé l'assassin de votre épouse.

Leur conversation s'arrêta lorsque Jean reparut avec une bouteille de bourgogne. Il en versa un peu dans le verre de Malakhai et attendit son approbation. Puis il remplit les trois verres et partit.

— Oliver a réellement bâclé le tour, assura Malakhai. Je l'ai su dès que j'ai vu la retransmission télévisée.

— Quelle erreur a-t-il commise ?

— Oh, ne comptez pas sur moi pour vous gâcher ce plaisir. Je suis sûr que vous trouverez toute seule.

— Et le jeune homme qui est mort quand Max Candle essayait son tour d'illusionnisme pour la première fois ? C'était encore une des rumeurs de Nick Prado ? Un coup publicitaire ?

— Non, c'est réellement arrivé, mais l'histoire ne s'est pas ébruitée. Max était anéanti. Il n'aurait jamais utilisé la mort du jeune homme pour se faire de la publicité.

— L'accident aurait dû faire la une de tous les journaux.

— Pourquoi ? Max Candle mourait à chaque représentation et ressuscitait aussitôt. Le garçon ne s'est jamais relevé – c'était moins magique, cela a entraîné une simple main courante dans le commissariat du coin. Rien de plus.

— Vous étiez peut-être dans le public lorsque Max a montré son tour.

— Oui, figurez-vous que j'y étais.

— Vous deviez donc savoir comment saboter le tour d'Oliver dans Central Park.

— Pas forcément. Il ne l'a pas réalisé de la même manière que Max. Il aurait fallu que je connaisse la version d'Oliver.

Plusieurs heures plus tard, Mallory était toujours aussi loin d'avoir trouvé la solution de l'Illusion Perdue.

Par magie, son verre de vin n'était jamais resté plus qu'à moitié vide, bien qu'elle n'ait pas vu Malakhai le remplir. Et vers la fin de la longue soirée, elle avait appris à se montrer plus appliquée dans sa prononciation, de crainte de buter sur les mots ou d'oublier une syllabe sur deux.

*
* *

Dans le taxi qui la ramenait chez elle, Mallory était assise bien droite, ce qui n'était pas le cas du monde extérieur. Il tournait, tanguait, incontrôlable !

L'immeuble du West Side dans lequel était situé son appartement entra dans son champ de vision par la vitre. La porte arrière s'ouvrit et Malakhai descendit. Il tendit le bras pour l'aider à s'extraire du véhicule, comme s'il craignait qu'elle ne rate le trottoir en essayant de sortir toute seule. Cependant qu'ils franchissaient le seuil en marbre de l'immeuble, elle salua d'un geste incertain une silhouette floue en uniforme vert, qui devait être celle de Frank, le concierge.

Dans l'ascenseur qui montait en penchant étrangement d'un côté, ils observèrent le silence. Lorsqu'ils arrivèrent à son étage, Malakhai l'escorta jusqu'à sa porte en la tenant poliment mais fermement par le bras. C'était une courtoisie d'un autre âge, révolue depuis le temps du cinéma muet. Mallory profita de ces bonnes manières pour éviter de trébucher sur la moquette qui oscillait bizarrement.

Ils s'arrêtèrent devant chez elle, et il attendit patiemment qu'elle ouvre avec sa clé. Après trois tentatives infructueuses, au cours desquelles elle injuria tour à tour la nouvelle clé et la serrure neuve, la porte s'ouvrit enfin. Elle entendit au loin Malakhai, pourtant à quelques centimètres d'elle, lui souhaiter une bonne nuit.

Elle était enfin chez elle ! Elle s'appuya contre un

mur, faisant des vœux pour que la pièce cesse de tournoyer. Elle se souvint alors de la question qu'elle avait voulu lui poser toute la soirée.

Elle rouvrit la porte à la deuxième tentative, déboucha dans le couloir telle une fusée, puis, voyant que l'ascenseur était occupé, franchit le palier et dévala l'escalier en accomplissant une remarquable figure de ballet pour garder l'équilibre et parvenir jusqu'en bas sans se briser la nuque.

Elle traversa le hall, qui descendait – c'était nouveau ! – en pente douce, et, grâce à la rapidité de Frank le concierge, sortit dans la rue sans se fracasser contre la porte en verre de l'immeuble. Elle se retrouva sur le trottoir, le souffle court, mais zigzaguant à peine – du moins le crut-elle.

Malakhai venait juste de monter dans un taxi jaune et il donnait des instructions au chauffeur quand elle arriva à sa hauteur.

— Dans quel camp étiez-vous pendant la Seconde Guerre mondiale ?

Pendant que le taxi déboîtait, il se pencha par la vitre de la portière et lança :

— Je portais un uniforme allemand le soir où j'ai tué Louisa.

CHAPITRE 9

Quelle que fût la façon dont elle tournait la tête, une douleur lancinante lui vrillait le crâne. Assise sur le canapé, Mallory détourna les yeux des baies vitrées. Son extrême sensibilité à la lumière était un autre symptôme encore inconnu d'elle.

Grand spécialiste de la gueule de bois, Riker examina ses yeux injectés de sang.

— Non, dit-il à Charles, elle n'est pas malade. C'est réparable.

Les deux hommes sortirent pour aller à la cuisine et la laissèrent dans un silence bienfaisant. Elle abaissa les yeux sur le lourd paquet de feuilles calé sur ses genoux.

Dehors, le cri soudain d'un chat s'étira dans un hurlement de douleur et les nerfs fragiles de Mallory se mirent à vibrer en sympathie – mais ce n'était pas de la sympathie. Elle se réjouit au contraire de la souffrance de la pauvre bête à qui elle souhaita une mort rapide et violente, puis reprit la lecture du dernier testament d'Oliver Tree.

La voix de Riker lui parvint à travers le couloir depuis la cuisine.

— J'ai besoin d'un œuf cru, d'un whisky soda bien tassé et de Tabasco.

Elle entendit à peine la réponse de Charles.

— Vous êtes sûr que ça ne va pas la tuer ?

Lorsque Riker reparut, il tenait à la main un verre au liquide visqueux surmonté de bulles et d'écume.

— Charles te prépare un cappuccino pour le faire passer, dit-il.

— Je ne boirai jamais ça !

— Bien sûr que si ! insista Riker en lui tendant le verre. Avale-le cul sec. C'est bon pour ce que tu as. Comme ça, on n'aura pas besoin de te tuer.

Elle éclusa vivement le liquide sans respirer. Le goût était aussi infâme que l'aspect visqueux. C'était de la haute trahison. Elle dévisagea Riker, son empoisonneur, d'un œil mauvais.

— C'est bien, mon petit, dit-il en se débarrassant de son manteau qu'il jeta sur une chaise près de la porte. La prochaine fois que tu te cuites, prends un cachet d'aspirine avant de te coucher. Et bois beaucoup d'eau. La moitié du problème provient de la déshydratation.

Les yeux douloureux de Mallory ne parvenaient pas à s'arracher à la vision de la tache marron sur le revers du manteau de Riker. Quand avait-il bu du café pour la dernière fois ?

— Comment as-tu piqué ça à l'avocat ? demanda-t-elle en brandissant le paquet de feuilles.

— Je me suis dit que ça te remonterait. (Il s'assit à côté d'elle et fouilla dans ses poches.) Je suis passé à son cabinet. Putain, ça puait le fric ! Bref, j'ai demandé à la secrétaire le nom de la compagnie maritime qui organisait sa croisière. Je voulais lui câbler des questions sur le testament.

Il sortit de ses poches des cartes de visite en vrac et des feuilles froissées.

— Figure-toi que la secrétaire… comment elle s'appelle, déjà ? (Il tint une carte de visite à bout de bras plutôt que de chausser ses lunettes.) Ah, oui, Gina. Eh bien, Gina m'apprend qu'elle est sur une liste d'attente pour l'école de police. Une brave gosse – elle adore les flics. Là-dessus, elle me demande quelles sont ses chances d'être acceptée. Naturellement, je lui dis qu'elles seraient bien plus grandes si je lui écrivais une recommandation. Alors, elle m'avoue que son patron n'est jamais parti en croisière.

— Il se planque de la police ?

— Tu veux dire qu'il planque la plate-forme et les arbalètes. Après le coup de l'archer au défilé, il a eu peur qu'on enquête sur la mort d'Oliver – qu'on saisisse les accessoires avant la vente aux enchères. (Il désigna du doigt les feuilles sur les genoux de Mallory.) Va à la page trente-deux.

Mallory feuilleta le dossier jusqu'à ce qu'elle trouve une liste d'articles proposés à une vente de charité. Les accessoires étaient inscrits par catégorie. Elle parcourut du doigt la première colonne de l'inventaire.

— Je vais te faire gagner du temps, déclara Riker. La plate-forme n'est pas sur cette liste. Mais Gina prétend que c'est le clou de la vente. Les enchères commencent à une heure, cet après-midi. L'avocat veut se débarrasser de tout le lot avant que le battage médiatique ne retombe.

Il tendit la carte de visite à Mallory qui lut l'adresse écrite au dos. C'était à plus de trente blocs de son rendez-vous à Times Square.

— À combien s'élève le tarif pour un tour de magie qui a explosé ?

— Un sacré paquet ! assura Riker. Et l'avocat touche sa commission. Le plus gros enchérisseur est un producteur d'Hollywood. Il veut tirer un film du fiasco fatal d'Oliver Tree.

— Qui d'autre est invité ?

— Pas mal de magiciens en ville pour le festival. C'est pour ça que personne n'aura accès à la plate-forme avant d'allonger le blé. L'avocat à peur de se faire arnaquer.

Mallory sortit sa montre de gousset. C'était presque l'heure de son rendez-vous avec M. Halpern. Elle se demanda combien de temps il lui faudrait pour respecter les instructions de Rabbi Kaplan. Combien de temps pour tirer les vers du nez d'un rescapé de l'Holocauste sans le froisser ? Comme elle ne voulait surtout pas manquer la vente aux enchères, elle évalua aussi les conséquences d'un interrogatoire brusqué.

Quelle punition le rabbin pouvait-il lui infliger ?

— Riker, est-ce que la secrétaire a parlé du neveu d'Oliver ? Il n'est pas sur la liste des legs.

La plate-forme n'était pas non plus mentionnée dans le testament.

— Oui, répondit Riker en consultant son carnet. Richard Tree est un petit-neveu. C'est le petit-fils du demi-frère d'Oliver. Le seul parent du vieux.

— Mais le bénéficiaire principal est un hôpital de New York.

— Ouais, Gina dit qu'Oliver y passait tous ses dimanches. Il y présentait des tours de magie pour les enfants malades. Donc, le neveu hérite de rien, mais il a un énorme fonds en fidéicommis.

— Donc il profite.

— De la mort ? Pas un radis. Le fonds a été activé il y a des années. Le gosse doit passer un contrôle anti-drogue pour toucher son chèque mensuel. Ils ont tous été positifs jusqu'à présent. C'est pour ça qu'il avait acccpté le job d'arbalétrier pour une centaine de dollars. Il a une fortune en fidéicommis, mais il n'arrive pas à décrocher assez longtemps pour palper un cent.

— Avec la mort du vieux, ça lui sera facile de faire changer les dispositions.

— Erreur ! Oliver ne s'intéressait pas beaucoup à son neveu, mais il ne voulait pas qu'il meure d'une overdose d'argent. Il a engagé le meilleur avocat de Manhattan pour qu'il concocte un acte notarié inaltérable. L'avocat d'Oliver est le roi des requins. Souviens-t'en quand tu le rencontreras. Tu ne peux pas baiser ce fumier.

Mallory brandit un billet de vingt dollars tout neuf. Riker accepta le pari.

— Bon, fit Riker, passons à l'interview suivante. (Il tourna quelques pages de son carnet.) J'ai parlé au type qui dirigeait la société d'Oliver après son départ à la retraite. Il dit qu'Oliver continuait de bosser un peu au noir. Il avait un théâtre. La rénovation était en quelque sorte son hobby. C'est là qu'il avait construit la plate-forme il y a un an ou deux.

— Ce testament date de huit mois, dit Mallory en tambourinant sur la rame de papier. Pourquoi n'y parle-t-on pas de la plate-forme ?

— Le type était vieux, sa mémoire déraillait.

— Peut-être l'avait-il léguée avant sa mort. Rappelle-toi le dîner, Riker. Les cadeaux à ses vieux amis. L'un d'eux a eu la plate-forme et ses plans de l'Illusion Perdue. Celui-là savait comment saboter le tour.

— C'est juste en théorie, mais...

— On commence à y voir plus clair. J'ai examiné la plate-forme de Max Candle, hier soir. Les anneaux pour les menottes sont en haut des piquets. Leur position est identique sur les deux plates-formes.

— Alors ?

— Le tour avait été prévu pour un homme plus grand. Max Candle mesurait un mètre quatre-vingt-deux. Oliver faisait dix-sept centimètres de moins. Prado et Futura sont tous les deux...

Charles revint avec un plateau chargé de chopes de café qu'il posa sur la table basse devant Mallory ; l'arôme du cappuccino ne lui donna pas la nausée. Le remède de Riker avait donc marché.

— Merci, Charles. Le piquet est-il réparable ? Est-ce que je dois engager un menuisier pour…

— Le piquet n'est pas cassé, assura Charles, qui parut en être désolé.

— Si, insista Mallory. C'est moi qui l'ai cassé hier soir.

— Tu en es sûre ?

— Qu'est-ce que tu veux dire, bon Dieu ?

S'imaginait-il qu'elle avait rêvé ?

Riker dévisageait Charles de ses petits yeux plissés.

— Peut-on savoir ce qui se passe ? J'ai manqué une fête sympa ? (Riker se tourna vers Mallory.) Tu ne m'y as pas emmené, mon petit.

— Ça suffit comme ça ! lâcha Mallory. J'ai tiré sur le rat. Je n'ai pas tiré sur le ballon. J'ai cassé le piquet.

Elle leur fit bien comprendre qu'ils n'avaient pas intérêt à la contredire.

— Malakhai a dû le réparer.

À l'évidence, il avait encore visité la cave pendant qu'elle cuvait son vin.

Ainsi, ce n'était pas le passeport qu'il recherchait. Il continuait ses fouilles.

*
* *

Le panier du jeune coursier à bicyclette était chargé de colis lorsqu'il dévala la grande avenue de Broadway, ignorant les feux rouges, fonçant sur une foule de piétons qui traversait à la hauteur de la 42e Rue. Il hurla pour prévenir les imprudents qui lui bouchaient le passage :

— J'suis pas assuré ! J'suis pas assuré !

Mallory tira M. Halpern en arrière et les piétons s'écartèrent. Le coursier fila en les frôlant au passage. Des cris et des doigts brandis suggéraient que le cycliste

190

commettrait un acte sexuel contre nature à la première occasion.

M. Halpern regarda le coursier détaler en hochant la tête.

— C'est New York, décréta-t-il, un sourire ravi aux lèvres.

Le soir de la partie de poker, le vieil homme portait un feutre mou. Aujourd'hui, il l'avait troqué pour un bonnet en peau de daim avec des rabats pour se protéger les oreilles du froid.

— Pendant ma pause du déjeuner, je viens toujours marcher dans Times Square, quel que soit le temps. Juste pour prendre l'air.

Mallory tendait l'oreille pour entendre sa voix fluette. Les enseignes clignotaient au-dessus des rues embouteillées, les piétons pressés et les nombreux véhicules convergeaient vers eux de toutes les directions. Les voitures et les cars de touristes de Broadway se fondaient avec le trafic de la Septième Avenue et les rues transversales alimentaient les bouchons.

— Ça a tellement changé, déclara M. Halpern. C'est comme de regarder un enfant grandir.

Il pointa le magasin de Disney. Des personnages de dessin animé avaient remplacé les prostituées, les peepshows et les librairies pornographiques.

— Mon arrière-petit-fils adore le...

Il s'arrêta, se rappelant sans doute les gros titres des journaux proclamant que l'inspecteur Mallory détestait le chien Goldy.

Une voiture klaxonna, enfreignant l'arrêté municipal contre le bruit. Et maintenant, Mallory tournait la tête, attirée par l'odeur alléchante de marrons chauds. Un vendeur à la sauvette avait installé sa charrette malgré l'interdiction récente du maire, profitant de l'absence de policiers. Or, c'était étrange, il n'y avait pas un uniforme en vue.

Mallory reporta son attention sur le vieil homme qui marchait à côté d'elle. D'après le rabbin, M. Halpern avait le même âge que Malakhai, mais il en paraissait au moins vingt de plus. Était-il malade ou seulement fatigué ?

— Je devine vos pensées, inspecteur Mallory. Est-ce que je travaille encore ? C'est presque indécent, n'est-ce pas ? Je devrais laisser la place aux jeunes.

— Non, pas si vous voulez continuer.

Elle suivait le protocole du rabbin à la lettre. C'était le warm-up, l'échange de politesses, une odieuse perte de temps.

— Oh, mais je voulais prendre ma retraite ! dit M. Halpern. Quand mon fils a repris l'affaire familiale, je voulais installer un atelier dans mon garage. J'aurais enfin eu le loisir de me consacrer au dessin et à la peinture. Mais mon garçon avait d'autres projets. Maintenant, il me cantonne dans un bureau. Je m'y rends tous les jours pour faire un travail insignifiant. Il prétend qu'il a besoin de moi. Je fais semblant de ne pas remarquer que je le gêne. Ah, les pieux mensonges que nous nous racontons !

— Pourquoi ne lui dites-vous pas ce que vous avez envie de faire ?

Au mieux, le pauvre homme n'avait plus que quelques années à consacrer à son art.

— Je le lui ai dit. Je lui ai dit que je voulais prendre ma retraite. Mais mon fils sait que je l'aime beaucoup. Il croyait que je lui mentais pour lui faire plaisir. Donc, afin de prouver qu'il m'aimait plus que moi, il m'a raconté un mensonge encore plus gros. Il m'a affirmé qu'il ne pouvait pas diriger l'affaire sans moi. Que voulez-vous, c'est mon fils. Comment puis-je l'accuser de mentir ?

Il haussa les sourcils, comme pour lui demander si elle avait compris le comique de la situation.

Mallory avait bien saisi. Et, grâce à Rabbi Kaplan qui avait inventé le concept de l'ironie, elle avait même prédit la chute de l'histoire.

Elle sortit sa montre de sa poche et regarda l'heure d'un air inquiet. Bon, le warm-up était terminé.

— Le rabbin m'a dit que vous connaissiez une anecdote sur Malakhai ?

— Ah oui !

Il glissa un œil sur la montre de gousset et hocha la tête pour lui signifier qu'il comprenait que des affaires importantes l'attendaient ailleurs.

— Vous lui avez parlé chez le rabbin, l'autre soir.

Elle garda la montre ouverte dans sa main, un moyen grossier pour l'inciter à parler plus vite.

— En effet. J'étais surpris de le voir en si bonne santé – il avait l'air si jeune ! Seuls ses cheveux ont vieilli.

— Quel âge avait-il quand vous l'avez rencontré pour la première fois ?

— Au camp ? Environ mon âge, dix-sept ans. Je déchargeais les sacs postaux du train. C'était mon…

— C'était un camp de concentration ?

— Oui, mais il n'y avait pas de fours ni de chambres à gaz. C'était un camp de transit, la dernière station avant le pire. C'était une prison, mais on avait assez à manger. Et ce jour-là, il y avait de la musique. Il y avait toujours de la musique quand nous recevions des visiteurs. C'était le jour de l'inspection des gens de la Croix-Rouge. Pendant qu'ils visitaient le camp, le train est arrivé avec de nouveaux prisonniers. Plus tard, on appellerait les noms de ceux qui devaient poursuivre le voyage. Lorsque le train est reparti…

Un souvenir le fit grimacer et il baissa la tête.

— Personne ne voulait monter dans le train en partance. Mes parents, toute ma famille l'avaient pris. Ils avaient fini le voyage à Auschwitz et aucun n'en est revenu. Je savais que mon nom serait sur la liste un jour ou l'autre. (Il marqua de nouveau une pause.) Mais je m'égare…

Il se pencha vers Mallory pour mieux voir la montre. Elle la referma d'un coup sec.

— J'ai tout mon temps, mentit-elle.

Le vieil homme parut approuver. Il sortit un paquet de cigarettes de la poche de son manteau. Il le lui montra pour lui demander si elle lui permettait de fumer.

— Louisa était dans le camp depuis un mois. Je ne connaissais pas son nom à l'époque. Je ne lui avais pas parlé. Mais je la voyais tous les jours quand on la conduisait chez le commandant. Elle avait chaque fois ce regard lointain – elle marchait comme une somnambule. Je croyais qu'elle avait perdu l'esprit.

Il agita un doigt dans l'air comme pour marquer un instant précis dans le temps.

— Mais ce jour-là, c'était différent. Louisa jouait du violon dans le kiosque à musique pour divertir les visiteurs. L'équipe de la Croix-Rouge était venue inspecter le camp. Le commandant était décidé à lui montrer que nous étions bien traités. Les autres camps au bout de la voie ferrée… ce qui s'y passait… c'était un secret de polichinelle. Tous les prisonniers étaient au courant des camps de la mort. Et les gens de la Croix-Rouge aussi. Néanmoins, ils étaient venus prendre des photos du camp de transit pour les montrer au monde.

Sa cigarette dans une main, il fouilla dans sa poche à la recherche d'une boîte d'allumettes.

— J'étais à côté du train avec ma charrette, j'attendais l'ouverture du fourgon postal. Malakhai est soudain apparu – un grand jeune homme bien droit. Il avait les mêmes yeux bleu foncé que maintenant. C'est bizarre que ses yeux n'aient pas changé. Il avait des cheveux longs, pareils à une crinière de lion et de la même couleur. Un si beau jeune homme, il ne semblait pas à sa place. C'était une belle et chaude journée, mais son col de chemise était boutonné et il n'avait pas retroussé ses manches. Je savais qu'il n'était pas descendu du train avec les autres prisonniers. Par la suite, je me suis dit qu'il avait dû arriver avec les gens de la Croix-Rouge.

M. Halpern gratta son allumette, sans succès.

— Après que j'eus déchargé le courrier, il m'a aidé à pousser la charrette. Les gardes ne s'intéressaient jamais à moi. Ils n'étaient à l'affût que de la peur et des gestes furtifs. Le reste, ils s'en fichaient. Pendant que nous poussions la charrette, Malakhai ne quittait pas des yeux le kiosque. Il était peut-être haut de trois mètres, avec quatre larges pieds, et les gardes étaient postés en bas des marches. La file des prisonniers qui descendaient du train s'écoulait, semblable à une rivière humaine.

Mallory sentit une présence. Lorsqu'elle se retourna, elle vit un petit barbu avec un bonnet de ski qui fit aussitôt mine de s'intéresser à une vitrine. Que cachait-il ?

Elle reporta son attention sur M. Halpern et sur son récit.

— Il y avait trois musiciens dans le kiosque. La violoncelliste et le hautbois étaient des femmes d'un certain âge, mais Louisa n'était qu'une adolescente. Avec de longs cheveux roux et des yeux bleu clair. Elle avait une peau d'un blanc laiteux comme la vôtre. Je revois encore son visage dans les moindres détails. Mais c'est son expression dont je me souviendrai jusqu'à ma mort. Je ne crois pas qu'elle comprenait ce qui se passait. Elle paraissait perdue dans sa musique, rêveuse, ou folle.

Replongé dans le passé, le vieil homme semblait revivre la scène.

— Les prisonniers passèrent devant le kiosque. Un soldat appela les noms pour le train de la mort. Et l'orchestre jouait du Mozart.

Il agita son allumette dans l'air, tel un chef d'orchestre conduisant ses musiciens.

— J'ai été distrait, je tendais l'oreille, j'avais peur qu'on appelle mon nom. Mais ce n'était pas pour ce jour-là. Quand je me suis retourné vers le jeune étranger, il avait disparu. J'ai levé les yeux vers le kiosque, Louisa n'était plus là non plus. Les deux autres femmes continuaient de jouer. Les gardes en faction au pied de l'escalier n'avaient pas remarqué qu'il manquait une musicienne. Personne ne s'est aperçu de l'évasion, même si ça s'est passé devant des centaines de gens. Personne n'a rien vu.

— Vous rappelez-vous si quelque chose d'autre s'est produit ?

— Une diversion, vous voulez dire ? (Il ficha sa cigarette non allumée entre ses lèvres.) Oui, c'est ce que j'ai compris plus tard. Il y avait eu une agitation derrière la file de prisonniers. Je n'avais pas vu de quoi il s'agissait tellement j'étais crispé pendant l'appel. Louisa avait dû sauter dans les bras de Malakhai en profitant d'un instant de distraction des gardes.

Mallory opina.

— Si l'agitation avait lieu au sol, ils n'avaient aucune raison de regarder vers le kiosque.

La plupart des gens traversent la vie sans jamais regarder au-dessus de leur tête.

La cigarette pendait des lèvres desséchées de M. Halpern.

— Le train était chargé, prêt à démarrer. La dernière fois que j'ai vu les deux fugitifs, ils se cachaient dans les buissons, près des voies – trop près. Je voulais leur dire que les soldats les découvriraient lorsqu'ils vérifieraient la fermeture des portes. Puis, j'ai compris qu'ils comptaient monter à bord.

Mallory surveillait le barbu. Il s'était rapproché et tenait une valise dans ses bras, comme on tient un bébé, il avançait et reculait, indécis. Un pickpocket ? Non, pas avec une valise ! Elle balaya le square du regard. Pourquoi n'y avait-il pas un seul flic ?

— Je voulais les arrêter, les prévenir, reprit M. Halpern. C'était de la folie de monter dans ce train de la mort. Lorsqu'ils ont sauté dans le fourgon postal, j'ai eu peur pour eux. Puis j'ai détourné les yeux pour ne pas attirer l'attention des gardes avec ma propre peur. La fouille du fourgon postal n'a pris que quelques minutes. Ce n'était pas un problème de sécurité urgent. Qui serait monté à bord d'un train pareil ? Il ne conduisait qu'à la mort ou à des choses encore pires.

Il gratta machinalement une autre allumette. Elle ne s'enflamma pas plus que les autres.

— Les soldats ont vérifié le fourgon postal, mais ils n'ont pas trouvé le garçon ni la fille. Le train a démarré.

— Louisa et Malakhai étaient cachés dans les sacs postaux ?

— C'est ce que je me suis dit quand je me suis moi-même évadé. Il y avait toujours dix ou douze sacs dans le fourgon. On n'en déchargeait qu'un au camp de transit. Les sacs étaient assez grands pour cacher un corps, et la plupart n'étaient jamais pleins. Je pensais que le train ferait plusieurs arrêts avant la frontière allemande. Auparavant, je n'aurais jamais imaginé échapper à la mort en montant clandestinement dans un train qui allait tout droit vers un camp d'extermination.

Mallory fut de nouveau distraite. Le barbu au bonnet de ski revint dans son champ de vision, serrant toujours sa valise dans ses bras. Il attendait quelqu'un ou quelque chose.

M. Halpern sortit une autre allumette. Sa cigarette tressautait au coin de ses lèvres quand il parlait.

— Vingt ans plus tard, je les ai revus sur scène… ici même, à New York. Louisa était morte depuis long-temps, et son fantôme faisait partie du tour d'illusionnisme. J'entendais Malakhai lui parler, mais je ne pouvais pas la voir – seulement les objets qu'elle portait. Ensuite, il l'a envoyée dans la salle. J'ai senti un souffle de vent près de mon fauteuil. J'ai senti un parfum féminin – comme une odeur de fleur.

— Du gardénia ?

— Oui, c'était peut-être du gardénia. Ensuite, je jure que Louisa m'a effleuré la joue de sa main. Après la représentation, j'ai voulu aller dans les coulisses lui demander comment ils avaient réussi à s'évader. Mais j'étais en larmes, je ne pouvais pas parler.

Mallory avait perdu la trace de l'étrange petit barbu. Il s'était fondu dans la foule.

— Mais vous, ne m'avez-vous pas dit que vous vous étiez évadé ?

— Pas comme eux, même si je l'ai cru sur le moment. J'ai embarqué sur le train suivant. Une fois que les gardes se seraient aperçus que Louisa n'était plus là, le camp aurait été bouclé. L'occasion ne se serait plus jamais représentée. J'ai poussé ma charrette le long de la voie. Comme je ne faisais pas attention aux gardes, j'étais invisible – exactement comme Malakhai. J'ai attendu que la vapeur de la locomotive m'enveloppe et je suis monté dans le fourgon postal. Il n'y avait pas de noms sur les sacs, seulement des numéros. Impossible de connaître la destination. Les gardes ont fouillé le fourgon avant le départ du train. Quand un soldat a enfoncé son fusil dans mon sac, sa crosse a raté ma tête d'un cheveu. Vous commencez à voir le problème ? Comment ont-ils raté deux personnes dans deux sacs différents ?

Il gratta une allumette ; le vent souffla la flamme. Il en prit une autre.

— Je me suis caché dans le fourgon des heures et des heures. J'avais peur que le train ne s'arrête jamais avant l'Allemagne. Quand il a enfin stoppé, je me suis aperçu que le fourgon ne s'ouvrait pas de l'intérieur. Il n'y avait pas de loquet. Vous imaginez la panique ? Je me suis cru mort et je suis retourné dans mon sac, mon linceul. Alors, la porte s'est ouverte. On n'a déchargé qu'un sac postal, et j'étais dedans. Un coup de chance. Il y avait dix sacs ! On m'a jeté à l'arrière d'un camion. Une fois sur la route, j'ai rampé hors du sac et j'ai sauté. J'étais libre.

Il gratta une énième allumette. Mallory mit ses mains en coupe pour la protéger du vent.

— Mais Louisa et Malakhai n'ont pas pu s'échapper comme ça. Les probabilités étaient trop minces.

Il se pencha vers la lueur de l'allumette et aspira une bouffée.

— Je crois cependant avoir deviné comment ils ont fait. Il n'y avait qu'un seul moyen.

Il se détourna de Mallory pour recracher la fumée, et elle remarqua dans ses yeux une expression horrifiée. Elle fit un pas de côté et vit le pistolet que le petit barbu braquait sur lui. Un jet de peinture noire aspergea M. Halpern. Le petit barbu, qui paraissait surpris, lui aussi, essaya vivement de cacher son pistolet dans sa valise.

Mallory eut vite fait de le rattraper. Lorsqu'elle le plaqua au sol, il riait ; il n'avait pas peur, il était même fier – puis la douleur lui fit ravaler son rire.

— Vous me cassez le bras ! hurla-t-il tandis qu'elle le lui retournait dans le dos pour lui passer les menottes.

Des passants se précipitèrent, certains pour le spectacle, d'autres probablement dans l'espoir de la surprendre en train de commettre une bavure policière. Mallory, peu disposée à satisfaire leur attente, évita d'esquinter le barbu.

— Merci ! lança une femme en civil en s'agenouillant près d'elle.

Un homme les rejoignit et montra son insigne à Mallory.

— C'est bon, dit-il, on s'en occupe.

Elle vit d'autres policiers approcher, au moins dix, tous en civil, épinglant leur insigne sur leur manteau tout en courant. En se retournant, Mallory en vit d'autres encore traverser le square.

Ainsi, ils étaient en planque. Cela expliquait l'absence de policiers en uniforme. Ils surveillaient le barbu et savaient ce qu'il préparait. Ils avaient dû le voir asperger M. Halpern de peinture… et ils avaient laissé faire. Il vaut mieux attraper un délinquant sur le fait plutôt qu'avant qu'il ne commette son crime.

Mallory s'éloigna. M. Halpern se tenait seul à l'écart de la foule. Sa figure était tout éclaboussée et la peinture noire dégoulinait de son manteau. Elle le prit par le bras et l'entraîna au loin. Se méfiant des passants en qui elle voyait des criminels en puissance, elle serra fort le bras du vieil homme.

La petite pièce se trouvait au bout du couloir, loin de l'agitation des autres bureaux de la société qui portait le nom d'Halpern. Des tableaux de Paul Klee et de Max Ernst décoraient les murs. Aucun papier n'encombrait le bureau et la grille de mots croisés du *Times* avait déjà été remplie, le journal jeté dans la corbeille.

— Je suis désolée pour cet incident.

Mallory posa une tasse de thé sur le buvard devant M. Halpern. Son visage était encore rouge, irrité par le vigoureux nettoyage des traces de peinture. Son manteau avait été la première victime de l'agression et seules quelques taches souillaient son costume gris pâle.

— Je suis désolée, répéta Mallory, consciente qu'aucune excuse ne suffisait à réparer cette sorte de violence.

Elle ne pouvait oublier l'effroi dans ses yeux lorsque le pistolet à peinture avait tiré. Elle regrettait de ne pas l'avoir mieux protégé.

Encore un ratage.

— Ce n'est pas de votre faute, assura-t-il en posant une main apaisante sur la sienne.

Il avait la peau fraîche et sèche et le toucher de sa main menue lui fit l'effet d'un délicat emballage en papier. Elle se demanda combien de temps il lui restait à consacrer à ses dessins.

Dans le couloir, derrière la porte, le fils de M. Halpern discutait avec un policier en tenue.

— Parlez-moi de ce bonhomme au pistolet, inspecteur Mallory. Était-ce à cause de mon bonnet en fourrure ? Un défenseur des droits des animaux m'a craché dessus il y a quelques mois.

— Non, c'était un militant antitabac.

Mallory voyait déjà la une des journaux : « Le policier qui a tué le chien Goldy agresse un militant politique. »

— C'est à cause de votre cigarette. Son père est mort d'une crise cardiaque, et il prétend que c'était une victime du tabagisme passif.

— Mais… en pleine rue ?

— Il agit toujours dans la rue. Ça facilite la fuite. Il a déjà agressé des tas de gens, souvent des femmes. Il ne s'attaque jamais à plus fort que lui. L'inspecteur Rodriguez dit que vous deviez être là au mauvais moment. D'habitude, il tire dans le dos de ses victimes. Ensuite, il leur fait un sermon sur les dangers du tabac et il s'enfuit avant qu'elles s'aperçoivent qu'il les a aspergées de peinture.

— Vous voulez dire que les autres policiers le connaissaient ?

— Times Square est son endroit préféré.

Mallory fut obligée de confirmer les soupçons du vieil homme.

— Cette fois, les policiers l'attendaient au tournant.

On avait réquisitionné quinze flics pour un seul vandale ! Dieu soit loué, que l'homme au pistolet asperge un visiteur de peinture et le maire aurait eu une attaque : sa politique en faveur du tourisme s'en serait ressentie. Alors que Mallory devait tricher et mentir pour obtenir le dixième de ces forces pour une affaire d'homicide !

Elle porta son regard vers l'agent qui attendait dans le couloir.

— Quand vous serez prêt, ce policier vous reconduira chez vous à Scarsdale.

— Non, je vous remercie, inspecteur Mallory, ce n'est pas la peine. Mon fils ne comprendrait pas que je…

— Il comprendra quand je lui aurai parlé.

Le visage de M. Halpern s'était-il assombri ? Elle ajouta d'une voix douce, plus rassurante :

— On est toujours un peu ébranlé après une agression, même s'il ne s'agit que d'une simple engueulade dans la rue. Je parlerai à votre fils, il comprendra.

— Ai-je le temps de vous raconter la fin de l'histoire ? J'aimerais vous faire part de ma théorie – sur la façon dont Louisa et Malakhai se sont évadés.

— Bien sûr.

Mallory avait abandonné l'idée d'arriver à l'heure à la vente aux enchères. Jusqu'à présent, c'était une journée gâchée.

— Comme je vous l'ai dit, la première fois que j'ai vu Malakhai, sa chemise était boutonnée jusqu'au col et ses manches n'étaient pas retroussées. Je crois que ses vêtements cachaient…

— Un uniforme allemand ?

— Oui, exactement.

Il sourit et fit claquer sa main sur le bureau.

— Les vêtements de Malakhai cachaient un uniforme !

Il semblait très content d'elle, comme un professeur face à un étudiant prometteur. Ou peut-être lui était-il simplement reconnaissant de l'avoir écouté attentivement. Ce devait être une exception dans son train-train quotidien, enfermé dans une prison dorée richement décorée.

— C'était le moyen le plus sûr pour éviter la crosse des soldats pendant la fouille du fourgon postal, déclara M. Halpern. Malakhai s'était habillé en Allemand pour pratiquer la fouille lui-même avant le départ du train.

— Excellente idée. Vous pensez donc que Malakhai était dans l'armée allemande ?

— Oh non ! C'était un déguisement. Il ne m'a dit que quelques mots ce jour-là. Son allemand était médiocre et son accent déplorable. L'allemand est ma langue maternelle. Je vous assure que ce n'est pas son cas. (Il se pencha vers Mallory comme pour lui faire une confidence.) Je crois qu'il savait ce qui allait se passer au prochain arrêt quand on déchargerait le courrier.

— Oui, acquiesça Mallory. Il avait sans doute observé la feuille de route.

— Donc, le train s'arrête. La porte s'ouvre et Malakhai est là, en uniforme allemand. C'est lui le soldat qui décharge le sac dans lequel se cache Louisa. Comme je l'ai dit, il parlait mal la langue. Et cependant, voilà ce jeune homme qui porte une prisonnière évadée dans ses bras – entouré de tous ces soldats. Ça m'a toujours fasciné. C'était une belle histoire d'amour.

M. Halpern se cala dans son fauteuil, l'air préoccupé.

— Ah, mais je ne saurai jamais si ça s'est bien passé comme ça.

— Vous ne lui avez pas demandé ? L'autre soir, chez le rabbin…

— Malakhai ne se rappelait pas comment il avait fait évader Louisa. Il prétendait que j'avais trop tardé à lui demander. Depuis un an, il a des attaques qui détruisent sa mémoire. Il dit qu'il en a tout le temps. Chaque matin, des lambeaux de sa vie lui échappent. Ainsi, je ne

saurai jamais comment il a réalisé son tour le plus extraordinaire – ni si j'ai bien deviné.

— Je pense que vous avez raison, dit Mallory.

Elle se tourna vers la porte où l'agent en uniforme
attendait de raccompagner M. Halpern.

— Devrai-je témoigner contre le barbu au pistolet ?

— Non, je ne crois pas. Les flics qui l'ont arrêté ont
assez de plaintes pour le faire plonger. C'est un malade
criminel !

— C'est ce que vous dites aujourd'hui, inspecteur
Mallory. Les choses changent... et si vite. Dans quelques
années, quand vous repenserez à cette histoire de peinture, vous vous souviendrez de moi comme d'un criminel qui fumait une cigarette. (Il sourit en lui tapotant la
main.) C'est pas de votre faute. Les choses changent.

Elle fit signe à l'agent d'entrer.

— Il va vous reconduire chez vous, dit-elle à
M. Halpern. Vous devriez peut-être y rester. Dessiner et
oublier ce bureau. Vous n'avez pas envie d'y venir, de
toute façon.

— Mais mon fils...

Son doux sourire rappela à Mallory qu'il y avait de
pieux mensonges à respecter. Il reviendrait donc tous les
jours dans ce bureau pour faire semblant d'y travailler.
Le père et le fils continueraient tous les deux de pré-
tendre qu'il était indispensable.

C'était au tour de M. Halpern fils d'entrer dans le
bureau.

— Les choses changent, déclara Mallory.

CHAPITRE 10

La tête du sergent Riker ballottait contre le dossier en velours du fauteuil. Il fixait le lustre d'un air inquiet. Un million d'éclats de cristal étaient suspendus à une boule de lumière gigantesque, et il avait l'impression qu'elle menaçait de lui tomber dessus d'une minute à l'autre.

La peur des chutes d'objets était largement partagée dans ce quartier à risques de Manhattan où les piétons étaient régulièrement aplatis par des gargouilles ou des corniches branlantes. Cette loterie de la vie avait développé l'esprit du jeu chez les New-Yorkais qui tenaient le compte des frappes directes – laissant de côté les blessures légères et les « ratés d'un cheveu ».

Le lustre était bien trop grand pour la taille du théâtre qui ne comprenait que trois cents places. Mirliflore fut le nom qui lui vint à l'esprit. Même si, d'après le communiqué de presse de Nick Prado, c'était l'exacte réplique de celui qui équipait le théâtre de magie de Faustine.

Oliver Tree avait dépensé une fortune pour recréer le théâtre de sa grand-mère. La première n'aurait lieu que dans trois jours et les travaux n'étaient pas encore terminés. Ça sentait la peinture fraîche et le plâtre.

Riker consulta sa montre.

Où était-elle ?

205

Si Mallory n'arrivait pas bientôt, elle allait rater l'événement le plus important, les enchères pour acquérir la plate-forme.

Riker leva les yeux vers la scène où des hommes et des femmes inspectaient les longues tables chargées d'accessoires de magie. Pendant la pause, le commissaire-priseur avait quitté son podium en haut de la plate-forme. Le producteur d'Hollywood lancerait l'enchère la plus élevée et la précieuse preuve de Mallory serait en route pour la côte Ouest. Le commissaire-priseur avait-il ressenti un brin de nervosité lorsqu'il trônait à la place d'Oliver Tree et qu'il voyait plus bas les arbalètes braquées sur lui ?

Nick Prado fit un signe amical à Riker lorsqu'il descendit la volée de marches, près de la scène. Depuis une heure, son charme rayonnait cependant qu'il jouait le rôle d'un ami proche. Mais Riker préférait la distance à une relation suspecte. Il se méfiait du large sourire chaleureux de Prado qui disait à tous ceux qui croisaient son regard : *Aimez-moi ! D'ailleurs, comment pourriez-vous être insensibles à mon charme ?*

Maintenant, l'homme venait vers lui en paradant. La moquette était verte, les fauteuils verts, les murs et les balcons aussi, de même que les rideaux retenus par des cordelettes dorées de chaque côté de la scène.

Prado s'accroupit près du fauteuil de Riker.

— Alors ? fit-il. Qu'est-ce que vous en pensez ?

— C'est à ça que ressemble l'intérieur d'un avocat.

— Oh, le décor, c'est la faute à la grand-mère d'Oliver. Figurez-vous que c'est du vert fédéral, la couleur du dollar. Faustine adorait les touristes. C'est pour ça qu'elle avait donné un nom anglais à son théâtre. Elle n'était pas sûre que les Américains soient assez cultivés pour savoir ce qu'était un théâtre de magie.

Émile Saint-John, qui se tenait au bord de la scène,

héla son ami. Prado s'excusa et retourna vers les enchérisseurs.

Lorsque Riker eut surmonté sa peur du lustre, il put
admirer à son aise les fresques du plafond qui figuraient
des personnages de pièces célèbres. Le programme que
lui avait remis Prado ne détaillait pas les acteurs et le
seul que Riker réussit à identifier fut Cyrano de
Bergerac. C'était une entorse manifeste au tableau original, peint vers 1900. Mais était-ce une plaisanterie ou
un hommage ? Apparemment, les années avaient passé
depuis que les deux hommes s'étaient rencontrés car
Cyrano avait les traits de Charles Butler adolescent.

Riker se leva de son siège et surveilla l'entrée de la
salle.

Où est-elle ?

Même si Mallory possédait une montre de gousset, il
savait qu'elle ne la consultait que pour la galerie. Elle se
laissait guider par une horloge interne branchée directement sur son cerveau, et elle n'était jamais, jamais en
retard.

Il traversa l'allée centrale et grimpa les marches qui
menaient sur la scène. Après avoir franchi le lourd
rideau vert, il leva de nouveau la tête.

Oh non ! Encore des chutes d'objets en perspective !

Le plafond était à six mètres au-dessus de la cantonnière et une étroite passerelle était suspendue en travers
de la scène. Faite de planches, instable, elle se balançait
en l'air sous le poids d'un technicien qui vérifiait les
câbles retenant d'énormes toiles de fond au-dessus de la
tête de Riker.

Il reporta son attention sur les étalages, plus fiables
que cet échafaudage, et dénombra à vue de nez une tren-
taine de personnes en train d'examiner les articles
promis aux enchères. Un petit groupe s'était rassemblé
autour de la plate-forme et un magicien se tenait derrière

le podium du commissaire-priseur. Franny Futura était la nouvelle cible des quatre arbalètes.

Pour la seconde fois de l'après-midi, Riker s'arrêta devant chaque socle pour s'assurer qu'il n'y avait pas de carreaux dans le magasin des arbalètes. Et cependant, il n'aimait pas voir le vieil homme à la croisée des quatre viseurs. Ça le rendait nerveux.

Le magicien aux cheveux blancs s'approcha du bord de la plate-forme et croisa le regard de Nick Prado braqué sur la scène. Futura lui fit signe.

— Nick ! Viens par ici. Monte sur la plate-forme et regarde ça.

Prado secoua la tête et détourna les yeux.

— Toujours le vertige ? dit Futura d'un air ravi, comme s'il venait de marquer un point. Ça ne fait même pas trois mètres. C'est pas...

Les mots moururent dans sa gorge quand Prado se figea, puis se tourna lentement vers lui.

— Franny, puis-je te rappeler que j'habite dans un penthouse – tout en haut d'un immeuble ?

Riker compta un double point en faveur de Prado. La peur du vertige ne cadrait pas avec un appartement en altitude. Et d'après son enquête, Futura, lui, n'avait pas les moyens de s'offrir un tel luxe. Il se rembrunit, et baissa timidement la tête, sans doute vexé qu'on lui rappelle sa pauvreté, même indirectement. Il se recula, soudain craintif. Peut-être voyait-il les arbalètes pour la première fois et se sentait-il vulnérable. Il descendit avec prudence les marches de la plate-forme.

Prado fixait les portes de la salle en souriant.

Riker regarda par-dessus son épaule et vit sa coéquipière traverser l'allée. Mallory admira d'abord le lustre et les peintures du plafond, puis posa son regard sur les murs verts et sur les balcons. Elle semblait être... en pays de connaissance. Avait-elle déjà vu ce théâtre ?

Non, certainement pas, car elle était manifestement surprise par ce spectacle insolite.

Tandis qu'elle escaladait la courte volée de marches sur la gauche de la scène, Riker consulta sa montre avec une attention toute particulière, réjoui de pouvoir enfin la taquiner pour sa fameuse ponctualité et lui montrer qu'elle était en retard de quarante minutes bien tassées. C'était une occasion qui ne se représenterait pas de sitôt.

Mais un géant en costume trois pièces à l'allure familière déboucha dans l'allée en courant.

— Tu es en retard, Charles ! lança Mallory.

Riker cessa de regarder sa montre.

— Navré, s'excusa Charles Butler en s'arrêtant près du premier rang pour reprendre son souffle. J'étais à la cave et je n'ai pas vu le temps passer. Je m'étais promis de vérifier les piquets de la plate-forme. Tu sais, il y a une fissure...

— Ah, tu me crois maintenant ? fit Mallory. (Puis, se tournant vers Riker :) Qui a enchéri sur la plate-forme ?

— Personne pour l'instant. Le commissaire-priseur a demandé un break.

Charles contemplait le plafond. Il s'était reconnu dans le portrait de Cyrano. Toutefois, il souriait, beau joueur, lorsqu'il monta les marches et s'approcha de Mallory sur la scène.

— Tu veux que je vérifie l'intérieur de la plate-forme ? demanda-t-il.

— Impossible, dit Riker en désignant le garde posté au pied de l'escalier. Les scellés ont été mis. La porte reste fermée tant que l'avocat n'a pas empoché le fric. J'ai parlé au producteur de cinéma. Il a les moyens, c'est lui qui emportera les enchères. Après la vente, il nous laissera jeter un rapide coup d'œil à l'intérieur avant qu'il l'expédie sur la côte Ouest.

— Ça ne suffit pas, décréta Mallory. La plate-forme n'ira nulle part tant que je n'aurai pas pu...

— Minute ! fit Riker, affichant son air « soyons raisonnable ». Tu ne peux pas la saisir, on n'a pas de mandat de perquisition. On n'a même pas d'affaire d'homicide en cours. L'acheteur a le droit de l'expédier sur la lune si ça lui chante.

Charles fut distrait par une table où étaient exposés des accessoires de magie. Il lut les étiquettes, puis souleva un objet rond en argent que Riker avait pris pour un couvercle de plat à tarte.

— Cette cache à colombes a plus de cent ans.

Mallory se dirigea vers une autre table où elle trouva des armes à feu qui l'intéressaient davantage. En passant, elle parcourut les étiquettes des yeux.

Faisait-elle son shopping ?

Comme si elle n'avait pas assez d'armes ! Aucune de celles-ci ne devrait lui convenir. Quel intérêt avait un pistolet qui ne tirait pas de vraies balles ? Riker avait déjà vérifié tous les pistolets figurant dans la liste des ventes. Les vieux mousquets ne tiraient que de la fumée. Un Luger se chargeait avec des fléchettes, et plusieurs revolvers, s'ils paraissaient aussi dangereux que ceux de Mallory, n'étaient que des armes de starter, capables seulement de faire du bruit.

Franny Futura se trouvait au pied de l'escalier de la plate-forme quand Mallory l'approcha par-derrière.

— J'ai dîné avec Malakhai, hier soir, dit-elle. Je sais ce qui s'est passé chez Faustine.

— C'est bon, Franny, s'empressa Prado, qui s'avança en souriant vers Mallory.

— Émile et moi, nous avons déjeuné avec Malakhai ce matin. Je me demande pourquoi il n'a pas parlé de votre conversation.

— Ah, sa mémoire n'est plus ce qu'elle était !

Il y avait un sous-entendu manifeste dans le ton de Mallory, mais Riker ne parvint pas à le déchiffrer. Elle semblait vivement déçue de l'intervention de Prado.

Comme elle s'approchait de Futura, il recula sa tête, tout en rivant ses pieds au sol, ce qui eut pour effet d'étirer son maigre cou de manière comique.

— Malakhai ne m'a pas expliqué comment vous vous étiez débarrassés du corps, dit Mallory. Qu'en avez-vous fait ?

Riker éprouva une sorte de pitié pour le vieil homme, mais il comprit que Mallory avait déniché quelque chose. Futura ouvrit la bouche et resta sans voix.

Nick Prado répondit pour lui.

— Nous l'avons enterré dans la cave.

Futura se fendit d'un sourire mielleux.

— C'est pas comme si on avait tué la vieille, dit-il.

Ce fut au tour de Mallory d'être surprise.

— La vieille ?

Prado sourit de toutes ses dents.

— Faustine, la grand-mère d'Oliver. Je vous assure qu'elle est morte de cause naturelle.

— Et c'est pour ça que vous l'avez enterrée dans la cave ? (Mallory agita une main dans le vide.) Naturellement !

— Euh, nous avons en effet négligé d'informer les autorités de sa mort, dit Prado avec désinvolture, comme s'il avait l'habitude d'enterrer les gens en douce. Nous avions besoin de l'argent de sa pension pour payer le loyer du théâtre. C'était la grand-mère d'Oliver. Et il n'a pas protesté.

— Parfait, je me fiche que vous l'ayez empaillée. Parlons plutôt de Louisa.

Elle ne s'adressait qu'à Futura, qui avait repris le contrôle de ses pieds et reculait maintenant. Mallory s'avança d'un pas.

— Je parie que c'était vous l'indic, c'est vous qui l'avez dénoncée.

Riker hocha la tête. Le coup de bluff était trop gros ; ce n'était pas dans le style de Mallory.

— Je ne parierai pas là-dessus, dit Nick Prado en se plantant entre Mallory et Futura. (Il souriait d'un air affable.) Vous auriez une chance sur deux d'avoir raison. Au moins la moitié de Paris collaborait avec les Allemands.

Riker réprima un sourire. Nick Prado venait de confirmer le statut de Louisa Malakhai pendant la guerre. Mallory avait bien cerné le personnage, c'était un narcissique pure souche. Il n'aurait jamais raté une occasion de ramener son grain de sel.

— C'est juste, fit Mallory. Mais les Allemands ne l'ont pas tuée.

Elle continuait de fixer Futura, du moins le peu qu'elle en apercevait derrière le dos de Prado.

Futura se redressa et haussa le menton, soudain plus courageux maintenant qu'un autre accourait à son secours. Le placide Émile Saint-John posa sa grosse main protectrice sur l'épaule frêle de Futura.

Riker ressentait une étrange attraction envers Saint-John ; il promenait autour de lui une atmosphère de tranquillité qui affectait tous ceux qui entraient dans sa sphère – Mallory exceptée.

Mais oui, bien sûr ! Saint-John partageait cette qualité avec feu son père adoptif. Est-ce que Mallory s'en était rendu compte ?

— La mort de Louisa était un accident, dit-il. Ce n'était pas…

— Vous parlez du coup de la balle magique ?

Mallory se déplaça pour avoir une vue dégagée de Futura.

— Le coup du pistolet adapté à l'arbalète ? Non, ce n'est pas un carreau qui a tué Louisa.

Futura fit pris au dépourvu ; au lieu d'incliner sa tête comme un oiseau, son tic habituel, il pencha tout son corps d'un côté. Même Saint-John paraissait défait. Seul

Prado, que le sourire ne quittait jamais, conservait son sang-froid.

Mallory contourna Prado pour se rapprocher de Futura.

— Louisa savait-elle qu'elle allait recevoir une vraie flèche ? Savait-elle que Malakhai utilisait une arbalète chargée ?

Futura encaissa le coup. Sa tête hésita entre le tremblement et le déni.

— Si elle le savait, c'était une actrice exceptionnelle. (Il regarda vers Saint-John.) Tu te souviens de son visage, Émile ? Elle était abasourdie.

Riker préféra ne pas rappeler à Mallory qu'elle n'avait pas le droit de conduire des interrogatoires. Un fort grésillement dans les haut-parleurs attira son attention vers le podium en haut de la plate-forme.

L'avocat d'Oliver Tree était debout derrière le micro.

— Votre attention, s'il vous plaît !

Son crâne chauve luisait sous les projecteurs. Bien qu'il pesât plus de cent trente kilos, personne ne l'aurait traité d'obèse. L'argent avait réussi à corriger cette imperfection flagrante. Un tissu sombre drapait élégamment sa vaste silhouette avec le chic génial d'Armani.

— Les enchères vont reprendre. Si vous voulez bien retourner vous asseoir…

Mallory gagna le pied de l'escalier de la plate-forme et brandit son insigne.

— Je veux d'abord jeter un coup d'œil à l'intérieur de cette boîte. Êtes-vous l'exécuteur testamentaire ? Atkins ?

— Ou-ou-oui.

Seul un homme résidant dans Park Avenue pouvait attribuer autant de syllabes à un mot de trois lettres. Et, d'après son attitude, il était évident qu'elle aurait dû l'appeler Maître Atkins. L'avocat descendit la volée de marches sur des petits pieds chaussés de cuir, incongrus pour sa corpulence. Écartant l'insigne de Mallory d'une main couverte de bijoux scintillants, il s'arrangea pour éviter son regard. Il s'adressa à l'espace au-dessus de sa tête.

— Je vous connais. C'est vous qui tirez sur les ballons. J'ai déjà parlé à l'autre inspecteur – Riker, je crois ?

Son ton ne laissait planer aucun doute – Riker était pour lui synonyme de *racaille*.

Atkins menaça Mallory d'un doigt, tel un adulte réprimandant une enfant.

— Seul l'acheteur aura le droit d'inspecter l'intérieur de la plate-forme.

— C'est une affaire qui regarde la police, dit Mallory.

— Avez-vous un mandat ? Non ? C'est bien ce que je pensais.

L'avocat pivota sur ses talons, et, pareil à un grand navire quittant le port, il vogua à travers la scène.

— Atkins ! le rappela Mallory. Cette plate-forme est impliquée dans un homicide.

L'avocat souriait lorsqu'il se retourna.

— Mais vous n'avez pas de mandat ?

Il retraversa la scène d'un pas majestueux et se planta en face de Mallory, daignant cette fois la regarder dans les yeux.

— Toutefois, je suis sûr que votre petite intervention a considérablement élevé les enchères. Vous voulez faire une scène ? Allez-y, je vous en prie. Délirez sur votre meurtre tant que vous voulez, et je vous accorderai volontiers un petit pourcentage.

— Ça m'a tout l'air d'être une tentative de corruption, maître.

Atkins ricana en se couvrant la bouche d'une main. Quatre bagues serties de gros cailloux scintillaient à ses doigts.

— Faudra trouver mieux, inspecteur.

Son ton insinuait que l'argent et le pouvoir étaient de son côté et qu'elle devrait trouver *infiniment* mieux.

Mallory désigna les arbalètes.

— Avez-vous une licence pour vendre ces armes ? (Elle sourit.) Non ? Eh bien, je me vois dans l'obligation d'interrompre cette vente.

L'avocat dressa un sourcil.

— Cessez ces menaces ! Oliver Tree avait un permis spécial signé par le maire. Le privilège de l'exécuteur testamentaire étend cette licence à la vente des biens.

Riker songea que l'avocat bluffait, mais Mallory, en joueuse de poker expérimentée, ne chercha pas à lui faire abattre ses cartes. Elle semblait distraite par certains accessoires exposés sur la table.

— J'ai vu le permis, Atkins. Je sais qu'il ne couvre pas la vente de ces armes.

— Ce sont des accessoires inoffensifs, vous le savez très bien.

— Qui sait ? Le neveu d'Oliver Tree avait accès à cette collection. Une de ces armes a peut-être servi pour un meurtre. Si vous ne pouvez me montrer la licence…

— Oliver Tree a été tué par des flèches. Comment se fait-il que je doive rappeler ce simple fait à un officier de police ?

— Erreur, Atkins.

Mallory avait parlé si bas que Riker dut se dévisser le cou pour l'entendre.

— Nous avons retrouvé un dealer de drogue tué par balle dans le Village.

Quoi ? En réalité, c'était un mensonge sans risque. Il y avait toujours un dealer mort quelque part. Mais maintenant que le gang des Dominicains avait fini de massacrer le gang des Américains, elle aurait de la chance si elle pouvait produire un cadavre récent.

— Le neveu est aussi votre client, Atkins. Je sais que vous l'avez fait sortir sous caution lors de sa dernière arrestation pour trafic de drogue. (Elle avait élevé la voix pour que tout le monde l'entende.) Lorsqu'un flic exige de voir votre licence pour vendre des armes, vous n'avez pas à discuter. Y a-t-il d'autres lois simples que je puisse vous expliquer – avant de clore cette vente ?

Riker sourit. Il savait que le producteur regagnait Hollywood par l'avion du matin. Le pourcentage d'Atkins serait considérablement réduit si la vente était ajournée. Mallory avait frappé à son portefeuille, ça valait un coup de pied dans les parties.

— Voyons les étiquettes si vous voulez bien ?

L'avocat souleva un revolver et le brandit n'importe comment. Apparemment, il n'avait jamais tenu une arme à feu de sa vie. Pourtant, tout en vérifiant l'étiquette, il pointait le canon sur le visage de Mallory.

— Ce sont tous des accessoires inoffensifs. Vous voyez ? (Il montra l'étiquette.) Celui-ci ne tire que de la fumée. Ça ne tuerait même pas une mouche.

— Il a raison, Mallory.

Nick Prado regardait par-dessus l'épaule de l'avocat.

— De la fumée, du bruit, mais pas de balles. Celui-là ne peut même pas recevoir de munitions. Le mécanisme passe par le barillet et…

Il s'arrêta brusquement lorsqu'il croisa le regard de Mallory. Une étrange alliance se forma. Saisissant l'intention de la jeune femme, Prado se recula et gratifia l'avocat d'un sourire cruel.

Mallory s'intéressa à un autre revolver ; elle se courba en deux pour l'examiner de plus près. Selon l'étiquette, c'était une arme de starter.

— Celui-là me semble vrai, mais je ne suis qu'un flic. Qu'est-ce que j'en sais ? Il va falloir que j'interrompe la vente en attendant l'avis du district attorney. Oh, ça ne devrait pas prendre plus de deux ou trois jours ! (Après réflexion, elle glissa insidieusement :) À moins que vous ne me laissiez inspecter la plate-forme.

— Ça ne marche pas, inspecteur. (L'avocat avait perdu son sourire paternaliste.) Regardez autour de vous. La salle est pleine de magiciens, des *experts*. Ils peuvent vous certifier que ces armes sont des accessoires de magie. Lisez donc les maudites étiquettes !

Un ton menaçant s'insinua dans sa voix lorsqu'il ajouta plus bas :

— Mais vous aviez raison pour le neveu d'Oliver. C'est mon client.

Il marcha sur Mallory, croyant sans doute qu'elle battrait en retraite. Elle n'en fit rien. Et il se trouva dans la position délicate de devoir reculer et lui laisser la place.

Il soupira, puis lui jeta un long regard méprisant.

— Vu ce que vous avez fait à Richard Tree... Le plaquer au sol sans le moindre respect pour sa personne ! (Nouveau soupir.) Ça ne m'étonnerait pas qu'il vous poursuive pour arrestation illégale et brutalité. Lorsque le district attorney apprendra que cette plainte aurait pu être aisément évitée, vous perdrez votre poste, inspecteur, vous ne croyez pas ?

Les enchérisseurs s'étaient rapprochés pour profiter du spectacle.

— Des menaces ? s'étonna Mallory. Et devant témoins, en plus !

— Oh, allez-vous-en, inspecteur... avant de devenir une fois de plus la risée de tout le monde. Allez tirer sur un autre ballon.

L'avocat se tourna vers la foule pour obtenir son soutien, mais il ne rencontra que de la désapprobation. Apparemment, les gens préféraient Mallory, sans doute parce qu'ils s'imaginaient qu'elle était l'outsider.

— Il y a un moyen plus rapide de vérifier si une arme est vraie ou fausse, dit Mallory.

Elle s'empara d'un revolver et prit un jeu de cartes sur la table.

Riker, qui se tenait derrière Atkins, secoua la tête et

articula un *non* en silence. Mais Mallory se détourna de lui. Il contourna vivement l'avocat et voulut l'arrêter.

Trop tard.

Elle lança le paquet en l'air et tira sur les cartes qui retombaient. Une forte explosion retentit.

L'avocat blêmit. Dans son univers de bouquins de droit et de contrats, il n'y avait pas de place pour la violence des coups de feu.

Mallory se baissa pour ramasser une carte par terre. Elle se tourna vers l'avocat et le regarda à travers le trou qui en perçait le centre.

— De vraies balles !

Cependant que l'avocat abasourdi restait bouche bée, elle aboya un ordre :

— Montrez-moi cette putain de licence ! Je veux…

Sa voix fut noyée sous un tonnerre d'applaudissements et de sifflets. Les enchérisseurs estimaient qu'elle avait gagné haut la main. Mais Riker s'aperçut que l'avocat s'était ressaisi et qu'il fixait Mallory, débordant de haine.

— Et si on oubliait les paperasses ? proposa-t-il avec un sourire forcé. Je vous en prie, inspectez la plate-forme et qu'on en finisse. Messieurs dames, reprit-il en s'adressant aux futurs acheteurs, si vous voulez bien reprendre vos places et patienter quelques minutes.

La plupart des enchérisseurs retournèrent s'asseoir aux premiers rangs. Charles Butler resta sur scène à côté de Mallory.

— Puis-je voir ce pistolet ? demanda-t-il d'une voix glaciale.

Sans attendre qu'elle le lui remette, il le lui prit des mains, gagnant ainsi le respect de Riker.

Mallory allait protester lorsque Riker l'attira à part.

— Mallory, t'es cinglée ou quoi ?

Il lui serra le bras si fort qu'il lui laissa des bleus.

— Comment as-tu pu faire feu dans un endroit pareil ? La balle aurait pu ricocher et…

— Tu comptes me balancer au lieutenant Coffey ?

— Quoi ? Écoute-moi ! Tu ne peux pas…

— Il ne faut pas me laisser manipuler des armes ? (Elle se dégagea violemment de son emprise.) Vas-y… va moucharder à Coffey. Raconte-lui mon petit tour de cartes – il me virera. C'est ça que tu veux, hein ? Tu te dis qu'il vaut mieux que je sois virée que d'être descendue parce que je suis une psychopathe.

Elle lui tapota la poitrine de son ongle rouge, et y mit assez de force pour le faire reculer.

— C'est ça ?

Il leva les yeux au plafond… et vit le technicien sur la passerelle au-dessus d'eux. *Oh, doux Jésus !* L'homme en salopette était directement dans la ligne de la balle. Riker se décomposa lorsque Mallory leva la tête et sourit au technicien. Elle n'avait pas prévu la présence de cet innocent témoin, mais elle en était assurément ravie.

Riker se passa une main dans les cheveux. Il se serait damné pour un verre.

— Si c'était seulement le ballon. Mais il a d'abord fallu que tu descendes le rat, et maintenant…

— Je n'ai jamais gâché une balle, Riker.

— Ne mens pas – pas à moi. Quatre flics t'ont vue tirer sur le rat.

— Riker, si je suis aussi cinglée que tu le crois, comment se fait-il que je devine ce que vous avez dans le crâne, vous les gens normaux ? Tu crois que je tire pour le plaisir ? O.K. Va voir Coffey. Allez, vas-y, cours !

Elle recula d'un pas et le dévisagea comme s'il était un parfait étranger, plutôt que celui qui l'avait vue grandir.

— Ah, tu ne piges pas, hein, Riker ? C'est toi qui n'es pas fiable. Alors, qu'est-ce que ça te fait ? Je suis ta coéquipière et je ne peux pas me fier à toi !

— T'es trop injuste.

— Tu n'es pas avec moi sur cette affaire. Tu n'es là que pour me surveiller. Et je sais pourquoi. Bon ménage ? C'est pas comme ça que vous dites quand un flic tordu se fait descendre ? J'espère seulement ne pas avoir besoin de toi le jour où je serai dans la merde.

Elle s'éloigna de lui et se dirigea vers la plate-forme, mais Charles Butler lui boucha le passage et la retint par la main. Finalement, elle lui remit à contrecœur la carte trouée.

— C'est vraiment un accessoire de magie, Riker, dit-il en brandissant le pistolet qu'il avait confisqué à Mallory. Beaucoup de bruit mais pas de balle.

— Elle a troué la…

— C'est pas une balle qui a fait ça. C'est une pointe en métal. En acier inoxydable pour être précis. Essayons d'y voir un peu plus clair.

Il approcha la carte de ses yeux comme s'il cherchait des indices divinatoires.

— Le coupable, c'est manifestement la brochette de barbecue qui se trouvait dans le tiroir de la cuisine du rabbin Kaplan. (Il retourna la carte.) Et ce motif au dos ? Ce n'est pas le même que celui des autres cartes par terre.

Charles pointa un doigt accusateur sur Mallory.

— Tu portais ce même blazer le soir de la partie de poker. C'est pour ça que tu avais une carte dans la poche – une carte avec un trou dedans. Tu l'as escamotée pendant la partie.

Mallory ne semblait pas honteuse.

— Le fantôme de Louisa trichait, non ? Allez, Charles, ouvre la plate-forme et vérifie tout.

— Mais escamoter une carte ? Tu me déçois, Mallory.

Riker aussi paraissait déçu. Il enfouit ses mains au fond de ses poches pour que Mallory ne le voie pas serrer les poings.

Charles effleura seulement le bois au milieu de la paroi de la plate-forme et la porte s'ouvrit. Il pointa sa tête à l'intérieur et la retira vivement, repoussé par l'odeur.

Un bras s'étendit lentement et retomba sur la scène avec le bruit mat de la chair morte sur le bois. Une manche était retroussée jusqu'au coude. Et maintenant, le torse se dépliait et basculait par la porte. Une flèche était plantée dans le jabot d'une chemise de smoking, mais il n'y avait pas de sang autour de l'impact. Cela aurait pu être un tour d'illusionnisme… s'il n'y avait eu ce trou bien réel dans la poitrine. Riker n'avait jamais vu l'arbalétrier sans son haut-de-forme. Ses cheveux poil-de-carotte étaient broussailleux, hérissés d'épis. Une grimace entre douleur et surprise tordait son visage.

Les enchérisseurs revinrent en masse sur scène et s'approchèrent de la plate-forme sur la pointe des pieds.

— C'est Richard, dit Nick Prado, le neveu d'Oliver.

Il avait gardé son calme et parlait d'une voix posée.

Riker se dit qu'il devait avoir l'habitude des cadavres, car il ne manifestait aucune émotion alors que les gens, visiblement choqués, reculaient, refoulés par la nausée. Le cadavre s'était vidé suite à la relaxation *post mortem* des muscles. Seule la porte close avait endigué la puanteur.

Franny Futura recula jusqu'au bord de la scène. Ses joues avaient perdu leurs couleurs. Émile Saint-John montrait si peu d'émotion que Riker se demanda ce qu'il fallait pour le désarçonner.

— Mort depuis deux ou trois jours, annonça Mallory.

Un léger sourire étirait ses lèvres lorsqu'elle leva la tête vers Riker.

— Maintenant, les affaires sérieuses commencent !

*
* *

Jack Coffey lut le rapport de police sur la mort de l'homme à l'arbalète, alias Richard Tree, ouvert sur son bureau.

— Quand aurons-nous le rapport du médecin légiste ? demanda-t-il.

— Demain à la première heure, répondit Riker. Le docteur Slope pratiquera l'autopsie lui-même. Et Mallory a demandé à Heller de s'occuper de la plate-forme. On dirait que la gamine a eu le nez creux.

Coffey repoussa le rapport de Riker.

— Slope va faire une autopsie complète ?

— Ouais, tout le toutim. Mallory a eu de la chance avec ce carreau en pleine poitrine. C'est assez pour saisir la plate-forme. Et maintenant, elle tient une affaire d'homicide indiscutable. Du bon boulot, si vous voulez mon avis.

— Je n'ai jamais douté de son travail, dit Coffey. C'est son état d'esprit qui m'inquiète. Vous gardez l'œil sur elle ?

Riker secoua la tête.

— Non, je ne fais plus le baby-sitter. Elle est grande maintenant.

— Elle est dangereuse.

— Vraiment ? (Riker alluma une cigarette malgré l'absence de cendrier.) Vous êtes piégé par le sermon que vous lui avez fait, lieutenant. Entre nous, ça n'a pas marché, mais c'était bien essayé.

— Ça vous a foutu la trouille, Riker. Vous savez de quoi elle est capable.

— Oui, c'est ma coéquipière, et c'est un sacré bon flic. On n'a jamais vu un tel talent dans la police – sauf peut-être chez son vieux. Mais, vous savez quoi ? Je crois qu'elle est même meilleure que Markowitz à sa grande époque. Bon, vous avez essayé de l'effrayer et ça n'a pas pris. (Riker se leva et boutonna son manteau.) Le jeu est terminé, lieutenant. Donnez-moi le revolver de Mallory. Je ferai en sorte qu'elle le récupère. Maintenant que la gamine est de retour…

— Elle a assez d'armes pour faire joujou. Son .38 lui suffira, je garde ce calibre pour l'instant. (Il sourit.) Dites-lui que j'attends la balle qui a crevé le ballon afin qu'on la compare avec…

— Foutaises ! Personne ne recherche cette balle. Vous n'avez pas le droit de lui confisquer son arme. Vous voulez qu'elle pense que vous ne lui faites pas confiance ?

Coffey afficha son incrédulité.

— C'est moi qui ne lui fais pas confiance. Comme si elle ne le savait pas ! Et pour le ballon, l'affaire n'est pas close. Il y a d'autres répercussions.

Il dirigea une télécommande vers le petit écran de télévision dans un coin du bureau. Le magnétoscope passa la scène où l'agent Henderson tombait de son cheval qui se cabra lorsqu'un ballon géant descendit du ciel.

— Cet enregistrement sert de preuve à Henderson dans sa plainte en justice contre la ville.

— Une plainte en justice ? L'imbécile est tombé de cheval. Personne ne savait qu'il montait aussi mal.

— Il prétend que son cheval ne l'aurait jamais désarçonné si Mallory n'avait pas créé une situation mettant en danger la vie des citoyens. Il réclame dix millions de dollars de dommages et intérêts, Riker. Et tout dépendra s'il peut prouver qu'elle a tiré sur le ballon.

— On s'en tape ! Je vais me trouver un cheval et un avocat et…

— C'est encore pire. Henderson soutient que la ville a engagé une dangereuse psychopathe en connaissance de cause. Bon, ce n'est pas tout à fait la terminologie employée… mais presque.

Coffey rembobina la cassette et la repassa.

— Ça m'amuse de voir ce petit fumier tomber sur son cul. Il s'est cassé le coccyx.

— J'espère qu'il a un mal de chien.

Coffey éteignit le magnétoscope.

— Bon, Mallory peut travailler sur l'affaire, mais pas officiellement. Dans une semaine ou deux, la ville s'arrangera peut-être pour qu'il retire sa plainte. Mais il faut que ça serve de leçon à Mallory…

— Oh, merde, y en a marre du ballon. Elle affirme qu'elle n'a pas sorti son revolver. Je…

— O.K., c'est pas elle. Disons que c'est une bonne blague, Riker. Mais je sais que Mallory n'a aucun sens de l'humour. Et elle n'a pas nié s'être servie de son flingue dans le commissariat, hein ? Elle se prend pour un cow-boy ou quoi ? Un foutu rat ! Mon ulcère se réveille à chaque fois que j'y pense.

— Je ne crois pas que…

— On se fout de ce que vous croyez, Riker.

— Ah, d'accord ! Je suis vraiment désolé que vous le preniez comme ça, lieutenant.

Riker posa son insigne sur le coin du bureau.

— Donnez-moi le calibre de la gamine ou je vous colle ma démission avant de sortir.

— N'en faites pas une affaire personnelle, Riker. C'est la perception des choses qui importe. Je dois m'inquiéter de ce que les flics ont pensé lorsqu'elle a tiré sur le…

— Ces patrouilleurs sont des grands garçons. Ils ont tous perdu un cochon d'Inde apprivoisé. Je suis sûr qu'ils se remettront de la mort du rat.

Riker poussa son insigne vers Coffey.

— Je ne bluffe jamais, lieutenant, ma religion me l'interdit.

*
**

Lorsque Riker parut en haut de l'escalier, portant un sac en papier qui contenait le lourd revolver de Mallory, le sergent de garde l'appela.

— Hé, Riker ! T'as une minute ?

— Bien sûr.

Riker alla appuyer son coude sur le bureau du sergent. C'était davantage un vaste pupitre, qui allait bien avec son poste consistant à décerner de rares *satisfecit* et à infliger des sanctions à ses subordonnés.

— Un problème, Harry ?

Le sergent Harry Bell était un gros costaud au nez rouge. Ses cheveux avaient blanchi en même temps que ceux de Riker après vingt-cinq ans de service.

— Tu vas voir ta coéquipière avant qu'elle rentre de vacances ?

— Ouais.

— Bon, alors dis-lui qu'elle a gagné son pari pour Oscar le Rat.

Le sergent Bell se pencha par-dessus son bureau pour remettre une poignée de billets à Riker.

— Dix dollars chacun, ça fait quarante, le compte y est. On est quittes avec Mallory.

— Qu'est-ce que tu racontes ? (Ahuri, Riker regarda les billets dans sa main.) Vous avez parié sur un foutu rat ?

— Je t'ai parlé du rat, Riker. Quand tu…

— Non, Harry. Tu m'as seulement dit qu'elle lui avait tiré dessus.

— Elle prétendait qu'il était malade. C'était ça, le pari.

— Raconte-moi tout, Harry. Parce que Mallory ne me dit plus rien, et je me sens bien seul. Qu'est-ce que c'est que ces conneries sur un rat malade ?

— Tu l'as vu. Un vrai bolide à quatre pattes, pas vrai ? (Harry Bell frotta ses deux mains l'une sur l'autre d'un geste vif.) Mais l'autre soir, Oscar bougeait vraiment lentement, aussi docile qu'un chaton défoncé. Il était juché sur le distributeur de bonbons, perdu dans sa contemplation. Alors, Pete Hong…

— La nouvelle recrue ?

— Oui, le bleu. C'est rien qu'un gosse. Il vient d'une banlieue tranquille. Je ne crois pas qu'il avait jamais vu de rat. Alors, le voilà qui agite sa matraque sous le nez d'Oscar. Pas de réaction. Il s'approche, comme s'il voulait le caresser. Mais avant que j'aie le temps d'intervenir, Mallory ordonne à Pete de ne pas le toucher.

Toujours aussi diplomate !

— Qu'est-ce qu'il a fait, ton gars, Harry ?

— Il l'a mal pris. Mais Mallory prétend que le rat est malade et que même un bleu devrait savoir qu'il faut pas le toucher. Ça a cloué Pete sur place. J'avais de la peine pour lui – il n'est là que depuis une semaine et ta coéquipière le fait passer pour un idiot devant deux autres flics.

— Alors, il a fallu que tu le soutiennes, c'est ça ?

Riker hocha la tête, il devinait la suite.

— Naturellement que je l'ai soutenu, dit le sergent Bell. Je ne veux pas qu'un de mes gars se fasse humilier par une conne d'inspectrice de la Criminelle – le prends pas mal, Riker. Je me dis que Mallory a sans doute raison, mais je maintiens que le rat est trop nourri, trop gâté, et c'est pour ça qu'il est lent. Le brave Oscar pille nos gamelles depuis des années, et c'est vrai qu'il était bien gras. Bref, les deux autres gars confirment ma théorie… Ils voient bien que le rat est malade, mais…

— Mais prendre les patins de leur collègue passe avant le reste, termina Riker en souriant.

— Tu l'as dit ! Alors, ta coéquipière lance : « Allongez le fric ou fermez-la ! »

— Mallory reconnaît un pigeon à un kilomètre.

— Sûr. Mais on parie tous.

— Si j'ai bien compris, commença Riker, toi et les

deux autres flics, vous saviez qu'elle avait raison, mais vous avez parié quand même ? Tous les trois ?

— Oui, ça avait été trop loin. Et Pete Hong a été le premier à allonger son blé. Qu'est-ce qu'on pouvait faire ? Dix dollars, c'est pas cher payé pour sauver la face du gosse. Toujours est-il qu'on a tous misé sur cette maudite boule de poils. Et Pete qui ne veut pas lâcher Oscar mais Mallory refuse qu'il le touche.

— Parce que le rat est malade, et peut-être dangereux.

— Ouais, on ne sait jamais avec les rats. Donc, au moment où Oscar s'apprête à plonger lentement derrière le distributeur – y a un trou dans le mur, gros comme le poing, c'est par là qu'il arrive –, Mallory le bute du premier coup. Super bien visé !

Le sergent remit une liasse de feuilles à Riker.

— C'est le rapport du labo de la commission de santé publique. C'est arrivé ce matin. Mallory avait raison – la maudite bête était malade. Maintenant, les toubibs du ministère vont venir faire une prise de sang à tout le monde.

Riker feuilleta les papiers. Il y avait une copie du rapport du commissaire chargé de la surveillance sanitaire. Il était moins haut en couleur que le récit de Bell, mais décrivait brièvement la nécessité d'éliminer un animal potentiellement dangereux.

— Harry, j'aimerais que tu fasses parvenir ce rapport à la Brigade spéciale. Et assure-toi que Coffey le lise. Tout de suite, hein ? ajouta-t-il en donnant une légère tape sur le bureau.

— Compte sur moi. Le lieutenant avait lui aussi parié sur le rat ?

— *Natürlich.*

Riker riait sous cape en se dirigeant vers la sortie.

Jack Coffey s'était trompé sur toute la ligne. Mallory avait le sens de l'humour. Et il avait aussi raison à son sujet. La gamine était un vrai monstre. Elle avait laissé le lieutenant déblatérer sur les représailles qu'encouraient les flics maniaques de la gâchette. Et pendant ce temps-là, elle attendait patiemment le mot de la fin sous la plume du ministère de la Santé publique.

Quel joli coup monté !

Lorsque le rapport débarquerait sur le bureau de Coffey, le lieutenant allait exploser, ou se frapper la tête contre le mur.

Riker quitta le commissariat en brandissant un poing triomphal.

Mallory vaincra !

CHAPITRE 11

Afin de contourner la loi, le restaurant avait isolé un quart de la salle. Protégés par des glaces, des clients allumaient cigares ou cigarettes. La fumée s'élevait vers les pales d'un ventilateur qui tournaient paresseusement.

De peur que la fumée illicite ne s'échappe de la cage en verre, un purificateur d'atmosphère aspirait l'arôme des vins, des mets et des sauces. Dans cette salle inodore, les non-fumeurs observaient les dîneurs derrière la paroi de verre comme des rescapés d'une époque antérieure à la stérilisation de New York.

Debout derrière un lutrin, le maître d'hôtel feuilletait les pages de son registre de réservations en faisant mine de ne pas remarquer la queue qui se formait.

Un garçon en smoking blanc s'approcha de la femme au bout de la file d'attente.

— Inspecteur Mallory ? Je vous ai vue à la télé.

L'alerte ayant été donnée, le maître d'hôtel évalua aussitôt son trench-coat de cuir noir, ses chaussures de sport de luxe et un sac à main de chez Cartier légèrement moins onéreux. Dans la queue, d'autres têtes se tournèrent, à l'affût des célébrités.

Lorsqu'elle ôta son trench-coat, le blazer en cachemire noir et le jean orné de satin passèrent aussi l'inspection. Le maître d'hôtel afficha son approbation. Les clients qui attendaient étaient vêtus plus modestement, mais Mallory respirait l'argent.

Le garçon prit son trench-coat et le plia sur son bras.

— Ils vous attendent, dit-il.

— Ils ?

— M. et Mme Malakhai.

Il désigna la cage de verre.

— Ah, oui, la femme invisible.

Décontenancé, le garçon promena son regard vers la table où Malakhai était assis.

— Sa femme doit être aux toilettes.

— Vous l'avez vue ?

— Naturellement !

Le garçon confortait Mallory dans sa méfiance à l'égard des témoins qui entendaient des coups de feu qui n'étaient pas partis, voyaient des choses qui n'étaient pas arrivées... et maintenant, des fantômes. Elle le suivit vers la partie « fumeurs ».

— Attendez, dit-elle avant qu'il n'ouvre la porte de la cage en verre. De quelle couleur sont ses cheveux ?

— Roux. D'un roux flamboyant.

Mallory désigna Malakhai.

— C'est lui qui vous l'a dit ?

— Euh, non, répondit le garçon, de plus en plus dérouté. Vous pensez que c'est une teinture ? Ils ont l'air si naturels !

Lorsque Mallory entra dans la cage, elle remarqua que la table était mise pour trois couverts et qu'un verre de vin avait été servi au fantôme à la robe bleue tachée de sang.

Malakhai se leva cependant qu'elle posait son sac à main noir sur la table à côté du seul verre de vin encore intact. Si son hôte l'avait mieux connue, il se serait méfié. Mallory ne portait jamais de sac à main.

— Bonsoir, dit-il, et il chassa le garçon d'un geste

afin de faire le service lui-même. Vous êtes pile à l'heure. (Il consulta sa montre.) À la seconde près.

Au lieu de lui retourner son salut, Mallory passa aussitôt aux choses sérieuses.

— Il en a fait du chemin, cet uniforme allemand ! Vous le portiez le jour où vous avez fait évader Louisa du camp de transit… et aussi le soir où vous lui avez tiré dessus.

Malakhai se rassit avec calme et déplaça la bouteille de vin pour mieux voir Mallory.

— Vous m'avez manqué, dit-il. J'ai passé ma journée à me retourner, et vous n'étiez pas derrière mon dos.

Il rejouait à son petit jeu : ignorer ce qui le gênait et tenter de la distraire en abordant des sujets moins sensibles. Même sa conversation ressemblait à un tour de magie basé sur des fausses pistes. Mais ce soir, Mallory s'était préparée.

— Vous êtes sûr que je n'y étais pas ? fit-elle. Je sais que vous avez pris votre petit déjeuner avec Prado et Saint-John. L'après-midi, vous avez répété votre future représentation.

D'après le manager de Carnegie Hall, Malakhai avait passé des heures à préparer ses truquages.

— J'imagine que vous avez passé la journée avec M. Halpern, riposta Malakhai en recrachant un nuage de fumée. Et naturellement, on a parlé aux infos du soir de votre passage à la vente aux enchères. La version du théâtre de magie d'Oliver vous a-t-elle plu ?

— Non.

Elle avait préféré la vision que Malakhai avait créée pour elle dans la cave. Le théâtre d'Oliver n'était qu'une pâle copie à laquelle manquaient l'atmosphère de la guerre, la fumée et le vin, le parfum et les soldats en armes. Même le cadavre dans la plate-forme n'avait pas l'air réel : il ne saignait pas.

— À propos de l'uniforme, dit Mallory. Vous n'avez jamais appartenu à l'armée allemande.

Il fit signe au garçon et montra la bouteille vide, puis il s'intéressa de nouveau à Mallory.

— Je m'en souviens très bien – une coupe superbe. Il appartenait à un officier SS.

— Vous l'aviez tué ?

— Non. Désolé de vous décevoir, Mallory.

Il souffla un rond de fumée qu'il regarda monter vers les pales du ventilateur.

— J'ai volé son bagage dans une gare. Une erreur – je voulais un uniforme de simple soldat, j'étais trop jeune pour me faire passer pour un officier. Mais j'ai vite compris que personne ne regardait le visage des types de la Gestapo. Tout le monde était obnubilé par leur insigne de SS.

Elle tendit le bras au-dessus de la table pour retirer délicatement un cheveu sur son costume. C'était donc ce même cheveu qui avait incité le garçon à croire à la présence d'une rousse. Il manquait la racine pour effectuer un test d'ADN, mais elle le disposa soigneusement dans un mouchoir en papier qu'elle rangea ensuite dans son sac. Il la regarda faire avec une pointe de curiosité.

— Vous devenez imprudent, Malakhai. J'imagine que vous n'avez pas eu le temps de vous changer… après avoir caché le cadavre dans la plate-forme d'Oliver.

— Ah, son neveu était donc un rouquin ! On n'a pas montré sa photo aux nouvelles.

Il posa sa cigarette dans le cendrier, à côté de celle qui portait la marque de rouge à lèvres de Louisa.

— Je ne l'ai jamais rencontré. Je ne peux pas dire que sa mort m'ait peiné.

— Vous ne vous rappelez plus avoir caché le corps ? Ça ne m'étonne pas. Je suis au courant de vos attaques.

— Grâce à M. Halpern ? Il était tellement déçu que je ne me souvienne pas comment…

Le garçon parut, un plateau en équilibre à hauteur d'épaule. Après avoir déplié une desserte de sa main libre, il posa son plateau, puis arrangea les objets sur une surface qui contenait déjà difficilement trois assiettes, des couverts, des verres, une bouteille, un cendrier et un sac à main. Mallory et Malakhai le regardèrent, fascinés, défier les lois de la physique en agrandissant l'espace, dégageant assez de place pour une corbeille à pain, une bougie, une autre bouteille de vin et une grande assiette de hors-d'œuvre.

— Je n'aurais jamais pu faire pareil, avoua Malakhai.

Après que le garçon eut rempli les trois verres de vin, et qu'il fut reparti avec la commande, Mallory glissa une main dans son sac ouvert. Malakhai ne remarqua rien. Il la dévisageait sans se douter un instant de ce qu'elle mijotait – surtout pas un tour de magie, pas elle !

— C'est un problème intéressant, dit-elle. Vous voulez être quitte avec Louisa avant de l'oublier.

En tâtonnant, elle trouva le crochet dans son sac. La ficelle était toujours en place.

— Et le jour où Oliver est mort dans Central Park. Vous vous rappelez où vous étiez ?

— Chez moi, à des centaines de kilomètres d'ici. Je regardais son spectacle à la télé.

Elle tira sur la ficelle cachée dans le sac.

— Quelle heure était-il ?

— Il n'y a pas d'horloge dans mon salon. Je pense que ça passait en direct… donc le soir.

— Le soir ? Vous avez vu le soleil éclairer le kiosque et la foule.

— Ce n'étaient pas les projecteurs de la télé ?

Malakhai sourit pour lui faire comprendre qu'elle se trompait de bonne foi.

Tu parles !

— Officiellement, Oliver Tree est mort à quinze heures trente et une. (Mallory était toujours précise avec la mort.) Mais vous avez regardé la retransmission le soir.

Masquée par sa serviette, elle déplaça la ficelle vers la place de Louisa en se penchant légèrement en avant.

— Comment l'expliquez-vous ?

— Après une attaque, j'ai parfois du mal à savoir la date et même l'année où nous sommes. Prendre la nuit pour le jour est une de mes erreurs les moins graves.

— À moins que vous n'ayez regardé le spectacle d'Oliver sur votre magnétoscope. Vous l'aviez peut-être enregistré parce que vous saviez que vous ne seriez pas chez vous cet après-midi.

— Je me rappelle avoir entendu la sonnerie du réveil. Il sonnait probablement depuis des heures. Oui, j'ai peut-être enregistré le spectacle – une précaution en cas d'attaque.

Elle abandonna sa serviette près du verre de Louisa.

— Vous n'avez donc pas d'alibi ?

— Non. Je vis un peu en ermite. Il peut se passer des jours sans que je voie âme qui vive, et ça fait des années que je n'ai pas demandé l'heure à quelqu'un.

— Quel est votre prénom ?

— Malakhai est mon seul nom. Mon père a abandonné ma mère et il ne m'a pas reconnu. Ma mère a donc mis son nom de famille sur mon acte de naissance. Ça rendait ses parents malades. Ma mère avait un sens de l'humour particulier.

Il fixait la bosse sous le blazer de Mallory, à l'emplacement de son holster.

— Votre arme gâche la coupe de votre veste. Qu'en pense votre tailleur ?

D'autres inspecteurs avaient résolu ce problème en portant leur revolver plus bas, mais Mallory aimait l'effet dissuasif, l'intimidation.

— Le tailleur de Louisa était plus seyant, dit-elle. Les retouches ont dû coûter cher. Quel butin avez-vous obtenu après avoir enterré la grand-mère d'Oliver dans la cave ?

Malakhai éclata de rire. Ce n'était pas la réaction que Mallory avait espérée.

— Mes compliments ! Je ne vous demanderai pas comment vous avez découvert ce secret. Le seul profit était la pension de Faustine. Et c'était à peine suffisant pour la location du théâtre. Les vêtements de Louisa appartenaient à un garçon qui avait quitté la troupe. Elle a fait les retouches elle-même.

Mallory ne parut pas satisfaite.

— Je sais reconnaître l'œuvre d'un bon tailleur. Et je sais combien ça coûte.

— Ma femme était la fille d'un tailleur.

Lorsque Malakhai se tourna vers la chaise de la femme fantôme, il parut soudain décontenancé. Il y avait dans l'assiette de Louisa des huîtres et des crevettes piquées de cure-dents multicolores. Or, ce n'était pas lui qui les avait plantés.

— Que faisait Louisa dans le camp de transit ?

Quand il reporta son attention vers Mallory, Malakhai paraissait toujours aussi dérouté.

— Oh, des tas de gens atterrissaient là-bas. On arrêtait les réfugiés par paquets de vingt et on les triait ensuite dans le camp de transit. La plupart ne restaient pas.

— Il y avait autre chose, dit Mallory. Je sais que le commandant du camp interrogeait Louisa tous les jours. Elle n'était pas seulement la fille d'un tailleur.

— Ce n'était pas une espionne, si c'est ça que vous suggérez. Toutefois, son père n'était pas un simple tailleur. Il possédait une liste de noms qui intéressait les Allemands. Ils croyaient que Louisa savait peut-être où il se cachait.

— Ah, vous travailliez donc pour la résistance polonaise.

— Non, j'étais juste un étudiant amoureux de Louisa, je m'étais enfui du collège.

Malakhai avait tourné la tête lorsque le verre de Louisa avait bougé, mais ce n'était pas lui qui tirait les ficelles. Son regard exprimait un profond malaise, mais il ne se douta pas un instant que Mallory pût manœuvrer sa femme défunte comme une vulgaire marionnette.

— Donc, vous avez risqué votre vie pour elle et elle vous a trahi.

— Louisa ne m'avait pas demandé de la faire évader.

Malakhai écrasa son mégot dans le cendrier et fixa d'un air ahuri la cigarette de Louisa à moitié consumée, désormais éteinte.

— Dans Central Park, il y a une grande allée piétonnière qui mène au kiosque. C'est un endroit fantastique, flanqué de statues et de bancs. Le connaissez-vous ?

Mallory acquiesça. Elle s'y était rendue dernièrement ; deux rangées d'arbres bordaient l'allée, formant une extraordinaire voûte verdoyante.

— Ah, fit-il, c'est pas Paris, mais ça peut aller. Pour notre dernière soirée en France, Louisa et Max m'avaient rencontré dans un endroit semblable. C'était quelques heures avant notre spectacle au théâtre de Faustine. Un air d'accordéon provenait d'un bistrot de l'autre côté du parc. Je me souviens que c'était un morceau guilleret et qu'il pleuvait. Je tenais un parapluie pour abriter Louisa. Elle était bouleversée – effrayée, même. La police avait reçu des affiches. Le lendemain, sa photo serait placardée sur tous les murs avec une promesse de récompense. Émile Saint-John l'avait prévenue le matin.

— Quels contacts Saint-John avait-il ?

— Émile était policier. Je vous ai dit que nous devions travailler dans la journée. Louisa était désespérée. Elle voulait passer la frontière espagnole. C'était du suicide, vous savez. On ne délivrait pas de visa de sortie et la frontière était étroitement surveillée. L'Espagne était bouclée. Si on avait utilisé les faux papiers de Nick, on aurait été arrêtés. Louisa disait qu'elle préférait mourir que de retourner au camp, subir de nouveau les interrogatoires. Elle voulait absolument quitter la France cette nuit – sans moi. Elle ne voulait pas que je prenne encore des risques pour elle.

Il se versa un autre verre de vin.

— Je crois que ça m'a fait rire. Je lui ai dit que je la protégerais toujours. C'est là qu'elle m'a avoué qu'elle était amoureuse de mon meilleur ami. Je me rappelle la tête de Max… sa douleur. Et ses larmes ? Non, je ne sais plus. C'était peut-être la pluie.

Il cracha de la fumée et regarda le nuage monter lentement vers le ventilateur.

— J'espère qu'il pleurait.

— Vous le détestiez.

Malakhai secoua la tête.

— Dans quel état étais-je ? C'était comme si nous venions d'avoir un terrible accident de voiture. J'étais choqué, K.O. sous l'impact. Et je ressentais un drôle de vide. Je m'étais toujours imaginé la mort de cette façon, l'âme flottante, légère, évanescente, sans rien de solide pour la retenir sur terre. Alors, Louisa a demandé à Max de s'en aller pour que nous puissions discuter en tête-à-tête. Vous savez quel souvenir je garde particulièrement ? L'odeur de son manteau de laine trempé. C'est la dernière fois que Louisa m'a tenu dans ses bras. Elle m'a supplié de lui pardonner… et de pardonner à Max.

— Vous étiez en colère.

— Non, je ne crois pas. Après son départ, j'ai pris une cigarette. Je me souviens que j'étais planté, comme un idiot, en train de gratter des allumettes sous la pluie.

— C'est ce soir-là que vous avez empêché Louisa de franchir la frontière. Vous lui avez tiré dessus avec l'arbalète après le lever de rideau. Mais vous n'étiez plus dans le théâtre quand on l'a tuée. Vous vous étiez enfui.

Tout dans l'expression de Malakhai demandait comment elle avait fait pour savoir ça.

— Vous étiez trop jeune pour être officier. Et M. Halpern m'a assuré que vous parliez trop mal la langue pour un Allemand. Mais il y avait des soldats allemands dans le théâtre. Donc, après avoir tiré sur Louisa, vous étiez obligé de fuir.

Il acquiesça.

— On aurait pu croire à un tour d'illusionnisme qui avait mal tourné, continua Mallory. Ça ne vous rappelle rien ? Pauvre Oliver. Mais revenons au meurtre de Louisa. Quelle chance avaient les flics français de vous retrouver ? Un officier SS qui tire sur une femme désarmée et s'enfuit ? Non, la police locale n'aurait pas fait de zèle. C'était bien plus simple de déclarer la mort accidentelle – moins embarrassant pour tout le monde. Et pendant que vous preniez la fuite, on assassinait votre femme dans la coulisse.

Lorsque Malakhai regarda le cendrier, il y vit une nouvelle cigarette ornée du rouge à lèvres de Louisa. Il reporta son attention sur le verre de son épouse défunte. Il était à moitié vide.

Mallory referma son sac à main sur l'éponge imbibée de vin.

— Vous avez laissé votre femme blessée sur scène. Une fois dans la rue, vous vous êtes débarrassé de votre uniforme allemand ; vous portiez des vêtements civils en dessous. Ça n'a pas dû vous prendre plus de quelques minutes. Mais Louisa était déjà morte lorsque vous êtes revenu au théâtre.

Malakhai ouvrit son briquet d'un coup de pouce. La flamme trembla si légèrement que Mallory ne l'aurait pas remarqué si elle n'avait été à l'affût du moindre signe de faiblesse. Malakhai regarda de nouveau le cendrier…

et la cigarette de Louisa. C'était désormais un mégot écrasé que Mallory avait sorti en douce de son sac. Le vieil homme devait se poser des questions ; avait-il des absences de plusieurs minutes ? Le temps d'une cigarette ?

Le garçon reparut. Il demanda la permission de débarrasser les restes de Louisa. Malakhai jeta un coup d'œil aux queues de crevettes sur l'assiette de son épouse. Lui-même n'avait pas touché à la nourriture. Par quel miracle ? Il n'y avait que trois solutions : la folie, des trous de mémoire… ou Mallory.

Le garçon changea le cendrier. Mallory n'avait pas encore touché à son vin. Malakhai but une longue gorgée.

— Vous aviez risqué votre vie pour Louisa, et voilà qu'elle couche avec votre meilleur ami. Mais vous vous êtes vengé. Ça a dû vous faire du bien.

Aucune réaction. Malakhai était ailleurs – quelque part dans ses pensées.

— Savez-vous ce qui a traversé l'esprit de votre femme lorsque vous lui avez tiré dessus quand elle a saigné pour de vrai ?

Il s'était repris, il était plus alerte, il la regardait… et il attendait.

— Ce n'était pas prévu. Elle pensait recevoir un foulard rouge – comme chaque soir. J'imagine sa tête quand elle vous a vu en uniforme allemand. Ça a dû faire tilt. Elle devait être aussi effarée qu'un animal à l'abattoir. Abasourdie, une cible facile. Et vous lui avez tiré dessus… vous ! C'était à ça qu'elle pensait pendant qu'elle était en train de mourir dans les coulisses. Vous l'aviez abattue et vous vous étiez enfui. C'était à ça qu'elle pensait pendant que l'autre fumier s'acharnait sur elle, l'assassinait.

Le verre de Louisa bougea encore lorsque Mallory tira sur le fil attaché au crochet dans son sac. Un petit coup vif, un simple mouvement du poignet sous la table et le bout du fil était de nouveau caché dans le sac.

Malakhai refusait de regarder le verre.

Mallory se pencha vers lui.

— Que faisiez-vous pendant la guerre ?

— À Paris ? Je jouais au bonneteau dans la rue.

Il posa ses yeux sur le garçon qui venait d'apparaître soudain pour lui remplir son verre.

— Milo, avez-vous des noix à la cuisine ?

— Bien sûr, monsieur.

— Voulez-vous m'apporter trois coquilles vides ? demanda-t-il. (Puis, s'adressant à Mallory :) Le seul meurtre qui vous intéresse est celui d'Oliver, n'est-ce pas ?

Mallory opina de la tête. La diversion était sa technique de repli pour éviter la souffrance. Mais maintenant, elle allait obtenir ce qu'elle était venue chercher.

— Tout le monde veut me faire croire que c'était un accident, un tour de magie raté.

— La plate-forme d'Oliver n'est pas la réplique exacte de celle de Max.

— Je le sais. J'ai vu les améliorations qu'il y a apportées. Donnez-moi quelque chose à me mettre sous la dent.

Je ne m'occuperai plus de Louisa ; ainsi, je ne vous ferai plus souffrir.

— Seule la quatrième flèche était mortelle. S'il n'avait pas eu aussi peur, il aurait pu éviter les trois premières. La peur paralyse. Oliver a cessé de se battre quand il s'est aperçu que sa clé s'était bloquée. Ça n'aurait jamais arrêté Max.

— Vous voulez dire que Max utilisait de fausses flèches ?

— Oh, non ! Les policiers vérifiaient toujours les accessoires de Max. Les carreaux étaient les mêmes. C'étaient des vrais. Les magasins des arbalètes en contenaient trois chacun.

— Il y avait donc un cran d'arrêt dans le berceau du carreau ?

— Non. Rappelez-vous, le mannequin était frappé par les quatre arbalètes. Et ce qui aurait bloqué la flèche aurait aussi bloqué la corde. Or les cordes se détendaient à chaque fois. Et le policier avait armé les arbalètes. Oliver avait correctement manœuvré.

Le garçon reparut avec les trois coquilles de noix.

— Merci, Milo. (Malakhai aligna les trois coquilles sur une assiette vide.) C'est un tour facile. D'habitude, je le fais avec des petits pois. Puis-je vous emprunter votre revolver ?

— Vous plaisantez ?

Un flic ne prête jamais son arme, c'est la règle. Et les règles deviennent impérieuses lorsque l'emprunteur est un déséquilibré qui dîne avec son épouse défunte.

— Vous avez peur que je vous tire dessus devant tout le monde ?

— Vous avez tiré sur votre femme devant une foule autrement plus importante.

— Vous ne croyez tout de même pas que j'ai l'intention de vous tuer ?

— Non, bien sûr, assura Mallory avec un sourire badin. Mais vu vos antécédents, il y a de fortes chances que j'aie un accident.

— Vous m'avez vu charger les arbalètes et les armer. Je sais que vous n'avez pas peur. Est-ce de la prudence ? (Il ramassa sa serviette et la déplia.) Vous craignez peut-être qu'un client ne fasse un scandale parce qu'il aperçoit une arme dans le restaurant. Évitons donc d'inquiéter les dîneurs. (Il lui tendit la serviette, assez large pour dissimuler trois revolvers.) Tenez, nous serons discrets. Enveloppez-le là-dedans. Allez-y, prenez le risque. Je sais que vous en mourez d'envie. Vous aimez vivre dangereusement, n'est-ce pas, Mallory ? Je suis sûr que vous allez me le remettre, chargé, juste pour voir ce qui va se passer.

C'était un moment grisant, une répétition de son cauchemar préféré, quand elle volait à vitesse supersonique – dans le noir absolu.

Il sourit.

— Mais je n'ai besoin que des balles. Si vous voulez, vous pouvez laisser le revolver sur la table – juste pour que ça soit plus amusant.

Elle prit la serviette, la posa sur ses genoux et glissa son arme en dessous. Elle libéra le barillet et déchargea les balles.

Puis elle lui tendit les munitions et posa le revolver sous la serviette, devant la chaise où se tenait Louisa. Le canon était braqué sur Malakhai.

— Je vous conseille de ne pas toucher à ce revolver, dit-elle, coudes sur la table, mains jointes sous le menton, comme en prière. Si vous voulez voir qui a les meilleurs réflexes, ça vous coûtera un œil… peut-être les deux.

— Compris, mais je n'ai aucune envie de me battre en duel avec vous.

Il lâcha cinq balles dans la corbeille à pain.

— Une seule me suffit.

Il glissa la balle sous une coquille, puis déplaça les trois noix en faisant des cercles, les substituant lentement l'une à l'autre.

— Ne vous fiez pas à vos sens, Mallory. Ça sera mon seul conseil.

Les coquilles tournaient de plus en plus vite. Puis Malakhai s'arrêta soudain et ôta ses mains de la table.

— Où est la balle ?

— Ici.

Elle prit la coquille du milieu et la souleva. La balle était dessous.

— Mais êtes-vous sûre que c'est la même ?

Il souleva les deux autres coquilles pour lui montrer qu'il y avait une balle sous chacune d'entre elles.

— Astucieux ! siffla-t-elle. Mais en quoi ça m'aide ?

Sa voix était presque agressive. Elle effleura le verre de Louisa, geste délibéré pour menacer de recommencer à le faire souffrir.

— Vous croyez ce que vous voyez, Mallory. C'est une erreur. La magie, c'est ce qu'on ne voit pas. Et un bon tour doit défier la logique.

Il prit une balle entre le pouce et l'index et repoussa les deux autres de côté.

— Cette fois, je n'en utiliserai qu'une.

Il mit la balle sous une coquille de noix et se livra à son petit pas de danse avec les mains. Lorsque les coquilles furent de nouveau alignées, il posa un doigt sur la première.

— Disons que j'ai tué Oliver pour venger ma femme.

Il toucha la deuxième coquille.

— Ou bien son assassin est celui qui a tiré le carreau pendant le défilé.

Il passa à la dernière coquille.

— Ou Oliver a merdé l'illusion et s'est tué. Vous ne voulez pas que ça soit le cas, mais ça reste une possibilité. Bon, où est la balle ?

— Ce n'est aucune de ces solutions et la balle est dans votre main.

— Bravo, Mallory. Vous commencez à comprendre. Toutefois…

Il ouvrit ses mains, elles étaient vides.

Il retourna les coquilles une à une – pas de balle.

— Vous avez encore du chemin à faire, dit-il en tendant le bras pour s'emparer de la serviette qui cachait le revolver.

Mallory fut plus prompte. Sans le quitter des yeux, elle agrippa la serviette. Vide ! Le revolver ne s'y trouvait plus. Elle la secoua, une balle roula sur la table. La serviette retomba, froissée, et l'instant suivant, Mallory tenait le visage de Malakhai entre ses mains – si doucement que les clients devaient les prendre pour des amoureux. Ils ne voyaient pas que ses pouces étaient tout près de ses yeux, ses longs ongles vernis lui frôlant les sourcils, touchant presque ses iris bleu foncé, prêts à l'aveugler.

— Posez lentement vos mains à plat sur la table, ordonna-t-elle.

Il s'exécuta. Il était bien trop calme.

— Où est mon revolver ?

— Sous la serviette. Regardez mieux.

— Je ne joue pas, Malakhai. Je vais vous crever les yeux.

— Sous la serviette, je vous dis ! Regardez donc !

Sans le quitter des yeux, elle prit la serviette et ses doigts se refermèrent sur la crosse de son revolver.

Furieuse, elle arracha le tissu et brandit son arme. Six balles roulèrent en silence vers elle en file indienne entre la bouteille de vin et la corbeille à pain. Elle rechargea son revolver, sans s'occuper du garçon qui la regardait, à quelques pas, croyant peut-être qu'elle était mécontente du service.

Malakhai affichait un sourire réjoui.

— Vous devez penser différemment, sinon vous n'y arriverez jamais.

Mallory n'avait pas l'intention d'être son élève ; elle se fichait de ses conseils.

— Vous n'avez pas adressé la parole à Louisa ce soir. Un oubli ? Une nouvelle attaque ?

Déçue par son silence, elle continua, espérant lui faire mal.

— Vous perdez la mémoire jour après jour.

Elle surprit un léger hochement de tête. Il posa sa cigarette dans le cendrier, et remarqua seulement celle que Louisa venait de sortir de son paquet. Le filtre portait la marque de son rouge à lèvres. Mallory n'avait pas ajouté de produits chimiques pour la fumée ; son apparition dans le cendrier était censée suffire. Malakhai fixa la cigarette, soudain prudent, comme si elle le menaçait.

— Ça sera bientôt fini, assura Mallory. Vous oublierez jusqu'à votre propre nom.

— Moins de bagages à porter.

— Votre femme vous glisse entre les doigts.

— Moins de migraines.

Il tourna les yeux vers Mallory pour lui montrer son visage douloureux, comme un cadeau, une offrande qui lui ferait plaisir, il le savait.

— Vous avez perdu la première Louisa. Il ne vous reste plus que les pièces éparses d'un monstre que vous avez créé – peut-être seulement une moitié de femme. (Elle rengaina son revolver.) Voyons les choses simplement. Je n'imagine pas Oliver tuant votre épouse. Mais je suis sûre qu'il connaissait son assassin.

— Faux ! Le pauvre Oliver était bien trop naïf. Il croyait que sa mort était accidentelle. Il n'avait jamais vu de cadavre avant Louisa. L'armée lui avait donné un poste dans les bureaux, et il en était gêné. Il voulait tellement se battre. Un brave petit soldat… affrontant ces quatre flèches.

Mallory le vit serrer le poing. La mort d'Oliver le rendait furieux. Elle ne l'avait jamais vu se livrer à une telle duperie, ce n'était pas son style.

— Non, dit-il. Je doute que le meurtre lui ait traversé l'esprit. Oliver était un homme bon et loyal. Il n'aurait jamais cru un de ses amis capable d'une telle bassesse.

— Si Oliver n'a pas tué votre femme, sa mort n'est donc pas une vengeance. Et comme il a légué sa fortune à une œuvre de charité, le mobile financier tombe à l'eau. C'est pour ça que je pense qu'il représentait une menace pour son meurtrier. C'est tout ce qu'il me reste.

— Vous l'appelez toujours par son prénom. Vous ne l'avez pourtant jamais rencontré.

Elle ignora la diversion.

— Le coup de feu qui a raté sa cible et crevé le ballon... c'était une tentative d'assassinat. Ça veut dire que les meurtres vont continuer. Je ne vous ai pas aperçu sur l'enregistrement du défilé, Nick Prado non plus. Tous les autres étaient bien en vue lorsque le coup est parti.

— Vous faites de la mort d'Oliver une affaire personnelle, n'est-ce pas ?

Le sourire de Malakhai paraissait emprunt de nostalgie. Il était étrangement affecté par cette manie d'appeler le mort par son prénom.

— Prado vous visait peut-être, avança Mallory. Ça serait logique. Dans son spectacle, n'avait-il pas recours aux armes à feu ? Cependant, il n'aurait sans doute jamais raté sa cible. Je crois que c'est vous qui avez crevé le ballon. Avant que le revolver ne dérape, vous visiez l'assassin d'Oliver. Était-il sur le char ? Ou aviez-vous aperçu Nick Prado dans la foule ?

— Oliver vous aurait adorée – son champion, son paladin.

— Vous avez peut-être raté parce que vous avez eu une attaque au moment de tirer. Ou parce que vous n'avez tout simplement pas des nerfs suffisants. Que faisiez-vous pendant la guerre ? Vous bossiez dans un bureau, comme Oliver ? Dans quelle armée étiez-vous ?

— J'ai commencé mon entraînement avec les Britanniques. Ensuite, avant d'avoir terminé, j'ai été transféré dans une unité américaine.

— Où vous faisiez quoi ?

— Du meurtre de masse.

Il but une gorgée de vin ; sa main était ferme, sa voix égale, presque mécanique.

— Je déchiquetais les êtres humains en petits mor-

ceaux avec des explosifs. Ensuite, je les comptais méti-
culeusement. Je me promenais parmi les cadavres
démembrés… et ceux qui respiraient encore. Mais les
survivants ne s'attardaient pas. Je comptais les têtes.
C'est le meilleur moyen de calculer le nombre exact de
victimes… lorsque les morceaux sont tellement éparpillés.

CHAPITRE 12

L'État du Connecticut – Mallory aussi – faisait grand cas des installations hospitalières. Les portes étaient ouvertes pour faciliter les inspections et les murs d'un blanc froid reprenaient le thème traditionnel du couloir. Il n'y avait pas de photographies personnelles, pas d'odeur rance de patients sédentaires, pas de relents d'eau de Cologne ni de parfum. Toute trace des résidents avait été effacée. Une forte émanation de désinfectant ôtait toute idée de présence humaine ; seule une maniaque du ménage, ou l'inspecteur Mallory, pouvait respirer dans une atmosphère pareille. Mallory trouva de même à son goût la grande infirmière qui l'accompagnait. Son uniforme blanc impeccablement empesé sentait le propre.

L'infirmière ne connaissait que trop M. Roland.

— Le vieux a eu quatre-vingt-sept ans le mois dernier. Il a enterré sa femme et son fils. Ses petits-enfants avaient hâte de s'en débarrasser. Gardez vos distances et oubliez tout ce que vous savez sur les officiers et les gentlemen. Il crache quand il parle, et des fois il vous vise exprès.

— Il est sénile ?

— Oh, il déraille souvent. Mais tout à fait entre nous, je crois que le général Roland a toujours été...

Elle vissa un doigt sur sa tempe pour indiquer qu'il avait une araignée au plafond.

— Il vous a dit qu'il était général ?

— Oui, ma petite dame, un général cinq étoiles. On croirait que la guerre continue, à l'entendre commander le personnel à longueur de journée.

Mais d'après le dossier militaire de M. Roland, obtenu à minuit par ordinateur, le vieil homme n'avait jamais dépassé le grade de lieutenant, et il avait été renvoyé de l'armée avant la fin de la Seconde Guerre mondiale pour des motifs qui ne plaidaient pas en sa faveur.

Mallory et l'infirmière traversèrent un hall percé de hautes fenêtres. Les carreaux fraîchement lavés étincelaient et leur offraient une vue lumineuse sur un jardin mort. Le long hall était bordé de fauteuils en osier et de chaises roulantes, occupés par des personnes âgées en robe de chambre verte et en pantoufles. Le visage dépourvu d'expression, les résidents contemplaient d'un œil vide les arbres nus et l'herbe jaunâtre, leur unique activité, car on aurait dit qu'ils avaient été parqués là puis abandonnés.

— Je suis sûre que vous gâtez M. Roland ?

— Oh, oui, ici tout le monde le chouchoute. Mon grand-père a fait la guerre. Il me flanquerait une sacrée raclée si je ne le traitais pas avec tout le respect qu'il mérite. Alors, je l'appelle « général » et je lui fais même parfois le salut militaire. Il aime ça.

Le vieux Roland n'était peut-être pas dupe, seulement méfiant. Mallory posa son regard sur les vieillards cloués dans leurs fauteuils devant les fenêtres, absents et oubliés de tous. Oui, le « général » Roland avait bien fait de monter en grade dans cet univers morne et désolé.

— Vous allez être en retard de deux minutes, ma

petite dame. C'est de ma faute, désolée. Il vous le fera payer.

L'infirmière s'arrêta devant une porte au bout du couloir et l'ouvrit pour Mallory.

— Allez, il est à vous.

En entrant dans la chambre, Mallory trouva un petit vieux tout ratatiné, des mèches de cheveux blancs pointant de chaque côté de son crâne chauve. Il paraissait perdu au milieu d'un réseau de haute technologie. Un sac en plastique qui pendait d'un bras métallique dispensait un liquide au goutte-à-goutte dans ses veines. Des bleus marquaient ses bras, traces des piqûres trop nombreuses. Un câble partait d'un moniteur à son chevet, zigzaguait entre les boutons de son pyjama rouge et plongeait en droite ligne vers son cœur. D'autres tubes transmettaient de l'oxygène à l'appareil en plastique planté dans ses narines.

— Alors, c'est vous, l'inspecteur Mallory !

La voix de M. Roland, qui avait encore un semblant de force, possédait l'autorité de son grade faussement acquis. Il la toisa, pareil à un général passant ses troupes en revue. Son regard s'attarda sur la bosse sous son blazer. Il la pointa d'un doigt noueux.

— C'est une arme ? Qui donnerait une arme à une gamine comme vous ? Vos papiers !

C'était un ordre.

Mallory sortit son insigne de sa poche revolver et le lui présenta. Il plissa les yeux pour déchiffrer son nom et son grade.

— Merci d'avoir accepté de me recevoir si vite, dit-elle en se reculant hors de portée des crachats éventuels.

— Les flics sont tous des jeunots de nos jours. (Le vieil homme hocha la tête.) Mais des filles armées ! C'est pousser le bouchon un peu loin !

Mallory s'assit sur la chaise au chevet du lit.

— J'ai besoin de renseignements sur un homme qui

était sous votre commandement pendant la Seconde Guerre mondiale.

— Ah, la vraie ! Ça c'était une guerre ! Je m'occupais du centre d'orientation, vous savez. Dans mon premier commandement – surtout des missions de sabotage –, y en a peu qui sont revenus vivants, je vous prie de le croire. C'est vous dire les risques que mon bataillon devait prendre.

D'après Mallory, c'était à peine un bataillon, et seuls deux hommes sur vingt étaient revenus sains et saufs. L'armée avait modérément apprécié les justifications de Roland pour sa négligence.

— Vous pourriez me faire gagner du temps, mon général. Vous savez combien il est difficile d'obtenir quelque chose de l'armée.

En réalité, cela avait été une simple formalité. Pirater l'ordinateur du Pentagone était un rite de passage pour tout bon informaticien en herbe. Un jeu d'enfant – et les enfants ne s'en privaient pas. Le système militaire essuyait des milliers d'attaques chaque année. Mais Mallory avait dû restreindre son temps d'activité à l'intérieur des fichiers à cause de la surveillance électronique.

— Il s'agit du deuxième classe Malakhai. Vous le…

— Si je me souviens de lui ? Je veux ! J'avais fait de mon mieux pour tuer ce fils de pute.

Il marqua une pause pour ménager ses effets, et fut manifestement déçu qu'elle ne soit ni choquée ni impressionnée.

— Pour sa dernière mission, je l'avais fait sauter d'un avion en plein jour. Un coup de chance inouï. Au sol, les Allemands devaient roupiller quand son parachute s'est ouvert.

— Vous vouliez qu'il meure – un de vos propres hommes ?

— Oh oui !

Il paraissait content de lui maintenant qu'elle avait reconnu son caractère divin.

— Le caporal... il s'appelait Edward. Foutu môme, plus jeune que vous. Ce glandeur voulait empêcher Malakhai de sauter. J'ai dû le menacer de mon pistolet pour qu'il s'écarte de la porte. Ensuite, j'ai ordonné à Malakhai de sauter. J'aurais dû pousser Edward avec. Mais il n'avait pas de parachute. Je donne toujours une chance à mes hommes.

Mallory opina de la tête. Edward était l'homme qui avait récupéré les médailles qui appartenaient à son unité. Parmi les décorations qu'il avait conservées pour le deuxième classe Malakhai figuraient trop de Purple Hearts[1]. Mallory ne pouvait se les sortir de l'esprit.

— Bien sûr, reprit le vieil homme. Je considérais qu'il était de ma responsabilité que Malakhai ne rentre jamais de la guerre. Ce n'était pas le genre de type qu'on pouvait lâcher dans le civil en temps de paix – pas avec la conscience tranquille.

— Il avait gagné des tas de médailles, argua Mallory d'une voix douce mais ferme.

— Des éclats d'obus, oui ! fit Roland en écartant l'objection d'un geste. C'était une erreur de les lui décerner. Il n'assassinait pas ses ennemis un par un, vous savez. Il faisait sauter les troupes par dizaines, par camions entiers. Et il oubliait parfois de faire la distinction entre les civils et les soldats. Ce genre de boucherie ne figure jamais dans les dossiers.

Des missions clandestines. Cela expliquait le manque de détails dans le dossier militaire de Malakhai et les alarmes qui avaient retenti à chaque fois qu'elle forçait une nouvelle série de codes de sécurité.

Le vieil homme brandit un poing serré.

1. Purple Heart : décoration attribuée aux blessés de guerre. (*N.d.T.*)

— On a pris tous les risques et on a été drôlement mal récompensés.

On ?

— Comme ça, Malakhai a effectué un tas de missions à hauts risques ?

— Des attaques suicides, pour la plupart. Mais il revenait à chaque fois, comme un vulgaire chat de gouttière. Et son regard devenait de plus en plus froid. (Roland sourit en repensant au bon vieux temps.) Je l'avais surnommé le Glaçon. D'ailleurs, à la fin, il répondait même quand on l'appelait comme ça. Il n'avait plus rien d'humain. J'aurais dû le descendre de mes propres mains comme on achève un chien enragé. J'avais un petit pistolet mignon comme tout, un cadeau du général Patton.

Tu parles, Charles !

— Saviez-vous que sa femme était morte deux jours avant qu'il s'engage ?

— C'est ce qu'avaient dit les British. Malakhai avait commencé son entraînement avec eux. Les maudits toubibs voulaient le mettre sous tranquillisants et l'envoyer à l'hosto. En 1942, ils prenaient les gosses et les vieillards, mais ils ne voulaient rien avoir à faire avec Malakhai. Ils disaient qu'il avait perdu tout contact avec la réalité. Ils croyaient qu'il serait paumé sur un champ de bataille. Ah, pour être tordu, il était tordu ! Mais c'était pas une folie ordinaire… il ne connaissait pas la peur. On pouvait tirer un coup de feu à côté de lui… aucune réaction. Alors, je me suis dit, ce gars-là fera l'affaire. J'ai demandé à un employé de trafiquer ses papiers pour son rapatriement et sa réaffectation. Comme il était polonais, je lui ai donné un père américain. Je l'ai arraché à l'entraînement initial avant que les Rosbifs l'envoient dans un asile. Ah, c'était du travail bien fait, je vous prie de croire !

— Vous avez trafiqué pas mal de papiers pour votre

unité. Vous n'étiez pas censé renvoyer vos hommes chez eux après qu'ils avaient été découpés en morceaux ? Personne ne prenait en compte les décorations de Malakhai ? Il a été blessé sept fois, sept Purple Hearts.

— La paperasse a été retardée. La bureaucratie en temps de guerre…

— Et il a aussi été décoré pour bravoure. Il a reçu les médailles cinq ans après la fin de la guerre. Vous ne vouliez pas qu'il les ait, hein ?

— Pas tant qu'il pouvait encore servir. Si j'avais fait un rapport pour chaque breloque qu'il a gagnée, ils l'auraient renvoyé chez nous.

— Et vous vouliez qu'il meure.

— Je ne pouvais pas l'expédier aux States, pas vrai ? Le deuxième classe Malakhai était une véritable machine à tuer. Et c'est pas comme si c'était un vrai Américain.

— Il portait l'uniforme.

Le « général » Roland était manifestement exaspéré.

— Vous avez du mal à piger, ma fille. Vous savez pourquoi Hitler utilisait les chambres à gaz ? Par souci d'efficacité. Il avait mécanisé la mort pour amoindrir le choc psychologique sur les troupes. Ce fumier connaissait les dégâts que le meurtre de masse inflige aux soldats. Ils seraient tous devenus comme Malakhai. Ça leur aurait pourri l'esprit. Toute une génération de glaçons qui n'aurait jamais pu rentrer dans le civil. Ça aurait empoisonné le pays. Et Hitler ne voulait pas être le roi d'un désert.

— Et les médailles, reprocha Mallory, qui ressentait une poussée de fierté pour Malakhai. Les médailles pour blessures, les médailles pour bravoure…

— Le gosse était tordu !

Roland voulut serrer le poing, furieux qu'elle ne comprenne pas ce simple fait, mais, trop faible, n'y parvint pas.

— Et pathétique avec ça ! Des fois, des larmes roulaient sur ses joues dans les moments les plus saugrenus. Il ne pleurait pas – incapable de la moindre émotion, ce gars-là. C'était machinal. Les larmes allaient et venaient sans raison – comme si la machine était cassée. Et même là, ses yeux étaient si froids… si…

— Vous étiez jaloux de lui ?

L'insinuation rendit le « général » furieux. Il se détourna ; Mallory se rapprocha du lit.

— Vous aviez peur du deuxième classe Malakhai ? C'est pour ça que vous vouliez sa mort ?

— J'ai jamais eu peur de personne. Et certainement pas de vous, ma fille.

Il leva la tête et visa.

Mallory sursauta. Une glaire de mucus glissait le long de sa joue. Prise d'une colère froide, elle avança sa main vers lui. Il grimaça, et roula des yeux de surprise et de peur. Le petit tyran de l'asile de vieillards n'était pas habitué aux représailles. Mallory abaissa lentement la main pour saisir le coin du drap avec lequel elle s'essuya le visage.

Rassuré, il hocha la tête d'un air faussement déçu.

— Vous avez les mêmes yeux froids et vides, ma fille. Mais vous ne lui arrivez pas à la cheville.

Des postillons jaillirent de sa bouche avec la rafale de mots.

— Je parie que vous aimeriez me refiler un mauvais coup, dit-il en raidissant sa main en forme de griffe dans un geste de défi. Vous voulez arracher ces tubes et ces fils, et buter le général, hein ma fille ? Eh bien, vous n'avez qu'à…

— Erreur, lui souffla-t-elle à l'oreille en plongeant la main dans la poche de son blazer.

Il regarda son geste d'un air apeuré. Croyait-il qu'elle s'apprêtait à dégainer ? La folie des grandeurs, il ne méritait pas un tel honneur !

— Encore une question, dit-elle en sortant une feuille et en la dépliant sous ses yeux. J'ai là vos états de service… de la compagnie de téléphone. En 1950, quand vous répariez une ligne téléphonique, vous avez été mordu par un chien, un petit toutou. Vous a-t-on donné une médaille pour votre blessure ?

Elle se leva de sa chaise et le regarda de haut.

— Non ?

Roland en resta interdit. Elle avait finalement réussi à lui clouer le bec. Avoir le dernier mot était sa spécialité, la vengeance lui faisait d'habitude infiniment plaisir – mais pas aujourd'hui.

Mallory regarda le vieux se recroqueviller dans les draps, se faire de plus en plus petit. Avait-il peur ? Oui. Peut-être croyait-il qu'elle le dénoncerait aux employés de l'hôpital et que ses beaux jours de général étaient derrière lui.

Il était terrifié.

Cependant, Mallory n'éprouvait aucune joie. Seulement un vague sentiment qu'elle n'aurait pas reconnu comme de la pitié, n'étant pas familiarisée avec cette notion ; c'était contraire à sa philosophie. Elle connaissait encore moins la culpabilité, et n'en ressentit aucune lorsqu'elle s'éloigna du lit où le vieux gémissait. Lorsqu'elle franchit la porte d'entrée de l'hôpital et se dirigea vers le parking, elle avait déjà oublié Roland.

Finalement, elle n'avait pas tout à fait perdu son temps. Elle comprenait un peu mieux Malakhai. D'après Émile Saint-John, le *Concerto pour violon* de Louisa avait commencé à faire partie du spectacle de magie après la Seconde Guerre mondiale. Mais ce n'était qu'un prélude à la folie de Malakhai. Son délire sur sa femme n'avait commencé que pendant la guerre suivante.

Elle comprenait désormais pourquoi il s'était engagé en Corée dans les années 50. C'était une occasion de mourir en beauté. Mais au lieu de cela, il avait été fait prisonnier. Son dossier militaire pour cette période était plus complet, détaillant l'année d'emprisonnement dans une cellule – non, une cage – d'un mètre cinquante de large sur un mètre cinquante de haut. Après sa libération, il avait passé six mois dans un hôpital pour anciens combattants à se remettre du traumatisme de la torture... et à jouer aux cartes avec une femme absente.

*
* *

Debout près des tiroirs métalliques où les cadavres étaient étiquetés par leurs gros orteils, le sergent Riker regarda Mallory glisser le .357 dans son holster. Le poids de son revolver réglementaire alourdissait maintenant le sac à dos à ses pieds. Elle n'avait pas pensé à le remercier pour le calibre... pas plus que pour ses gains soutirés aux trois pigeons en uniforme.

Enfin, elle souriait, c'était déjà ça. Et elle n'avait pas compté l'argent du pari, la confiance était donc revenue.

Slope, le médecin légiste, chaussa ses lunettes de vue et consulta son écritoire à pince tout en longeant la paroi métallique en compagnie de l'employé de la morgue. Ils s'arrêtèrent devant un casier et l'employé ouvrit la porte pour faire coulisser le cadavre qui plaisait tant à Mallory.

Riker boutonna son manteau en s'approchant de la table. L'air glacé atténuait l'odeur de viande froide et de chlore. Le cadavre portait tous les signes d'une autopsie complète. Des coupures cruelles couraient le long du torse. Chaque organe avait été prélevé et pesé ; la chimie des sécrétions et des tissus, vérifiée. Même le crâne avait été trépané pour analyser le cerveau et tous les orifices avaient été violés – un traitement royal pour un camé mort. Quelle chance il avait eue d'appartenir à l'inspecteur Mallory !

La peau encore intacte traçait les grandes lignes d'une vie misérable. Riker pouvait dénombrer les côtes de ce toxico qui préférait l'héroïne à n'importe quel repas. Des tatouages grossiers de serpents faits avec des épingles et de l'encre ornaient les mains. Cette automutilation témoignait du temps passé entre quatre murs, peut-être dans un des nombreux centres de désintoxication dont son oncle avait payé la note. Le visage était figé dans un rictus qui retroussait sa lèvre supérieure. En lettres capitales sur une épaule, un tatouage plus professionnel figurait la complainte du jeune homme : LA VIE PUE !

Le docteur Slope congédia l'employé de la morgue d'un bref signe de tête. Abaissant ses lunettes sur le bout de son nez, il se tourna vers Mallory.

— Rentrée de vacances ?

Mallory secoua la tête.

— Si les journalistes vous le demandent, vous ne m'avez pas vue.

Riker observa feu Richard Tree, mieux connu dans les médias sous le nom de l'homme à l'arbalète. Une exagération, car c'était encore un adolescent. Certes, il avait vingt-deux ans, mais il était presque imberbe, avec quelques poils épars ici ou là, et un nez retroussé qui lui donnait un air enfantin.

— C'est une overdose, hein ?

— Oui, acquiesça le médecin. Les résultats ne sont pas encore connus. Mais je ne crois pas qu'on aura des surprises.

— La flèche a été plantée après la mort, alors, déclara Mallory.

— Si vous faites vos propres autopsies, pourquoi me déranger ? (Slope tendit son écritoire à Mallory.) Cause de la mort : overdose chez un toxicomane lourd. Mais vous le savez déjà, n'est-ce pas ?

Il retourna le bras du cadavre pour montrer les traces de piqûres à la saignée du coude.

— J'ai trouvé d'autres marques plus anciennes à la plante des pieds et derrière les genoux. Il a sans doute

258

caché son vice jusqu'à ce que ces veines-là soient inutilisables. Selon moi, ça faisait un bout de temps que la mort lui pendait au nez.

— Impossible que ce soit un meurtre ? demanda Riker en sortant son calepin.

— Impossible.

Slope semblait irrité, peut-être parce que c'était aussi quelque chose que Mallory savait déjà.

— Pas de signes de lutte, pas de bleus, pas de blessures défensives. Et la dernière piqûre est une injection de sa propre main. C'était sans doute le seul à pouvoir trouver une bonne veine dans son bras.

— Et le Sida ? questionna Riker, le stylo en équilibre au-dessus d'une page blanche, comme s'il doutait qu'il y eût des choses intéressantes à noter. Un suicide par overdose ?

— Non, fit Slope. Je suis d'avis qu'il a eu une rentrée d'argent inattendue. L'héroïne était de bonne qualité. Il était probablement habitué à une drogue coupée avec de la saloperie. Aidez-moi à le rouler.

Riker empocha son carnet et son stylo, puis, peu désireux de toucher la chair morte, enfila une paire de gants en plastique. Son niveau de délicatesse dépendait de la fraîcheur du cadavre, et celui-ci était plus que mûr. Pourquoi Mallory n'aidait-elle pas le toubib ? C'était son cadavre, après tout !

Lorsque le corps fut retourné sur le ventre, ils virent tous les traces sur son dos. Des motifs uniformes de lignes entrecroisées cn forme de rectangles.

— Ces marques sont post-mortem, annonça Slope. Mais proches de l'heure de la mort et faites avant que le corps ne soit déplacé. Peut-être une grille d'aération. Si vous retrouvez une grille du même dessin, vous saurez où il est mort. J'imagine que le corps a été transporté au moins vingt-quatre heures après le décès.

— Les seules charges seraient alors « mutilation de cadavre » ? interrogea Riker. C'est ça ?

— C'est ce qui est bizarre, admit Slope, qui remit la flèche à Mallory, étiquetée et sous scellé. La poitrine a été percée des jours après la mort du garçon. Une mort accidentelle déguisée en meurtre… j'appelle ça « intéressant ».

— J'appelle ça « brouiller les pistes », dit Mallory. Pourquoi ne pas s'asseoir sur les résultats de l'autopsie pendant quelques jours ?

— Comme vous voulez. Apportez-moi des formulaires qui légalisent l'affaire, et nous en reparlerons.

— Ça risque de prendre plusieurs jours à remplir.

— Parfait. Alors, est-ce que ça vous aide ? Ou est-ce que j'ai perdu mon temps ?

— Y a rien que je puisse vraiment utiliser, dit Mallory. Mais vous pouvez encore m'aider. Que savez-vous sur les AIT, les accidents ischémiques transitoires ?

— Gagnons du temps. Qu'est-ce qui vous intéresse ?

— Il s'agit de Malakhai.

Le médecin légiste ouvrit de grands yeux, aussi surpris que Riker.

— Ça dure depuis un an, expliqua-t-elle. À chaque attaque des neurones meurent, des souvenirs sont détruits. Les crises sont de plus en plus fréquentes, et je voudrais savoir combien de temps il me reste avant qu'il meure lui-même ou que sa mémoire soit effacée.

— Navré de l'apprendre, dit le docteur Slope en repoussant le casier et en refermant la porte. S'il a un traitement, il peut continuer à vivre sans trop de dommages. Je ne peux pas vous dire quand un homme va mourir. Ça pourrait aussi bien être demain que l'année prochaine. Mais un jour ou l'autre, il aura une attaque sévère. Ce qu'il connaît actuellement n'est probablement pas aussi accablant – il perd la notion du temps, saute quelques minutes ou même quelques heures. L'agilité et

260

la mobilité ne sont pas affectées. L'intellect non plus – il n'y a pas de risque de démence. Ce qu'il risque de perdre, ce sont les dates et les souvenirs précis.

— Et les gens ?

— Il peut ne plus reconnaître certaines personnes d'une époque antérieure. Tout dépend de la gravité des attaques.

Riker regarda ses chaussures, espérant dissimuler sa surprise... et son humiliation. Qu'est-ce que Mallory lui avait encore caché ?

— Pour l'instant, ses crises sont légères, dit Mallory. Pourrait-il avoir commis un meurtre et ne pas s'en souvenir ?

— C'est possible, concéda le médecin, mais improbable à ce stade. Ce n'est pas comme l'Alzheimer. D'habitude le présent n'est pas touché, ce sont les souvenirs anciens qui disparaissent les premiers. Mais c'est toi qui as appris à Malakhai comment sa femme avait été assassinée. Est-ce que ça n'écarte pas le mobile de la vengeance *avant* la partie de poker ?

Riker était furieux ; Mallory ne lui avait pas parlé de ça non plus. Il essaya de croiser son regard.

Mallory ignora ostensiblement son coéquipier ; elle détourna les yeux et ne s'adressa qu'à Slope.

— Malakhai savait déjà comment sa femme était morte. Il ne connaissait peut-être pas les détails, mais il savait que la flèche ne l'avait pas tuée. Il a vu bien plus de cadavres que vous et il a essuyé des blessures autrement plus graves que celle de Louisa.

Le docteur Slope hocha la tête.

— Pourquoi avoir attendu plus de cinquante ans pour se venger ?

Mallory ne remarqua pas que Riker s'éloignait d'elle.

— Je l'ignore, admit-elle.

Elle fixait le casier où était entreposé le corps de son camé.

— Mais ce cadavre était une excellente façon de brouiller les pistes.

Elle produisit une pochette en velours vert. Riker la reconnut. C'était celle que Charles lui avait donnée lorsqu'il lui avait montré le trousseau de clés qui provenait du théâtre de Faustine.

Elle tendit la pochette au médecin légiste.

— Ça vous rappelle quelque chose ?

Slope examina le F brodé.

— C'est exactement la même qu'on a retrouvée sur le cadavre d'Oliver Tree.

— On ? s'étonna Riker, espérant que Slope parlait de ses assistants. J'ai raté quelque chose ? Vous avez fait l'autopsie d'une victime d'un accident ?

Slope abaissa ses lunettes.

— Un accident d'une grande violence, et très controversé. Bien sûr que nous avons examiné le corps. Nous ne l'avons pas découpé, rien de très approfondi. Mallory est le seul flic qui ait daigné se montrer pour assister à l'opération. Elle ne vous l'a pas dit ?

— Ça a dû lui sortir de la tête.

Riker s'affaissa contre le casier, soudain lessivé.

Mallory reprit la pochette en velours et se tourna vers son coéquipier.

— Je t'avais expliqué qu'Oliver n'avait qu'à échanger les clés – la neuve pour la vieille d'un simple tour de main. La pochette facilitait l'opération. C'était à la portée du premier pickpocket venu.

Sans la regarder, Riker mit son chapeau et boutonna son manteau. Elle ne parut pas s'apercevoir qu'il était en colère. Ou plutôt, cela lui était égal. Il la laissa parler au vide et poussa les portes battantes. Il était parvenu à la moitié du couloir lorsqu'il l'entendit courir après lui.

— Riker, attends !

Il ne s'arrêta pas ; il voulait respirer l'air frais et rester seul. Elle le rattrapa et marcha à côté de lui. Il refusa de la regarder – il ne pouvait pas.

— Où vas-tu, Riker ?

— Au théâtre.

Il consulta sa montre. Il allait être en retard pour son rendez-vous avec Franny Futura.

— Je dois mettre les scellés sur la scène du crime pour que les magiciens puissent…

— Pas si vite. J'ai besoin des caractéristiques techniques de l'intérieur de la plate-forme d'Oliver. Je te rejoindrai là-bas. Nous déjeunerons ensemble, d'accord ?

— Je n'ai pas faim, mon petit.

Il était presque arrivé au bout du couloir, au bout de sa patience.

— Ça sera pour une autre fois… quand tu seras adulte.

Il sentit sa main sur son bras et stoppa pile pour l'observer. Était-ce de la surprise qu'il lisait dans ses yeux ? Oui. Elle le scrutait, s'étonnant sans doute qu'il puisse se fâcher avec elle. L'empathie n'était pas son fort.

— Tu n'as pas changé, Mallory. Si je me souviens bien, tu ne partageais jamais tes jouets avec les autres enfants.

— Les autres enfants ne voulaient pas jouer avec moi, rétorqua-t-elle, tu le sais parfaitement.

Elle avait dit cela sans rancœur, tel un fait brut. C'était bien visé.

Il ne lui avait jamais connu un seul camarade de son âge. Elle devait jouer avec les flics de la Brigade spéciale, et les ordinateurs avaient remplacé la corde à sauter. Elle effrayait les gamins des foyers plus traditionnels.

Riker se radoucit, comme s'il parlait à la Kathy enfant.

— C'est pas bien de traiter ton coéquipier comme ça. Je t'ai donné tous les renseignements que je possédais, et toi…

— Et chaque fois que je t'apportais un indice, tu le repoussais. Chaque fois, Riker. Tu n'étais jamais de mon côté.

C'était à son tour d'être en colère. Il avait à peine cillé et les rôles s'étaient inversés… Comment avait-elle fait ?

Elle se planta devant lui, mains sur les hanches.

— Tu imagines si j'avais mentionné l'autopsie d'Oliver ? L'autre jour sur le char, tu m'aurais ri au nez ! Et il a fallu que tu te mettes avec Coffey contre moi !

Oh, là, minute ! Non, ça ne marcherait pas… pas aujourd'hui. Elle était dans son tort, il n'était pas prêt à endosser la faute.

— Parfait, dit-il en déboutonnant son manteau. Tu veux que je te rende ton cadeau de merde ? Tiens, le voilà.

— Non ! l'arrêta-t-elle en posant une main sur la sienne. Tu as gagné ce manteau.

L'orage était passé. Un vague sourire aux lèvres, elle reboutonna soigneusement son vêtement, puis lui brossa les épaules et inspecta le tissu à la recherche de salissures. Elle était de nouveau Kathy, une fillette de dix ans.

Le combat n'était pas équilibré.

— Le manteau, c'est une dette, dit-elle. Pour le jour où tu as niqué le dentiste.

— Quoi ?

Mallory fit demi-tour et se dirigea vers la morgue, le laissant nager en pleine confusion avec un début de migraine. C'était bien son style… on frappe et on s'en va… rien de changé en quinze ans.

Le dentiste ?

Il n'avait plus repensé à cet incident depuis des années. Quel âge avait-elle ce jour-là – onze ans ? Il s'était porté volontaire pour l'accompagner à son rendez-vous après l'école. Dans la salle d'attente, le dentiste les avait accueillis avec un petit sourire narquois.

— Où est l'inspecteur Markowitz ? s'enquit-il. Elle l'a tué ? ajouta-t-il en désignant la petite fille à côté de Riker.

La jeune Kathy n'avait pas apprécié l'humour. Elle avait visé le tibia du bonhomme, mais Riker l'avait tirée par le col de son manteau pour éviter un esclandre.

Le dentiste, qui se trouvait très drôle, en avait rajouté.

— Peut-on menotter ce petit monstre au fauteuil cette fois ?

Après avoir plaqué le dentiste contre le mur, Riker lui avait demandé s'il avait l'habitude de passer les menottes à ses jeunes clientes. Et trouvait-il cela normal ? Le dentiste était terrifié.

Les yeux de Kathy avaient pétillé de joie à la pensée que le dentiste allait perdre toutes ses dents, mais Riker l'avait déçue, en le relâchant.

Il avait alors pris la gamine par la main pour l'emmener donner à manger aux écureuils dans Washington Square. Il lui avait parlé de la vie, la prévenant qu'elle était parfois injuste, cruelle. *Quel idiot !* Comme si une ancienne gosse des rues avait besoin qu'on le lui rappelle, elle qui avait dû fouiller les poubelles les jours où elle ne pouvait pas voler de quoi manger. Lorsqu'il lui avait demandé si le dentiste l'avait blessée, elle avait menti en secouant la tête sans un mot. *Non, bien sûr que non, imbécile.*

Il l'avait alors mieux comprise ; quelque chose dans sa façon de se mordre la lèvre inférieure – Kathy la stoïque. Si elle avait pleuré, si elle s'était plainte – juste une fois –, elle n'aurait jamais eu une telle emprise sur lui.

Il regarda son beau manteau. *Une dette ?* Était-ce, selon elle, la dernière fois qu'il l'avait défendue ?

CHAPITRE 13

Mallory mit sa main en visière pour observer l'homme sur son échelle. Il travaillait sur une marquise à l'ancienne, bordée d'ampoules jaunes et surmontée d'élégants caractères en or proclamant : « Théâtre de Magie de Faustine ». La liste des artistes était placardée de chaque côté du surplomb. Parmi les magiciens annoncés pour la prochaine représentation, Franny Futura était la tête d'affiche et le seul nom que Mallory connaissait.

Le bâtiment était certes à vingt-cinq blocs du quartier des théâtres, mais c'était encore Broadway. Pas une mauvaise adresse pour l'homme que Charles avait qualifié de « pièce de musée ».

Mallory reporta son attention sur les portes en verre garnies de fines roues de métal. Riker avait enlevé les rubans jaunes de la scène du crime. Était-il encore là ? Toujours fâché ? Le cadeau d'anniversaire aurait dû couvrir une multitude de péchés, un remboursement pour les crimes qu'elle n'avait pas encore songé à commettre. En réalité, elle lui avait acheté ce manteau parce que le vieux était trop élimé pour lui tenir chaud, mais admettre cette simple explication lui aurait coûté trop cher.

Elle s'arrêta près de l'entrée pour inspecter une petite

vitrine où les photographies de la grand-mère d'Oliver étaient disposées en cercle autour d'une plaque à sa mémoire. Suivant le sens des aiguilles d'une montre, la jeune brune mince se transformait peu à peu en une corpulente diva affublée d'une perruque. Dans son portrait le plus récent, ses yeux étaient lourdement soulignés au rimmel et sa bouche agrandie par du rouge à lèvres trop foncé. Certains traits demeuraient constants, tel son air carnassier, son menton proéminent témoin d'une farouche détermination, et ses yeux durs. Qui avait jamais osé contrecarrer cette femme ? Personne, se dit Mallory.

Elle franchit la porte et se retrouva dans un petit foyer. Certains changements avaient eu lieu depuis la vente aux enchères. Un canapé vert foncé meublait le petit espace. L'odeur de cuir neuf se mêlait à celle de plâtre frais. Un crachoir en cuivre terni se dressait à côté d'un cendrier sur pied. Les murs et la moquette étaient dans les tons vert pâle. Faustine avait manifestement un penchant pour cette couleur… et pour les beaux jeunes gens.

Ses apprentis figuraient ensemble sur un poster géant entouré d'un cadre en or ouvragé. Mallory lut la plaque en cuivre apposée sur le mur.

Ainsi, cette photo datait de 1940, lorsque Faustine vivait encore ; avant que les sièges n'aient été enlevés pour transformer le théâtre en night-club ; avant que la guerre n'ait assombri la ville, envahie par les uniformes gris des forces d'occupation. Deux ans avant l'arrivée de Louisa. Oliver Tree n'était pas parmi les jeunes gens en smoking et haut-de-forme. Incontestablement, sa propre grand-mère ne le considérait pas comme un magicien.

Le jeune Max Candle était debout dans le fond, trop grand pour figurer en entier dans le cadre. Une énergie explosive exsudait de lui. Il semblait sur le point de s'envoler, d'échapper à l'objectif, de surgir dans le réel.

Dans ses yeux se lisait l'espérance des merveilles à venir.

Mais Malakhai dégageait une force encore plus impressionnante, bien qu'il n'eût que quinze ans en 1940. Il était le centre dynamique de la photo, trônant sur un fauteuil au haut dossier droit, un enfant-roi avec de longs cheveux qui retombaient sur ses larges épaules. Dans un sens, M. Halpern ne s'était pas trompé – seuls les cheveux de Malakhai avaient vieilli. Quelque chose du garçon et de sa beauté habitait encore l'homme à la fin de sa vie.

Les autres avaient suivi le cours naturel du temps, leur visage et leur physique épousant les rigueurs de l'âge. Le jeune Émile Saint-John était glorieux, avec d'épaisses boucles brunes et un corps de dieu – un dieu lointain, car ses yeux étaient dirigés vers quelque paysage intérieur. Franny Futura était délicat, presque efféminé, avec une moue boudeuse, des lèvres pleines et de longs cils. Mais Mallory reconnut à peine Nick Prado en adolescent lisse et ténébreux. Légèrement à l'écart des autres, c'était un personnage sombre au regard noir langoureux et au sourire narquois qui semblait dire : « Eh oui, je suis beau, n'est-ce pas ? » Il ne ressemblait nullement au Prado adulte, sinon qu'il était déjà imbu de lui-même.

Des éclats de rire parvinrent de la salle. Mallory colla son œil à la vitre ronde qui ornait la porte du foyer. Trois des apprentis de Faustine étaient sur scène. Émile Saint-John se tenait contre la toile de fond d'un rideau vert. Assis sur des cageots, Nick Prado et Franny Futura se passaient une bouteille de champagne. Les tables de la vente aux enchères avaient disparu, ainsi que la plate-forme d'Oliver. Le producteur d'Hollywood avait dû l'emporter.

Maudit Riker !

Il savait pourtant qu'elle voulait jeter un dernier coup

d'œil à l'intérieur ; mais il avait autorisé l'acquéreur à expédier la plate-forme sur la côte Ouest. Furieuse, elle poussa la porte battante et descendit l'allée centrale d'un pas rageur.

— Qu'est-ce que vous fichez ? (Trois têtes se tournèrent vers elle.) J'imagine qu'il ne s'agit pas de la veillée funèbre du neveu d'Oliver.

— Tiens, salut ! lança Nick Prado en rentrant son ventre. On profite du butin de la vente. (Il agita un jeu de clés.) Le sergent Riker nous a laissés entrer. (Il abaissa son regard sur la bouteille de champagne qu'il tenait à la main.) Et, naturellement, on se devait de baptiser comme il convient le théâtre d'Oliver.

En plissant les yeux pour mieux la voir, Franny Futura s'avança dangereusement du bord de la scène. D'habitude tiré à quatre épingles, il avait la cravate de travers, et la bouche aussi – déformée par un sourire bête. Il brandissait un verre en plastique et zigzaguait ; il s'emmêla les pieds et atterrit sur les fesses. Les yeux ronds, aussi innocent qu'un bébé malgré ses cheveux grisonnants, il s'assit bien droit, jambes écartées, avisa son verre qui, par miracle, ne s'était pas renversé et bredouilla quelques paroles incohérentes du genre : « Finalement, il y a bien un bon Dieu ! »

Mallory gravit les marches qui menaient sur scène.

— Où est la plate-forme ?

Si on l'avait emportée récemment, elle était peut-être encore en ville, à portée d'inspection.

— Pas de panique, s'empressa Saint-John, rassurant.

Il écarta la toile de fond pour lui laisser entrevoir la grande structure en bois qu'elle masquait. Les quatre arbalètes étaient en position, braquées sur les piquets de bois en haut de l'escalier.

— Riker a dit au producteur qu'il ne pourrait pas l'emporter avant quelques jours.

— L'avocat d'Oliver vous adore, dit Prado en se

matérialisant à côté de Mallory, empestant la vinasse. La découverte du cadavre a probablement doublé le prix de la plate-forme. Et, bien sûr, Franny vous adore lui aussi. On jouera à guichets fermés pendant toute la durée du festival.

Il abaissa son regard sur Futura, qui restait assis par terre et sirotait son champagne.

— Dire que tu croyais qu'on était trop loin du quartier des théâtres pour attirer la foule ! lui déclara-t-il.

Et il se pencha pour lui délivrer une bourrade amicale dans le dos. Futura se voûta, bascula en avant, puis tomba lentement en arrière. Il s'affala sur le dos, mais ne renversa pas une goutte de champagne.

Émile Saint-John, qui était en train de déboucher une nouvelle bouteille, empoigna Futura par le bras de sa main énorme et le hissa sur ses pieds.

— Tu as encore à boire, Franny ?

Prado gratifia Mallory d'un sourire tout en produisant un rond de soie noir qu'il déplia en un tournemain pour se coiffer d'un chapeau claque.

— Excusez Franny, dit-il, il n'est pas lui-même. *Dommage !*

Appuyé sur le bras de Saint-John, Futura souriait d'un air béat, complètement insensible à la peur – mais Mallory savait que ça changerait bientôt. Demain, lorsqu'il serait dessoûlé, elle aurait officiellement hérité de l'affaire. Pour faire bonne mesure, elle ordonnerait à deux flics en uniforme d'appréhender Futura et de le ramener au poste. Elle ne lui donnait pas plus de cinq minutes pour se mettre à table.

Nick Prado ajusta la cravate de Futura.

— Il n'est pas brillant, n'est-ce pas ? Ah, si vous l'aviez connu quand il était jeune et beau ! Faustine n'engageait que les plus séduisants magiciens de Paris. Ah, comme le temps abîme les corps !

Apparemment, Prado ne s'incluait pas dans ce processus du vieillissement. Quel étrange miroir cet égotiste devait avoir, un miroir qui l'aveuglait, peut-être à l'instar des glaces déformantes de Max Candle. La réplique de cet accessoire était posée sur une caisse en bois et servait de table pour les bouteilles de champagne et un assortiment de mets fins.

Mallory suivit la forme mouvante de Saint-John dans la glace, s'amincissant et grossissant tour à tour. Il avait mieux vieilli. On retrouvait en lui la sérénité du jeune homme sur la photo, son excès de poids ne semblant être qu'un lest indispensable pour circuler dans le monde. Il ne devait pas se briser facilement. Comme sujet d'interrogatoire, il posait un problème des plus intéressants.

Mallory avisa les vestiges du pique-nique impromptu. La glace déformante était jonchée de restes de mets fins sur des assiettes en carton. Elle fixa Futura jusqu'à ce qu'elle croise son regard vitreux.

— Vous n'avez pas invité Malakhai ? s'étonna-t-elle.

— Oh, il ne va pas tarder, répondit Futura, pas déstabilisé pour deux sous et bien trop jovial. Il fouine dans la cave de Charles.

Saint-John sortit un verre en plastique d'un sac en papier.

— Où en est le champagne ?

— Je m'en occupe, Émile, assura Prado.

Il s'escrimait sur le bouchon d'une nouvelle bouteille. Une petite explosion, semblable à un coup de feu, retentit. Franny Futura sursauta avec quelques secondes de retard.

Saint-John tendit le verre à Mallory et lui versa un champagne millésimé qui avait dû coûter les yeux de la tête. Il alluma ensuite un cigare, tout aussi luxueux.

— Cubain ? s'enquit Mallory en voyant l'emballage.

Il acquiesça, se fichant apparemment d'exhiber du tabac de contrebande devant un inspecteur de police.

— Comme ça, dit-elle en s'adressant à son verre, espérant paraître désinvolte, Malakhai n'a pas encore trouvé ce qu'il cherchait dans la cave ?

Saint-John haussa les épaules pour signifier qu'il n'en avait aucune idée.

— Charles pourra peut-être vous le dire. Nous n'avions plus rien à manger ; il est parti chercher des provisions avec le sergent Riker. Ils ne vont pas tarder.

— Vous croyez que Malakhai recherche une photo de sa femme ? demanda Mallory en posant son verre sur la glace déformante. J'ai cru comprendre que les photos de Louisa étaient rares.

Elle regarda Futura. Il leva lentement ses mains en souriant pour lui montrer qu'il ne lui cachait rien. Elle s'approcha.

— Vous vous souvenez d'elle ? Avait-elle les cheveux longs la première fois que vous l'avez vue ?

Futura montra un point juste en dessous de ses épaules.

— À peu près jusque-là.

— Si je me rappelle bien, intervint Prado, elle avait les cheveux courts.

Il versa du champagne dans le verre de l'ivrogne.

— Oui, mais c'était plus tard, dit Futura. La première fois que…

Il perdit le fil de ses pensées lorsque Prado leva son verre pour proposer un toast.

— Aux jours glorieux du théâtre de Faustine !

Saint-John trinqua avec lui.

— Glorieux ? Oh, Nick, quel menteur tu fais ! (Saint-John désigna la salle d'un geste large.) Oliver a fait quelques améliorations. Le théâtre de Faustine était merveilleusement miteux. Après la mort de la vieille, nous l'avons changé en night-club. La salle était toujours pleine de fumée et ça puait le whisky et le vin bon marché.

— Et la cuisine était infecte, renchérit Mallory qui fit face à Saint-John tel un boxeur. Les soldats allemands étaient vos meilleurs clients. Oh, pas des officiers ! À moins que vous ne comptiez le soir où Malakhai portait cet uniforme de la Gestapo.

Saint-John était bien trop placide pour qu'elle le déchiffre. Que fallait-il pour le faire sortir de ses gonds ?

— Les Allemands buvaient trop souvent à l'œil, on ne gagnait pas assez d'argent.

Il prit le verre que Mallory avait reposé et le lui mit dans la main.

— Mais c'était une troupe formidable. Ça a duré comme ça pendant des années.

— Mais sans bénéfices. (Mallory ne le quittait pas des yeux.) Vous travailliez tous dans la journée pour vous en sortir. Que faisiez-vous, Saint-John ?

— J'avais le don de faire les poches aux badauds.

Il fit une courte révérence et tendit un objet en or qui pendait au bout d'une chaînette.

— C'est à vous, je crois.

Mallory accepta la montre de gousset. Son contact à Interpol avait confirmé le passé du personnage qui essayait de concilier sa carrière de policier avec ses talents de pickpocket.

— Et Louisa, comment gagnait-elle sa vie ?

Émile Saint-John fut le premier à répondre. Il se conduisait en leader. Les autres s'inclinaient devant lui.

— Louisa jouait du violon dans les rues.

Futura éclusa son verre.

— Mais elle gagnait davantage de fric en jouant au poker dans l'arrière-salle, dit-il.

— La même arrière-salle où elle a été assassinée ?

Un éclair de sobriété anima le visage de Futura. Prado lui donna une grande claque entre les omoplates, comme pour le remettre sur le chemin de l'ivresse – ce qui arriva.

— La mort de Louisa fut un tragique accident, déclara Saint-John.

Mallory se détourna de Futura pour l'affronter.

— Comme celui d'Oliver ?

— Exactement.

Il sourit, content qu'elle comprenne… enfin.

— Je peux prouver qu'Oliver a été assassiné.

Elle dévisagea les trois hommes tour à tour. Seul Futura, qui paraissait maintenant dessoûlé, montra des signes d'inquiétude.

Prado la gratifia d'un regard mauvais.

— Comment peut-on être aussi belle et ressentir un tel intérêt morbide pour le meurtre ! Y a-t-il autre chose dans votre vie… à part la mort ?

— C'est un intérêt professionnel, Prado.

Elle le surveillait du coin de l'œil, sans daigner le regarder en face, prenant volontairement sa remarque à la légère.

— Je sais ce que vous faisiez pendant la guerre. Vous travailliez pour les Britanniques. Vous étiez un tireur d'élite.

— Un peu plus que ça, corrigea-t-il avec un charmant sourire, indulgent pour son omission, son incapacité à apprécier pleinement ses talents. Sur scène, j'étais le roi du tour au pistolet.

— Vous étiez un sniper.

Elle dit cela comme une insulte en le regardant droit dans les yeux, comme si elle venait juste de remarquer sa présence et la trouvait insignifiante.

— Vous n'approchiez jamais de vos victimes. Elles n'étaient pas plus grosses que des fourmis lorsque vous leur tiriez dessus. Ça correspond assez bien avec la tentative de meurtre pendant le défilé. Il se trouve que je recherche un tueur embusqué… un homme qui a tiré un coup de feu d'assez loin.

Prado éclata de rire. Mallory avait espéré qu'il perde ses moyens. Elle fut déçue.

— Ah, c'est donc ça ? Qui a tué le chien ballon ? (Il désigna le verre auquel elle n'avait pas encore touché.) Buvez votre champagne, Mallory. Faites la fête !

Saint-John prit les choses davantage au sérieux.

— Si c'est un interrogatoire, je devrais peut-être appeler mon avocat.

— Tu n'as pas pu tirer sur le ballon, intervint Futura, dont les lèvres s'étirèrent en un sourire idiot.

Il se dirigea vers Émile Saint-John en chancelant et lui serra le bras d'un geste rassurant.

— Lorsque le coup est parti, tu étais sur le char avec moi.

— La prochaine fois, fit Mallory, le sniper ne ratera pas son coup. L'un d'entre vous est menacé de mort. Si vous tenez à la vie, vous vous confierez à moi. Tout remonte au meurtre de Louisa. Pourquoi ne pas commencer par là ?

— Quand Louisa est morte, dit Prado, nous n'avions aucune expérience. Aucun d'entre nous n'était encore dans l'armée.

— Faux ! (Futura se leva et tituba.) Émile était dans la Résistance.

Saint-John parut surpris pour la première fois.

— Comment l'as-tu appris, Franny ?

— Laissez-moi deviner, intervint Mallory. Qui d'autre qu'un résistant reconnaîtrait un autre résistant ?

— Je plaide coupable, dit Franny.

Mallory se rapprocha de Futura.

— Mais il y a une autre explication : vous travailliez peut-être pour les Allemands.

Prado passa un bras protecteur autour des épaules de Franny Futura.

— Je vous l'ai déjà dit, Mallory. La moitié de Paris travaillait pour les Allemands. Je faisais moi aussi des affaires avec eux. J'adorais les cigarettes américaines, mais les Allemands possédaient les meilleurs vins français. Qu'est-ce que j'y pouvais ?

Mallory l'ignora pour se concentrer sur Futura.

— Les résistants ? On les appelait aussi des terroristes. Émile et vous, vous lanciez des bombes et vous cavaliez avant qu'elles explosent. Alors, entre vous deux... (Elle loucha vers Prado.) Et ce sniper... j'ai trois suspects possibles.

— Vous faites ça avec une telle cruauté ! remarqua Prado. On ne croirait pas que vous êtes officier de police. Vous foncez sur l'ennemi, vous avez envie de l'étreindre, de le briser. C'est très sexuel. Vous n'avez donc aucune vie sexuelle normale, inspecteur Mallory ?

— Nick ! l'arrêta Saint-John.

C'était lui la voix de la censure ; les autres battirent en retraite dans un coin de la scène.

Mallory suivit Prado. Elle n'en avait pas terminé avec lui.

— En 1942, vos affaires marchaient bien. J'ai vu comment vous avez trafiqué le passeport de Louisa. (Elle s'adressa à Saint-John et à Futura.) Vous aviez tous quelque chose à perdre si elle était arrêtée par les Allemands. Ils savaient faire parler leurs prisonniers, n'est-ce pas ?

— Les Français de Vichy étaient tout aussi sadiques, dit Prado. D'ailleurs, qu'est-ce que les Allemands auraient fait de Louisa ? C'était une étudiante quand elle est arrivée à Paris.

Mallory lui tourna le dos en hochant la tête pour lui montrer qu'elle avait éventé son mensonge.

— Vous saviez que Louisa n'était pas une simple réfugiée. Lorsque Malakhai l'a amenée à Paris, il lui a coupé les cheveux et l'a habillée en garçon. Ensuite, il l'a cachée dans un endroit où personne n'aurait eu l'idée de la chercher : sous les projecteurs d'un night-club fréquenté par les soldats allemands. Même s'il ne vous avait pas dit qu'elle s'était échappée d'un camp, vous auriez su qu'elle était recherchée. Vous étiez tous au courant.

Elle concentra son attention sur Futura, le plus susceptible de flancher, ivre ou pas.

— Malakhai a visé sa femme avec une arbalète. Mais ce n'est pas lui qui l'a tuée. Le meurtre a eu lieu après qu'il s'était enfui du théâtre.

Futura se tourna vers Prado, et lui souffla :

— Malakhai a rompu…

Prado le regarda dans le fond des yeux pour le faire taire.

Saint-John remplit les verres.

— Tu parles trop, tu ne bois pas assez, Franny. (Il s'adressa à Mallory.) C'est un interrogatoire officiel ?

— Pas du tout. C'est un service que je vous rends. L'un d'entre vous a assassiné Louisa.

Elle dévisagea Futura, ravie de le voir renverser son vin tellement il tremblait.

— Il vaut mieux que je vous démasque avant Malakhai, lui glissa-t-elle à l'oreille. Vous savez ce qu'il faisait pendant la guerre. Ses victimes finissaient en petits morceaux.

Prado remplit le verre que Futura avait renversé. Il ne souriait plus.

— Nous avions tous décidé de ne rien dire sur Louisa – dans l'intérêt de Malakhai. C'est de l'histoire ancienne, Mallory. Laissez tomber.

— La mort d'Oliver, ça c'est du présent.

— Mais quel rapport avec Louisa ?

Prado semblait réellement agacé.

— Oliver avait aidé Max Candle et Malakhai à construire la plate-forme, mais aucun de vous ne l'a revu entre 1942 et le jour où il est mort dans Central Park.

Elle les dévisagea tour à tour, à l'affût du moindre regard qui la contredirait, admettant qu'ils avaient menti dans leurs dépositions.

— Cinquante ans ont passé. Et voilà qu'Oliver refait surface avec son invitation sibylline. L'un d'entre vous a cru qu'il allait parler de la mort de Louisa. Une inculpation pour meurtre n'est jamais prescrite. Mais ça devient vraiment angoissant quand on sait de quoi son mari est capable. Qui aimerait avoir Malakhai pour ennemi ?

Qui, à part elle ?

Futura porta la main à sa bouche, sur le point de vomir. Nick Prado l'emmena aux toilettes en déclarant :

— La fête est finie, Franny.

Saint-John les suivit. Lorsque la porte se fut refermée sur le trio, Mallory tira le rideau pour dévoiler la réplique de la plate-forme de Max Candle. Cette fois, elle vérifia le magasin des arbalètes avant de gravir les quinze marches qui menaient en haut de l'estrade.

Elle passa quelques minutes à quatre pattes, mesurant et inspectant les manettes du plancher. Elles étaient dans la même position que celles de la plate-forme originale. Seuls les gonds des trappes étaient différents, plus solides. Il n'y avait pas de jours entre les planches à la jointure des gonds et de l'estrade.

Après avoir vérifié l'extérieur, Mallory actionna la clenche près du panneau central et la porte s'ouvrit sur l'intérieur obscur. Dans sa jeunesse, elle ne serait jamais entrée car il n'y avait qu'une issue, et Kathy, la fille des rues, avait toujours évité les lieux clos, pièges éventuels. Même maintenant, elle ne s'y aventurerait pas sans réticences.

Qu'est-ce qui la fit se retourner, elle n'aurait su le dire. Émile Saint-John n'avait pas fait de bruit en arrivant dans son dos. Il tenait sa montre de gousset – encore !

— Désolé, dit-il, c'est l'habitude.

Il la lui rendit, puis franchit le rideau et se dirigea vers la table de fortune. Il ramassa un verre plein que Mallory avait laissé sur la glace déformante.

— Il y a quelque chose dont j'aimerais discuter avec vous. Autour d'un verre, peut-être ?

Mallory accepta le champagne.

— Vous voulez que je cesse d'effrayer Futura ?

— Euh, ça serait sympa.

Il sourit en se servant une coupe.

— Franny est quelqu'un de craintif. Mais je suis sûr que vous l'avez deviné à la minute où vous l'avez rencontré.

Mallory acquiesça.

— Alors, comment s'est-il retrouvé dans la Résistance ? Ça ne cadre pas avec…

— Les cocktails Molotov et les mitraillettes ? (Émile Saint-John rit de bon cœur.) À Paris, il travaillait à la poste. Il n'a jamais jeté une bombe de sa vie, jamais manipulé une arme à feu. Sa tâche consistait à intercepter les lettres de dénonciation. Croyez-vous que…

— Les lettres des mouchards.

Personnellement, Mallory était favorable aux mouchards. La police ne pouvait pas s'en passer.

— Oui, c'était une sale habitude pendant l'Occupation, les gens se dénonçaient les uns les autres.

Il alla s'asseoir sur la première marche de la plate-forme.

— Mais les vrais délits étaient rarement rapportés. Le chien de votre voisin pisse sur vos azalées ? Le facteur vous cocufie ? Dénoncez-le, dites que c'est un terroriste. Écrivez une lettre, pas besoin de la signer.

Saint-John s'accouda sur la marche supérieure et regarda le verre de Mallory d'un air suspicieux.

Parce qu'elle ne trinquait pas avec lui ?

Elle but une gorgée – juste pour qu'il continue.

— Ça se fait encore, reprit-il. Les journalistes et leurs sources – des cafards qui ne sortent jamais au grand jour. Nous n'avons pas retenu les leçons de la guerre.

Lorsqu'il marqua une pause, Mallory but une autre gorgée de champagne. Riker lui disait toujours qu'il ne faisait pas confiance à ceux qui refusaient de lever le coude avec lui. Elle n'avait jamais bu avec Riker, cela expliquait peut-être beaucoup de choses.

— Franny a sauvé bien des vies grâce aux lettres qu'il interceptait, dit Saint-John. Mais il vivait constamment dans la peur – tremblant à chaque coup frappé à la porte, pensant sans cesse à une arrestation en pleine nuit. Avez-vous une idée des atrocités qu'on infligeait aux gens comme lui ? Une balle dans la tête aurait été une bénédiction. Et vous voilà, Mallory, jeune et forte, armée d'un gros revolver, frappant à la porte de Franny.

Elle médita sur ce nouveau rôle qu'il lui attribuait – celui d'un monstre.

— Puis-je vous poser une question – entre flics ?

Il sourit. Malakhai l'avait peut-être prévenu qu'il lui avait parlé de son métier pendant le dîner. Elle s'assit à côté de lui sur la marche.

— Vous avez cessé vos tours d'illusionnisme pendant les années 50. Je me demande donc d'où proviennent vos biens, votre fortune. Vous n'avez pas amassé ce pactole grâce à votre salaire de responsable d'un bureau d'Interpol.

Étrangement, Émile Saint-John ne parut pas étonné. Ce n'était pas une information qu'elle tenait de Malakhai, elle l'avait glanée grâce à son contact informatique. Saint-John était-il au courant ? Oui, son sourire le disait.

Ainsi, son correspondant d'Internet en Europe l'avait doublée ?

Le fumier, le misérable petit fumier…

— Vous avez raison, admit Saint-John.

Il but une gorgée de vin, la dégusta, prenant son temps.

— Ma carrière sur scène a été courte comparée à toutes les années que j'ai passées à Interpol. Mais j'ai effectivement hérité un paquet d'actions de ma famille. Je n'ai pas fait de marché noir, si c'est à ça que vous…

— Revenons en arrière. En 1942, vous étiez un jeune policier à Paris. Je sais que le certificat de décès de Louisa était un faux. Vous vous trouviez sur les lieux du crime le soir où elle est morte. Qu'avez-vous…

— Non, vous essayez de deviner, l'arrêta Saint-John, le bras en l'air comme un flic qui règle la circulation à un carrefour.

Il sortit un cigare d'un étui en platine, puis désigna le verre de Mallory.

— Buvez, je parlerai.

Elle le regarda prendre un coupe-cigares dans la poche extérieure de sa veste, couper un morceau de tabac, rempocher le coupe-cigares et chercher lentement son briquet. Mallory apprécia sa manière de faire patienter son interlocuteur, de le torturer…

— Mallory, je sais que vous vous êtes renseignée sur mon compte. J'ai parlé à l'agent d'Interpol – votre contact sur Internet. (Il hocha la tête avec une tristesse feinte.) Vous devriez mieux choisir vos amis. Philippe Breton ne s'est pas montré assez discret. Je suis à la retraite depuis quinze ans, il a donc dû se donner un mal de chien pour me retrouver à New York. Il m'a téléphoné à mon hôtel pour me demander si je vous avais rencontrée. Il voulait savoir à quoi ressemblait la mystérieuse fliquette new-yorkaise.

Il gratta son briquet et tira sur son cigare, recrachant un nuage de fumée.

— C'est un jeune homme un peu superficiel. Il ne

vous arrive pas à la cheville. Je lui ai donc dit que vous aviez des lunettes de myope et des jambes comme des poteaux. Pardonnez-moi, Mallory, mais je lui ai également dit que vous aviez un teint cireux. J'espère que vous ne m'en voulez pas pour ce mensonge dicté par un intérêt paternaliste.

Ils marquèrent une pause, observant tranquillement la fumée s'élever vers la passerelle au-dessus de leurs têtes. Mallory but son champagne et Saint-John poursuivit.

— Naturellement, Philippe ne pourra plus bavarder avec vous. Il travaille sur le terrain, maintenant – fini les ordinateurs. Vous comprenez, j'ai donné à ses supérieurs une description toute différente. Je leur ai parlé de vos cheveux blonds dorés, de vos ravissants yeux verts... de votre curiosité insatiable. Ils ont cru préférable de protéger le jeune homme de la tentation. On n'aurait jamais cru ça des Français, n'est-ce pas ?

— Bien joué, applaudit Mallory, sincère.

Elle ne lui en voulait pas d'avoir brûlé son contact à Interpol. Émile Saint-John était un ancien flic. S'il s'avérait qu'il avait assassiné Oliver, elle n'hésiterait pas une seconde à l'envoyer sur la chaise électrique, mais ce ne serait pas sans regrets.

— Vous savez parfaitement que je vais interroger Futura. Vous avez l'intention de lui procurer un avocat, n'est-ce pas ?

— Évidemment !

Il souffla un rond de fumée et le regarda s'allonger puis disparaître.

— Je connais d'excellents avocats. Je crains qu'ils ne vous laissent pas terroriser le pauvre Franny pour lui soutirer je ne sais quelles preuves. Mais ce sont les interrogatoires officieux qui me chagrinent. Il faudra qu'ils cessent. Je ne veux pas vous soudoyer avec de l'argent ni intervenir en haut lieu – c'est tellement grossier. Mais si vous m'y forcez...

Mallory n'avait pas espéré une menace aussi directe. Saint-John n'aurait pas découvert ses cartes si Futura n'était une mine d'informations. Mais elle se méfiait des résultats trop faciles. Il obéissait peut-être à un autre mobile : peut-être était-il simplement un honnête homme qui ne supportait pas qu'on torture son chouchou.

— Que faisiez-vous dans la Résistance ?

Et selon leur rituel préétabli, elle but une goutte de champagne pour qu'il réponde.

— D'aucuns aiment parler de la guerre. Pas moi.

Il la dévisagea d'un œil critique. Ce qu'il lut dans les yeux de Mallory parut le déranger.

— Maintenant, je dois partir.

Il souleva la bouteille et la reposa sur l'escalier à côté de Mallory.

— J'espère que vous allez la finir. Ça serait un crime de gâcher du champagne millésimé.

— Certaines personnes ont de bonnes raisons de cacher ce qu'elles ont fait pendant la guerre.

Il s'arrêta près du rideau.

— Je ne m'attends pas à ce que vous compreniez, Mallory. Vous n'y étiez pas.

— Vous saviez que Futura était dans la Résistance. Les Français vous avaient demandé de le tenir à l'œil, n'est-ce pas ? Vous deviez le surveiller.

— Bravo, Mallory. Oui, certaines personnes s'inquiétaient de la nature craintive de Franny. Mais, ce que d'autres considéraient comme une faiblesse en faisait un héros pour moi.

— Combien de personnes savaient que vous travailliez pour la Résistance ?

— Quatre hommes. Trois d'entre eux sont morts.

— Et Futura n'était pas le quatrième. C'est pour ça que vous avez été surpris qu'il soit au courant. Qui croirait qu'il garderait un tel secret ? Pas vous. C'est évident. (Cependant, Saint-John ne manifesta pas la moindre émotion.) Je ne crois pas que Prado et vous circuliez dans les mêmes sphères que Futura. Vous ne l'avez pas revu depuis la guerre. Ni l'un ni l'autre, n'est-ce pas ?

Saint-John acquiesça.

— Le théâtre a fermé après la mort de Louisa. Ça a été la fin. Nous étions tous…

— Lorsque Futura a dit que vous étiez dans la Résistance, Prado n'a pas paru surpris.

— Nick l'a toujours su. Ses faux papiers m'étaient très utiles.

— Vous ne comprenez pas. J'observais la réaction de Prado. Il n'était pas surpris que Futura le sache. C'était donc lui qui le lui avait dit. Maintenant, vous vous demandez : Quand Prado a-t-il rompu le secret ? La semaine dernière ? Pendant l'Occupation ? Quand a-t-il dévoilé vos activités à ce petit trouillard ?

Oui, Mallory commençait à apercevoir une faille dans le front uni des magiciens. Émile Saint-John allait se poser des questions sur la trahison. Mais elle savait qu'il ne demanderait jamais à Prado. Il vivrait avec ses doutes – c'était son style.

Une profonde tristesse sembla l'envahir, lui glaçant les os comme par un temps froid et humide, mais il frissonna à peine.

— Vous êtes bien meilleure que je ne l'ai jamais été, dit-il, admiratif. Vous êtes née pour ce job.

Ce n'était pas tout à fait un compliment. Émile Saint-John le lui avait déjà expliqué : elle était le flic d'entre les flics, un véritable monstre, prêt à réveiller les pires cauchemars de Franny Futura.

Debout entre les rideaux, elle regarda Saint-John s'éloigner. Lorsqu'il disparut et que la porte se referma derrière lui, elle posa son verre sur la glace déformante. Elle surprit son reflet dans le miroir, un visage tordu dans un rictus allongé. L'image devint de plus en plus grotesque lorsqu'elle bougea, contractant ses traits dans une grimace cruelle. Elle recula la tête, cherchant un angle plus avantageux, mais ne parvint pas à obtenir un reflet normal.

Un léger courant d'air lui ébouriffa les cheveux, comme si quelqu'un venait de passer derrière elle. Elle se retourna vers la fenêtre, au fond de la scène. Une toile de plastique remplaçait les carreaux manquants. Un filet de vent s'infiltrait sous la toile entre les punaises.

Mallory pénétra dans la plate-forme et tira la chaînette pour allumer l'ampoule qui pendait du plafond. Comme dans la version de Max Candle, un abat-jour en fer-blanc dessinait un cercle de lumière sur le plancher et laissait le plafond dans le noir. S'agissant des cloisons, les tenons et les mortaises étaient agencés de manière identique.

Mallory examina les trappes, distinguant à peine leurs contours dans le noir. Les manettes et les clenches étaient réparties le long du haut de l'estrade, comme sur l'original de Max Candle. Elle termina de noter les caractéristiques ; elle n'avait pas besoin de dessin, seules les mesures – qu'elle entrerait plus tard dans son ordinateur – l'intéressaient.

Le courant d'air d'une porte qui se ferme la fit se retourner. Trop tard.

Non !

Enfermée. Et comme dans la plate-forme de Max Candle, il n'y avait pas de poignée à l'intérieur. Elle appuya fort, mais la cloison ne céda pas. Elle tambourina sur la porte à coups de poing.

Imbécile, imbécile, imbécile !

Même enfant, elle n'aurait jamais tourné le dos à une porte. Dès huit ans, pour ne pas risquer d'être la proie de maquereaux en herbe et de maniaques des rues, elle avait appris à se méfier des pièces avec une seule issue. Elle avait reçu pas mal de coups avant de retenir la leçon : ne faire confiance à personne, s'asseoir toujours face à la porte.

Elle tambourina de plus belle.

Comment s'était-elle laissé piéger ? Elle aurait dû laisser la porte grande ouverte.

Erreur de débutante !

Elle donna des coups de poing dans la porte, juste assez pour se faire mal mais sans se casser la main. La douleur lui fit du bien. Elle lui éclaircit l'esprit. Mallory sortit son téléphone portable, mais il n'y avait pas de tonalité. Elle se trouvait dans une zone neutre.

Saint-John avait dit que Charles et Riker reviendraient bientôt. Mais resteraient-ils s'ils croyaient qu'il n'y avait plus personne dans le théâtre ? Si la fête était terminée ? L'endroit était assez bien fermé pour avoir empêché la puanteur du cadavre de Richard Tree de s'échapper. Était-il hermétique ?

Mallory entendit le circuit électrique crachoter au-dessus de sa tête. L'ampoule s'éteignit, elle se retrouva dans le noir.

Bien que connaissant chaque centimètre carré de l'endroit, elle ne pouvait s'ôter de l'idée qu'un faux pas l'entraînerait dans un puits sans fond. Il n'y avait plus ni haut ni bas, rien ne la rattachait à la terre ferme. Ses bras pendaient de chaque côté, inutiles. Ses poumons l'abandonnaient aussi, elle ne respirait qu'à petits coups insuffisants. Elle commença à ressentir des picotements dans la poitrine.

Mais ce n'était pas de la panique ; c'était le souvenir.

Elle se rappela l'immeuble désert où, enfant, elle s'était tapie en boule, retenant son souffle et attendant que les pas menaçants s'éloignent dans le noir. Les réflexes de la petite fille des rues reprirent le dessus. Il ne fallait jamais partir trop tôt ni trop tard. Les magiciens avaient raison : tout était question de minutage.

La plate-forme était-elle hermétique ? Si elle restait trop longtemps…

Une volonté venue du fond des âges lui fit marteler la porte à coups de poing furieux. Kathy la fille des rues prenait le relais. Mallory écouta, interdite, la voix de la gamine hurler : « Ouvrez, bande de fumiers ! Ouvrez-moi ! »

La plate-forme n'était pas insonorisée. Mallory entendit du bruit de l'autre côté de la cloison. On accourait. La petite fille déversait à pleins poumons un torrent d'injures et d'obscénités ; mais la femme, dénuée de toute émotion, dégaina calmement son revolver et le braqua sur la porte.

La lumière lui fit mal aux yeux.

Riker fixait, effaré, le canon de son revolver.

— C'est pourtant pas à cause de ce que j'ai dit. Je viens juste d'arriver.

CHAPITRE 14

Était-ce en raison de l'avantage douteux d'un trop gros nez, mais Charles semblait le seul à être incommodé par la faible odeur, souvenir du cadavre, qui émanait de l'intérieur de la plate-forme. Riker n'en était pas affecté. Le sergent mâchait son sandwich au pastrami près de la trappe ouverte.

Charles se força à sourire, sachant pertinemment que son air joyeux le faisait ressembler à un clown abruti de calmants. Il espérait ainsi apaiser la colère froide qui se lisait sur le visage de Mallory.

— Vous vous êtes enfermée ?

Ce n'était pas la chose à dire ! Cela sous-entendait une erreur de sa part.

— Non, certainement pas !

Elle lui tourna le dos et s'adressa à Riker.

— Quelqu'un m'a enfermée et a coupé l'électricité.

Riker s'arrêta de manger, abasourdi.

Charles examina la rangée de projecteurs au-dessus de sa tête. Et au-delà des rideaux, il aperçut la lueur des feux de la rampe et le lustre éblouissant, preuve manifeste que le courant circulait toujours. Mais il n'avait pas envie de le signaler à Mallory.

— Tu sais bien que l'installation électrique est neuve. Il y a peut-être un problème avec…

— Ce n'est pas un court-circuit. Le minutage était trop parfait.

Il n'y avait qu'une seule façon de comprendre le ton de sa voix. Elle le comptait parmi ses ennemis. Tous ceux qui n'étaient pas entièrement d'accord avec elle étaient ses ennemis.

Charles brava l'odeur pour entrer dans la cellule de la plate-forme, dévissa l'ampoule qui pendait du plafond et la secoua.

— Tu as raison, c'était pas l'installation.

Il sortit de la cellule, secouant l'ampoule à l'oreille de Mallory pour qu'elle entende le bruit du filament contre le verre. Elle était grillée. Mallory devait être rassurée.

Il s'aperçut trop tard de son erreur. Il baissa les yeux sur l'ampoule qu'il tenait à la main et hocha la tête pour s'excuser d'apporter une preuve contredisant sa théorie.

Riker fit un effort louable pour la détourner de Charles.

— Si Nick ne nous avait pas dit que tu étais là…

— Où est Prado, maintenant ?

La jeune femme n'était pas de bonne humeur.

— Ici !

Charles porta son regard vers la salle, au-delà des projecteurs du plafond. À moitié dans l'ombre, Nick Prado semblait aminci, son ventre rentré, image même du jeune homme séduisant.

— On m'a enfermée dans la plate-forme !

Mallory jeta à Prado un regard lourd de sous-entendus.

Sentant un courant d'air dans son dos, Charles se retourna et avisa la fenêtre sans carreaux. Un pan de la toile en plastique s'était détaché, laissant filer le vent dans sa direction. C'était donc cela qui avait fermé la porte. Il hésita à le faire remarquer. D'abord, il trouvait trivial de souligner l'évidence. Ensuite, Mallory détestait qu'on la corrige, surtout quand elle avait tort.

Riker, le sage, enfonça les mains dans ses poches et se tut.

— C'est le vent, déclara Prado. Vous vous faites souvent des idées, Mallory.

En s'avançant dans la zone éclairée, il perdait sa minceur et prenait de l'âge.

— Regardez la mort de Louisa. Pour moi, c'était un accident. Et j'étais là, pas vous.

Mallory s'était calmée.

— On l'a peut-être fait passer pour un accident, répondit-elle avec à peine un grain de malice. Mais sa blessure n'était pas mortelle.

Nick parut soupeser la question en s'approchant du rideau pour examiner les sacs de provisions que Riker avait rapportés.

— Elle a pu mourir du choc. Ça s'est déjà vu.

— En un quart d'heure ? C'est trop court.

Elle alla vérifier la toile de plastique sur la fenêtre. Charles remarqua que Nick se sentait insulté qu'elle lui tourne le dos.

— C'est vrai, j'oubliais. Vous êtes omnisciente.

Nick posa les yeux sur la glace déformante qui servait de table. Elle était jonchée de sacs en papier et la bouteille de champagne était à moitié vide. Il la prit et en proposa à Riker.

Contrairement à son habitude, celui-ci déclina l'offre, au grand étonnement de Charles. Une demi-heure plus tôt, le sergent n'avait pas hésité à trinquer avec Prado. Et qui pouvait manger un sandwich au pastrami sans avoir besoin d'un bon coup pour le faire couler ?

Nick se servit un verre de champagne.

— Ça aurait pu être le choc, insista-t-il. Pendant la guerre, ce genre de chose était courant.

Mallory était occupée à ramasser les punaises sous la fenêtre.

— Le médecin légiste a dit…

— Vous n'écoutez jamais ? s'exclama Prado en élevant la voix. Vous n'écoutez personne ?

Charles plongea le nez dans son verre, comme pour y trouver refuge, tandis que Riker contemplait ses chaussures éraflées. Mais Mallory n'explosa pas. Elle rangea soigneusement les punaises dans son sac à dos.

Nick continua, élevant de plus en plus la voix comme s'il s'adressait à un large public.

— Un matin, vers la fin de la guerre, un avion s'est écrasé près de notre campement. Il a pris feu quelques secondes après avoir touché le sol.

Il marqua une pause pour ménager ses effets, et Mallory en profita pour l'interrompre.

— Je n'ai pas de temps à perdre avec les souvenirs de guerre.

— Taisez-vous ! s'écria Prado.

Charles ne l'avait jamais vu perdre son sang-froid. Bizarrement, Mallory se tut. Mais elle ignora Prado, ouvrit son calepin, et se plongea dans la lecture d'une page de chiffres qui paraissait l'intéresser davantage que le récit du vieux magicien.

— Une aile avait été arrachée et le nez était broyé. Nous courûmes jusqu'à l'avion en flammes. Mais, à dix mètres de l'épave, je m'arrêtai, médusé.

Il se tourna vers Mallory – erreur. Elle se moquait de ce qu'il racontait. À peine démonté, Nick reprit en s'adressant à Riker.

— Les trois hommes de l'équipage sortirent de l'épave… sans armes. C'était impossible. Ils auraient dû tous périr. Mais non, ils s'éloignèrent tous les trois et allèrent s'asseoir à l'ombre d'une ferme… et ils moururent. Tout ça en quelques minutes. Pas de blessures, pas de traces de sang, rien.

— Le choc ? fit Riker, par pure politesse.

Mallory, qui n'était visiblement pas impressionnée, suivait du doigt une colonne de chiffres.

— Le choc, ça ne marche pas pour moi.

— Pour moi non plus, admit Nick. J'ai une autre hypothèse. Ces trois aviateurs avaient vu le sol foncer à leur rencontre. Les gens croient à ce qu'ils voient, et c'était un fait indiscutable : ils n'avaient aucun moyen de sortir vivants d'un tel accident. Je crois qu'ils se sont pliés à la logique de la situation. Comme il était absurde de vivre, ils ont choisi de mourir.

Charles crut un instant que Prado allait saluer le public, mais il alla simplement s'asseoir sur les marches de la plate-forme afin de déguster son champagne à son aise.

Mallory adopta l'attitude de celle que les mouches dérangent.

— Pour la dernière fois, asséna-t-elle, la blessure de Louisa n'était pas mortelle. Elle ignorait qu'elle allait mourir avant que l'autre fumier ne lui plaque le coussin sur la figure.

— Tu n'en sais rien, Mallory, intervint Charles. Ce que tu as raconté à la partie de poker, c'était pure spéculation. Tu ne peux pas demander à Edward de faire une autopsie par ouï-dire et cinquante ans plus tard.

— Merci, Charles, dit-elle, lui faisant clairement comprendre qu'il aurait mieux fait de se taire. (Elle ferma son carnet.) La mort d'Oliver n'était pas accidentelle non plus.

— Pauvre Oliver, fit Nick. L'aura chimérique de l'échec malencontreux. En réalité, c'était une mort tout ce qu'il y a de banal. Il a merdé son tour, point. La vie est tellement simple, Mallory, quand on accepte de voir les choses en face.

Nick était bien trop content de lui. Apparemment, Mallory allait lui rabattre son caquet. Tous les signes avant-coureurs étaient là. Elle se dressait sur la pointe des pieds, prête à frapper. Si elle avait eu une queue, elle serait en train de remuer. Charles adorait sa grâce féline… mais il n'aimait pas voir les chats s'amuser avec les souris.

Charles s'interposa entre les griffes de Mallory et sa proie.

— Nick a raison, Mallory. Oliver a saboté le tour. Il ne connaissait visiblement pas l'effet…

— Tu as parlé à Malakhai.

L'insinuation était claire. Charles était accusé de connivence avec l'ennemi, lui, son ami de toujours.

— Ça serait donc juste une série d'accidents ? s'étonna Mallory. Très bien.

Elle posa les mains sur ses hanches, nouveau signe d'avertissement.

— J'ai vu les erreurs que j'avais commises, dit-elle avec une douceur excessive. Mais que dire de ce petit cadavre que j'ai trouvé à l'intérieur de la plate-forme ? Le neveu d'Oliver. Vous vous rappelez ?

Nick éclusa le reste de son champagne.

— Le garçon est mort d'une overdose. Tout le monde savait que Richard se droguait. Et il y avait une tache de sang sur sa manche de chemise. Une trace de piqûre, non ? Et pas de sang sur la flèche. Les morts ne saignent pas – ce n'était donc pas un meurtre. C'est la guerre qui m'a appris ça, conclut-il avec un geste de la main.

Charles s'aperçut que Riker écoutait entre les mots. Le sergent échangea un clin d'œil avec sa coéquipière. Comprenant son regard, elle s'écarta tandis qu'il se rapprochait de Nick.

— Vous dites que tout le monde savait qu'il se camait, dit Riker en fouillant dans ses poches. J'aimerais savoir comment. Le gosse se donnait du mal pour dissimuler son vice – il se shootait dans la plante des pieds, derrière les genoux.

Il sortit un vieux calepin écorné et s'assit sur les marches à côté de Nick.

— Oliver Tree savait qu'il était accro. Il lui payait des cures de désintox. Mais ça m'étonnerait qu'il s'en soit vanté. (Il feuilleta les pages.) Ah, voilà ! (Il avait trouvé celle qu'il cherchait.) Vous et vos amis, Saint-John et Futura, vous êtes arrivés en ville le jour où Oliver Tree est mort. C'est ce que vous avez déclaré à la police. Aucun de vous ne l'avait revu depuis la guerre.

— Exact, admit Nick. Nous avons rencontré le neveu d'Oliver après l'accident. Il nous tapait toujours de l'argent, quelques dollars par-ci, quelques dollars par-là, il avait besoin de fric, ça se voyait. C'est pour ça que je lui avais demandé de jouer de l'arbalète pendant le défilé.

Riker notait chaque mot.

— Et il vous avait avoué qu'il se droguait ? demanda-t-il d'un ton sec.

Manière de dire : « *Mon œil !* »

— C'était facile à deviner.

— À cause de la tache de sang sur sa manche de chemise ? Pas mal. C'est aussi la guerre qui vous a appris ça ?

— Si vous voulez, dit Nick. J'ai passé pas mal de temps dans un hôpital militaire. J'ai eu une petite histoire d'amour avec la morphine.

Charles évita de regarder Mallory dans les yeux.

— C'était donc bien une overdose. Bon, disons qu'il s'était glissé dans la plate-forme de son oncle pour se shooter tranquillement. Comme les ouvriers allaient et venaient, et qu'il ne voulait pas qu'on le voie, il s'est enfermé dans la cellule, comme…

Voyant du coin de l'œil Mallory se raidir, Charles ne termina pas sa phrase.

— Disons que Richard n'a pas trouvé la chaînette de la lampe, reprit-il. Il était plongé dans le noir et il a paniqué. Maintenant, si les arbalètes étaient entreposées dans la cellule…

— C'est ça, fit Mallory, presque aimable. Il a trébuché dans le noir et il est tombé sur une flèche… alors qu'il était déjà mort depuis plusieurs jours. Ah, Nick ne t'a pas dit ça ?

Elle se tourna vers le vieux magicien et s'inclina d'un air moqueur.

— On apprend ça pendant la guerre, Prado.

— Et les gars du labo n'ont pas trouvé de seringue à l'intérieur de la plate-forme, ajouta Riker.

— Un mort drôlement soigneux, renchérit Mallory. Ça me plaît. Et doué, aussi. Je sais que le cadavre bougeait encore après la mort. Les marques sur son dos correspondent au motif de la grille d'aération de son appartement. C'est là qu'il est mort. Mais ne laissons pas les faits détruire une si belle histoire. Donc, dit-elle en portant son regard vers la plate-forme, le mort se relève, quitte son appartement et… toujours mort, bien sûr, prend le métro. C'est un mort économe. Voyez-vous, il avait laissé son portefeuille chez lui. Il n'avait pas d'argent pour régler le taxi, mais on a retrouvé une carte de transport dans sa poche. Ainsi, notre mort sort du métro, marche jusqu'au théâtre et s'enferme à l'intérieur de la plate-forme… *accidentellement*. Vous voyez, je suis beau joueur. Je cherche une faille dans mon explication. Donc, il se plante une flèche dans la poitrine… plusieurs jours après sa mort ? Facile, un simple tour de passe-passe.

Charles voyait où elle voulait en venir. Le sourire condescendant de Nick Prado signifiait qu'il l'avait surprise en train de faire une erreur ou de mentir.

Les bras croisés, elle se planta au-dessus de Nick Prado et le regarda de haut en souriant.

— Dites-moi où est la faille.

Et le piège se referma.

Nick écarquilla à peine les yeux… juste assez pour indiquer qu'il connaissait les détails mieux qu'elle. Ou qu'il était surpris de l'accusation implicite.

Charles s'interposa entre eux, le sourire aux lèvres, comme si ça suffisait à lui sauver la mise.

— Mais ce n'est pas une flèche qui a tué Richard…

— Pour Oliver, si, claqua Mallory.

Elle jeta un regard mauvais à Charles pour lui demander pourquoi il lui ôtait la meilleure réplique de la bouche. Cherchait-il à détourner l'attaque de Nick ?

Mais oui, bien sûr ! Et il allait le payer cher.

Elle s'éloigna de lui et s'arrêta près du rideau.

— Tu connaissais Oliver, Charles, dit-elle d'un ton de reproche.

— En réalité, je ne l'avais pas vu depuis des…

— Tu le connaissais, et tu l'aimais bien.

Elle se tourna vers lui pour lui montrer à quel point elle était choquée, même si son expression manquait quelque peu de naturel.

Charles se retrouva dans la curieuse position de recevoir un blâme pour son manque de sensibilité, mais… *de la part de Mallory* ? Comment expliquer ce retournement des choses ? Peut-être était-elle réellement capable d'éprouver de la compassion.

Non, impossible.

Il savait néanmoins qu'elle avait d'autres idées en tête que de corriger son insensibilité, son manque d'indignation pour une mort accidentelle.

Elle se dirigea d'un air digne vers l'escalier qui descendait dans la salle.

— Oliver a été assassiné, assura-t-elle. Alors, ne me parle plus d'accident, Charles. Ne m'adresse plus la parole.

La partie était terminée – les cartes étaient biseautées, mais Mallory avait eu le dernier mot.

Elle le plaqua au beau milieu de la scène, avec son

compère Nick Prado. Riker la suivit dans l'allée centrale, afin de se distancier du camp ennemi.

Quelques heures seulement avaient passé depuis qu'ils s'étaient quittés sur le trottoir devant le théâtre. Riker promenait son regard sur le salon de Mallory dans son appartement du West Side en se demandant comment elle avait déménagé si vite. Il fallait souvent plusieurs jours pour faire transporter un canapé d'un bout à l'autre de New York, et Mallory avait réussi à déménager une pièce entière depuis l'immeuble de Charles Butler dans SoHo jusqu'à chez elle, à plus de quatre-vingts blocs de là.

Assise à son bureau, elle pianotait frénétiquement sur le clavier de son ordinateur.

— Je me suis trompée pour la grille d'aération ?

— Ouais, je n'en ai pas trouvé dans la piaule du macchabée. Mais les marques sur son dos correspondent à un registre de chauffage dans le théâtre. Je l'ai vu après avoir ôté les bandes jaunes de la scène du crime.

— Les gars de Heller sont passés à côté ?

— Ils ne cherchaient pas ça, Mallory. Ils n'ont pas déshabillé le corps sur les lieux du crime. Il n'y avait pas de...

— C'est ça, pas la peine de se donner tant de mal pour un simple camé. C'était forcément un accident à la con.

Mais la plate-forme avait été passée au peigne fin. Heller était venu sur les lieux et avait personnellement supervisé les recherches. Riker se demanda donc quelle vacherie Mallory avait en réserve pour le chef de l'équipe technique.

Il consulta ses notes.

— Le registre de chauffage était dans la petite pièce, derrière la scène. C'est sans doute là que Richard se faisait son fix. Il y a un loquet à la porte.

— Ça n'aurait pas suffi à arrêter les suspects qui figurent sur ma liste. C'est là que les gars de Heller ont trouvé le portefeuille ?

— Oui, mais t'avais raison pour le fric : pas de quoi payer un taxi. Il avait dû tout claquer dans l'héro.

Riker referma son carnet et le rempocha.

En entrant chez Mallory, il avait eu une impression de déjà vu. À part la vue sur Central Park, il aurait pu se trouver dans le bureau que lui prêtait Charles dans SoHo. Elle avait recréé les alignements des terminaux d'ordinateurs au centimètre près. Le seul mur nu servait d'écran sur lequel figuraient, plus grands que nature, les spectateurs du défilé de Thanksgiving.

— C'est un film des infos de six heures, expliqua Mallory. Un touriste a vendu sa cassette vidéo à la chaîne.

Pourquoi Mallory ne pouvait-elle pas regarder simplement les nouvelles à la télévision comme tout le monde ? Riker se planta devant le mur pour voir les images. La caméra était braquée sur un tertre rocheux, dans Central Park, qui surplombait le muret d'une allée. Le volume était baissé, mais Riker entendit malgré tout le journaliste interroger le cameraman amateur, un touriste de soixante ans de Rhode Island.

Les yeux rivés sur le tertre, Riker attendit la suite. Un petit nuage de fumée apparut dans l'ombre des arbres et des rochers.

Un coup de feu ?

Oui, le journaliste confirma que la fumée blanche provenait certainement d'un revolver ou d'un fusil. Ledit journaliste se lamenta ensuite parce que l'expert en armes à feu de la chaîne, un auteur de romans policiers, était injoignable. Le coup de feu du tertre rocheux aurait détruit l'hypothèse de l'écrivain et mis à mal son croquis soigneusement dessiné. Mallory n'avait pas pu tirer la balle qui avait crevé le ballon.

— Ça t'innocente de l'accusation de tueuse de chien.

— Pas encore.

Mallory actionna la télécommande. La cassette se rembobina jusqu'à ce que le petit nuage de fumée soit avalé par l'ombre des arbres et des rochers.

— Ils prétendent toujours qu'il y a eu trois coups de feu. Je fais donc encore partie du complot. Je suis aussi soupçonnée de la mort de l'homme à l'arbalète et d'Oliver Tree.

— Eh bien, laissons Slope révéler les résultats de l'autopsie. Pourquoi les garder sous le coude ? On a déjà appris la nouvelle à Prado.

Mallory repassa la cassette et arrêta l'image sur la fumée blanche. Elle montra le tertre rocheux.

— Devine qui c'est.

Riker s'approcha du mur.

— Le grain est trop gros. Je ne vois rien.

Il balaya de nouveau la pièce du regard.

— Quand as-tu eu le temps de rapporter tout ça de SoHo ?

— J'ai engagé des déménageurs spécialisés dans les objets d'art. Ils sont très soigneux avec le matériel fragile.

Et ils n'auraient sans doute pas reconnu son usage et ses applications illicites. Les outils électroniques les plus délicats étaient dans le carton que Riker avait chargé dans le coffre de sa voiture.

Il s'assit sur une chaise métallique.

— Comment Charles l'a-t-il pris quand tu lui as dit que tu déménageais tes affaires ?

— Il n'y avait qu'un moyen de le prendre. L'association est terminée. Il est trop négligent avec les serrures.

Ou peut-être était-il trop négligent dans le choix de ses amis. L'un de ces deux crimes avait emporté la décision de la jeune femme.

— Tu n'as pas dit à Charles que tu partais ?

Non, bien sûr que non. Elle avait laissé le pauvre bougre s'en apercevoir tout seul.

— J'imagine que tu n'as plus besoin de la plateforme de Max Candle ?

Mallory montra l'écran d'un ordinateur. Des colonnes de chiffres et de symboles défilaient.

— Tout est là – tout l'attirail.

Riker saisit la pochette en velours vert sur son bureau en acier et en sortit le trousseau de clés.

— Je comprends pourquoi les vieux magiciens conservaient ces tours, dit-il.

— Ah, maintenant, tu crois à l'échange de clés ?

— Oui, mais j'ai encore des problèmes avec ta théorie. Qu'est-ce que c'est que cette tirade que tu m'as sortie au défilé ? « Mon suspect adore le spectacle », c'est ce que tu m'avais dit.

— Et tu croyais que j'inventais une histoire ? Non, il n'y a qu'à Coffey que j'ai menti.

Il était évident qu'elle considérait cela comme un mensonge honorable.

— Je sais ce que tu penses, reprit-elle. C'est une question de style. Oliver est mort en hurlant, beaucoup d'éclat, du grandiose. Mais le coup de feu au défilé était un peu trop simple, non ? Rapide et direct. Le tueur voulait en finir vite. La victime n'aurait jamais su ce qui lui arrivait. (Mallory porta son regard vers la fumée blanche sur le mur.) C'est Malakhai là-haut, derrière les rochers.

Elle éteignit le projecteur.

— Et le meurtre de Central Park ?

— Pour celui-là, Nick Prado est mon préféré. Un pro des relations publiques vit de spectacle. Mais je reste ouverte à toutes les hypothèses.

300

Elle pivota sur son fauteuil et scruta son visage.

— On m'a enfermée dans la plate-forme. Tu me crois maintenant ?

Riker savait qu'elle lui demandait en réalité s'il était de son côté.

— Oui. Si ç'avait été juste la porte fermée ou l'ampoule... mais je ne crois pas aux coïncidences. Il y a eu préméditation.

— La trappe !

Mallory sortit un sachet en plastique de son sac à dos et le jeta sur son bureau. Il contenait cinq punaises étincelantes.

— Elles proviennent de la toile en plastique qui recouvrait la fenêtre des coulisses. Elles ne sont pas tombées toutes seules. Il voulait que ça ressemble à un accident, un coup de vent, par exemple. Et l'ampoule grillée, c'était prémédité aussi.

— Mallory, Charles t'a montré l'ampoule. Tu as entendu...

— Charles ne s'y connaît pas plus que toi en électricité. (Elle alluma la lampe du bureau.) Regarde bien cette ampoule.

Elle se pencha vers la douille. Riker fixait l'ampoule quand il vit l'étincelle et entendit le grésillement, puis la lampe s'éteignit. Mallory la dévissa. Lorsqu'elle la secoua, il perçut le bruit du filament contre le verre.

— Je l'ai court-circuitée avec ça, expliqua-t-elle en montrant une lime à ongles. Les lampes de la plate-forme étaient branchées sur un fusible indépendant. C'est pour ça qu'une seule lampe s'est éteinte. Si le théâtre de magie de Faustine avait été une réplique exacte, j'aurais pu te montrer le fusible grillé, mais Oliver avait amélioré le système, c'étaient des commutateurs.

Riker s'assit sur le bord du bureau et croisa les bras.

— Tu penses que c'est Nick Prado qui a monté le coup ?

— Peut-être. J'imagine que Futura était en train de vomir dans les toilettes quand Charles et toi êtes revenus. Mais c'était peut-être du bidon.

— Je ne l'ai pas vu. Mais je ne crois pas que Futura aurait pu faire quelque chose qui…

— Parce que c'est un trouillard ? Il est plus intéressant que tu ne le crois. Il était dans la Résistance pendant la guerre. Ça ne cadre pas non plus, hein ? Il reste sur ma liste. Bon, où étaient les deux autres à votre retour ?

— Prado et Saint-John étaient dans le foyer. On a bavardé un peu avant d'entrer dans la salle.

— Ç'aurait pu être n'importe lequel. Quelqu'un voulait que je recommence à croire aux accidents. Ou peut-être voulait-il simplement qu'on me prenne pour une hystérique. Ça a marché pour Charles, en tout cas. Il a gobé le truc.

Pauvre Charles. Mallory avait vu juste. Quand il était encore îlotier et qu'il devait intervenir dans les scènes de ménage, Riker s'était aperçu que les hommes se méfiaient des témoignages des hystériques ; qui aurait cru une bonne femme qui pleurait pour un rien ?

La manipulation était claire, mais Charles était tombé dans le piège. Riker envisagea d'autres justifications au départ précipité de Mallory : la trop grande intelligence de Charles Butler, son incapacité à cacher quoi que ce soit, et ses relations avec les suspects. Elle avait eu raison de déménager, mais elle aurait dû le faire en y mettant les formes.

— J'avais presque oublié, dit-il en sortant un CD de la poche de son manteau et en le posant sur le coin de son bureau. Un cadeau. Le *Concerto de Louisa*. Émile Saint-John voulait que tu l'aies.

Elle ouvrit la pochette et glissa le disque dans le lecteur de l'ordinateur. Un orchestre au complet jaillit des amplis aux quatre coins de la pièce. Riker était entouré d'instruments de musique. C'était du classique, pas son genre, et il écouta avec l'esprit tendu de celui qui essaie de déchiffrer une langue étrangère.

— Oui, c'est peut-être pas mal. Mais qu'est-ce que ton vieux aurait dit ? À quoi ça sert si on ne peut pas danser dessus ?

C'était le critère de son vieil ami pour toutes les musiques, blues, jazz et rock'n'roll. Même les morceaux lents et tristes agissaient sur le corps. Mais la musique de la compositrice défunte le touchait différemment. Soudain, il tendit l'oreille, comme si les violons et les cuivres lui parlaient dans une langue familière. Le passage dégageait un parfum de douce mélancolie.

Le téléphone sonna. Riker arrêta sa main au-dessus de l'appareil tout en lisant la provenance de l'appel sur l'écran du répondeur.

— C'est Charles.

— Ne décroche pas.

— Tu vas le laisser poireauter dans le bureau désert jusqu'à ce qu'il comprenne pourquoi ça a mal tourné ? C'est ça ?

— Oui, et après ?

— C'est ton ami, Mallory ! Et ton vieux l'aimait bien, lui aussi.

Le *Concerto de Louisa* faisait entendre ses notes plaintives, conférant de la nostalgie à la sonnerie du téléphone, l'étayant par les trémolos incisifs des cuivres. Mais une chose surprit Riker. Cependant que le concerto laissait Mallory de marbre, l'appel téléphonique l'attristait inexplicablement. Elle hochait lentement la tête de droite à gauche, comme pour chasser le blues.

Riker entreprit de monter le son tout en détournant les yeux du téléphone.

— Si Charles n'est pas avec toi corps et âme…

— Laisse tomber, Riker.

Lorsque la sonnerie cessa, il regarda le téléphone

303

comme si une conversation venait d'être coupée avant qu'une décision ait été prise.

Mallory brancha le répondeur afin de n'être plus dérangée par les appels.

— Tu lui as laissé un mot ? s'enquit Riker.

— Non !

Mallory fixait l'écran de l'ordinateur. Un masque de statue recouvrit son visage tandis qu'elle se fondait avec sa machine.

Comprenant qu'il n'existait plus pour elle, Riker sortit de la pièce en silence.

Une heure passa avant que Mallory ne lève les yeux de l'écran. Où était-elle allée tout ce temps, elle l'ignorait. Son horloge interne avait encore failli. Cela arrivait de plus en plus souvent. Peut-être l'effet du champagne d'Émile Saint-John.

Elle avait fini de pirater les fichiers d'un jeu électronique qui comprenait un programme complet pour actionner les arbalètes.

Le téléphone sonna ; la voix de Charles s'enregistra sur le répondeur.

— Mallory ? Tu es là ?

Pas vraiment. Elle fixait l'écran où sa création prenait forme, des chiffres et des symboles se traduisant dans une image qui pivotait en trois dimensions, montrant toutes ses facettes, puis se retournant pour dévoiler sa base. Mallory brancha le projecteur et l'image se déploya sur toute la surface du mur nu. La plate-forme continuait ses lentes révolutions.

— Mallory, décroche si tu es là, disait la voix désincarnée dans le répondeur.

Elle tapa quelques touches pour que l'escalier

devienne transparent, révélant les mécanismes internes des pinces en zigzag et des leviers.

— Je changerai toutes les serrures, promit Charles.

Elle pianota de nouveau sur son clavier. Une trappe s'abaissa. Les pinces en zigzag émergèrent lentement, déployant leurs baleines métalliques afin de soutenir la cape.

— Tu me rappelles ? demanda Charles d'une voix qui laissait peu de place à l'espoir. Tu comptes m'expliquer ton départ, j'espère ?

Certainement pas ! Mallory lança les quatre carreaux d'arbalète. Un par un, ils frappèrent la cible. Elle étira ensuite le temps entre chaque coup.

— Il faut qu'on discute, dit Charles d'un ton où perçait la lassitude. C'est… euh, un peu trop sec.

Tu me prends pour un monstre.

— Non, c'est pas ce que je voulais dire, assura Charles, comme s'il avait deviné ses pensées. Quand je suis entré dans ton bureau… j'étais tellement surpris !

Elle prépara un autre lancer.

— Au revoir, Mallory.

Le jeu électronique la fatiguait. Charles avait raison sur un point. Un simple tour d'évasion était trop primaire pour Max Candle. Alors, où était la magie ? La cape qui tombait par terre, dévoilant une absence, n'était qu'un avant-goût, un apéritif.

— Naturellement, je ne veux pas dire au revoir dans le sens définitif, reprit la voix mécanique.

Où était la magie ?

— Je voulais dire au revoir pour l'instant… Alors…

Il devait y avoir autre chose. Elle arrêta l'animation de la plate-forme et brancha de nouveau l'enregistrement du meurtre d'Oliver. Le vieux magicien fit son retour sur le mur, agonisant une fois de plus.

— Alors, tu appelleras ?

Compte là-dessus !

Max Candle mourait à chaque représentation. Il n'était pas censé échapper aux carreaux.

— Au revoir ! dit Charles.

Mais toutes les arbalètes avaient tiré leurs carreaux, et il n'y en avait pas un seul de factice dans le tas.

— Pour l'instant, précisa Charles.

Mallory fixa le mur où Oliver était mis à mort. Si le tour était incomplet, comment Malakhai pouvait-il affirmer qu'il avait été saboté ?

Elle perdit encore une heure à perfectionner son tour d'illusionnisme sur son ordinateur. La sonnerie de la porte d'entrée la tira de son état de transe.

Charles ? C'était forcément lui. Frank le portier l'aimait bien. Pour son dernier anniversaire, il avait laissé entrer Charles pour qu'il lui apporte des fleurs et lui fasse la surprise. Et, naturellement, Charles lui avait laissé un généreux pourboire. Avait-elle puni le portier ? Non, ça avait dû lui sortir de la tête.

Cinq minutes plus tard, la sonnerie insistante lui tapait sur les nerfs ; elle avait envie de châtier Frank pour avoir oublié d'annoncer le visiteur. Elle se dirigea vers la porte d'entrée, irritée et bien décidée à admonester verbalement le portier pour que cela ne se reproduise plus. Mais pour l'instant, elle s'apprêtait à agonir d'injures Charles et à retourner à son travail.

Lorsqu'elle ouvrit la porte, elle trouva le rabbin Kaplan sur le seuil. Bon, et qu'allait-elle faire maintenant de tout cet excès d'adrénaline ?

— Il est tard, commença le rabbin, je n'entre pas. D'ailleurs, je n'en ai pas pour longtemps.

Son visage inexpressif ne permettait pas à Mallory d'imaginer les ennuis qu'il apportait avec lui.

— C'est à propos d'hier. M. Halpern m'a dit que tu avais pris sur ton temps pour aller réprimander son fils.

Le rabbin l'arrêta d'un geste avant qu'elle ne l'interrompe.

— J'ai cru comprendre que tu avais accusé le pauvre homme d'être un bourreau pour son père. Quand le fils est rentré à la maison le soir, M. Halpern a dû passer plusieurs heures à le rassurer, à lui jurer qu'il n'était pas – de quoi l'avais-tu traité ? De petit fumier sans cœur.

— Je n'ai pas...

— Excuse-moi, Kathy. Avais-je terminé ? Non ? Bon...

Il sourit. Mallory fut aussitôt sur ses gardes.

— Figure-toi que le fils a viré son père ! (Rabbi Kaplan ouvrit son porte-documents.) M. Halpern veut que tu saches qu'il a finalement pris sa retraite. C'est tout, Kathy.

Ça m'étonnerait !

Le rabbin lui faisait simplement croire qu'elle s'en tirerait à bon compte. Il allait l'achever avec un bon mot. Autrefois, il était très fort à ce petit jeu. Maintenant, elle voyait les coups venir.

— Je ne marche pas, Rabbi. Vous m'auriez téléphoné si c'était ça.

— Je ne pouvais pas. (Il sortit un petit paquet de son porte-documents.) J'ai bien l'impression que personne n'a présenté d'excuses à M. Halpern pour le temps qu'il a passé dans un camp de concentration, pour le meurtre de ses parents, de sa famille tout entière... Tes excuses concernant le maniaque à la peinture l'ont positivement enchanté. Tiens, c'est un cadeau, dit-il en lui remettant le paquet. Il a travaillé dessus toute la journée.

Elle le déballa ; c'était un portrait aux crayons de couleur, dans son cadre. Le visage d'une jeune étudiante flottait sur des vagues de longs cheveux roux. Ses yeux bleus paraissaient perdus dans une méditation indécise... comment survivre en enfer ?

— Louisa Malakhai ? interrogea Mallory.

Rabbi Kaplan acquiesça.

— C'est bien, hein ?

Il se dirigea vers l'ascenseur, accompagné par Mallory.

— Il l'a dessinée d'après son vieux carnet de sketches… qui date de l'époque où il rêvait de devenir artiste peintre. M. Halpern a beaucoup de talent, et c'est un homme heureux. Maintenant, il peut consacrer tout son temps à sa peinture. Tu l'as fait virer… par son propre fils. (Il appuya sur le bouton de l'ascenseur.) Et après ? L'un dans l'autre, tu as bien fait.

Son sourire était un peu trop mielleux ; Mallory se prépara à la chute.

— Si ça peut te rassurer, Kathy, je suis d'accord avec Helen.

La porte de l'ascenseur s'ouvrit et Rabbi Kaplan entra dans la cabine.

— Tu es très bien – vicelarde comme tu es. Ne change surtout pas.

La porte se referma sur son visage réjoui.

Il avait encore eu le dernier mot. Mais il se faisait vieux – elle aurait bientôt le dessus.

CHAPITRE 15

Malakhai se réveilla, tout habillé, dans sa chambre d'hôtel à New York. Il ne rêvait plus, mais la confusion l'habitait néanmoins.

Et la sonnerie ne s'était pas arrêtée.

Il alluma sa lampe de chevet et consulta sa montre. Deux heures du matin. Il empoigna le téléphone, prêt à le raccrocher d'un coup sec, quand il entendit une voix féminine.

— Malakhai ?

— Oui ?

— Quand vous étiez prisonnier de guerre en Corée, votre cellule était-elle entièrement dans le noir ? Ou y avait-il de la lumière ?

— Mallory ?

Drôle de petite – mal élevée, avec ça. Malakhai coula un regard vers la place de son épouse dans le lit. Voyant le papier d'argent, il serra fort le téléphone. Ainsi, c'était de nouveau arrivé ! Il s'était endormi avant d'ôter le bonbon à la menthe de l'oreiller de Louisa. Non... il avait oublié.

— Je suis navré.

— La cellule, insista Mallory, croyant sans doute

309

qu'il s'était excusé auprès d'elle. Y avait-il de la lumière ? Une fenêtre ?

Un sentiment de honte l'envahit – tout cela pour un bonbon enveloppé dans un papier d'argent. Il refoula ses larmes.

— Il y avait de la lumière dans la journée, mais pas beaucoup.

Ses souvenirs étaient flous, parsemés de trous, mais il revoyait clairement la prison.

— Il y avait une petite lucarne qui donnait sur un mur. Je voyais la lumière, mais pas le ciel. L'ombre se déplaçait d'un côté du mur à l'autre. C'est comme ça que je savais l'heure.

— À quoi occupiez-vous votre temps ?

— Je le passais avec Louisa.

— Et c'est comme ça qu'a commencé…

— Ma folie ? C'est ce qu'ont dit les psychiatres de l'armée.

De son côté, il avait toujours envisagé cela comme une discipline, une religion qui nécessitait une foi absolue et son cortège de péchés et d'expiations… même une litanie de culpabilité. Il prit le bonbon et l'écrasa dans sa main. *Je suis vraiment navré.*

Qu'allait-il oublier demain ?

— Ce n'était pas la guerre qui vous plaisait – vous n'aimiez pas la boucherie. Ce n'est pas pour ça que vous vous êtes engagé pour la Corée.

— C'est Louisa que j'aimais.

Il s'assit et déboutonna sa chemise, détournant les yeux du côté du lit où Louisa dormait.

— Mais le parallèle est intéressant. Un jour, j'ai vu une affiche à Varsovie. C'était le portrait d'une jeune femme. Le haut de son crâne était obscurci par un lavis de sang rouge, comme si sa tête avait explosé. La légende disait… comment traduire ? « Guerre, quelle femme tu es ! » Je crois que ça résume tout.

La communication fut coupée. Apparemment, Mallory s'était satisfaite de la réponse. Avait-elle compris la musique ? Non, il était vain de chercher à lui expliquer. Elle n'aurait pas eu la patience.

Il avait donné forme et substance à Louisa dans une prison coréenne, mais elle était revenue des années plus tôt, dans le chaos de la Seconde Guerre mondiale, lorsque Roland l'avait fort justement surnommé le Glaçon.

Malakhai resta allongé, la tête sur l'oreiller. La cellule se transforma en nuages bas au-dessus des plaines d'Europe en plein hiver. Il se prit les épaules à deux mains, il était gelé. Il ne faisait plus nuit… c'étaient les premières lueurs de l'aube.

Il aurait pu épargner l'enfant s'il l'avait prévenu depuis sa cachette derrière les rochers, mais il n'en avait rien fait. Il regarda le garçon de cinq ans s'avancer dans le champ. C'était parfait, en réalité. Au lieu d'attendre encore une heure pour que les soldats allemands déclenchent l'explosion, l'enfant curieux qui se dirigeait droit vers la mine allait lui faire gagner du temps.

Le première classe Malakhai avait pesté dans le froid glacial quand une succession de miracles avait sauvé les Allemands. Ils avaient presque fini de dégager le gros arbre de la route, le sciant morceau par morceau. Ils riaient ; Malakhai ne savait pas pourquoi et il s'en fichait. L'un d'eux montrait du doigt l'enfant qui allait mourir d'une minute à l'autre. Il lui fit signe ; le garçon hâta le pas.

Encore mieux.

Malakhai avait le bout des doigts bleu de froid ; il priait pour que l'enfant se dépêche, qu'il coure à sa mort certaine.

Un soldat blond brandissait une saucisse en souriant. Le garçon ouvrit des yeux ronds comme des soucoupes, tendant sa menotte vers la gâterie promise.

La première mine explosa sous le pied du garçon, les autres suivirent. Il se passa à peine une seconde entre chaque explosion, pas assez pour que les Allemands se rendent compte de ce qui leur arrivait, cependant que leurs corps se déchiquetaient et voltigeaient aux quatre coins du champ. Il plut du sang ; un fin brouillard cristallisa la mort en gouttelettes rouges gelées.

Le camion était en feu. L'air était chargé d'odeurs âcres, soufre et fumée, pneus brûlés et chairs calcinées. Malakhai n'avait pas encore senti sa blessure ; un éclat d'acier lui avait percuté la tête. Il sortit de sa cachette et alla dénombrer pour son rapport les trente-quatre soldats morts. Il ne compta pas l'enfant, qui n'entrait pas dans les statistiques de l'armée.

Son travail terminé, il s'approcha du petit cadavre. Le garçon à ses pieds était mutilé, mais entier. Il avait été au cœur de la première explosion, et cependant son visage était intact, ses membres encore attachés par des tendons et des os.

Malakhai sentit le début d'une érection. Comme c'était étrange ! Il ne pouvait se l'expliquer, mais tandis que le visage de Louisa se mettait à occuper tout son esprit, il trouva naturel de penser à elle au moment où sa libido s'éveillait. Il sentit la chaleur dans son entrejambe, plus intense maintenant – tel un incendie en plein hiver. Et inexplicablement, tout avait commencé avec le petit cadavre à ses pieds. L'enfant devait habiter à la ferme qu'on apercevait au loin.

Malakhai se raidit et se figea, attentif. De l'autre côté du champ enneigé, il entendit les notes d'un violon.

Impossible. La blessure à la tête ?

Hallucination auditive ? Naturellement, et ce n'était pas la première. Blessure après blessure, il apprenait le jargon médical. Mais ce n'étaient pas les sonneries familières, la douleur des cloches et des obus. C'était de la musique, et le violon ne faisait pas partie de son répertoire des plaies, au corps ou à l'âme.

Il dévisagea l'enfant. Des flocons se déposaient sur les yeux grands ouverts, et fondaient lentement. Malakhai ne sentit rien, sinon la chaleur entre ses cuisses et la décharge de sperme.

Il tourna la tête vers la ferme afin de mieux entendre la musique. Le vent se levait, les faibles notes s'éloignaient. Une autre sensation d'humidité. Il porta la main à sa figure.

Des larmes ?

Pour Louisa.

Penser à elle n'avait pas suscité de sentiment de perte ni de souffrance. Ne restait que le sel des larmes… un cadeau de Louisa. Le Glaçon pleurait à cause d'un réflexe conditionné, à cause du violon. Il crédita Louisa des larmes qui ne coulaient pas pour la mort d'un enfant, imitant le chagrin, le remords.

Mais pourquoi ?

Deux silhouettes floues sortaient de la ferme lointaine. Les parents ? Ils venaient peut-être de s'apercevoir que leur fils ne dormait pas dans son lit. Malakhai savait qu'ils allaient accourir vers le camion en flammes. Et cependant, il ne ressentait ni empathie ni sympathie, rien, sinon la douleur lancinante de sa blessure au crâne.

Qu'est-ce que Louisa voudrait qu'il fasse, maintenant ?

Ah, bien sûr !

Le première classe Malakhai ramassa le petit garçon, qui pesait à peine plus lourd qu'une plume, et, tournant le dos à la fumée noire, à l'amas de métal tordu, aux uniformes calcinés et aux cadavres, il traversa le champ blanc de neige, suivant les empreintes de pas d'un enfant.

Le jeune soldat marchait avec une grâce rare sur ses pieds gelés, vers la ferme où le conduisaient les pas du petit.

Mallory était fatiguée de regarder le mur où Oliver Tree, plus grand que nature, était assassiné en boucle.

Elle éjecta le *Concerto de Louisa* de son ordinateur. Elle avisa le lecteur de CD portable sur son bureau. Elle avait jeté les vieilles piles depuis longtemps ; elle se mit à fouiller les tiroirs à la recherche des neuves. Où étaient-elles ? Les déménageurs n'avaient pas pu les perdre. Elle avait empaqueté le contenu de son bureau elle-même et transporté la caisse dans sa propre voiture.

Pas de piles – tant pis. Elle brancha le lecteur de CD sur un adaptateur, puis sur la prise murale, et accrocha les écouteurs autour de son cou. Reliée par un fil électrique, elle passa devant les lentilles du projecteur. Les images l'enveloppèrent et des flèches filèrent en silence à travers ses cheveux.

Elle ouvrit la porte du placard et en sortit des cartons soigneusement pliés. Un coin du salon avait été déblayé pour abriter deux des murs de la cellule coréenne. Elle reforma les cartons qu'elle empila pour élever deux autres murs d'un mètre cinquante de haut. La construction terminée, des bandes de ruban de masquage couraient d'une paroi en carton au mur en plâtre – rappelant que la cellule ne permettait pas de s'y tenir debout. Les rubans imitaient grossièrement des barreaux de prison.

Mallory cala les derniers cartons pour s'enfermer totalement et s'assit en tailleur dans sa cage. Au bout de quelques minutes, elle prit conscience de petits bruits qu'elle n'avait pas remarqués plus tôt, le tic-tac d'une horloge murale, le clapotis de la pluie sur les carreaux. Les notes de musique d'un ghetto-blaster lui parvinrent de la rue. Mais les parois la protégeaient au moins des flèches d'Oliver et de sa mort qui se répétait à l'infini.

Elle plaqua les écouteurs de son casque sur ses oreilles, et les coussins assourdirent tous les sons extérieurs.

La paix parfaite.

Ce n'était pas ce qu'elle avait imaginé. Sa position était confortable même si elle ne voyait ni porte ni fenêtre. Peut-être était-ce dû à sa confiance absolue dans son système d'alarme.

Non, il y avait autre chose, une impression familière. Un vieux souvenir revint à la surface.

Ma petite cabane.

Mallory avait recréé une pièce de son enfance, un carton de réfrigérateur qui lui avait servi autrefois de refuge quand elle avait dix ans. Sa cabane en carton avait été un sanctuaire paisible qui la protégeait de la folie des rues, des montagnes russes d'émotions, suite de fuites et de bagarres.

Elle s'y était sentie en sécurité.

Et Malakhai avait vécu cela pendant un an à l'isolement. Elle aurait presque accueilli avec joie une telle condamnation. Mais qu'avait-il fait de son temps, à part écouter la musique intérieure de ses souvenirs et ressusciter une morte ?

Mallory brancha le lecteur de CD sur replay pour passer en boucle le *Concerto de Louisa*. La stéréo créait l'illusion que l'orchestre jouait à l'intérieur de sa tête. Mais la musique ne lui disait rien, n'évoquait pas les fantômes de 1942 ; ce n'étaient que des notes qui s'égrenaient, juste des violons et des cuivres.

Malakhai, que faisais-tu de toutes tes journées ?

Eh bien, il avait retenu le cadavre de Louisa dans ses moindres détails, la robe bleue, les yeux injectés de sang, la mousse rose aux commissures de ses lèvres. Il avait dû se repasser mille fois sa mort dans la tête.

Mallory cessa de s'intéresser à la musique. Elle se concentra sur une image du théâtre de magie de Faustine – la version de Malakhai, pas celle d'Oliver.

Elle le décora de tables de bistrot, de bouteilles de vin, le peupla de civils parisiens et de soldats allemands, y ajouta de la fumée de cigarettes. Le lustre éteint, la scène éclairée par une rangée de bougies. Sur scène, à côté d'elle, se tenait une jeune fille rousse avec un violon à la main. Mallory se glissa dans la peau de la rousse et tourna la tête vers le jeune Malakhai. Il était dans les coulisses, dissimulé derrière le rideau, attendant la note convenue pour agir.

Mallory leva la main, cala le violon au creux de son épaule, sous son menton. Puis Louisa gratta les cordes avec un archet qui sentait la colophane. Caché sous l'instrument, se trouvait le carreau qui devait remplacer l'archet à la fin de l'acte. Mallory regarda de nouveau vers Malakhai.

Tu le vois, Louisa ? Tu vois son uniforme ?

Non, pas encore. Et seule Mallory apercevait le carreau engagé dans l'arbalète. Louisa fermait les yeux. Elle était tout à sa musique.

C'était le tour d'illusionnisme de Max Candle. Mais ce soir, c'était Malakhai qui tenait l'arme…

Il est si jeune ! Dix-huit ans seulement. La crosse de l'arbalète serrée dans sa main, les yeux masqués par la visière de sa casquette d'officier. Il leva l'arbalète.

L'uniforme était gris, les boutons en argent, le col rouge. Il ne fallait manquer aucun détail. Mallory regarda le jeune Malakhai à travers les yeux de Louisa. Il était beau et portait d'élégantes bottes noires. Il braqua l'arbalète sur elle.

À quoi pensait Louisa ? Il était facile de se glisser dans l'esprit d'un tueur – moins dans celui d'une victime. Elle vit d'abord l'uniforme, puis l'insigne des SS. *Malakhai ?*

Oui, elle le reconnaît, maintenant. Elle évacue sa peur de l'uniforme et elle contemple son amour de jeunesse dont le doigt est crispé sur la détente de l'arbalète. Elle se demande pourquoi il a pris la place de Max.

Pourquoi Max n'est-il pas là ?

Max ne te tirera jamais dessus, Louisa. Il n'y a que Malakhai pour faire une chose pareille – parce qu'il t'aime depuis sa plus tendre enfance.

Mallory attend qu'il tire. Louisa croit-elle encore qu'un foulard en soie va jaillir sur le fil qu'elle enroulera autour de la flèche cachée sous son violon ? Franny Futura avait déclaré qu'elle avait eu l'air surpris. Non, Louisa ignore ce qui va se passer. Elle se détourne du public, pivote sur elle-même tout en jouant afin de masquer le remplacement de l'archet par le carreau. Elle se prépare à répéter les mêmes gestes que les autres soirs.

Pourquoi lui fais-tu confiance, Louisa ?

Je le connais depuis toujours.

Mallory, moins confiante, regarde le jeune homme. Ses yeux bleu foncé sont rivés sur le visage de Louisa – ils le caressent de loin. Son doigt actionne la détente.

Louisa, malheureuse !

Pas le temps de crier. Le carreau est fiché profondément dans son épaule, la douleur est atroce. Le violon et l'archet tombent par terre. Le carreau caché lui échappe. Comment est-ce possible ? Louisa regarde Malakhai s'enfuir. *Pourquoi ? Pourquoi me fais-tu du mal ?*

Il s'enfuyait. Louisa tomba et Mallory sentit la fraîcheur du bois sur sa joue. Les bottes de Malakhai qui martelaient le sol résonnèrent dans le corps de Louisa étendu sur le plancher.

Pendant une heure, Mallory passa et repassa la scène dans sa tête. Une fois, elle laissa Louisa allongée par terre et courut après Malakhai, traversa la salle, renversant des tables au grand étonnement des spectateurs. Ils se retrouvèrent tous deux dehors, devant le théâtre, le souffle court. Il avait plu. La nuit était humide et froide. Malakhai promena son regard dans la rue, mais Mallory ne vit personne. Sous le couvert de la nuit et de la pluie, il arracha son uniforme. Il portait des vêtements civils par-dessous. Il revint au théâtre en courant. Il ne s'était passé que quelques minutes et non les quinze qu'il avait estimé, pas même dix. Il était jeune, le temps défilait lentement pour lui, mais seules quelques minutes s'étaient écoulées.

Louisa meurt. C'est ça que tu voulais, Malakhai ?

La fois suivante, Mallory resta allongée sur scène à côté de Louisa, saignant de la même flèche, trahie, abandonnée, écoutant le bruit des bottes de Malakhai s'éloigner tandis qu'elle perdait son sang et agonisait.

Maintenant, Louisa était en état de choc. On la souleva, on l'emporta dans les coulisses. Des mains puissantes la déposèrent sur le sol d'une petite pièce. Mallory entendit la porte se refermer, assourdissant le bruit de la foule, des chaises et des tables qu'on bouscule, le cliquetis des verres, les éclats de voix.

On plaqua un oreiller sur sa bouche.

Pas d'air. La panique s'empara d'elle. L'instinct primaire qui la poussait à respirer surpassait tous ses sens. Elle repoussa l'oreiller. Mallory lutta avec plus de force que Louisa, les muscles gorgés d'adrénaline, les poumons en feu, crevant d'envie d'une bouffée d'air. On appuyait de plus en plus fort sur l'oreiller. Louisa se débattit férocement, tapa des pieds. Le sang jaillissait de la plaie, se répandait par terre, rendant le plancher rouge et glissant.

Où est Malakhai ?

Il est parti, Louisa. Il s'est enfui. Tu le sais bien.

Aucune aide ne viendra. Son assassin est à cheval sur elle, il pèse de tout son poids et plaque l'oreiller sur sa bouche. Mallory distingue des voix derrière la porte ; elles parlent dans une langue étrangère.

Pourquoi ne cries-tu pas, Louisa ?

Je ne peux pas. Il y a des Allemands derrière la porte.

Déjà ? Quelques minutes seulement se sont écoulées depuis que l'arbalète a lancé son carreau. Des soldats qui étaient dans le public ?

Son assassin semble aux abois. Elle ne meurt pas assez vite. Il appuie un genou sur sa poitrine. Elle entend son sternum se briser. La douleur se mêle à l'incompréhension. Elle sent son cœur s'écraser sous le poids du meurtrier, percé par des éclats d'os pointus.

Non, non !

Soudain, elle cesse de se débattre. Le sang afflue dans ses yeux. Ce que Malakhai a commencé est en train de se terminer – c'est presque fini. Elle gît, immobile, les yeux grands ouverts. Une mousse rose surgit de sa bouche, de délicates bulles éclatent les unes après les autres.

Recroquevillée en boule dans la prison aux dimensions de la cellule coréenne de Malakhai, Mallory n'entend plus de sons, ne voit plus d'images, car les morts ne rêvent pas.

Lorsqu'elle rouvre les yeux, la lumière matinale jaillit à travers le plafond au-delà des barreaux de fortune ; elle a mal dans tous les muscles, sa nuque et ses membres sont raides. Le lecteur de CD joue toujours le concerto, emplissant son esprit de notes de musique qui ne signifient rien pour la jeune femme. Dire que Louisa habitait sa composition, elle !

Mallory n'avait jamais imaginé de métaphore musicale. Le jazz de son père adoptif lui donnait chaque fois envie de danser. La musique de Louisa était trop étrangère à son oreille.

Néanmoins, elle trouva un sens à la composition. Entre les cordes des violons, les cuivres décochaient des notes aiguës. Peut-être représentaient-ils les arbalètes. Maintenant, tous les instruments de l'orchestre retentissaient, explosions aiguës de clarinettes et de flûtes – bombes musicales, éclats d'obus retombant comme des étoiles filantes. Suivit une cascade de notes limpides dans les graves. Lorsque l'accalmie s'installa de nouveau, Mallory hocha machinalement la tête. Le silence et la solitude étaient des compagnons qu'elle appréciait.

Qu'est-ce que Malakhai avait compris pendant son long séjour dans la cellule ?

Le sang de Louisa dénonçait le tueur. Les autres avaient peut-être une ou deux taches de sang, mais l'assassin devait en être entièrement éclaboussé. Malakhai connaissait donc depuis toujours le coupable. Il n'avait pas perdu un détail du drame. Et cependant, il avait attendu tout ce temps pour se venger.

Elle ramassa le lecteur de CD pour l'éteindre. Le fil n'était plus tendu. Elle tira dessus, et il glissa dans une fente entre les cartons, puis la prise se coinça dans une pliure. Le lecteur n'était plus branché. La prise s'était défaite pendant qu'elle dormait. Les piles étaient à plat, elle les avait jetées depuis longtemps. Et pourtant, la musique jouait toujours.

Non, impossible !

Elle donna un coup de pied dans les cartons ; un cri déchira la prison. Les tendons de sa jambe étaient en feu. Un muscle de l'épaule tressaillit. La panique la saisit, s'amplifiant de concert avec la musique tourbillonnante. Elle lutta pour rester immobile, s'allonger et permettre aux crampes de s'estomper. La musique s'accéléra. Des gouttes de sueur perlèrent sur son front. Son cœur battait de plus en plus vite, au rythme des notes endiablées. Elle repoussa les cartons pour se dégager. La douleur lui vrilla les bras.

La musique repartit de plus belle, prête à l'écraser dans un crescendo. Elle se couvrit la tête de ses bras dans un geste défensif. La musique se radoucit, tel un être vivant préférant ne pas la matraquer avec un torrent de notes. Mallory roula sur elle-même, puis rampa à quatre pattes hors de la cellule de Malakhai, traînant derrière elle le lecteur de CD par les fils des écouteurs. La musique rampa derrière elle.

Je rêve !

L'orchestre attaqua de nouveau. Furieuse, Mallory abattit son poing sur le lecteur. Un morceau de plastique voltigea, dévoilant les piles.

Elle avait cru les avoir jetées la veille, mais elles étaient là, côte à côte… elles s'étaient rechargées pendant la nuit.

Imbécile !

Mallory coupa le son. La musique mourut. Elle respira à fond. Les choses n'étaient pas ce qu'elles semblaient être. Même la folie n'était qu'un mauvais tour mal ficelé.

*
* *

Le lieutenant Coffey ouvrit les stores qui mangeaient la partie supérieure de la cloison de séparation. Dans la salle, de l'autre côté de la vitre, ses inspecteurs étaient rassemblés autour d'un petit poste de télévision et les paris allaient bon train. Le lieutenant reporta son attention sur le grand poste qui trônait dans un coin de son bureau.

Le sergent Riker était affalé dans un fauteuil, indifférent, semblait-il, à l'attraction qui allait suivre – sans doute parce qu'il n'avait pas misé un centime. Il avait été appelé dans le bureau du lieutenant avant d'avoir pu dire un mot aux parieurs.

Jack Coffey se passa une main dans les cheveux, s'arrêtant juste avant sa calvitie, qu'il attribuait au stress et dont il rendait Mallory coupable. Les deux hommes regardèrent en silence la météo qui précédait le talk-show. Jack Coffey détestait le speaker, un idiot béat à la chevelure abondante, imméritée, qui touchait une fortune pour débiter des banalités d'un ton plein d'importance.

Des soleils souriants et des gouttes de pluie égayaient la carte du pays. Un énorme et unique flocon de neige menaçait le Connecticut tout entier.

Le lieutenant trifouilla une pile de papiers sur son bureau.

Quoi encore ?

Il arracha la feuille du dessus et l'agita sous les yeux du sergent Riker.

— Comment a-t-elle poussé les gars de Heller à faire ça ? J'ai donné mon accord pour l'inspection de la plate-forme, pas pour le char du défilé.

Riker haussa les épaules. Coffey décida que le sergent était peut-être réellement dans le brouillard. Mallory avait sans doute couvert son coéquipier en prétendant que la fouille avait l'approbation de la hiérarchie.

Coffey tourna la tête vers la vitre de séparation. Des paris de dernière minute étaient joués pendant que le présentateur montrait, hilare, les gouttes de pluie qui convergeaient sur New York à l'approche des orages.

Sur l'écran, l'image changea. On passait le film d'un cameraman amateur pris le jour de Thanksgiving pendant le défilé. La caméra était braquée sur la femme et les enfants de M. Zimmermann. Ils souriaient joyeusement et le vent dressait les cheveux de Mme Zimmermann sur sa tête. Les enfants faisaient de grands gestes à côté du char d'un bonhomme de neige géant. Étrangement, la caméra vidéo balaya un tertre rocheux qui s'élevait en arrière-plan. Mme Zimmermann et les enfants se bousculèrent pour être devant l'objectif. Maintenant, ils se dirigeaient vers le parc pendant que toutes les autres caméras de New York filmaient les ballons géants qui volaient de l'autre côté.

L'image s'estompa, remplacée par celle du plateau de télévision où se déroulait le talk-show matinal préféré du maire. Un homme et une femme étaient assis sur un canapé. Ce duo n'avait pas beaucoup changé depuis l'enfance de Jack Coffey. Le présentateur avait toujours porté une mauvaise perruque, mais ses cheveux bruns ne s'accordaient plus avec ses rides et son triple menton. Sa compagne était plus effrayante. Elle n'avait pas vieilli d'un poil, et elle gardait constamment sur ses lèvres un sourire plaqué, semblable à un rictus. On murmurait qu'il s'agissait d'un accident de la chirurgie esthétique.

Riker monta le volume quand Heller parut sur le plateau. Le chef de la police scientifique serra la main des présentateurs à contrecœur, sembla-t-il. Il était peut-être mal à l'aise en public. Ou Mallory gardait sa famille en otage.

Le gros ours s'assit entre ses hôtes. Heller faisait preuve d'un grand sang-froid, cillant à peine pendant que le présentateur mutilait la longue liste de ses diplômes et de ses précédents succès éclatants dans des affaires criminelles. Il s'absorba dans la contemplation d'un écran de contrôle. Un autre, gigantesque, diffusait la même image agrandie pour le public du talk-show. C'était le plan fixe du tertre rocheux qui se détachait au-dessus de la tête de l'épouse du cameraman amateur.

— Regardez bien le tertre, conseilla le présentateur.

Le plan fixe s'anima, montrant les cheveux de Mme Zimmermann qui s'agitaient dans le vent.

— Vous voyez l'ombre sur les rochers ? demanda le présentateur en détachant soigneusement chaque mot. Vous voyez la fumée blanche ?

Riker s'empara du programme de télévision, sans doute pour s'assurer que le chargé des relations publiques du maire n'avait pas fait inviter le chef de la police scientifique à une émission pour enfants.

— Bon, cette fumée, c'est un coup de feu, n'est-ce pas ? dit le présentateur en se tournant vers Heller. La preuve indiscutable que l'inspecteur Mallory n'a pas agi seule. C'est bien ça ?

— L'inspecteur Mallory n'a pas tiré, affirma Heller. La fumée est synchronisée avec la bande-son du reportage. Les déplacements de l'ombre ont été analysés soigneusement. La fumée vient d'un fusil. Deux enfants qui jouaient dans le parc ce matin-là ont retrouvé la cartouche.

La présentatrice, son éternel sourire aux lèvres, toucha la manche de Heller.

— Mais êtes-vous certain que c'est la balle de ce fusil qui a atteint Goldy ? C'est un si gros ballon !

Elle se tourna vers la caméra et dessina un grand arc de cercle de ses mains pour bien faire comprendre aux téléspectateurs analphabètes ce que signifiait le mot « gros ».

— Ç'aurait pu être le revolver, non ? On ne peut pas rater une telle cible, quelle que soit l'arme.

— Le ballon n'était pas la cible prévue, dit Heller. Il a été atteint par ricochet. Mon équipe a vérifié les soupçons de l'inspecteur Mallory selon lesquels c'était le char qui était visé. Nous avons retrouvé deux trous dans le tissu du haut-de-forme géant. Un pour l'entrée de la balle, un autre pour la sortie. J'ai trouvé des impacts correspondants dans l'armature métallique du chapeau.

Le présentateur haussa un sourcil et maintint la pose.

— Vous voulez dire qu'il y a eu une tentative d'assassinat ?

— Non. Je dis seulement qu'une balle a ricoché sur le char. Je vous laisse libre d'en tirer les conclusions que vous voulez. C'était peut-être un ivrogne à la gâchette facile.

— Bien, nous avons donc l'explication pour une des balles, dit la femme au rictus. Pour les autres coups de feu…

324

— Un seul coup de feu, coupa Heller en pointant son index, pour être sûr de se faire comprendre.

Les présentateurs avaient manifestement besoin qu'on leur mette les points sur les i pour leur apprendre à compter. Cela renforça Riker dans son impression qu'il regardait une émission pour enfants.

Le présentateur compta sur trois doigts.

— Des témoins ont entendu trois coups de feu.

Deux bips électroniques censurèrent la réponse de Heller. Coffey eut la nette impression qu'il s'agissait d'adjectifs peu amènes pour la fiabilité des témoignages des simples citoyens. Heller renouvela son commentaire dans un langage plus affable.

— Vous avez repassé cette vidéo des centaines de fois. Avez-vous entendu trois coups de feu ? Non. (Il pointa de nouveau son index.) Un seul coup de feu. L'inspecteur Mallory n'a jamais tiré une seule balle.

Coffey scruta la salle derrière la vitre. Des bravos et des sifflets retentirent. Les gagnants ramassaient les billets et les empochaient. Quelques dollars volèrent, jetés par des perdants râleurs.

Riker éteignit la télé.

— Que ça vous plaise ou non, la gosse est innocentée. Vous voulez que je débarrasse son bureau ?

Coffey acquiesça avec un sourire contrit.

— Je sais ce que vous pensez, lieutenant. Comment Mallory fera-t-elle pour apprendre les règles si vous ne la surprenez pas en train de les enfreindre ?

Il sourit. Ce n'était pas le sourire provocateur d'un gagnant. Riker était simplement content de ne pas être du côté du perdant – son supérieur.

Coffey surveillait du coin de l'œil un homme en uniforme. Le sergent Harry Bell traversait la salle de garde. Lorsqu'il ne fut qu'à quelques pas de la porte, Coffey étendit le bras et ouvrit sa main. Le sergent Bell entra pour déposer un billet de dix dollars dans la paume du lieutenant – ses gains.

Harry Bell se tourna ensuite vers Riker dont l'expression disait assez sa surprise.

— Tu ne paries jamais sur ta propre coéquipière ? Mince, Riker, même si tu croyais Mallory coupable, tu aurais pu miser quelque chose, juste pour faire monter la mayonnaise.

*
* *

Mallory s'agenouilla dans la cave et balaya le sol du faisceau de sa torche. Le talc n'avait pas été piétiné. Il recouvrait toujours un vaste rectangle. Il n'y avait pas trace d'un échafaudage enjambant le piège de talc et *il* ne l'avait pas franchi au vol. Et cependant, Billie Holiday chantait de l'autre côté de la paroi en accordéon ; *il* était donc là. Elle sentait la fumée des cigarettes ; celles de Malakhai et de Louisa.

À une extrémité de la paroi, Mallory examina la rangée des serrures qui la fixaient au mur. Un pied-de-biche ordinaire n'aurait jamais pu en venir à bout. À en juger par leur taille, les pênes devaient s'enfoncer dans deux épaisseurs de brique. Néanmoins, elle tira sur la paroi qui se détacha lentement du mur, glissant en silence, repliant l'accordéon sur lui-même en ménageant une large ouverture. Elle franchit cette porte et entra dans la réserve.

Courbée en deux, elle avança le long d'une rangée d'étagères et contourna une pile de cartons. C'est avec plaisir qu'elle vit la surprise envahir le visage de Malakhai quand il leva la tête d'une caisse ouverte à ses pieds.

Beau joueur, il sourit.

— Je me demandais combien de temps vous mettriez à comprendre. Même Charles croit que la seule porte se trouve au centre de la paroi. Évidemment, quand on connaît le sens de l'humour de Max Candle, ça aide.

— Vous avez trouvé ce que vous cherchiez ?

Il montra la tranche en cuir d'un livre calciné. La caisse à ses pieds était remplie de cendres et de couvertures noircies.

— C'était le journal de Max. J'imagine qu'Edith l'a trouvé après sa mort.

Il fumait une cigarette. Celle de Louisa était éteinte.

— Pourquoi le vouliez-vous ?

Il laissa tomber le livre dans la caisse et s'essuya les mains sur un torchon.

— Il y avait ma femme là-dedans. Max m'avait parlé de son journal un soir. Il était très soûl et il se sentait coupable.

— Il tenait un journal à Paris ?

— Non, il l'a commencé bien plus tard... après que j'étais rentré de Corée avec ma Louisa ressuscitée. Quand j'ai introduit Louisa dans mon spectacle, ça a touché Max plus que je ne l'avais imaginé. Son journal, c'était en fait des lettres d'amour adressées à une morte. C'est pour ça qu'Edith a brûlé les livres... elle était jalouse d'un fantôme.

Il donna un coup de pied sans conviction dans la caisse.

— Max Candle était-il aussi fou que vous ?

Malakhai prit une bouteille de vin en souriant et examina l'étiquette.

— Je sais toujours à quoi m'en tenir avec vous, Mallory. (Il remplit un verre et le lui offrit.) Je sais, c'est obscène de boire avant midi.

Mallory accepta le verre.

— Ah, très bien ! fit-il. J'espère que vous ne deviendrez jamais bien élevée. (Il posa son regard sur la caisse.) Une épouse est toujours au courant, n'est-ce pas ? Une rivale défunte, ça a dû la démolir. Pauvre Edith… pauvre Max.

Il tira sur sa cigarette et renversa la tête en arrière pour voir le nuage de fumée monter vers le haut plafond.

— Je peux vous raconter ma vie à partir des cigarettes. Comme le soir où nous avons fui Paris, Max et moi. Il m'a sauvé la vie, vous savez ; il m'a traîné dans la rue et m'a fait monter dans le train. Nous sommes passés en Espagne.

— Vous m'aviez dit que la frontière était fermée à double tour. Vous disiez que vous ne pouviez pas faire sortir Louisa de Paris – pas comme ça.

— Elle était bel et bien fermée. Oh, des fois, elle s'ouvrait pour une heure ou une journée, mais la nuit la frontière était aussi étanche qu'un cercueil. Je m'en fichais. J'étais mal en point. Max avait une meilleure chance de s'en sortir tout seul, mais il ne voulait pas partir sans moi. Il n'y avait aucune issue, figurez-vous. Toutefois, Max se fiait toujours à une petite voix intérieure qui lui disait : « Il faut oser ou mourir. » Même à l'époque, il prenait des risques insensés.

Il referma la caisse pleine de cendres.

— Nous sommes descendus du train à Cerbère. Les douaniers alignaient les passagers et vérifiaient leurs papiers. Nous avions des faux de Nick Prado dans nos poches, des visas de sortie, des lettres de transit pour quitter Lisbonne. Ils ne servaient à rien, naturellement. Il était impossible d'obtenir un visa de sortie légal ce mois-là, nos papiers étaient donc suspects. Nous n'avions pas de bagages – ce qui était encore plus suspect. Et Max portait toujours son smoking. Les douaniers étaient français, des gens que la mode ne laisse pas indifférents, mais ils ont quand même dû trouver ça bizarre, surtout le haut-de-forme en soie.

« Max est allé discuter avec un policier qui gardait la

porte de la gare. Quand il est revenu, il n'avait plus d'argent, mais il possédait tous les renseignements pour contourner les barrages français. Le policier lui avait dit que les identités étaient vérifiées par téléphone et par câble, nous ne pouvions donc plus remonter dans le train. Nous avons quitté la gare avec les passagers qui s'arrêtaient à Cerbère. Ensuite, nous avons gravi une montagne. Je me souviens d'avoir longé des murets de pierre et des oliviers. Il y avait un million d'étoiles. Nous nous sommes arrêtés à un poste frontière espagnol.

« Max a discuté avec les douaniers. Je me suis assis dans le refuge et j'ai pleuré pendant toute la conversation. Les Espagnols lui demandèrent pourquoi son ami était si triste. Il leur répondit que ma femme était morte dans la soirée. Ensuite, ils lui demandèrent pourquoi il pleurait, lui. Des larmes coulaient sur ses joues lorsqu'il leur expliqua qu'il était l'amant de la femme de son meilleur ami. Mais c'est après qu'il les surprit réellement. Il leur dit qu'il ne lui restait plus que quelques francs et un demi-paquet de cigarettes. Il n'avait pas eu l'intention de les soudoyer. Ah, les papiers aussi. Il leur parla des faux. Les douaniers étaient pliés en quatre. Comme je ne voyais pas ce qu'il y avait de drôle, je continuai de pleurer. Ils nous laissèrent passer, je ne sais toujours pas pourquoi. C'est un coup de chance extraordinaire qu'on ne nous ait pas arrêtés ce soir-là. Les soldats allemands attendaient tout le long de la frontière, comme des chats devant une souricière.

« La plaisanterie continua à Lisbonne où nous finîmes par arriver. On découvrit que la lettre de transit était un faux. Naturellement, je savais que ça nous pendait au nez, mais je me fichais de ce que nous allions advenir. Nous attendions sur un canapé, dans l'antichambre d'un fonctionnaire quelconque. Ce bonhomme, vêtu d'un complet d'excellente coupe, vint nous agiter les faux papiers à la figure. Il était rouge de colère. Max s'est levé dans son smoking couvert de poussière et s'est incliné. Il avait un tel charme ! Il a dit qu'il espérait ne pas l'avoir froissé en utilisant des faux grossiers, parce que notre intention n'était pas de l'insulter.

« Oh, non ! s'est récrié le fonctionnaire. Les papiers sont merveilleusement imités. Il consolait Max ! Ensuite, ils ont disparu dans le bureau du bonhomme. De temps en temps, j'entendais des éclats de rire à travers la porte. Une heure plus tard, nous quittions Lisbonne en avion. Je ne sais pas comment nous avions fait. C'était absurde. Toute la guerre était comme ça.

Il secoua ses cendres au-dessus du cendrier où la cigarette de Louisa reposait, éteinte.

— Je me rappelle avoir allumé une cigarette dans l'avion. Il y avait plein de fumée au-dessus de la terre ce soir-là. Les soldats tiraient sur des mégots dans leur gourbi ; les généraux fumaient des cigares en buvant du whisky ; les putes fumaient sur le trottoir, le bout incandescent de leur cigarette rougeoyait dans la nuit. Entre les tirs de batterie et les cigarettes, je me demandais comment nous pouvions voir quelque chose à travers toute cette fumée. J'ai compris plus tard, que nous ne voyions rien.

Il posa son regard sur la cigarette qu'il tenait entre ses deux doigts.

— C'est médical, vous savez. Ma femme était morte. Quelques bouffées de nicotine, et ça me consolait. Je croyais avoir tué Louisa avec mon arbalète. J'en étais malade. Une autre cigarette, et j'étais consolé.

— Après sa mort, fit Mallory, quand vous l'avez introduite dans votre spectacle, comment saviez-vous que Max était encore…

— … fou d'elle ? Quand j'ai rapporté son fantôme de Corée, je l'ai emmenée dîner chez Max. Il est tombé amoureux d'elle comme au premier jour. Peu importait qu'elle fût morte. C'était un Américain. Rien n'était impossible pour Max. (Il repoussa le cendrier.) Mais c'est une autre histoire, une autre cigarette. (Il alla à la malle-penderie.) Ce soir, c'est la veillée mortuaire d'Oliver. Je recommande le smoking de satin blanc.

— C'est la coutume pour la mort d'un magicien ? Pourtant, tout le monde me dit qu'Oliver n'était pas magicien.

— C'est juste. Il ratait tout ce qu'il voulait. Ce ne sera pas grand-chose, pas comme pour Max Candle. Ça, c'était une belle cérémonie ! Des magiciens sont venus du monde entier lui souhaiter bon voyage. Je n'ai pas entendu parler d'éloge funèbre aussi grandiose depuis. D'ailleurs, Oliver est déjà enterré. Nous donnons juste une veillée dans un petit endroit près de chez vous.

— Futura dit qu'Oliver adorait Louisa, lui aussi.

— Il lui était dévoué corps et âme. Oliver ne s'est jamais marié, vous savez. Il n'a jamais trahi sa mémoire.

— Et vous n'avez jamais aimé qu'elle ?

Malakhai s'agenouilla à côté de Mallory.

— Vous vous demandez toujours si je suis fou ou si Louisa fait partie de mon personnage. Est-ce que je l'emmène partout par culpabilité ou par intérêt ?

— Je crois que vous avez été réellement fou d'elle autrefois. Mais maintenant c'est devenu une simple habitude. Vous avez de plus en plus de mal à tirer les ficelles, n'est-ce pas ? (Mallory désigna le cendrier.) Ses cigarettes ne cessent de s'éteindre. Le jeu est presque terminé.

Elle lui sourit, et Malakhai, prenant cela pour un avertissement, s'écarta légèrement.

— C'est la deuxième fois que je fais un saut à la cave aujourd'hui, dit-elle. Je pense avoir trouvé ce que vous recherchiez : une vieille lettre cachée dans la pointe d'une chaussure.

C'était là que la mère adoptive de Mallory cachait ses biens précieux pour les mettre à l'abri des cambrioleurs – comme s'il y avait un marché noir pour les mauvais poèmes que son mari lui écrivait.

— C'est une lettre de Max ? interrogea Malakhai.

— De Louisa. Elle vous était adressée. Elle a sans doute estimé que vous conserveriez ses effets personnels si elle ne passait pas la nuit. (Mallory coula un œil vers la malle-penderie.) D'ailleurs, ça m'étonne que vous ne l'ayez pas fait. Je vous échange la lettre.

Elle s'inspecta les ongles, comme si la transaction ne l'intéressait pas.

— Quand vous avez tiré ce coup de feu le jour de Thanksgiving, qui visiez-vous ?

Il secoua la tête pour lui faire comprendre qu'il n'acceptait pas le marché.

— J'ai des règles, dit Mallory. Tout se paie. Dites-moi sur qui vous visiez... ou je détruis la lettre.

— Eh bien, détruisez-la.

Il n'avait pas hésité une seconde. Il ne bluffait pas.

Mallory se releva pour aller à la malle-penderie.

— Je sais qu'elle l'a écrite le soir de sa mort.

Elle sortit le smoking blanc et le jeta sur son bras.

— Elle parle de ses aveux dans le parc. (Mallory se tourna vers Malakhai.) Votre dernière chance. C'était Nick Prado ? Était-il près du char quand vous avez tiré ?

Malakhai baissa les yeux sur la caisse de vin, secouant toujours la tête. *Rien à faire.*

Mallory sortit la lettre de la poche de son blazer. C'était une feuille jaunie et froissée – un morceau de papier tellement fragile. L'encre violette décrivait de légères arabesques presque illisibles. Mallory s'approcha de Malakhai et lui remit la lettre... comme cadeau... gratuitement.

Il regarda la lettre sans y croire.

Elle lui tourna le dos et se dirigea vers la paroi de

séparation. Malakhai s'absorba dans la lecture. La lettre avait été écrite par une femme qui ne savait pas comment la nuit allait se terminer, si elle s'échapperait ou si elle serait capturée – si elle allait vivre ou mourir. « Cher Malakhai », commençait-elle, et de longs adieux suivaient.

Mallory avait reçu une lettre semblable de son père adoptif, écrite avant sa mort soudaine, et qu'on lui remit le jour de ses funérailles. Trois générations de Markowitz, tous des policiers, avaient écrit des lettres similaires à leur famille. La fille du flic comprenait l'importance des adieux.

Elle franchit la porte de la paroi en accordéon et sortit sans se retourner pour éviter de le voir pleurer.

Elle obéissait à des règles.

CHAPITRE 16

Franny Futura tendit l'oreille ; pas un bruit, il était donc seul. Les danseurs étaient enfin partis et les machinistes venaient de prendre la pause déjeuner.

Il rit tout haut et se lança dans un pas de danse, tapant des pieds et s'étreignant de ses mains comme pour contenir sa joie. Peine perdue. Un sourire lui fendait le visage en deux lorsqu'il s'arrêta pour saluer la salle déserte.

— Broadway ! s'exclama-t-il en se dressant sur la pointe des pieds. Merci, Oliver.

Certes, le théâtre était un peu à l'écart, mais il n'avait jamais imaginé se retrouver si près de son vieux rêve, la Piste aux Étoiles. Franny connaissait sa place dans le milieu des magiciens. On l'avait surnommé « le musée vivant », condensé de vieux tours qui n'étonnaient plus personne. Cependant, vendredi soir, il donnerait une représentation d'un tour de Max Candle à guichets fermés. Dans ce théâtre, il serait la tête d'affiche. Dehors, sur le fronton, son nom figurait en plus grosses lettres que ceux des autres artistes du spectacle.

Il alla à la longue table noire sur laquelle reposait un cercueil en verre. Les panneaux transparents étaient bordés de baguettes de plomb. Et une moulure en plomb

334

marquait la séparation des deux moitiés du cercueil. Il saisit les poignées en étain et fit glisser les deux parties sur leurs rails. Il tapota la citrouille qui occupait le centre de la couche. Elle était retenue par une béquille métallique afin que le rasoir ne l'envoie pas balader à son premier passage. Il avait choisi le légume de préférence au mannequin de Max, à cause du sang. Le jus de la citrouille était peut-être plus pâle que le sang, mais c'était mille fois mieux que de la sciure.

À un mètre de la table, un cube de bois montait du plancher à la passerelle. Il comprenait des ressorts et des roues dentées qui évoquaient un mécanisme d'horlogerie jaillissant d'un coffret à bijoux géant. Au sommet, deux bras métalliques soutenaient un pendule, fine lame d'acier terminée en croissant.

Futura alla vers les coulisses en faisant des claquettes, puis grimpa à l'échelle qui menait à la passerelle. Lorsqu'il parvint au milieu, l'étroit pont suspendu se balança comme celui de Faustine. Futura s'agrippa au garde-fou, hilare.

Exactement comme au bon vieux temps !

Le théâtre n'était pas une simple copie ; c'était celui de Faustine revisité. Le cercle se refermait – il était revenu à la maison.

Il regarda en bas et imagina Max Candle gisant dans le cercueil en verre, pieds et poings liés, hurlant ses appels à l'aide convenus pour avertir le public que le spectacle avait mal tourné, que le pendule allait le tuer… et cela soir après soir, représentation après représentation.

Des coulisses, sur la droite, une volute de fumée montait vers les projecteurs.

— Émile ?

Pour seule réponse, un coup frappé sur du bois ; il avait de la visite. Combien d'années avant que ce bruit cesse de lui faire peur ?

— *Soudain, il se fit un tapotement*[1], dit la voix mal déguisée de Nick Prado.

Franny serra le garde-fou de toutes ses forces. Nick Prado s'avança dans la lumière, au milieu de la scène, et leva les yeux vers la passerelle en massacrant les vers du poète.

— *Qui frappe à la porte de ma chambre ?* Franny, il faut que tu glisses un vers de Poe dans ton spectacle. (Prado posa son regard sur la longue tige du pendule, puis sur le rasoir en forme de croissant.) Il paraît que tu as engagé six danseurs. Dis-moi que c'est faux.

Franny se pencha par-dessus le garde-fou.

— La présentation de ce tour est trop longue, commença-t-il.

Il perçut une note aiguë dans sa propre voix, trop haut perchée, trop forte.

— Je craignais que le public ne se lasse. La danse est une excellente initiative.

Nick afficha un rictus de dégoût exagéré.

— Tu descends ? Ou faut que je continue à crier ?

Franny dut faire un effort pour lâcher le garde-fou. Il se sentait en sécurité sur la passerelle, mais quelle excuse pouvait-il invoquer pour rester perché là-haut ?

Aucune.

Il parcourut la passerelle en traînant les pieds et descendit lentement l'échelle. Peut-être n'y avait-il aucun refuge nulle part. Il n'en avait pas trouvé malgré son interminable quête.

Nick passa une main le long du cercueil.

— Dommage que tu ne puisses le faire à la manière de Max, dit-il. La compétition est féroce, il y a de grands spectacles à Broadway. Avec des illusions high-

1. Citation du *Corbeau* d'Edgar Allan Poe (traduction de Charles Baudelaire). *(N.d.T.)*

tech. Naturellement, si le public s'imaginait qu'il avait une chance de te voir mourir…

Il alla jusqu'au mécanisme et actionna le levier pour enclencher le pendule.

— C'était un si beau tour !

Les deux hommes, maintenant côte à côte, regardaient les roues dentées tourner, s'engendrer les unes les autres, entraînant les ressorts, tic, tac, tic, tac. Nick lança un sourire perfide à Franny.

— J'espère que c'est pas celui qu'Oliver a construit.

— Non, dit Franny. J'avais peur qu'il le sabote aussi. Charles m'a prêté les accessoires de Max.

Nick regarda le pendule décrire un petit arc de cercle.

— Tu as eu des problèmes pour calibrer le mécanisme ? Ça serait criminel d'esquinter le cercueil. C'est une pièce de musée.

— Non, Émile m'a aidé. En réalité, c'est lui qui a tout fait. Le pendule se balance entre les coffrets, il est très précis. Il ne varie pas de plus de trois centimètres.

Nick observa de nouveau le pendule qui gagnait de la vitesse et dont le rasoir décrivait un arc plus grand.

— Superbe machine, siffla-t-il. Horlogerie suisse. Seuls des millionnaires comme Max et Oliver pouvaient se payer un engin pareil. Je ne peux pas te persuader de le faire à la manière de Max ?

Franny ne répondit pas. Il se contenta de regarder le pendule qui se balançait de plus en plus bas, rasant le cercueil de verre coupé en deux.

Nick donna une bourrade à Franny.

— Oublie ce que je t'ai dit, mon vieux. Ça serait trop risqué d'utiliser la machinerie d'origine. Elle est trop vieille. Tu as confiance dans ton installation ?

— Émile m'a assuré qu'elle était en excellent état.

Franny regarda le rasoir passer entre les deux parties du cercueil.

— Qu'est-ce que ça fiche là ? s'écria Nick en désignant le gros légume orange dans le cercueil.

— La citrouille ? C'est une variante du mannequin de Max. Je veux que le public voie que ça coupe réellement dans le… Oh, non !

Franny accompagna de la tête le mouvement du pendule. Des graines et de la pulpe étaient collées à la lame en forme de croissant. Un jus jaunâtre ruisselait au sol et souillait l'intérieur du cercueil. Des gouttes giclèrent sur les feux de la rampe lorsque le pendule remonta.

— Génial ! fit Nick.

Il sortit ses lunettes et les chaussa pour examiner les dégâts.

— Laisse-moi deviner… c'est ta première répétition avec la citrouille ?

Franny courut en coulisse chercher de quoi nettoyer. En revenant sur scène, il vit Nick penché au-dessus du cercueil.

— Il n'y a pas de pulpe de citrouille sur le micro, mais tu devrais quand même l'essayer. S'il est foutu, le public n'entendra pas les cris. Tu comptes bien crier, j'imagine ?

Nick fit le tour de la table et hocha la tête en voyant le câble qui menait sous la charnière.

— Il y aura des critiques dans la salle pour la première. Je me suis donné un mal de chien pour les faire venir, Franny. Ne rate pas ton coup, hein ?

Il coula un œil vers les morceaux de tissu soigneusement pliés en quatre par terre, à côté du cercueil.

— Tu comptes couvrir les boîtes pendant que tu t'échappes ?

— Naturellement. C'est le seul moyen.

— Il y a aussi celui que Max utilisait. Il restait dans le cercueil, appelait à l'aide, regardait le pendule descendre de plus en plus bas. Je peux t'expliquer comment il faisait.

Franny secoua la tête tout en essuyant l'intérieur du cercueil avec une serviette. Nick ne put s'empêcher de sourire.

— Tu utilises des menottes truquées ? On peut ajuster le pendule de sorte que la partie inférieure de l'arc se balance devant le cercueil. (Il désigna le mécanisme d'horlogerie.) C'est pour ça que la table et le socle sont peints en noir. On ne voyait pas où s'arrêtait la ceinture du smoking de Max et où commençait la toile de fond. Bien sûr, il y a toujours un risque avec la mécanique. Mais tu pourrais présenter le meilleur spectacle de tout le festival.

Après avoir nettoyé les pépins et le jus du cercueil, Franny examina le micro, aussi sec qu'un os.

— Non, Nick, j'ai pas envie.

— Si tu risquais ta vie – juste un peu – on en parlerait pendant des années et des années.

Franny regarda les pépins répandus sur la scène. L'équipe de nettoyage finirait le travail. Il replia la serviette et la jeta dans les coulisses.

— Je donnerais mes yeux pour avoir la chance de revoir le tour une dernière fois. C'était tellement fascinant… tellement terrifiant !

Il fit de nouveau le tour du cercueil, inspectant les trous cerclés de plomb aux deux extrémités.

— Je peux l'améliorer, assura-t-il. Absolument sans risque. On pourrait mettre un mécanisme dans la boîte où tes jambes sont censées être. Quelque chose pour briser le verre pour qu'on ait l'impression que tu essaies de te dégager à coups de pied. Max démolissait un panneau à chaque représentation. Un zeste de violence pour impressionner le public. Il n'en faut pas plus. Je m'occuperai des préparatifs, si tu veux.

— Non, désolé. Je veux dire, non, merci… Émile me donne un coup de main. Il va bientôt revenir. En fait, il sera là d'une minute à l'autre.

Pourquoi avoir dit ça ?

— Il faut qu'on parte, Franny. On laissera un mot à Émile à l'entrée.

— Qu'on parte ? Où ?

Nick pianota sur la table en bois.

— Peut-être qu'on pourrait – juste avant que tu montes sur scène – faire s'envoler un corbeau. Il se percherait sur la plate-forme. Et le frappement. (Il pianota de nouveau sur la table.) Oh, oui, ça serait génial ! Il faut un frappement. Le public de New York est très cultivé. Je suis sûr qu'il comprendrait.

Franny secoua la tête.

— Tu trouves que c'est exagéré ? Oui, peut-être. Mais il faut quand même qu'on parle des danseurs. Tu as besoin de mon aide pour ce numéro.

— Émile va...

— Émile ne peut plus t'aider. Il fait « le pendu » de Max à Broadway, rappelle-toi. J'espère qu'Oliver n'a pas aussi bousillé ce numéro. Quand j'ai quitté Émile, il allait tester les accessoires. Je ne crois pas qu'il repassera par ici avant longtemps.

Franny actionna le levier pour faire remonter le pendule.

— Mes assistants vont bientôt revenir. Je devrais...

— Nous avions un arrangement, Franny.

— Je n'ai rien dit à Mallory.

— Parce que je lui ai donné la mort de Faustine en appât. (Il posa son regard sur le rasoir qui se balançait.) Mes contacts m'ont certifié que Mallory était chargée de l'affaire à présent. C'est une enquête officielle sur la mort d'Oliver.

Il s'arrêta pour écouter le tic-tac des roues dentées.

Franny leva les yeux vers la passerelle où il s'était senti en sécurité.

— On devrait peut-être amplifier le son avec un micro miniature, suggéra Nick. Tic, tac, tic, tac. Ça renforcerait le suspense, tu ne crois pas ? (Il se retourna vers la porte de la salle, puis jeta un coup d'œil à sa montre.) Mallory va bientôt venir te chercher, Franny. Elle est implacable. Elle t'emmènera au poste. Tu sais comment se passent leurs interrogatoires. Tu finiras par craquer et tout lui raconter.

La police viendrait-elle le chercher la nuit ?

— Ah, c'est un phénomène ! reprit Nick. Elle a les yeux les plus froids que j'ai jamais vus… chez un être vivant.

— Tu crois vraiment qu'Oliver a été…

— Oliver est mort. C'est plus lui le problème, Franny. Bon, qu'est-ce qu'on va faire de toi ? Je ne peux pas te laisser ici.

Il se leva et désigna la sortie.

— On y va ?

— Et Malakhai ? Il lui a déjà parlé.

— Et après ? C'est le témoin le plus timbré de la planète.

Même sans la menace d'une arme, de coups, de souffrances physiques, Franny se dirigea vers la sortie. Il le fit à contrecœur, mais sans offrir la moindre résistance. Dans son univers, les nazis étaient toujours là. Des SS marchaient derrière lui lorsqu'il franchit la porte d'entrée, ils le suivirent sur le trottoir. Il entendait presque les bruits de leurs bottes marteler le sol cependant qu'il descendait Broadway avec Nick Prado. Le soleil de midi lui fit plisser les yeux. La rue était pleine de passants ; deux policiers patrouillaient en voiture. Il aurait pu appeler au secours. Mais il marchait tranquillement en retenant ses larmes… pour ne pas faire de scène devant tout le monde.

*
* *

341

Les beaux jours refleurissaient.

Sur les murs, des peintures murales figuraient des scènes de speakeasy de la Prohibition. Sur l'estrade, des musiciens jouaient du jazz New Orleans. Et surtout, il y avait des cendriers sur les tables. Assis dans son propre nuage de fumée, le sergent Riker regardait d'un air béat les gardénias sur le rebord de la fenêtre. Il aurait juré que les fleurs n'étaient pas là auparavant.

Le public était jeune même s'il reconnut parmi la foule les têtes grisonnantes de quelques magiciens. Il les évitait depuis une demi-heure, ne voulant pas commencer les interrogatoires avant l'arrivée de Mallory. Elle était de nouveau en retard, ce qui l'inquiétait. Il y avait une époque où il pouvait régler sa montre sur son entrée.

Lorsqu'il vit Charles Butler se précipiter vers la porte, il sut qu'elle était arrivée ; sinon, il n'apercevait que ses boucles blondes et des pans de satin blanc parmi les corps qui se bousculaient dans le bar.

Une minute. Du satin ?

Il entraperçut alors des hauts talons, des lanières dorées – mais où étaient passées ses baskets ? Il ne distinguait que son reflet lointain dans la fenêtre. Un smoking blanc flottait dans la vitre sombre. Des lignes élégantes drapaient son corps et scintillaient de mille feux. Elle portait un sac à main au lieu de son sac à dos habituel.

On l'avait volé ; ce n'était pas sa Mallory ! Elle était en retard, le propre des femmes, et il avait l'impression qu'il eût été condamnable de s'attarder sur son décolleté plongeant – une attitude presque incestueuse. Riker n'avait jamais considéré le NYPD comme sa propre famille, mais avec Mallory les choses étaient moins sûres. Or, maintenant, la gamine changeait de style, abandonnait sa rigidité rassurante.

Il détestait le changement.

Il mit cela sur le compte de sa nouvelle manie de trinquer avec les suspects. Eh bien, il faudrait que cela cesse. Voilà ce qui arrivait quand des amateurs se mettaient à fréquenter les bars !

Elle déposa son manteau en cuir sur le bras de Charles, comme s'il n'était qu'un vulgaire portemanteau – il ne s'en vexa pas pour autant. Il respirait le bonheur. Il leva les mains, geste pacifique, pour lui montrer qu'il était venu sans armes. Soudain, un gardénia apparut dans sa main droite.

Mallory se fendit d'un sourire forcé ; Riker devina qu'elle en avait soupé des tours de prestidigitation.

Elle glissa la fleur à sa boutonnière. Riker vit Charles l'entraîner vers les musiciens. Ils dansèrent sur un vieux blues des années 40.

Mallory flirtait avec Charles, ayant laissé tomber la façade des reproches et des rancœurs. Ainsi, elle était de bonne humeur, ce qui ne laissa pas d'inquiéter Riker. Sa seule consolation était la bosse qu'il apercevait sous la coupe impeccable de son smoking en satin blanc.

Nick Prado buvait au bar avec Émile Saint-John. Malakhai n'était pas encore arrivé, mais les deux hommes avaient promis à Riker qu'il reconnaîtrait le vieux magicien dès son entrée.

L'orchestre s'arrêta brusquement pour discuter avec le gérant qui paraissait soucieux. Charles et Mallory retournèrent vers la table. Prado les intercepta et désigna la fleur à la boutonnière de la jeune femme, prétendant s'y intéresser, comme s'il n'y avait pas cinquante gardénias identiques dans la salle.

— C'était la fleur préférée de Louisa, dit-il. Et aussi d'Oliver. Dans son testament, il avait laissé des instructions pour qu'un camion entier de…

Prado fut distrait par l'entrée de deux policiers en uniforme. Toutes les têtes se tournèrent vers la porte.

— Oh, non, une descente de police !

Riker reconnut un des patrouilleurs, un homme de

son âge qui était passé entre les mailles du rajeunissement du NYPD. L'agent Estrada discutait avec le gérant lorsque Riker les rejoignit.

— Quel est le problème ? demanda-t-il.

Estrada désigna un jeune couple assis à une table à quelques mètres.

— Ces deux-là se sont plaints de la fumée.

— C'est juste, intervint le gérant, mais on a le droit de fumer, c'est un bar et non un restaurant. Nous ne servons que des hors-d'œuvre. Du coup, ils se plaignent maintenant que les gens dansent.

— Quoi ? fit Nick Prado, qui les avait rejoints. Pas le droit de danser ?

Le gérant roula des yeux, affichant tous les symptômes d'un New-Yorkais victime d'une agression.

— Nous n'avons pas de licence de cabaret, monsieur. Le maire a interdit…

— C'est exact, confirma Riker, qui n'avait jamais la patience d'écouter jusqu'au bout. Interdit de fumer dans les restaurants, interdit de danser dans les bars.

— C'est encore pire, renchérit l'agent Estrada, le sourire aux lèvres. Le maire a fermé ton bar à strip-tease préféré aujourd'hui.

Riker grimaça.

— Plus de sexe à New York City !

Il abaissa les yeux sur l'étui à revolver d'Estrada et de son jeune coéquipier. Tous deux arboraient un gardénia.

— Bon, décida Riker, suivez-moi, les gars.

En s'approchant du couple, Riker s'aperçut qu'une fleur poussait de la poche extérieure de sa veste. Il l'écrasa par terre, comme s'il s'agissait d'un mirage du *delirium tremens* qui l'avait autrefois couvert d'araignées rampantes.

— Bonsoir, m'sieu dame, commença-t-il. Vous désirez porter plainte, n'est-ce pas ?

— Oui, répondit le couple à l'unisson.

— Il nous faut une déposition écrite, m'sieu dame. Ces deux agents vont vous conduire au commissariat du Bronx. Ça ne devrait pas prendre plus d'une heure ou deux.

— Vous plaisantez ! s'exclama l'homme.

Il dévisagea Riker d'un air outragé. La femme hochait la tête en se lamentant : « *Oh, non, pas le Bronx !* », comme elle aurait dit à l'inquisiteur : « *Oh, non, pas les poucettes !* »

Riker les catalogua comme des New-Yorkais de Manhattan ; il aurait même pu deviner leur adresse dans l'East Side. Ils devaient considérer la banlieue comme un satellite lointain, une planète isolée qui exigeait des visas et des vaccinations spéciales.

La femme tira un gardénia de ses cheveux et le regarda d'un air ahuri, réellement mystifiée par l'absence d'étiquette.

— Désolé, les gars, fit Riker. C'est la loi. Les plaintes pour danse illégale doivent être adressées au commissariat du Bronx. Mais je vous admire de gâcher votre soirée pour nous aider à maintenir l'ordre.

Les deux flics en uniforme regardaient ailleurs, cachant leurs sourires, cependant que l'homme et la femme enfilaient leurs manteaux, secouant la tête, refusant de collaborer davantage. Ils se dirigèrent vers la sortie.

Riker les rattrapa.

— Hé, où allez-vous ? Si vous ne signez pas votre déposition, comment allons-nous faire pour fermer cette boîte ?

Lorsque la porte se referma sur le couple, Riker se retourna vers la salle et lança :

— Que la danse reprenne !

L'orchestre ne se le fit pas dire deux fois.

Acclamé en héros, Riker se figea soudain. Comme le

lui avaient promis Prado et Saint-John, il reconnut Malakhai dès que celui-ci mit un pied dans le bar.

Tous les yeux se braquèrent sur lui ; il traversa la salle avec sa grâce naturelle, en rythme avec la musique.

Bien qu'il n'eût jamais imaginé que le mot « beauté » pût s'appliquer à un homme, c'est le terme qui vint aussitôt à l'esprit de Riker. Malakhai avait des yeux bleu foncé étonnamment jeunes, dont l'incongruité était encore renforcée par sa longue chevelure argentée. Riker avait déjà observé ce phénomène chez les sportifs d'un autre âge qui semblaient bénéficier d'un printemps éternel – il appelait cela la magie.

Le regard de Mallory fut attiré vers le bar où Malakhai buvait seul. Il n'avait pas regardé dans sa direction depuis son arrivée, mais elle sentait sa présence. Et elle n'était pas la seule. Il y avait d'autres prédatrices dans la salle.

Sur l'estrade, Émile Saint-John agitait un foulard de soie noire, lui donnant la forme d'un globe. Lorsqu'il retira soudain le foulard, il dévoila un ballon transparent dans lequel voletait une colombe. Saint-John alluma un cigare, en pressa le bout incandescent contre le ballon qui explosa avec fracas. La colombe s'était volatilisée. Des exclamations de surprise fusèrent.

Charles se pencha au-dessus de la table pour se faire entendre au milieu des acclamations.

— Mon cousin Max a eu un millier de colombes à son enterrement.

— Comme Oliver a saboté le tour, il n'en a eu qu'une, déclara Prado. Et s'il n'était pas mort pendant sa représentation, il n'en aurait eu aucune.

— Il avait donc bien calculé son coup, railla Riker.

— Tout est dans le minutage, acquiesça Prado, qui

n'avait pas saisi l'ironie. Oliver a sauté en parachute avant que les problèmes le rattrapent. Moi, par exemple… j'ai l'intention de mourir quand il ne restera plus que six minutes de plaisir sur terre. Et ça ne va pas tarder. (Il leva son verre pour porter un toast.) Certains meurent trop tard, d'autres trop tôt. Mais la doctrine paraît étrange…

— Il faut mourir au bon moment, compléta Riker. Nietzsche, c'est ça ?

Les deux hommes regardèrent le sergent avec des yeux ronds. Ébahi, Charles se dévissa le cou pour contempler la lune par la fenêtre, sans doute pour s'assurer qu'elle était toujours là et qu'au moins un aspect de l'univers était encore à sa place et en état de marche.

Nick Prado sourit par-dessus le rebord de son verre.

— Alors, Riker, qu'est-ce qui vous amène ici, ce soir ?

— Une enquête de police.

Riker salua Émile Saint-John qui tirait une chaise pour s'asseoir à côté de Prado.

— Que se passe-t-il ? demanda le nouvel arrivant.

— La mort d'Oliver Tree fait l'objet d'une enquête criminelle, annonça Riker en se tournant vers Prado. Mais vous le saviez déjà, monsieur ? L'attaché de presse du maire vous l'a dit cet après-midi.

À en juger par son expression, Émile Saint-John l'apprenait seulement. Sur ses gardes, il posa les yeux sur Prado qui souriait d'un air de dire : « Touché ! »

— Oh, fit Prado, appelez-moi Nick. Comme ça, vous enquêtez sur la mort d'Oliver ?

— C'est surtout Mallory qui est chargée de l'affaire.

Riker, qui n'était pas à cheval sur les règles voulant qu'un flic ne boive pas pendant le service, trempa les lèvres dans son verre.

— Mais vous le saviez déjà, monsieur… euh, Nick, dit-il après avoir avalé une bonne gorgée. (Il chercha un

visage parmi ceux des clients alignés le long du comptoir.) Je croyais que Franny Futura serait là ce soir. Il a
quitté son hôtel en douce. Un chauffeur de taxi gitan a
réglé la note et un chasseur a chargé ses bagages dans le
camion d'un chiffonnier.

Prado soupira.

— Ah, pauvre Franny. C'est pas une sortie flamboyante.

— Pas les moyens de s'offrir une limousine,
acquiesça Riker. Une idée de l'endroit où il est allé ?

Mallory observa les magiciens échanger des regards.
Saint-John apprenait manifestement la nouvelle, mais
Nick Prado semblait déjà au courant.

— Non ? fit Riker. Bon, question suivante. Son nom.
(Riker feuilleta son carnet.) Franny Futura. Ça ne cadre
pas avec son accent français. C'est un nom de scène ?

— Ça vient d'Oliver, expliqua Saint-John. Franny
n'avait que seize ans quand Oliver lui a trouvé son nom.

— Quel est son patronyme officiel ? demanda Riker,
prêt à le noter.

— François quelque chose, dit Saint-John. Ça ressemblait à Futura, hein, Nick ?

Prado hocha la tête.

— Je me souviens juste que Futura était le pire moyen
d'estropier son nom, vu la prononciation. Oliver avait
trouvé ça en le présentant sur scène. C'était une plaisanterie, une petite vengeance. Franny corrigeait toujours
Oliver pour son mauvais français. Ensuite, Franny a eu
une bonne critique dans un journal et il a décidé de
garder le nom… pour ne pas gâcher la publicité.

Riker prit une page blanche.

— Comme ça, ils ne s'aimaient pas beaucoup ?

— Au contraire ! assura Émile Saint-John. C'étaient
les meilleurs amis du monde. Je ne suis pas sûr qu'ils
soient restés en contact après la guerre. Franny n'a
jamais joué à New York. Il a attendu cette chance toute

sa vie. Ne vous inquiétez pas. Il viendra présenter son spectacle.

Saint-John s'adressait à Riker, mais il regardait Nick Prado, et le message était clair ; il comptait sur la présence de Franny Futura. Et comme si un marché tacite avait été conclu, Prado fit un imperceptible signe de tête.

Ce qui n'échappa pas à Riker qui observait Prado.

— C'est un coup publicitaire ? demanda-t-il. Je n'aime pas perdre mon temps.

— Non, dit Prado. Mais je pourrais peut-être en tirer quelque chose. Un second témoin de l'assassinat du ballon disparaît dans des circonstances mystérieuses. Vous êtes un génie, Riker.

Mallory porta son regard vers le bar. Malakhai était parti et une rangée de gardénias poussait en ligne droite sur le comptoir en acajou. Elle repéra le vieux magicien à une table, de l'autre côté de l'estrade. Il était en grande conversation avec une brune trois fois plus jeune que lui ; et c'était elle qui lui faisait des avances ! Mallory observa son manège ; elle se pencha vers lui en jouant avec une mèche de cheveux, puis lui effleura le bras en éclatant de rire.

Malakhai se retourna et vit le regard de Mallory. Il sourit et se leva. Comme il traversait la piste de danse, Prado s'éloigna rapidement.

Mallory suivit Malakhai des yeux tout en tirant de ses cheveux une fleur qui y avait poussé. Dans le sillage du magicien, toutes les femmes qu'il venait de croiser avaient des fleurs sur la tête. Charles présenta Malakhai à Riker, puis s'excusa et partit renouveler les consommations.

Émile Saint-John dansait avec une cavalière de son âge. Ils s'agitaient au rythme d'un air des années 40. Malakhai s'assit à la table et désigna les danseurs du menton.

— Je pourrais vous apprendre ces pas, dit-il à Mallory.

— Mon père l'a déjà fait. J'ai de moins en moins de choses à apprendre de vous, figurez-vous. Et vos mensonges me fatiguent.

— Je ne vous ai jamais menti – pas effrontément.

Il posa une main sur son bras. Elle le toisa. Il comprit et retira sa main.

— Les meilleurs mensonges sont ceux qui comportent une part de vérité, ainsi qu'une légère distorsion et un brouillage de piste.

Riker opina inconsciemment du chef, reconnaissant le style de duperie de sa coéquipière.

— Précisément, approuva Mallory. Mais pour bien mentir il faut une bonne mémoire. Ce qui n'est plus votre cas.

La brune s'approcha de leur table, puis se pencha sur Malakhai afin de lui montrer les avantages de son décolleté plongeant. Elle l'invita à danser d'une voix mystérieuse. Au moment où Malakhai quittait la table, Nick Prado reparut en courant.

Mallory échangea un coup d'œil avec Riker, qui hocha la tête. Quelque chose d'autre n'allait pas dans les rangs des magiciens.

Lorsque l'orchestre s'arrêta, Émile Saint-John saisit une chaise et s'assit.

— Je ne comprends pas les lois de cette ville sur la danse. Quelle mouche a piqué le maire ?

Prado parut méditer la question.

— C'est mieux comme ça. Ça fait plus de lois à enfreindre. (Il sourit à Mallory qui représentait la loi.) Est-ce que le flic de la police montée a renoncé à sa plainte ? J'ai cru comprendre que vous étiez innocentée dans l'affaire du ballon ?

— Non, répondit Riker à la place de sa coéquipière. Les poursuites continuent, mais la formulation a changé.

Maintenant, Henderson accuse le maire d'avoir laissé des ballons dangereux circuler dans les rues. Le maire a donc ordonné aux magasins Macy de retirer tous les ballons géants. Sinon, il annulera leur autorisation pour le défilé. (Il leva son verre.) Et Henderson pourra de nouveau faire du cheval dans les rues… Une victoire pour la SPI, la société protectrice des imbéciles !

Émile Saint-John trinqua avec Riker.

— Au dernier défilé !

Maintenant, il s'emparait de la montre en or de Mallory, qui avait pris la précaution d'attacher la chaînette à son poignet.

Elle rangea son bien dans sa poche, le visage glacial.

— Tu deviens lent, Émile, soupira Prado. Il est temps qu'on s'en aille. La dernière tournée est pour moi. Ton portefeuille me semble vide.

— Ridicule ! s'exclama le Français en mettant la main à sa poche.

Lorsqu'il ouvrit son portefeuille, il ne contenait que des morceaux de papier.

— Bien joué, mon petit, fit Nick, admiratif.

Mallory montra une poignée de billets et de cartes de crédit qu'elle posa à contrecœur sur la table.

Saint-John parut légèrement interdit lorsqu'il régla l'addition, mais Prado était hilare. Les deux hommes saluèrent Mallory et Riker et se dirigèrent vers la sortie, qui était maintenant entourée de guirlandes de fleurs.

— Qu'est-ce que tu as piqué d'autre, mon petit ? demanda Riker. Le truc que tu as pêché dans la poche de Nick, tu comptes me le montrer ?

Elle retira une autre fleur de ses cheveux et la jeta par-dessus son épaule. Puis, elle sortit une ordonnance pliée en quatre et l'étala sur la table.

— Je la montrerai à Slope demain matin. C'est probablement inoffensif, mais c'est peut-être aussi mortel avec un dosage adéquat. Qu'est-ce que tu paries que la signature du médecin est un faux ?

— Sans moi, dit Riker en regardant Nick Prado disparaître derrière la porte. J'espère que je zigouillerai des bonshommes quand j'aurai son âge. Mais le poison est trop insipide. Je ne parie pas, garde tes sous – mais c'est peut-être l'argent de Saint-John ?

L'orchestre jouait les premières mesures d'un slow. Malakhai parut et prit Mallory par la main. Elle se laissa entraîner sur la piste sans résister.

— Je vais vous apprendre un tour remarquable, dit-il lorsqu'ils furent au milieu des danseurs. Je ne l'ai jamais fait avec une femme en chair et en os.

Il se mit en position pour entamer la danse. Lorsqu'elle voulut l'enlacer, il l'arrêta.

— Ne me touchez pas. Gardez votre paume à plat en face de la mienne, votre main gauche à deux doigts de mon épaule et ne la laissez pas retomber. N'oubliez pas de garder vos distances… comme si vous pouviez, ajouta-t-il dans un sourire.

Il la prit par la taille ; elle sentit sa main dans ses reins, mais il ne la touchait pas. Sa propre main gauche flottait dans l'air au-dessus de son costume, ses doigts épousant le contour de son épaule.

— Fermez les yeux, Mallory, sinon vous ne sentirez pas le prochain mouvement. On ne peut faire ça que dans le noir.

Dès qu'elle ferma les yeux, elle eut l'impression que le parfum des fleurs était plus fort. Elle sentit la chaleur de la main de Malakhai frôlant la sienne. Elle se recula et la chaleur l'accompagna.

— Très bien, la complimenta-t-il, avançant au fur et à mesure qu'elle reculait pour maintenir la distance.

Il se déplaça vers la droite, elle le suivit, ayant anticipé sa trajectoire. Une clarinette mêlait sa voix au velours du saxophone.

Ils valsèrent en musique, sans jamais se toucher. Un morceau plus rapide remplaça le slow. Mallory se sentait plus légère à mesure que la musique s'accélérait. La trompette se déchaîna. Des notes brèves tombaient en cascade au rythme de la batterie. Mallory sentit une bouffée de chaleur lui rougir le visage. La musique gambadait. Soudain, l'orchestre ralentit ; Mallory se balança lentement, épousant en miroir les mouvements de son cavalier qu'elle ne voyait ni ne touchait. Ses cheveux se dressaient sur sa nuque.

Elle valsait, valsait, les yeux clos, suivant aveuglément l'onde de chaleur qui la dirigeait. La musique s'adoucit, lascive et mélodieuse, des notes chatoyantes coulant comme du miel. Il y avait quelque chose de sensuel dans la contrebasse, étirant le prélude à l'infini, et dans le frémissement des corps s'effleurant sans se rencontrer. Une douceur exquise, presque douloureuse. L'orchestre ralentit encore le tempo.

Murmures des instruments à anche.

Soupir.

Dans les dernières notes des cuivres, Mallory sentit la main de Malakhai, chaude et ferme contre son dos. La main droite de Mallory était dans la gauche de Malakhai. Elle n'avait pas encore ouvert les yeux. Le parfum des fleurs se mêlait à l'arôme du vin et à l'odeur du tabac. Il lui effleura les cheveux ; elle renversa la tête en arrière. Les paupières closes, elle plongeait son regard dans les yeux bleus d'un garçon au visage sans rides. Elle sentit sa main l'attirer contre lui. Le saxophone égrena des notes plaintives, chaudes et liquides, dans la servitude de l'amour à son acmé. C'était en 1942 – c'était à Paris.

Mallory avait fait une erreur de minutage et de distance.

Elle recula vivement, la main levée comme pour détourner une flèche qui lui était destinée. Malakhai la regardait avec ses yeux bleus de jeune homme – si froids maintenant que la danse était finie.

Il tourna les talons et s'éloigna.

Elle ne s'était pas attendue à cela.

Soudain privée de la chaleur et de la musique, Mallory resta plantée au milieu de la piste, indécise, perdue, déboussolée. Elle baissa les yeux sur son smoking de satin blanc... Que cherchait-elle ? Du sang ?

CHAPITRE 17

Mallory, qui se tenait près du paravent chinois, hocha la tête, faisant mine d'écouter ce que Charles Butler lui disait.

C'était son accoutrement qui la rendait suspicieuse.

Pour la troisième fois de la semaine, Charles portait des jeans alors que son éducation ne tolérait que des tenues extrêmement classiques. Elle l'avait parfois imaginé enfant allant à la maternelle en costume trois pièces et cravate.

D'ailleurs, pourquoi travaillait-il encore à la plate-forme ?

— Je mettrai des caméras de sécurité à tous les étages, dit Charles en dévalant les marches deux par deux. Et je demanderai à Malakhai de sonner au lieu de s'introduire en douce en crochetant les serrures. Qu'est-ce que tu en dis ?

Il planait ce matin. Il avait été surpris de la rencontrer dans la cave – une surprise réciproque. Il devait croire qu'elle était venue lui expliquer son déménagement.

— Ce n'est pas seulement Malakhai, dit-elle en observant la plate-forme dont l'énigme n'était pas encore résolue.

Charles s'assit par terre et ouvrit la caisse à outils. Mallory s'accroupit à côté de lui.

— Émile Saint-John fait un tour avec une corde de pendu. Max utilisait aussi la plate-forme ?

— Oui, acquiesça Charles, mais Émile exécute une version antérieure. Max avait créé ce tour longtemps avant que la plate-forme ne soit construite. J'espère que tu ne veux pas voir l'échafaud d'origine. Ça prendrait toute la journée pour le...

— Explique-moi seulement à quoi ça ressemble.

— C'est un cliché de tous les westerns que tu as vus. Très étroit et trois mètres de haut environ. Et ça a l'air branlant – c'est exprès, ça renforce le suspense. (Charles se retourna pour examiner la plate-forme.) Tu sais, ça ressemble un peu à un échafaud. C'est peut-être pour ça que Max avait construit les treize marches – tradition oblige.

Mallory alla à la porte de la plate-forme. Comme la cellule était éclairée, elle put voir les cuivres rutilants des dents et des chaînes neuves. Ainsi, Charles remettait toute la machinerie en état.

— Tu essaies de trouver comment ça marche ?

— Quoi, l'Illusion Perdue ? répondit Charles en levant les yeux de la caisse à outils. Oui, mais Malakhai prétend que je n'ai aucune chance. Il a promis de me léguer la solution dans son testament.

Mallory s'assit sur le bord d'une caisse remplie de capes rouges.

— Je ne peux pas attendre si longtemps, dit-elle.

Une arbalète gisait par terre, celle-là même qui était partie toute seule et avait déchiré son jean. Son socle vide était démonté de sorte qu'on voyait le mécanisme des roues dentées et des ressorts.

— Le socle était réellement cassé, remarqua-t-elle.

— Un ressort avait pété.

Charles fouilla dans la caisse à outils, puis en sortit une longueur de chaîne.

— Malakhai l'a emporté chez un réparateur. Il croit pouvoir en trouver un neuf qui corresponde.

Ça expliquerait le cendrier par terre, près de la caisse à outils, même si aucun des mégots n'avait de trace de rouge à lèvres.

La glace déformante était inclinée contre une caisse. Mallory vit le reflet de Charles, mais elle eut beau chercher un angle particulier, elle ne parvint pas à superposer son visage sur celui de Max Candle. Elle ne reverrait plus jamais ce mirage.

Il croisa son regard dans la glace.

— C'est provisoire, hein ? demanda-t-il. Quand ça sera fini, tu rapporteras tes ordinateurs dans le bureau du haut ?

Il avait perpétuellement un sourire ridicule, dont il semblait être conscient et dont il paraissait s'excuser en haussant les épaules. En ce moment même, il essayait de refouler son sourire avant que Mallory ne le prenne pour un idiot.

Elle s'efforça de temporiser.

— Tu n'as pas de clients pour l'instant. Nous en reparlerons quand l'affaire sera bouclée.

Elle reviendrait peut-être lorsque son ex-associé ne fraierait plus avec l'ennemi, accueillant Malakhai avec son visage franc, incapable de garder un secret. Si jamais elle ne retournait pas s'installer chez lui, ce visage lui manquerait.

— Tu connais bien Franny Futura ?

— Seulement de réputation, admit Charles.

Il se releva et emporta la chaîne jusqu'à la porte de la plate-forme.

— Si je l'ai rencontré quand j'étais petit, j'ai oublié.

— Tu n'oublies jamais rien.

— La mémoire visuelle est imparfaite.

Il entra dans la cellule d'où sa voix parvint jusqu'à Mallory.

— J'ai réussi à refouler tous les sermons religieux que j'ai entendus dans mon enfance.

Mallory se planta devant l'entrée de la cellule.

— Eh bien, parle-moi de sa réputation.

— C'est un has been. (Charles changea la chaîne d'une trappe.) Franny était tête d'affiche à Londres, mais c'était dans sa jeunesse – à la fin des années 40, je crois. Ses tours datent du début du siècle. Même avant l'arrivée des illusions high-tech et des lasers, il était déjà dépassé. Mais il n'a jamais renoncé. C'est ça qui me plaît chez lui. Franny est le seul de tous qui vit encore de ses spectacles.

Elle le regarda remettre la chaîne autour d'une roue dentée.

— Futura reste introuvable. Il n'est pas chez toi ? Peut-être t'a-t-il téléphoné ?

— Non, désolé.

— Le jour de Thanksgiving, chez toi, Futura a dit qu'il avait organisé le coup de l'arbalète avec le neveu d'Oliver. Mais c'est pas le genre à se tenir sur le trajet d'un carreau. C'était un faux ? Un carreau en caout-chouc, peut-être ?

— Non. J'ai vu le carreau quand Franny l'a extrait du char. Il était comme ceux de Max. Une flèche en acier – mortelle. (Il sortit de la cellule et contourna l'escalier de la plate-forme.) Mais le carreau n'était pas réellement chargé dans l'arbalète. Franny l'avait sans doute caché sous sa cape, puis planté sur le char. Le haut-de-forme n'était qu'une structure en fer et en papier mâché.

— Mais ça n'aurait pas fait vrai.

— Bien sûr que si.

Il se courba au-dessus d'une caisse d'accessoires et en sortit une arbalète cassée. Elle était différente des autres. Elle était en bois et n'avait pas de magasin.

— Celle-ci ne tire qu'un carreau, dit-il en la lui tendant. Comme celle dont Richard Tree s'est servi pour le coup du défilé. Le lit du carreau est bordé d'acier, de la même couleur que le carreau. Il y a une raison à ça. L'arbalète n'a pas de magasin. Mais de loin, personne ne peut savoir si elle est chargée ou pas. Le public ne voit que l'arbalète et la corde qui se détend.

— Celle-là n'a même pas de corde.

— C'est juste. Mais si tu veux, tu peux quand même me tirer dessus.

— L'arbalète est cassée, Charles.

— Ça ne fait rien.

Il fouilla dans la caisse remplie de capes et en choisit une dont il se drapa les épaules, puis il s'agenouilla et avança à croupetons comme Futura le jour de Thanksgiving.

— Prête ? Vas-y.

Elle braqua l'arbalète cassée sur lui et imita le tir.

— Bang !

Il se plia en deux ; lorsqu'il releva la tête, elle vit un carreau planté dans sa poitrine. Il en masquait la pointe de ses doigts et le carreau vibrait comme s'il s'était fiché dans ses chairs à pleine puissance. On aurait vraiment cru qu'il était touché.

— Pas mal, Charles, siffla Mallory.

Ce n'était donc que ça ! Un simple tour, une illusion bon marché.

— Mais ce n'était pas ce qu'Oliver avait en tête pour la représentation de Central Park. Les arbalètes avaient été chargées par des flics, et il y avait trois carreaux dans chaque magasin. (Mallory avait toujours un problème avec ces trois carreaux.) Dans le tour, on ne tirait que deux séries de carreaux, n'est-ce pas ? Une pour le mannequin et une pour Oliver. Alors, pourquoi trois carreaux dans chaque magasin ?

— Parce que Max en utilisait toujours trois.

— Mais Oliver n'avait jamais vu l'Illusion Perdue.

— Non, mais il avait peut-être vu un tour précédent. Celui où on n'utilisait que deux arbalètes.

— Tu ne m'en as jamais parlé.

— Émile me l'a raconté. C'est un vieux tour, mais personne ne l'a monté à la manière de Max.

Charles arma le long levier à l'arrière de la crosse et tendit la corde. Puis il attacha un ruban à un carreau et le chargea dans le magasin.

Mallory repassa la vidéo dans sa tête. C'était l'arbalète qui avait envoyé un carreau dans le cou d'Oliver.

— Ce tour-là était un prototype, expliqua Charles.

Il gagna le second socle, de l'autre côté de la plate-forme, et arma l'arbalète.

— Max utilisait trois carreaux, mais je n'en ai besoin que d'un dans chaque magasin.

Il introduisit un carreau muni d'un foulard. L'arme était braquée sur son cœur.

— Pas besoin d'essai sur un mannequin.

Mallory inspecta le magasin de l'arbalète proche d'elle. Cette fois, il n'y avait pas de tour de passe-passe, pas de tricherie. Charles jouait avec des vrais carreaux… en suivant les instructions d'Émile Saint-John.

— Je n'ai pas besoin de voir le tour, déclara Mallory. Explique-moi seulement comment ça marche.

— Ne me gâche pas le plaisir, Mallory.

Il lui fit signe de s'asseoir sur la chaise, devant la plate-forme.

— Je voulais l'essayer, de toute façon. Tu es le public à toi toute seule, d'accord ? Il n'y a pas de menottes, pas besoin de flic non plus.

Il actionna le bouton pour démarrer le mécanisme d'horlogerie du premier socle. Le tic-tac commença, les roues tournèrent lentement, et le piton orné d'un drapeau rouge monta vers le chien de l'arbalète.

Charles coiffa le capuchon et alla démarrer la

seconde arbalète. Deux pitons montaient désormais, tic, tac, pendant qu'il gravissait les marches. En haut de l'escalier, il se posta face à la cible, étendit les bras et sa cape écarlate recouvrit la cible tout en frôlant les rideaux.

La première arbalète tira et le carreau perça la cape. Comme de juste, Charles ne la portait plus. Elle avait glissé au sol, et un ruban rouge traversait le trou dans le tissu jusqu'au carreau fiché dans la cible. Charles se tenait sans doute derrière les rideaux. Le mécanisme du second socle cliquetait toujours.

Mallory tourna vivement la tête lorsqu'elle entendit quelque chose frapper une boîte en carton. *Une diversion ?* Elle reporta son attention sur la plate-forme. La cape s'élevait lentement, comme si elle était de nouveau habitée. Les pinces en zigzag déployèrent la cape, donnant l'illusion convaincante d'une forme humaine, les bras en croix.

Mallory entendit de nouveau un bruit, mais elle ne quitta pas la cape des yeux. Elle écoutait le bruit qui se déplaçait derrière elle. Elle porta la main à son revolver, les yeux rivés sur le piton rouge qui allait déclencher la seconde arbalète.

Le deuxième carreau partit ; Mallory suivit des yeux le ruban qui pénétrait dans la cape. Mais cette fois, Charles était dessous. Elle vit sa tête se renverser. Il se tourna vers elle en hurlant, puis tomba à genoux. Un ruban ensanglanté partait de la tache rouge sur sa poitrine et conduisait au carreau qui vibrait encore sur la cible. Charles tomba en arrière, sa tête roula sur la marche supérieure, les yeux grands ouverts comme ceux d'un mort.

Mallory marcha tranquillement jusqu'à l'escalier. Parvenue en haut, elle s'assit à côté de Charles en faisant attention à ne pas se tacher avec le sang.

— Charles ? La prochaine fois que tu meurs... essaie

361

de ne pas sourire. Les vrais macchabées ne se marrent pas. (Elle plongea un doigt dans le liquide rouge.) Et le sang est trop liquide.

Charles roula des yeux.

— C'est du vieux sang. Il allait avec mon costume d'Halloween quand j'étais gamin. (Il s'assit, visiblement déçu.) Mais à part ça…

Mallory dégaina son revolver.

— Tu es un public difficile, Mallory.

— Tais-toi ! Nous ne sommes pas seuls.

Elle fouilla des yeux la cave obscure – il y avait tant de cachettes ! Elle entendit de nouveau le bruit.

— Reste là.

Elle descendit les marches. Il y avait des ombres partout, mais aucune ne bougeait. Soudain, un rat détala d'une pile de cartons.

Encore un mauvais tour !

Elle porta son regard vers Charles, prête à lui rappeler de poser des tapettes. C'était le dernier projet qu'il avait contrecarré, prétendant qu'il était inhumain de briser les reins des pauvres bêtes. Elle visa le petit rongeur, dans la seule intention de souligner que le rat était un…

— Non, Mallory !

— Je sais, dit-elle en rengainant. Les rats sont charmants.

Aussi charmants que les circuits électriques défaillants, et les cambrioleurs, et…

— Pas du tout. Mais si tu tires dans le dos d'un rat, comment irai-je l'expliquer au lieutenant Coffey ?

Il s'assit sur le haut des marches, très pince-sans-rire, presque en véritable joueur de poker.

— Bon, à part mon sourire et le sang trop liquide, comment as-tu trouvé le spectacle ?

— Pas mal. Je n'ai pas vu le magasin. Il n'était pas chargé, c'est ça ?

— C'est ça, j'ai fait semblant de le charger. Mais tu

362

as cru qu'il l'était quand tu as vu la corde se détendre – tu avais vu la première arbalète tirer un vrai carreau.

— Tu avais caché le second carreau sous ta cape.

— Oui. Le fil de fer du ruban passe autour de l'arbalète jusqu'à *ça*.

Il ôta la cape déchirée et ouvrit sa chemise pour montrer un épais cylindre métallique plaqué sur ses reins.

— Je ne savais pas à quoi servait le cylindre avant qu'Émile me l'explique.

— Et tu t'es servi du poids, n'est-ce pas ? Le fil de fer y était attaché quand tu l'as balancé par-dessus le plateau. C'est comme ça que le ruban a volé à travers le cylindre. Tu as ensuite débranché le fil de fer, tu l'as enroulé autour du carreau caché sous la cape et tu l'as enfoncé dans la cible.

— Navré. Ça ne t'a pas plu ?

Il avait abandonné son expression de pince-sans-rire. Il semblait quelque peu écœuré.

— Tu as pris un risque avec le premier carreau, Charles. Suppose que ça se soit mal passé. Un autre ressort cassé, par exemple. Tu aurais pu te faire tuer.

Charles parut soudain ragaillardi, tout heureux d'impressionner enfin Mallory.

— Mais les flics ont chargé les arbalètes pour Oliver, dit-elle. Et ils les ont armées. Les cordes se sont toutes détendues – pas de coup à blanc.

— C'est vrai. Un coup à blanc n'avait pas sa place ici. (Il se tourna vers la cible.) Pour ce tour, les fils de fer et les boucles ne fonctionnent que sur un plateau mal éclairé. On ne peut pas l'exécuter en plein jour.

Encore une matinée perdue.

— Oliver s'était donc inspiré d'une autre illusion.

— Je sais pourtant qu'il avait vu juste pour beaucoup de choses. Max demandait toujours à des policiers de vérifier les menottes. Sinon, le publi364c n'aurait pas cru qu'elles étaient vraies. Pendant qu'ils y étaient, ils vérifiaient aussi les arbalètes. Sans ça, ça aurait paru bizarre. Et Max…

— Il aimait l'authenticité.

Mallory gravit l'escalier et s'assit sur la dernière marche à côté de Charles.

— Quel genre de tour faisait Émile Saint-John ?

— Avec des oiseaux. C'était un merveilleux numéro de pickpocket. Il vous piquait votre portefeuille et faisait s'envoler une perruche de votre pantalon. Naturellement, tout le monde faisait des numéros de pickpocket à l'époque.

— Il n'utilisait pas d'armes ?

— Jamais. Je te l'ai dit, le coup du revolver, c'était dans le numéro de Nick. Je me rappelle que mon cousin disait qu'Émile détestait la vue des armes à feu.

Cependant, Saint-John avait accumulé un grand nombre d'années dans la police française et dans Interpol ; il avait forcément manipulé des armes.

— Ça ne cadre pas avec son passé, Charles. Il ne t'a jamais dit ce qu'il faisait ?

— Pendant la guerre ? Ah, tu étais au courant ?

Charles n'était pas seulement surpris ; une certaine culpabilité se lut sur son visage.

— C'est lui que te l'a dit ?

Mallory confirma le mensonge.

— On m'a raconté pas mal d'histoires de guerre.

Cela au moins, c'était en partie vrai.

Charles posa ses yeux sur la cape froissée et sur les taches de faux sang.

— J'ai toujours cru que c'était un secret. Mais je n'étais qu'un gosse quand j'ai entendu l'histoire. Ça remonte à si loin ! J'en avais fait des cauchemars pendant des mois. Tu ne devrais pas penser du mal d'É-mile… pour ce qu'il a fait. (Il ramassa la cape écarlate.) C'était la guerre.

Mallory ne bougea pas, afin de ne pas l'effrayer par

des gestes brusques. Elle laissa simplement la porte ouverte, attendant qu'il s'y précipite afin de lui livrer ses secrets.

— Je n'ai entendu le récit qu'une seule fois, reprit Charles. Émile croyait probablement que je dormais quand il a raconté l'histoire à Max. (Il roula la cape en boule.) Après la libération de Paris, Émile faisait partie d'un peloton d'exécution du maquis. Mais il faut comprendre, il y avait des tas de procès à l'époque… justice expéditive pour les collabos.

— Émile Saint-John fusillait des gens ?

Mallory descendit du taxi sur la 56e Rue, près de l'entrée de service du Carnegie Hall. Les fenêtres cintrées étaient grillagées et le fronton avec ses lettres d'or n'était qu'un pâle reflet de celui, grandiose, de l'entrée principale. Mallory se faufila entre les camions de livraison et contourna une benne à ordures sur le trottoir.

La porte de l'entrée des artistes était ouverte. Nick Prado conduisait une petite troupe sous le fronton, puis il prit la pose pour les photographes.

— Hé, Mallory !

C'était Shorty Ross qui manœuvrait sa chaise roulante pour rattraper ses collègues. Un spécialiste des affaires criminelles. Il n'était pas venu pour couvrir le festival de magie. Il avait dû renifler l'odeur du sang.

— Il paraît que tu es réintégrée, Mallory.

— Oui, Shorty, c'est la rumeur du jour.

Elle l'avait rencontré par un jour de pluie quand elle avait douze ans. Il l'avait emmenée en balade pour faire plaisir à l'inspecteur Markowitz et avait passé une heure à lui raconter des anecdotes sur le Vietnam. Il avait alors retroussé son pantalon pour satisfaire la curiosité malsaine de la gamine en lui montrant ses membres manquants et les prothèses attachées juste sous ses genoux. Elle avait jugé les fausses jambes intéressantes, quoique peu à son goût – pas assez sordides. Toutefois, il avait refusé d'ôter les chaussettes qui cachaient ses moignons, protestant qu'il ne se foutait jamais à poil la première fois.

— Franny Futura est introuvable, dit Shorty. C'est pas lui qui a déménagé ses affaires de l'hôtel.

— Ah bon ? fit Mallory. M. Prado sait peut-être où il est.

— Tu ne me caches rien, j'espère ?

Mallory sourit. Ils se connaissaient trop bien. Elle attendit qu'il fasse la pute, comme d'habitude, et qu'il lui montre ses moignons en échange d'un tuyau.

Les photographes laissèrent Prado en plan pour mitrailler la fliquette qui n'avait pas réellement tiré sur le chiot géant... mais au diable ces détails ! Dans leur précipitation, ils écartèrent Shorty et sa chaise roulante hors du chemin. Prado s'approcha de Mallory et lui passa un bras autour des épaules. Elle lui jeta un regard si mauvais qu'il comprit le message et retira son bras.

— Vous voulez bien poser pour quelques photos ? demanda Prado. C'est pour la publicité. C'est tellement difficile d'amener les spectateurs à voir de vieux numéros. Et le sexe fait vendre.

Les flashes crépitèrent. Prado souriait. Aveuglée, Mallory grimaçait. Elle se pencha à l'oreille de Prado pour que les journalistes n'entendent pas ce qu'elle avait à lui dire.

— Où est Franny Futura ? Il est déjà mort ?

Souriant toujours, Prado répondit sans remuer les lèvres.

— Avez-vous regardé sous le lit de sa chambre d'hôtel ? Je parie qu'il y est.

La foule des journalistes se pressait autour d'eux, les bombardant de questions, braquant les micros comme des canons de revolver. Dans le fond, une femme hurla de douleur et Mallory entendit Shorty Ross s'excuser pour avoir roulé sur son pied. Ceux des premiers rangs, qui avaient déjà eu le privilège de recevoir des coups de chaise roulante, s'écartèrent pour laisser passer l'invalide.

— Inspecteur, demanda Shorty, que pouvez-vous nous dire sur la disparition de Franny Futura ?

— No comment.

Elle loucha vers Prado, souriante, et lui glissa, sans remuer les lèvres, prouvant ainsi qu'elle connaissait le truc :

— Encore un coup publicitaire ?

— Vous avez reconnu mon style. Je suis flatté.

— Vous l'avez peut-être effrayé, Prado. C'est probablement Futura qui a eu l'idée de se cacher, ajouta-t-elle à haute voix.

Shorty l'entendit.

— Le gus se cache ?

Cela déclencha un autre barrage de questions.

Mallory se pencha à l'oreille de Prado.

— Bien joué. Vous saviez que je l'aurais fait craquer en cinq minutes.

Le sourire de Prado s'effaça.

— Vous cherchez à coller le meurtre de Goldy sur quelqu'un, hein ? Eh bien, sachez que Franny était sur le char quand le ballon a été crevé.

— Mais il avait une excellente vue sur le tertre rocheux.

Les journalistes s'étaient tus. Ils plissaient les yeux pour lire sur les lèvres de Mallory et de Prado.

— Vous n'étiez pas là, Prado. Vous n'avez pas d'alibi.

Elle avait dit cela assez fort pour être entendue, et Shorty Ross lui fit un geste du pouce pour la remercier.

— Richard Tree n'a pas tiré le carreau sur Futura, dit

Mallory. (Ce qui était exact.) Le projectile provenait peut-être d'une autre arbalète.

À la périphérie de son champ de vision, elle vit les stylos noter son mensonge. Certains reporters tendirent leur magnétophone pour enregistrer ses paroles.

— Et vous n'avez pas d'alibi pour le coup de feu non plus.

Shorty donna un coup de roue à Mallory pour attirer son attention, puis recula vivement, sachant qu'elle n'aurait pas hésité à frapper un invalide de guerre.

— Inspecteur ? Suggérez-vous qu'il y avait un complot ?

Prado se planta devant la chaise roulante.

— Mesdames et messieurs… un instant, je vous prie. (Il prit Mallory à part.) C'est bien joli, mais vous compliquez les choses à plaisir. (Il désigna les journalistes d'un geste large.) Ils ont besoin d'un résumé coup de poing – pour leurs gros titres.

— Futura sait qui a tué Louisa, n'est-ce pas ?

Une femme qui s'était glissée près d'eux agita son micro sous le nez de Mallory.

— Louisa ? Vous avez bien dit Louisa ? Tué, vous voulez dire assassiné ? Il s'agit de la femme fantôme du numéro de Malakhai ?

— Excellent, glissa Prado à Mallory en s'inclinant, admiratif. Vous avez eu ce que vous vouliez.

Et il s'éloigna, suivi par la meute des journalistes.

À supposer que Futura fût encore en vie, il les aurait sur le dos pendant des heures – c'était aussi efficace qu'une filature de police. Si on lui avait alloué un meilleur budget, elle n'aurait pas eu à utiliser ce stratagème.

— C'était drôlement bien joué, dit une voix derrière elle.

Malakhai était adossé au chambranle d'une porte ouverte. En plein jour, Mallory distingua des cheveux châtain clair parmi les cheveux blancs, souvenir du temps où il arborait encore une crinière de lion. Ses manches de chemise étaient retroussées et son pantalon kaki portait des traces de poussière aux genoux. Il avait encore travaillé dans la cave.

— Vous savez mieux manipuler les médias que Nick.

Ses yeux bleu foncé souriaient. Et l'espace d'un instant, Mallory se sentit inexplicablement plus légère. Elle cherchait quelque chose à répondre lorsqu'il jeta sa cigarette et l'écrasa sous son talon.

— Je ne voudrais pas me montrer ingrat, mais mon spectacle se jouera à guichets fermés. Je n'avais pas besoin de publicité.

Il se frictionna les bras ; il avait la chair de poule.

— Il fait froid. Venez à l'intérieur.

Elle le suivit dans l'immeuble, gravit l'escalier et déboucha dans une réserve où des chaises étaient entassées contre un mur. À côté d'une table d'éclairage parée d'écrans et de commandes, deux grands battants de porte ouvraient sur une estrade en bois verni. Un échafaudage métallique dominait la scène. Il n'était pas monté le jour où Mallory avait interrogé le gérant. Les câbles pendaient jusqu'au sol et menaient à la table d'éclairage.

— Je croyais que vous aviez fini d'assembler vos accessoires.

— J'ai opéré quelques changements.

Mallory le suivit sur la scène. De là, on découvrait une salle lambrissée de boiseries blanches, ornée de colonnes et de corniches bordées d'or. Elle n'avait jamais vu le théâtre depuis ce côté de la rampe. Des rangées de sièges en velours rouge s'étendaient à travers le vaste espace. Elle leva les yeux vers les balcons qui occupaient toute la hauteur du bâtiment. Les quatre étages formaient une avancée incurvée. Un halo de lumière, entouré d'étoiles, illuminait le plafond.

Le samedi soir, trois mille personnes rempliraient la salle, et, curieusement, Mallory ressentit leur absence. La salle qui était éclairée pour le spectacle attendait son public. Il y avait comme une tension dans ce vide silencieux, à l'instar du moment qui précède la rupture d'un barrage, comme si la foule était contenue derrière les portes. Le vide attendait d'être rempli.

Malakhai était à mi-chemin de l'échelle métallique, à l'arrière de l'échafaudage.

— Ça ne vous dérange pas que je travaille pendant que nous bavardons ? L'éclairage exige de longs réglages.

Mallory examinait le dernier balcon, près du plafond.

— Comment les spectateurs du haut vous verront-ils ?

— On va monter un écran géant pour projeter les tours les plus complexes. C'est pour ça que l'éclairage est si décisif. Une erreur et tout le numéro sera gâché. Mais je crois que les gens viendront surtout écouter le *Concerto de Louisa*. Je ne me sers pas de la musique pour accompagner le numéro, mais l'inverse.

Elle le suivit en haut de l'échelle.

— Avez-vous appris pour Futura ?

Il alla sur l'échafaudage jusqu'à un tableau de commandes.

— Vous l'avez trouvé ?

— Pas encore. Soit il se cache, soit il est mort.

Cela fit sourire Malakhai.

— Probablement encore un coup publicitaire de Nick.

Il actionna une série de commandes, et les projecteurs dessinèrent des cercles de lumière de couleurs primaires sur le mur du fond.

— Je suis sûr qu'il va reparaître.

— Il sait qui a tué Oliver. Vous aussi, d'ailleurs.

— Ah, je ne suis plus soupçonné de l'avoir tué ?

— Toutes mes options restent ouvertes, déclara Mallory.

Elle le regarda abaisser un levier. Les lumières de la salle diminuèrent. Il actionna une autre commande, et deux rayons de projecteur jouèrent à cache-cache sur la scène.

— Un numéro programmé ? questionna-t-elle. (Elle vit une concentration de lumière pendre du haut de l'alcôve qui surplombait la scène.) J'ignorais que vous étiez si calé en technique.

— Je ne le suis pas. Heureusement, j'ai les moyens d'engager des gens pour faire le travail à ma place.

— Vous n'avez pas confiance dans votre chef opérateur ?

— Ce n'est pas une question de confiance.

— C'est une question de contrôle. Comme Max Candle et sa plate-forme entièrement automatisée.

— J'allais dire que je ne me sers du tableau que pour les répétitions. Mais, c'est vrai, je suis un peu comme Max. Nous étions très proches, vous savez.

Une ombre glissa le long du mur et disparut derrière une porte dérobée.

— Cette ombre, comment faites-vous pour l'obtenir ? s'enquit Mallory.

— Je ne livre jamais mes secrets. Ça sera mon cadeau, Mallory. Un matin, vers trois heures, vous serez éveillée, et une idée vous traversera l'esprit : l'ombre était peut-être Louisa.

— Vous ne croyez pas plus à elle que moi.

— Oh, si, je vous assure ! Créer la foi absolue est le jeu de tout magicien – c'est ainsi depuis le commencement des temps.

Il sortit un foulard noir de sa poche et le lui tendit. Il le souleva lentement, dévoilant cinq cartes qui flottaient en l'air.

— Et regardez… miracle… un flush royal.

Les cartes tombèrent au sol ; il les balaya d'un coup de pied.

— Ah, j'oubliais ! Vous avez déjà vu ce tour et il ne vous a pas plu.

Mallory contempla avec admiration les rais de lumière suspendus au-dessus de sa tête. Il dirigeait peut-être une projection de lumière et de silhouettes, mais elle ne le voyait pas agir. Il y avait d'autres rangées de lampes aux extrémités du troisième balcon, mais aucune n'était allumée. Elle abaissa les yeux sur le tableau de contrôle. La réponse s'y trouvait peut-être. Ne croyant que ce qu'elle voyait, elle chercha l'ombre de Louisa dans une rangée de clignotants et d'interrupteurs.

Malakhai l'observa, les bras croisés.

— Quand Picasso vous rend visite, il prévient toujours qu'il est venu pour voler.

— Vous connaissiez Picasso ?

— Non, et maintenant vous avez gâché mon histoire. Je vais vous en raconter une autre. Que diriez-vous de la libération de Paris ?

— Je préférerais entendre celle concernant le soir où Louisa est morte. Vous ne vous étiez pas attardé dessus bien longtemps, alors qu'est-il advenu du cadavre ?

— Émile s'en est chargé. Il avait hâte de me faire quitter la ville. J'étais à moitié cinglé, je représentais un danger pour tout le monde. Louisa a été enterrée dans le caveau familial de Saint-John.

Mallory leva les yeux du tableau des éclairages.

— C'est donc Saint-John qui possédait toutes les preuves du meurtre. Après la guerre, vous a-t-il dit comment elle était réellement morte ? Ou a-t-il couvert le meurtre ? Le jour du défilé… c'était lui que vous vouliez abattre ?

— Puis-je ?

Il lui fit signe de s'écarter, puis il recommença à manœuvrer des touches sur le tableau.

372

— Vous allez trop vite. Quand nous sommes arrivés à Londres, Max et moi avons été séparés. Nous ne nous sommes pas revus avant la libération de Paris.

— Les bataillons convergèrent sur Paris le même jour. Je sais déjà ça.

— Alors, pourquoi ne racontez-vous pas la suite, Mallory ?

Il actionna un interrupteur et une boule d'argent s'éleva de la scène et flotta vers la tête de Mallory. Elle recula jusqu'au bord de l'échafaudage, mais il vira, monta, et éclata à la chaleur d'un projecteur – ce n'était qu'un ballon.

Les lumières de la salle s'éteignirent, à l'exception de petites lampes qui bordaient les balcons, étoiles en formations serrées.

— Lorsque les Alliés ont libéré Paris, j'ai quitté mon unité pour rechercher Max. J'ai couru dans la ville toute la journée. La guerre faisait toujours rage autour de moi. Le commandant de Paris s'était rendu, mais les Allemands continuaient de se battre. C'était de la folie. Les gens hurlaient de joie, dansaient et riaient, et s'écroulaient soudain, atteints d'une balle ou d'un éclat d'obus. Les jeunes filles se précipitaient pour embrasser tout ce qui portait un uniforme. Une foule s'était rassemblée pour assister à un duel de chars sur la place de l'Opéra. Ah, si vous aviez vu ça – une bataille de dinosaures.

La salle vira au rouge. De nouvelles commandes ajoutèrent des éclats de lumière jaune.

— Tout autour de nous, la ville avait été minée pour exploser. En attendant que la dynamite soit désamorcée, on vivait sur un volcan. Les gens sortaient sur leur balcon avec leurs enfants en agitant des petits drapeaux. Puis, ils se repliaient à l'abri quand les balles se mettaient à siffler. Ça a duré toute la journée – c'était plus éprouvant que des montagnes russes. Je cherchais Max dans tous les camions de troupe, dans chaque colonne de soldats. Finalement, je suis allé l'attendre chez Faustine. S'il était encore en vie, je savais qu'il y viendrait. Le théâtre était condamné, je l'ai attendu devant la porte jusqu'à la nuit.

La couleur des murs vira à l'indigo, et de minuscules étoiles d'argent ruisselèrent des bordures du faux ciel.

— Je suis retourné chez Faustine le lendemain et le surlendemain. Je me souviens d'avoir pleuré en comprenant que mon meilleur ami était mort.

— Il vous avait oublié.

Malakhai la regarda d'un air de mépris.

— Je suis allé… les Allemands auraient appelé ça *Wanderjahre…* le temps de la promenade.

Il s'activa sur le tableau d'éclairage. Les murs baignaient désormais dans une lueur violette.

— Quand je suis repassé chez Faustine, le théâtre était désert. Un riche Américain avait acheté tout le stock.

— Max Candle.

— Oui. Quand je l'ai revu à New York, il m'a dit qu'il m'avait attendu au théâtre pendant que je le cherchais dans les rues. Émile était venu lui aussi. Il avait trouvé Max en train de tambouriner sur la porte close, hurlant mon nom. Émile a fait jouer ses relations dans la police pour obtenir une liste des victimes de mon unité. Mon nom figurait en tête. Ce n'est pas la seule fois qu'on m'a rangé parmi les morts.

Mallory tourna la tête vers les bruits de pas qui résonnaient sur la scène en contrebas. La salle était vide mais on courait autour de la plate-forme… de plus en plus vite. *Un enregistrement ?* Le tableau des éclairages servait-il aussi pour le son ? Les haut-parleurs devaient être disposés au pied de l'échafaud.

Les bruits de pas cessèrent.

— Max avait sauvé la musique de Louisa, reprit

Malakhai. Il avait eu la présence d'esprit de cacher le manuscrit quand nous avions quitté Paris. C'est pour ça qu'il avait acheté tout le stock du théâtre. Il y avait tellement de malles qu'il devait être sûr d'expédier la bonne. Grâce aux relations de sa famille, nous avons fait publier le concerto. Ce fut ma participation à un numéro de magie et à une nouvelle vie.

— Quand vous êtes parti en Corée, était-ce encore un numéro de meurtre de masse ? Ou juste un suicide original ?

— Je n'ai tué personne au cours de cette guerre. J'ai été capturé quelques semaines après m'être engagé.

Mallory acquiesça. Cela figurait en effet dans son dossier militaire. Elle ne l'avait pas encore pris en train de mentir.

— À votre retour de Corée, vous avez introduit votre femme dans votre numéro. Vous ne vouliez plus mourir ?

Au bord de la scène, des foulards gris tournoyaient, à peine perceptibles dans l'ombre de la salle sauf aux endroits où la soie renvoyait la lumière. Un projecteur s'alluma et les foulards virèrent au bleu, créant l'illusion d'une robe qui virevolte.

— Et maintenant ? interrogea Mallory en fixant son regard sur lui afin de ne plus se laisser distraire. Avez-vous toujours envie de mourir ?

Le projecteur s'éteignit, les foulards tombèrent au sol où ils formèrent un tas de soie froissée.

— Vous croyez que je pousse l'un d'eux à me tuer ? Une forme de suicide élaborée ?

— Pourquoi pas ? Je sais ce qui vous pend au nez. Vous perdez des morceaux de cervelle par petits bouts. Mais vous fourrer un revolver dans la bouche, ça n'a jamais été votre style. Vous avez traversé deux guerres, assez pour partir avec davantage de panache que ça !

— Vous feriez une atroce magicienne. Vous êtes trop

compliquée. La solution est toujours d'une rare simplicité.

— La vengeance n'a rien de compliqué, dit Mallory. Vous avez toujours su lequel d'entre eux avait tué Louisa. C'était celui qui était couvert de son sang. Vous êtes en retard de cinquante ans, mais quand vous avez tiré sur le char, c'était la solution simple que vous recherchiez. À moins que vous ne visiez quelqu'un d'autre qui était à côté ? Nick Prado ?

— Vous croyez toujours que c'est moi qui ai caché le cadavre dans la plate-forme d'Oliver ? Le cheveu roux que vous avez empoché au restaurant…

— Il provenait d'une perruque… d'excellente qualité, mais ce n'était pas un cheveu humain. (Elle posa son regard vers les accessoires sur la scène.) Charles dit que vous n'utilisez pas de perruque dans votre numéro. Alors, qu'est-ce que vous en faites ? À part vous amuser aux dépens des garçons de restaurant ? Vous laissez des cheveux dans votre chambre d'hôtel pour que les femmes de ménage les retrouvent ?

Il comprit à son regard où elle voulait en venir. *Jusqu'où va votre folie ?* était la question qu'il lisait dans ses yeux.

— Bon, je suis innocenté du meurtre de Richard Tree, c'est déjà ça.

— Non, rectifia Mallory. Vous avez pu cacher le corps si vous vouliez ficher la trouille à quelqu'un. Futura, par exemple, est une cible facile.

— Mon meilleur numéro fonctionne sur l'hystérie. Vous ne pouvez tout simplement pas admettre qu'Oliver a bâclé le tour d'illusionnisme et qu'il y a une explication logique à tout.

— Vous êtes resté ami avec Max Candle jusqu'à sa mort. Où est la logique là-dedans ? Le fumier s'apprêtait à s'enfuir avec votre épouse. Et vous vous trimballez toujours avec une morte. Après ce qu'elle a fait…

Les foulards se soulevèrent et flottèrent vers elle dans un tourbillon de soie.

— Louisa n'avait pas besoin d'avouer sa liaison, coupa Malakhai.

Les foulards s'arrêtèrent et restèrent suspendus en l'air.

— Dans un monde normal, elle aurait gardé le secret. Vous ne comprenez pas ? Elle devait me le dire. Louisa ne pouvait pas me laisser risquer ma vie ce soir-là – pas après ce qu'ils avaient…

— Ça a dû vous anéantir. Max était votre meilleur ami.

— Je lui dois tout. Il m'a sauvé la vie. Et il a sauvé la musique de Louisa. (Il porta son regard vers les lampes de la salle qui s'allumaient de nouveau.) L'éclairage de la scène est toujours délicat.

— Difficile de cacher les ficelles ?

— Pas seulement. Il faut que le public croie à la présence de Louisa. Je lui épargne les détails de sa mort, hormis le sang sur sa robe. C'est le concerto qui fait tout le travail. (Il baissa les yeux sur le tableau électronique.) Cet engin joue aussi de la musique. Mais je ne m'en sers que pour la mise en place. Demain, je répéterai avec un orchestre.

Il enfonça une touche et le concerto déferla des enceintes placées de chaque côté de la scène.

— Je vous avais bien dit que ma femme habitait son concerto. Vous entendez les basses ? C'est très subtil. Il faut un hautbois, un léger roulement de tambour et un violoncelle pour rendre le battement d'un cœur humain.

Les mains de Malakhai voletèrent au-dessus des touches et des interrupteurs, masquant tous les instruments jusqu'à ce qu'il ne reste plus que le rythme d'un battement de cœur, puissant muscle qui pompait le sang en se contractant.

— La voilà… c'est Louisa. (Il tourna un bouton pour

amplifier le son.) Il y a une étrange accalmie dans le concerto, ça dérange le public. Les spectateurs voudraient emplir le vide avec quelque chose. Ça provoque une exquise douleur de jouissance anticipée, et tout ce qu'on entend, c'est le cœur qui bat. (Il baissa le volume.) C'est si ténu, presque subliminal.

Il agita un bras et un torrent de fumée bleu pâle cascada de sa main, ruissela vers la salle et se dispersa dans un nuage qui se déposa doucement sur les sièges en velours.

— Ensuite, je l'envoie dans le public. Là, maintenant, Mallory. Sentez-vous le déplacement d'air dans son sillage ? Sentez-vous le parfum des gardénias ?

Mallory acquiesça ; elle écouta battre le cœur de Louisa. Le courant d'air était presque imperceptible ; elle le sentit cependant souffler sur sa nuque. Le parfum des fleurs était délicat et douceâtre.

Malakhai se pencha sur Mallory.

— Je n'utilise jamais de parfum dans le numéro.

Le parfum se changea aussitôt en odeur épicée d'after-shave – encore un tour bon marché.

— Sentez-vous ce léger courant d'air comme elle passe devant vous ? demanda-t-il, l'œil rieur. C'est dans la tête, Mallory. Pas besoin de ficelles. La sensation est encore plus forte quand la salle est pleine. C'est comme d'orchestrer une hystérie de masse. Je vous l'ai dit, c'est mon point fort.

Une silhouette noire se découpa sur le mur. Elle disparut lorsqu'il coupa le son des battements de cœur.

— C'est ça que vous avez fait à Futura ? Vous l'avez effrayé avec une ombre ? Est-il devenu hystérique ?

— Êtes-vous bien sûre que les ombres sont là, Mallory ? Pouvez-vous vous fier à vos sens ? Où est la vérité ?

Mallory se vexa. C'était son boulot de déstabiliser les gens, pas celui de Malakhai.

— Quand Louisa vous a dit la vérité, ça vous a terrassé.

— Oui, vous avez raison. Je n'oublierai jamais les images qui me sont passées par la tête – ma femme au lit avec un autre.

— C'est pour ça que vous lui avez tiré dessus. Drôle de manière de résoudre un problème d'infidélité.

Malakhai ne mordit pas à l'hameçon ; il alla au milieu de la scène et se tourna vers la salle déserte. Les lumières du plafond effaçaient ses rides, rendaient le bleu de ses yeux encore plus brillant et nimbaient ses cheveux d'or.

— Même après sa mort, je ne pouvais plus avoir confiance en elle – pas quand Max était encore en vie.

Il s'adressait aux sièges vides dont le rouge devenait plus sombre vers le fond de la salle immense.

— Quand je jouais à New York, il venait à chaque représentation. Il arrivait toujours en retard, après l'extinction des lumières, et il s'asseyait dans les derniers rangs, le plus loin possible de la scène.

Malakhai s'approcha du bord de l'échafaud et s'immobilisa, avec une élégance consommée, le regard lointain et lumineux.

— Ce n'est pas moi qu'il venait voir. Max voulait seulement entendre Louisa – secrètement. Et chaque fois que j'envoyais ma femme morte dans le public, je me demandais si elle le rencontrait en cachette dans le noir.

Le maître d'hôtel se tenait discrètement à distance, façon subtile de faire savoir que le restaurant allait fermer.

Émile Saint-John, l'unique client, était assis dans un

coin reculé de la salle à manger de l'hôtel, bien que son portefeuille eût pu lui valoir une meilleure table. Mallory en déduisit qu'il ne voulait pas attirer l'attention, préférant cet exil à l'activité bourdonnante du restaurant.

Elle partageait son amour de la solitude.

La table était recouverte d'une nappe blanche, les couverts étaient en argent et les verres en cristal. Un garçon débarrassait les restes du repas.

Dîner seul était un autre trait qu'ils avaient en commun.

Voyant Mallory approcher, Saint-John la salua en levant son verre. Il dit quelques mots au garçon, qui abandonna son plateau et se dirigea vers la cuisine d'un pas vif.

Saint-John se leva pour tenir la chaise à Mallory.

— Quelle agréable surprise ! Que désirez-vous, Mallory ?

— Oh, juste quelques questions.

À peine était-elle assise qu'un verre propre apparut devant elle. Le garçon reprit son plateau et, lorsqu'il fut hors de portée d'oreille, elle déclara :

— J'ai l'impression que vous étiez tous amoureux de Louisa. Max Candle, Malakhai… même Oliver.

— Oui, Oliver lui était dévoué corps et âme. (Il remplit le verre de Mallory de vin rouge.) Lorsque le papier à musique était impossible à trouver, il passait des heures à tracer des lignes sur du papier d'emballage ou sur le dos d'affiches. Elle réécrivait indéfiniment son concerto. Vous savez, si elle avait vécu à une autre époque, je ne crois pas qu'elle aurait pu le composer. Je ne veux pas minimiser son génie, mais le concerto était un projet tellement ambitieux et elle semblait tellement pressée de finir son unique opus. Je me demande parfois si Louisa savait qu'elle mourrait si jeune.

Mallory avait résisté à l'envie de l'interrompre, mais maintenant, c'était assez.

— Et Futura ? Avait-il le béguin pour la femme de Malakhai ?

Saint-John secoua la tête.

— Franny n'avait aucune chance avec elle. Je suis sûr qu'il l'a compris le jour où ils se sont rencontrés. Louisa aimait les hommes, si vous voyez ce que je veux dire.

— Elle considérait Franny comme une poule mouillée.

— C'est succinct, mais juste.

— Et vous ?

— Mon travail m'occupait trop. Ah, mais j'oubliais. Vous avez une vue tellement vague de la Résistance. Comment disiez-vous ? Lancer des bombes et cavaler avant qu'elles ne touchent le sol. La ville était pleine de paranoïaques et…

— D'espions. Je suis allée à l'école. Je sais ce qui arrivait à ceux qui étaient arrêtés. Et vous ? Et Nick ? Qu'éprouviez-vous pour Louisa ?

Elle se tut, bien décidée à ne pas terminer ses phrases à sa place. Elle avait beaucoup appris de Rabbi Kaplan. Comme son ami, M. Halpern, Émile Saint-John se complaisait dans le rôle du conteur.

— Nous étions tous très liés, dit Saint-John. Nous avions connu la faim ensemble, volé de la nourriture. Louisa et Nick allaient souvent à bicyclette dans la campagne faire des razzias dans les champs de blé.

— Mais vous n'étiez pas amoureux d'elle ? Ni l'un ni l'autre ?

Il sourit et agita une main, comme pour se demander comment illustrer sa réponse.

— Ma mère aurait dit que Nick et moi étions mélomanes.

— Vous étiez tous les deux gais ?

Ça ne cadrait pas avec le passé de Prado et les pensions alimentaires qu'il versait à ses quatre anciennes épouses.

— Je ne peux parler que pour moi. Je suis homosexuel. Nick n'était qu'une pute. Il vous le dirait lui-même. Il en était assez fier. Dans ce temps-là, il couchait avec n'importe qui. Filles ou garçons – il ne faisait pas la différence. Pendant l'Occupation, ses liaisons ne duraient jamais plus d'une nuit. Nick ne pouvait même pas se contenter d'un genre. Oh, vous auriez dû le voir quand il était jeune – il était si beau !

— Il se voit toujours comme ça.

— Vous le prenez peut-être pour un imbécile, un dragueur de seconde zone, qui ne voit pas à quel point il est ridicule face à une jeune femme comme vous.

Mallory opina de la tête.

— Mais quand il était jeune, Nick était un séducteur hors du commun, le plus grand de tous. Il avait un accent espagnol et des cheveux d'un noir de jais, deux qualités qu'il exploitait pour déshabiller les filles en public. Elles adoraient ça. Faustine la première. Nick était son préféré. Il a appris plein de numéros dans son lit. Il séduisait n'importe qui, même des hommes qui n'avaient pas ce genre de penchant. Si vous lui parliez cinq minutes, s'il vous donnait juste du feu, vous partiez avec l'impression d'avoir fait l'amour avec lui.

— A-t-il jamais couché avec un soldat allemand ?

— Peut-être. Il aimait ce genre de risque. Mais, et après ? Nick ne faisait pas de politique, son seul idéal était la décadence. Il couchait chaque nuit dans un lit différent. C'était des fois juste pour économiser le prix d'un petit déjeuner. Et il n'y avait pas de baignoire dans sa piaule à l'arrière de l'imprimerie – ça comptait aussi.

— J'ai vu les faux qu'il fabriquait – beau travail. Supposons que les Allemands aient découvert son petit trafic… aider les réfugiés politiques à passer la frontière ?

— Vous pensez qu'il avait peur de la prison ? La promiscuité lui aurait plu. Même les Allemands qui étaient à voile et à vapeur étaient exterminés. N'oubliez pas, nous trinquions avec les soldats tous les soirs. Nous étions au courant des camions à gaz. Mais Nick n'avait peur de rien – c'était un adolescent apolitique doté d'une libido phénoménale.

— Vous ne l'estimez pas beaucoup.

— Nick est ce qu'il est – la plus grande pute qu'on ait jamais connue. Le roi des gigolos et la reine des folles. Il était né pour diriger une boîte de relations publiques. Il est capable de tout pour faire un coup publicitaire.

— Vous ne le portez pas dans votre cœur, n'est-ce pas ?

Cette allégation le surprit, et Mallory s'aperçut qu'elle avait tout compris de travers.

— J'adore Nick. Il n'a aucun scrupule, mais je serai toujours son ami.

Saint-John se détourna pour demander l'addition au garçon, il ne vit donc pas la surprise sur le visage de Mallory. Mais bien sûr, c'était la même expression qu'elle affichait lorsqu'elle épluchait des oignons ou lorsqu'elle chargeait son revolver.

Il inscrivit son numéro de chambre sur la note et le garçon repartit.

— Je crains que Nick ne change jamais. Il drague toujours tout ce qui bouge. Homme, femme, peu importe. Son seul critère connu, c'est tout ce qui a un sexe et marche sur deux jambes.

— Avez-vous couché avec un soldat allemand ? Vous prétendez que vous étiez dans la Résistance. Mais tout le monde disait ça… après le départ des Allemands. Vous étiez peut-être un collabo ?

Mallory avait le chic pour dérouter ses interlocuteurs.

— Non, Mallory, non à vos deux questions. Je n'ai

jamais couché avec Nick non plus, même si j'en avais envie. Sous l'Occupation, j'étais un moine. Je le suis d'ailleurs resté.

— Je sais que vous avez fait partie d'un peloton d'exécution du maquis.

Le visage de Saint-John arbora la surprise. La fumée s'échappa de sa bouche ouverte ; il avait oublié d'exhaler.

— Ça ne cadre pas avec un froc de moine, reprit Mallory.

Elle repoussa son verre. Les amabilités étaient finies, elle avait trouvé le point faible de Saint-John et comptait bien en profiter.

— Mon prof d'histoire vivait en France pendant l'Occupation. Il nous a dit qu'il y avait eu un bain de sang à la Libération. Alors, dites-moi : combien de personnes avez-vous tuées pour le maquis ?

Elle avait rouvert une vieille blessure.

— C'est Charles qui vous a dit ça ? Oui, c'est forcément lui. C'est marrant qu'il se souvienne de la conversation. Il n'avait que six ou sept ans. J'aurais juré qu'il dormait. Max et moi, nous l'avions emmené voir un spectacle de magie et nous avions soupé tard. Charles était couché sur le tapis près du feu, il était épuisé. Quand ses parents n'étaient pas là, Max le gâtait. Pas de légumes et pas de coucher à heures fixes. Charles s'endormait n'importe où, et Max le portait ensuite dans son lit.

Pas de diversion, Saint-John, droit au fait.

— Vous avez donc parlé à Max du peloton d'exécution.

— Il fallait que j'en parle à quelqu'un. Je traversais des moments difficiles – une période d'ajustement après la guerre. Ça a duré plusieurs années. Ce soir-là, je me débattais encore avec mes souvenirs. Je savais que Max comprendrait. Il avait tué pendant la guerre. Mais ceux que je… (Saint-John joua avec son verre.) Ils étaient attachés à un poteau, les yeux bandés. Nous n'observions pas la tradition du fusil chargé à blanc. Toutes les balles étaient réelles. Impossible de se dire qu'on avait les mains propres.

— Des milliers ont été arrêtés – quelques centaines seulement sont passés en jugement.

— Oui, c'était comme ça les premiers mois. Félicitations pour votre prof. La foule a lynché des tas de gens pour des crimes réels ou imaginaires. Mais les maquisards dont je faisais partie exécutaient des criminels de guerre condamnés… des Français trop pressés de plaire à leurs maîtres, et qui avaient devancé les désirs des Allemands. Leurs crimes étaient signés avec un tel zèle et une telle cruauté ! Ainsi, deux collabos avaient arraché les yeux d'une femme et fourré des cafards dans ses orbites. Croyez-moi, il valait parfois mieux être arrêté par les Allemands.

— Une justice à coups de tambour.

C'est un terme militaire qui provient de la guerre de Sécession. On retournait un tambour sur le champ de bataille, on désignait un tribunal et l'exécution ne traînait pas. Oui, vous avez raison. Un abattoir serait plus juste. Après la Libération, on aurait cru que tous les Français s'étaient battus dans la Résistance… du moins à les entendre – les accusés comme leurs accusateurs. Les plus assoiffés de sang, les témoins les plus accablants étaient sans doute les plus corrompus. Je n'ai aucune idée du nombre d'innocents qui ont été fusillés. (Il repoussa sa chaise.) Depuis, j'ai mené une existence de célibataire, j'ai fait pénitence.

— Un moine et un bourreau.

Elle leva les mains et parut soupeser les deux termes.

— Vous croyez peut-être que je prenais plaisir à ces exécutions ?

Elle opina lentement. C'était exactement ce qu'elle croyait.

— Il fallait être volontaire pour faire partie du peloton.

— Je l'étais, acquiesça-t-il.

Il tira sur son cigare, sachant pertinemment que le garçon ne viendrait pas lui rappeler l'interdiction de fumer en public – privilège de l'argent et des gros pourboires. Il recracha la fumée et regarda le nuage s'élever en tournoyant.

— Il y avait trop d'hommes qui se délectaient de ce genre de travail. Pour ma part, je croyais qu'on devait tuer la mort dans l'âme. C'est pourquoi je visais à regret même si j'exécutais des êtres désarmés, les mains attachées derrière le dos.

Il plongea la tête au-dessus de son verre, examinant le fond rouge. Lorsqu'il reprit la parole, sa voix était trop calme, sans inflexion aucune, dépourvue d'émotion.

— La meilleure méthode est une balle dans la nuque à bout portant. Mais nous étions tous très jeunes, sans expérience. Nous utilisions des fusils et nous nous tenions à une certaine distance de la cible. Par compassion, nous évitions de tirer dans la tête, alors que la mort aurait ainsi été plus rapide. Nos balles leur traversaient la poitrine, trouaient le cœur, les poumons. La mort survient par hémorragie interne – elle est longue à venir, contrairement à ce qu'on pourrait croire. J'ai fait des recherches approfondies au cours des ans.

Il leva les yeux de son verre, ce que Mallory regretta aussitôt. Plus tard, elle se souviendrait que son regard était abattu, plein de tristesse – étrange contraste avec l'exposé trop sec des faits.

— Chaque tir crée un trou cent fois plus gros que la balle elle-même. Voyez-vous, la chaleur de l'impact fait bouillir le sang et la graisse des tissus. (Saint-John serra les poings, ses jointures blanchirent.) Ainsi, chaque balle agit comme un poing qui s'enfonce dans le corps, déchire la peau, explose les os. J'étais assez près des prisonniers pour les voir trembler lorsqu'on les attachait au poteau. À la première salve, ils s'effondraient, glissaient, retenus par leurs mains liées. Mais ils étaient encore en vie. Je tirais et tirais balle après balle jusqu'à ce qu'ils cessent de hurler, fous de peur et de douleur. Jusqu'à ce que, finalement, ils cessent de bouger et que cette boucherie… se termine.

Elle agrippait un poing sur sa défense dans le temps.
Sa lame le pénétrerait regarder les poings d'eux tac regarder
premières mille les voudromateri jeu, en la branchait
nu poules. À la pendons selve dès réfléchement elle
simple reclus par cette, mara tices, vela. Il s'était
mouquer un je nous critait faut, après bulle mortà
ce qu'ils creusse le butiar fonsce peur et le chaleur,
blanci à couer huilement, lelesseam de poupée et une
cette vorrent suivantripe.

CHAPITRE 18

Effaré par les cafards qui grouillaient dans l'évier et
les flamants roses en plâtre qui s'ébattaient sur la
pelouse devant sa fenêtre, Franny Futura n'aurait jamais
cru que la misère fût aussi sordide. Le mobilier ébréché
et la tuyauterie qui pétaradait quand ses voisins utili-
saient les toilettes le déprimaient. C'était décidément un
motel minable. Les murs craquelés et sales, autrefois
lumineux, étaient maintenant de la couleur d'un vieux
saumon parvenu au terme de sa vie.

Franny alla à l'unique fenêtre et regarda la rue par un
trou dans le rideau. Il compta les flamants roses. Un seul
de ces volatiles aurait à la rigueur paru kitsch, mais les
quatre réunis étaient une pitoyable tentative d'enjoliver
un décor par ailleurs sinistre.

C'était donc ça, le New Jersey !

Nick lui avait dit de ne pas quitter la chambre, mais le
téléphone sur la table de chevet ne marchait pas. Franny
regarda la cabine téléphonique de l'autre côté du parking, cercueil en verre planté debout au bord d'une
route à la circulation incessante – un million d'yeux à la
minute.

Il était dangereux de quitter la chambre, avait dit
Nick. Franny le croyait, car il était toujours prêt à s'ef-

frayer à la moindre alerte. Il avait lu quelque part que la peur était génétique, que certaines personnes étaient programmées dès la naissance pour être moins courageuses que d'autres… ce n'était donc pas de sa faute.

Mais Franny Futura n'était pas un trouillard complet. Depuis quelques années, les bonnes mœurs avaient disparu, et on le chahutait, on le sifflait, on lui lançait des tomates. Il lui arrivait parfois d'avoir peur que le public envahisse la scène pour s'en prendre à lui. Cependant, il terminait toujours son numéro, les mains tremblantes, la figure baignée de larmes, qu'on prenait pour de la transpiration. Il avait parcouru des milliers de kilomètres pendant des années et des années – et tout cela pour quoi ?

S'il pouvait seulement contacter Émile Saint-John, tout irait bien. Émile viendrait le chercher dans une limousine luxueuse, et ils regagneraient New York en fumant des cigares cubains et en buvant du scotch. Il reprendrait les répétitions cet après-midi.

Il saisit la poignée de la porte, puis fit aussitôt un pas en arrière, comme s'il s'était brûlé. Qu'est-ce qui pouvait lui arriver de pire ? Qu'est-ce qui était plus terrible que l'attente ? Bien sûr, Nick serait furieux. Et il y avait toute cette circulation… tous ces regards braqués sur lui.

Franny hésita devant la porte. Une fois, il y avait bien longtemps, il avait agi avec bravoure. Tout de même, il était capable de traverser le parking pour aller téléphoner !

Il entendit un craquement métallique, des pas qui approchaient. On frappa une fois, puis une seconde. Une clé tourna dans la serrure. Franny se recula et alla se pelotonner contre le mur.

Lorsque la porte s'ouvrit, une grosse femme en uniforme blanc entra, les bras chargés de draps et de serviettes propres. Elle dévisagea Franny, ahurie, surprise de le voir recroquevillé par terre, la tête dans les mains – pleurant doucement.

C'était un quartier peuplé et bruyant, mais même la sirène des pompiers ne pouvait pénétrer les murs du bâtiment. La qualité de l'insonorisation avait compté dans le choix de la salle. Le spectacle serait gâché si le public était distrait par le tic-tac des roues dentées, le grincement d'une planche et les cris du pendu.

Émile Saint-John vérifia une dernière fois l'installation. Toutes les répétitions s'étaient bien déroulées. Oliver ne s'était pas trompé pour une fois.

Émile jeta un coup d'œil à sa montre en passant les menottes. Son assistant reviendrait dans quelques minutes. Il avait engagé le jeune homme pour sa ponctualité obsessionnelle.

Tout était dans le minutage.

Treize marches au-dessus, l'étroite plate-forme de l'échafaud ne pouvait accueillir qu'une seule personne. L'échafaud lui-même avait un air bancal, biscornu, fait de planches mal jointes qui dissimulaient une solide charpente en acier. Il semblait fragile, comme si un enfant l'avait assemblé avec une poignée de clous rouillés. Il menaçait de s'écrouler au moindre déplacement d'air provoqué par les applaudissements.

Émile gravit les marches, comme Max Candle avant lui. Il pesa plus lourdement sur la dernière afin de faire craquer le bois. Il posa le pied sur la petite plate-forme et la structure tout entière vacilla. Planté sous le nœud coulant, il regarda la corde descendre, programmée par le mécanisme d'horlogerie pour projeter son ombre maléfique sur le rideau, derrière lui. Jusqu'à présent, le mécanisme marchait à merveille. Oliver avait fait un travail remarquable pour ajuster le nœud coulant à la taille et au poids d'Émile. Le bras d'acier hydraulique s'éleva pour venir se fixer à la veste métallique qu'il portait sous son costume.

Il introduisit la clé dans la serrure des menottes. La corde se tendit, le nœud se resserra, tirant sur son cou, lui relevant le menton.

Il entendit la planche se briser sous ses pieds. Ses poignets étaient toujours menottés. Lorsque la structure céda sous lui, il ne flotta pas. Il ne suivit pas le schéma maintes fois répété, ne défit pas le nœud coulant, ne descendit pas à l'étage inférieur par l'escalier invisible.

Il tomba comme une pierre, un poids mort, et son corps tournoya lentement sur lui-même au bout de la corde.

**

Quand Franny eut glissé d'une main tremblante les pièces dans l'appareil et que la communication avec le théâtre fut établie, un jeune Français lui répondit. Cela aurait pu être la voix d'Émile cinquante ans plus tôt.

— Ah, bonjour, monsieur Futura. Je suis son assistant. Je vais tout de suite le chercher.

Franny entendit ses pas s'éloigner, et quelques secondes plus tard… un cri déchira le silence.

Apparemment, Nick avait eu raison. Émile ne pouvait plus l'aider. Franny raccrocha. Le soleil couchant frappa son visage grimaçant de larmes.

**

La salle du NYPD bourdonnait d'activité. Mallory était assise à une table carrée couverte de ronds poisseux de boîtes de soda et d'initiales gravées par des détenus et des flics dans leurs moments perdus. Le budget de la Brigade spéciale avait fait d'elle une orpheline. Le rapport d'autopsie de Richard Tree avait anéanti tout espoir de renforts, et Heller n'était plus disponible pour pratiquer des tests ou répondre aux invitations des télés. La colère de Mallory était exacerbée par le sourire de l'homme qui se tenait entre deux agents en tenue.

— Prado, si je prouve que vous avez planté cette flèche dans le corps du neveu, vous serez poursuivi pour avoir mutilé un cadavre – mauvaise publicité pour le festival. Sans oublier votre agence de relations publiques. Vos riches clients risquent d'aller voir ailleurs.

— Ridicule ! rétorqua Prado. Toute publicité est bonne à prendre. Vous permettez que je lance la rumeur moi-même ?

Il désigna du menton la fenêtre qui donnait sur SoHo. Les journalistes faisaient le pied de grue sur le trottoir bombardé de gobelets de café et d'emballages de sandwiches. D'autres patientaient, embusqués derrière un camion à pizzas.

— Je vous ouvrirai un crédit pour ça, si vous voulez.

Derrière Mallory parvint le gémissement du camé enfermé dans la cellule grillagée.

— La ferme ! tonna l'agent Hong en abattant sa matraque contre le grillage. Hé, je crois qu'il va se remettre à gerber.

Mallory jeta un coup d'œil par-dessus son épaule vers le jeune homme recroquevillé sur le sol de la cellule. Il était petit, maigre et malade.

— Fais pas chier, gronda-t-elle.

Le camé se tassa contre le mur et baissa la tête.

— Je veux savoir ce que vous avez fait le jour de Thanksgiving, Prado. Le neveu d'Oliver portait encore son smoking quand j'ai retrouvé son corps dans la plate-forme. Il a dû mourir juste après le défilé.

— Franny est allé au commissariat avec Richard, dit Prado.

Il jeta son manteau sur la table, tira une chaise et s'assit sans y avoir été invité.

— Il a raconté aux inspecteurs comment il avait monté le coup de l'arbalète et ils ont laissé partir le gamin. Je n'étais même pas là.

— Je sais. Futura a quitté le commissariat et s'est rendu directement chez Charles. Mais vous êtes arrivé une heure plus tard. Nous ne savons pas non plus où vous étiez pendant le défilé. J'ai visionné tous les films, vous n'apparaissez sur aucun.

— Je suis allé dans un *Delikatessen* sur Columbus Avenus m'acheter un café. Il faisait froid et le char ne devait pas bouger avant une demi-heure. C'est dans ma déposition.

— Mais vous n'avez pas rapporté de café. J'ai interrogé les employés du *Delikatessen*. Ils ne se souviennent d'aucun magicien en smoking et haut-de-forme.

— Ils n'auraient même pas remarqué un Martien. C'était bourré de monde et il y avait une telle queue que j'ai renoncé. Je suis revenu les mains vides.

— Qu'avez-vous fait ensuite ? Où étiez-vous lorsqu'on a tiré sur le ballon ? Sur le tertre avec un fusil ?

— Ah, encore une excellente rumeur. Attendez qu'on découvre que j'ai dégommé des ballons et mutilé des cadavres pour le compte de mes clients. Jamais je n'aurais pu me payer une telle publicité.

— Aidez-moi à vous innocenter. Dites-moi seulement…

— Vous ne m'écoutez pas, Mallory. Je ne veux pas être innocenté. Bon, puis-je aller dire aux journalistes de quoi je suis accusé ? Nous pourrions donner une conférence de presse improvisée sur le trottoir. Moi avec les menottes – votre prisonnier.

— Vous n'êtes pas inculpé – pas encore.

— Que dois-je faire pour être arrêté dans cette ville ? (Il dévisagea les agents en tenue puis reporta son regard vers Mallory.) Et pourquoi avoir envoyé ces flics pour m'arrêter ? Dans mes fantasmes, c'est vous qui me passez les menottes.

Mallory s'adressa aux deux agents.

— Vous lui avez mis les menottes ?

— Non, certifia Pete Hong. Nous lui avons dit qu'il n'était pas en état d'arrestation. Il s'agissait d'une simple convocation. Il nous a proposé cent dollars chacun pour qu'on lui passe les menottes devant un journaliste. Je lui ai dit que c'était une tentative de subornation. Il m'a répondu que c'était un cachet. Je ne sais toujours pas comment consigner ça dans mon rapport.

— Ça dépend de vous, Mallory, dit l'équipier de Hong, qui fixait l'horloge, attendant la fin de service. Le sergent Bell nous a dit que c'était votre affaire.

— Moi, j'appelle ça de la subornation.

Prado présenta ses poignets.

— Vous me passez les menottes ?

— Non ! dit Mallory. Jamais quand ça risque de plaire au suspect.

Elle se leva et alla jusqu'à la cellule grillagée. Le seul occupant était un jeune homme en jean, dont le T-shirt était souillé de vomi. Il s'était réveillé et frissonnait, couché en chien de fusil, marmonnant des jurons incompréhensibles dans une langue étrangère. Sa peau était luisante de sueur, et ses longs cheveux bruns emmêlés. Très affaibli, en proie aux crampes d'estomac et à la nausée, il se débattait dans un autre monde, à peine conscient de la présence de Mallory.

— Voyons voir... subornation ou pas. (Mallory se tourna vers les deux agents.) Nous pourrions enfermer M. Prado dans la cage en attendant l'avis du district attorney. Ça prendra peut-être du temps.

Prado quitta sa chaise pour s'approcher afin de mieux voir le jeune camé.

— Vous croyez que nous allons tomber amoureux l'un de l'autre en attendant ?

— Il se fiche de votre corps, Prado, c'est une seringue qu'il veut.

Elle posa son regard sur le prisonnier. Une fille de treize ans en viendrait facilement à bout en combat singulier.

— Il peut encore s'en prendre à vous si vous l'énervez, dit-elle à Prado. (Elle le toisa.) Non, mon vieux, vous ne tiendriez pas deux secondes contre un camé en manque.

Prado fut tellement surpris que Mallory crut un instant qu'il allait vérifier si elle ne lui avait pas coupé les testicules.

Pas encore, mais ça viendrait.

Elle dégagea une chaise de sous la table d'un coup de pied et la désigna à Prado.

— Asseyez-vous, ordonna-t-elle.

— Merci, répondit-il d'une voix ferme, je préfère rester debout.

— Faites asseoir M. Prado, demanda Mallory aux deux agents.

Les voyant approcher, il préféra s'asseoir tout seul. Une certaine raideur se dégageait de lui.

— Vous pouvez disposer, dit Mallory aux agents. Non, attendez ! (Elle se tourna vers la cage.) Vous êtes sûr qu'il ne parle pas anglais ?

— Oui, positif, déclara Hong.

— Mais il a encore des yeux pour voir, Mallory, ajouta son équipier.

Difficile de ne pas comprendre le sous-entendu : ne jamais brutaliser un suspect devant témoin... Visiblement, les agents tenaient Prado en piètre estime, à la merci des foudres d'une simple femme. Le vieux magicien serra les poings de rage.

Comment s'y prenait-elle pour lui faire perdre son sang-froid ?

— Si je ne suis pas en état d'arrestation, je ne suis pas non plus obligé de vous répondre.

— Vous retardez d'un métro, Prado. Si nous vous arrêtons, vous aurez le droit de garder le silence. Mais pour l'instant, vous devez répondre à mes questions, sinon je vous boucle pour entrave au cours d'une enquête criminelle.

— Vous ne pouvez pas prouver qu'Oliver a été…

— Oh, si ! C'était loin d'être le crime parfait. Mais j'ai le choix entre plusieurs homicides. Celui de Louisa… qu'on peut prouver, celui-là aussi. Et Franny Futura ? Dois-je déjà le mettre sur la liste des morts ? Qu'avez-vous fait de lui, Prado ?

Il montra un cigare.

— Puis-je ? Oh, attendez ! Il est interdit de fumer dans un lieu public ! (Il se leva et empoigna son manteau.) Je vais aller fumer dehors.

Il se dirigeait vers la porte lorsque Mallory ouvrit la fenêtre à guillotine.

— Vous pouvez fumer sur l'échelle de secours.

Elle lui saisit le bras et le retourna dans son dos. Perdant l'équilibre, il tituba vers la fenêtre, entraîné par la force d'inertie et une légère poussée de Mallory. Il s'affaissa et sa tête traversa la fenêtre ouverte. Il se retint des deux mains au rebord, bouche grande ouverte, puis se mit à trembler. Suffoquant, il porta une main à sa poitrine.

Le cœur ? Non, c'était beaucoup plus intéressant. En trois secondes, il était passé de la surprise à la panique. Lorsqu'il s'écarta de la fenêtre, les jambes flageolantes, sa terreur diminua, mais Mallory lui barra la route.

— N'ayez pas peur, dit-elle, avec trop de sincérité pour être crédible.

Elle désigna la rue en contrebas. Prado suivit des yeux son geste avec un mélange de peur et de fascination.

— Regardez, Prado. Vous voyez la rue à travers le palier ? Vous voyez les journalistes, en bas ? Combien pariez-vous que je vais vous pousser ?

S'il continuait de se mordre la lèvre inférieure, le sang jaillirait bientôt.

C'était peut-être quelque chose sur le trottoir qui l'effrayait. Mallory se pencha par la fenêtre et vit à travers l'escalier métallique Shorty Ross foncer hors du commissariat dans sa chaise roulante. Les journalistes se bousculèrent, hélant des taxis ou grimpant dans des véhicules. D'autres encore se ruèrent vers le métro.

Un agent en tenue entra en coup de vent.

— Hé, Mallory. Le type qu'on devait aller chercher pour vous – Saint-John ? Il s'est pendu.

*
* *

Entrant dans le couloir un bouquet de fleurs à la main, Charles Butler tomba sur une conversation animée entre Mallory et une infirmière obèse.

Légèrement en retrait se tenaient un policier en tenue et Malakhai. Derrière eux, une porte s'ouvrit et Nick Prado apparut ; il jeta un coup d'œil autour de lui, puis tourna les talons et se dirigea vers la sortie d'un pas pressé.

Nick possédait un instinct sûr. Charles hésita à le suivre, reportant sa visite à Émile Saint-John à une autre fois.

L'infirmière incendiait Mallory.

— Je me fiche de ce que vous voulez. M. Saint-John n'a pas été victime d'une tentative de meurtre. Mettez-vous bien ça dans la tête. C'était un accident.

Mallory ne croyait pas aux accidents en ce moment.

— Ça me pose un problème, dit-elle en sortant son insigne. On se pend rarement accidentellement.

L'infirmière ne daigna même pas examiner l'insigne.

— M. Saint-John assure lui-même que son numéro de magie avait mal tourné. C'est son témoignage, et son assistant le confirme. S'il veut voir M. Prado, ou M. Malakhai, ou quelqu'un d'autre, c'est parfait. Mais pas vous. Il a été catégorique.

Mallory tenta le tout pour le tout, faillit presque dégainer, mais sortit finalement un carnet de sa poche d'un geste qui lui permit de laisser entrevoir son revolver à l'infirmière.

— Il me faut sa déposition pour…

Son ton et son regard exprimaient clairement son envie d'en découdre.

— Je m'en fous !

L'infirmière désigna le policier qui se tenait devant la porte de la chambre.

— Et cet agent n'a rien à faire ici. Il doit partir.

Malakhai s'adossa au mur, amusé par la dispute. Il salua Charles d'un signe de tête puis se tourna vers Mallory.

— Vous croyez qu'Émile va avoir un autre accident pendant ma visite ? Nick l'a sans doute déjà achevé. On devrait peut-être vérifier ?

Charles perçut un étrange flottement entre Mallory et Malakhai. N'eût été leur différence d'âge, il aurait peut-être appelé cela une tension érotique. Il y avait tous les signes d'une danse subtile. Mallory faisait un pas en avant, comme pour s'apprêter à le toucher, et Malakhai se penchait vers elle… espérant quoi ? une caresse ?

Certainement pas !

Charles crut qu'elle allait frapper le vieil homme. C'était d'ailleurs ce qu'elle avait en tête, mais elle recula. Elle était tour à tour attirée et repoussée par Malakhai, fâchée et fascinée, symptômes flagrants de l'amour et de la haine.

L'infirmière ouvrit la porte de la chambre et s'adressa à Malakhai.

— Entrez, je m'occupe du flic.

Elle jeta un regard mauvais à l'agent en uniforme. Lorsque la porte se referma sur Malakhai, Mallory tira Charles à l'écart, loin de l'infirmière qui s'était postée à côté du policier afin de monter la garde devant la chambre.

— Si un homme a le vertige, dit Mallory, a-t-il une chance d'habiter dans un penthouse ?

— Naturellement, c'est une pure coïncidence si Prado vit dans un penthouse.

— Je ne te demande pas de dénoncer un ami, Charles. J'essaie seulement d'éliminer des suspects. S'il avait le vertige, ça expliquerait pourquoi il n'était pas sur le char quand le coup de feu est parti. Bon, souffre-t-il du vertige ?

— Aucune idée.

— Réfléchis bien, Charles. Futura disait que Prado ne voulait pas monter sur le char... Prado portait un smoking ce matin-là. Il était donc censé prendre part au défilé, non ? Cependant, il n'est jamais monté sur le haut-de-forme du char, n'est-ce pas ?

— Euh, non, mais je croyais qu'il expliquait le coup de l'arbalète aux flics qui avaient appréhendé le neveu d'Oliver.

— Non, c'est Futura qui s'en est chargé. Et ça n'a pris qu'une dizaine de minutes. Alors, est-ce que oui ou non Prado est monté sur le char ?

— Euh, non, mais ça ne signifie pas que...

— Vivrait-il dans un penthouse s'il avait le vertige ?

— Oui, il pourrait même prendre l'avion. Tant qu'il est dans un lieu clos, ça ne lui pose aucun problème. Tu comprends, c'est la seule phobie qui comporte la crainte d'une blessure physique. Il faudrait qu'il soit au bord d'un précipice, ou sur une échelle. Mais s'il y a un garde-fou, une protection, comme une fenêtre fermée, peut-être – la peur du vide disparaît.

— Le sommet du haut-de-forme était à quoi ? Trois mètres ? Il ne pouvait donc pas grimper dessus, n'est-ce pas ?

— En effet. S'il avait le vertige, on ne le ferait jamais monter sur une échelle. Mais c'est impossible à vérifier.

Mallory le regarda d'un œil soupçonneux. S'imaginait-elle qu'il mentait ? Probablement. Mais Charles savait qu'il ne devait pas prendre ça pour lui. Qu'elle puisse croire qu'il mentait, c'était presque flatteur.

— Mallory, on peut connaître quelqu'un depuis toujours et ne pas être au courant de ses phobies. Ceux qui en souffrent évitent les situations qui leur posent des problèmes. Alors comment être témoin de leur crise de panique ?

Un égotiste comme Nick n'admettrait jamais ses faiblesses.

La porte de la chambre d'Émile Saint-John s'ouvrit. Malakhai se dirigea vers Mallory d'un pas léger, le sourire aux lèvres – signes que l'état d'Émile était rassurant.

— Désolé, dit-il. Il ne peut pas recevoir d'autres visites. C'était un accident plutôt grave.

— Je sais, je sais, fit Mallory, bien qu'elle ne crût pas une seconde à cette thèse.

Malakhai arborait une expression qui disait : « *J'ai un cadeau pour vous. Ça ne vous plaira pas.* »

— Quelque chose a déraillé avec son tour, mais on corrigera ça facilement. Émile a demandé à Nick de le remplacer. On dirait qu'Oliver a encore saboté un autre numéro, conclut-il.

Charles se demanda un instant si Mallory et Malakhai allaient s'embrasser ou se tuer.

Mallory pénétra dans la pièce et s'assit à son bureau pour rédiger une lettre d'adieu. Chez les Markowitz, trois générations de flics l'avaient déjà fait avant elle.

Mais à qui l'adresser ?

À Charles ? Non, c'était une pièce rapportée, un ami de son père adoptif. Et quand il était question de choisir son camp, il risquait de ne pas pencher de son côté. Elle s'était donné beaucoup de mal pour l'empêcher de rater son examen de passage.

À Riker ? Ou à un des partenaires de poker de Markowitz ? Non. Comme sa montre de gousset, ils lui avaient aussi été légués par son vieux, et c'était surtout à ce dernier qu'ils étaient fidèles.

Mallory fixa sa feuille blanche et la recouvrit des images de l'Académie du Sacré-Cœur. Helen Markowitz avait inscrit sa fille adoptive chez les sœurs lorsqu'elle avait découvert que Kathy avait été élevée en bonne catholique. Ça avait mal fini. La petite fille était une excellente athlète et une compétitrice-née, mais ses camarades de classe ne voulaient pas d'elle dans leur équipe. Elle les revit sur le terrain de jeux ; on la rejetait, on se méfiait d'elle, soupçonnant que quelque chose ne tournait pas rond dans sa tête.

Choisir son camp était alors une chose qui lui tenait à cœur. Et maintenant ? Eh bien, depuis la mort des Markowitz, elle avait appris à se débrouiller toute seule.

D'ailleurs, elle était toute seule.

Mallory fixa la feuille blanche. À quoi servait une lettre d'adieu ?

La montre de gousset était posée sur le coin de son bureau. Sous le couvercle, en dessous des noms gravés de son père adoptif et de ses ancêtres, le sien figurait en dernier.

Tirant la langue comme une écolière appliquée, Mallory écrivit : « À tous ceux que cela concerne ». Elle déchira la feuille et recommença, plus réaliste. « À celui ou à celle que ça intéresse… »

Elle n'alla pas plus loin. Bien que la lumière déclinât, elle n'alluma pas la lampe.

La lettre de Louisa avait été datée du jour de sa mort, et la rédaction lui avait visiblement pris tout le temps qu'il lui restait à vivre. C'était un magnifique adieu, elle avait mis son âme à nu. Mais personne n'espérait une telle lettre de Mallory la Machine.

Elle recommença la première phrase. Si sa lettre d'adieu devait avoir un sens, elle devait être adressée à une personne en particulier. Sa mère adoptive aurait appelé cela un acte d'amour pour adoucir les larmes de ceux qu'elle laissait derrière elle.

Le stylo en l'air, Mallory réfléchit.

En l'absence d'amour et n'attendant de larmes de personne, à quoi servaient donc ses adieux ?

*
**

Franny Futura se réveilla en sursaut, et martela la paroi en verre de son cercueil. Les feux de la rampe traversaient la scène à vitesse supersonique.

Non, il n'était pas sur scène. Il n'avait pas réussi à regagner New York. À travers la vitre sale, il distinguait les quatre flamants roses familiers.

Il était donc dans la cabine téléphonique, près de la route, et il était complètement réveillé, paniqué, même. Lorsqu'il se releva, ses genoux s'entrechoquèrent ; il avait mal dans tous ses muscles et toutes ses articulations. Il s'affaissa le long de la paroi, le front contre la vitre.

Quand avait-il eu aussi faim ? Quand avait-il été aussi fatigué… et frigorifié ? Que devait-il faire ? La chambre du motel était juste de l'autre côté du parking. Il fixa la porte, grimaçant de douleur. Il ne tenait pas sur ses jambes, et la chambre lui parut à des kilomètres.

Deux phares balayèrent le parking. La voiture fonçait droit sur lui ; il fut aussitôt aveuglé par le reflet des phares dans les quatre vitres. Une tonne d'acier et de chrome stoppa juste avant la cabine dans un gémissement de freins et un crissement de pneus sur le gravier.

Qui jouait avec lui ? Qui le torturait ainsi ? C'était trop cruel. Était-ce Nick Prado ou Mallory ?

CHAPITRE 19

Il faisait sombre, des éclairs zébraient le ciel au-dessus de Central Park. Les marches de la fontaine étaient humides de brume et des gouttelettes se déposaient sur les cheveux de Mallory. De l'autre côté de l'allée qui séparait l'hôtel de la cour, un vent faisait claquer les drapeaux qui ornaient la façade.

Mallory n'aurait pas mieux orchestré la nature.

Autre don du ciel, des manifestants pour les droits des bêtes s'attroupaient sur les trottoirs. Une petite armée de protestataires en colère brandissait des photographies d'animaux blessés. D'autres agitaient des pancartes injuriant une cliente de l'hôtel, une star de cinéma qui arborait des fourrures en public.

Un chasseur chargeait des valises dans le coffre d'une longue limousine noire. Lorsque le chauffeur alla le rejoindre, Mallory piqua un sprint et se fraya un chemin parmi la foule. Elle ouvrit la portière du conducteur et se glissa au volant. De l'autre côté de la vitre de séparation, Émile Saint-John occupait seul la banquette arrière. Mallory se retourna pour le gratifier d'un sourire. Il n'y avait aucune chaleur dans son expression – plutôt la promesse d'un mauvais coup. Saint-John fut pris par surprise.

Mallory enfonça un bouton sur le tableau de bord, verrouillant les quatre portières. Elle actionna un autre bouton et la vitre de séparation glissa sur ses rails.

— Bonjour, lança-t-elle d'un ton plus proche de la menace que de la bienvenue.

Elle tourna aussitôt la clé de contact et démarra.

— C'est un kidnapping ? demanda Saint-John, qui avait repris ses esprits et paraissait s'amuser. Nick sera jaloux. Où allons-nous ?

— Nulle part.

Elle manœuvra la limousine le long de l'allée. Le radiateur et les pare-chocs touchèrent presque les voitures garées dans le virage et un bouchon se forma. Elle laissa le moteur tourner au ralenti et se dévissa le cou pour dévisager Saint-John. Elle ne souriait plus.

— Vous avez été flic pendant des années, Saint-John. Ce n'est pas votre genre de vous enfuir.

— En vieillissant, je suis devenu pleutre, j'en ai peur. Je n'ai plus l'âge de faire les numéros de Max Candle.

Il agita une main dans le vide comme pour dire : « *C'est aussi simple que ça.* »

Le chasseur frappait poliment à la vitre de Mallory. Elle l'ignora.

— Vous avez demandé à Nick Prado de prendre votre place pour le numéro du pendu. Il a à peu près votre âge, non ?

— Oui, mais il ne le sait pas. Je n'ai pas eu le courage de lui dire qu'il vieillissait.

Saint-John se tourna vers la portière pour voir une berline rouge s'arrêter perpendiculairement à la limousine, son pare-brise en face de la portière de devant ; le conducteur faisait de grands signes, croyant sans doute déblayer le chemin en moulinant les bras. Saint-John lui fit comprendre par gestes qu'ils libéreraient la voie dans deux minutes.

Il se trompait lourdement.

Le portier de l'hôtel tapa des deux poings sur la vitre arrière pour attirer l'attention de Saint-John. Le véhicule de luxe était bien insonorisé, les cris du portier ressemblaient au bourdonnement d'une abeille, mais Mallory devina ce qu'il essayait de dire. Par sa vitre, elle avait une vue dégagée de l'allée qui donnait sur l'artère encombrée de Central Park. Un taxi se rangea à côté de la berline rouge, ses phares touchèrent presque le flanc de la limousine. Pendant que ces voitures vomissaient leurs passagers et leurs bagages, deux autres taxis et un véhicule de tourisme attendaient en file indienne, bouchant l'allée.

Un éclair illumina la cour de l'hôtel.

Mallory reprit la conversation sans prêter attention aux coups répétés contre les vitres.

— Le médecin m'a dit que votre accident ne vous a occasionné qu'une méchante brûlure au cou.

En réalité, le médecin avait refusé de lui dire quoi que ce fût, mais elle avait piraté l'ordinateur de l'hôpital pour obtenir les informations.

— Bon, revenons à Franny Futura. Est-il déjà mort ?

La foudre tomba dans un fracas digne d'une fusillade. Des gouttes de pluie grêlèrent les vitres. Un nouvel arrivant tambourinait sur la portière tout en désignant un taxi jaune coincé entre la limousine et les autres voitures.

Mallory éleva la voix pour couvrir le bruit des coups.

— Où est Futura ?

Saint-John hocha la tête, distrait par les conducteurs en colère. Le chauffeur de maître battit en retraite, mais le portier insista, et le chauffeur de taxi, excédé, fit un geste obscène, conseillant à Saint-John de se fourrer sa limousine dans un orifice dont la fonction n'avait rien à voir avec un tel usage. Chauffeur de maître et chauffeur de taxi se livrèrent un combat de hurlements, mais, à l'abri derrière les vitres épaisses, Mallory avait l'impression d'assister à une dispute entre mimes. Et pendant ce temps, d'autres voitures arrivaient.

— Où est Futura ? répéta-t-elle.

Elle parlait calmement. Elle avait tout son temps. D'autres conducteurs s'étaient attroupés autour des deux conducteurs. Toutes les nationalités étaient représentées.

— Mallory, je vous le dirais si je le savais.

— Ben voyons !

Le chauffeur de taxi avait fini par écarter celui de la limousine, et il s'était remis à tambouriner contre la vitre à coups de poing. Un véhicule klaxonna longuement, en infraction au code de la route qui interdisait ce genre de pratique en ville. La queue des voitures s'étendait désormais jusqu'à la rue. On ne pouvait plus reculer ni avancer. Encore moins enjamber le trottoir où les manifestants continuaient d'agiter leurs pancartes et de crier leurs slogans. L'un d'eux brandit la photo géante d'un animal dont la patte était coincée entre les dents acérées d'un piège. La brume s'était changée en crachin, mais les manifestants ne paraissaient pas disposés à partir. Ils assistaient, ravis, à la colère des automobilistes contre la limousine.

— Vous n'avez pas peur, Saint-John. Ce n'est pas pour ça que vous vous enfuyez à Paris. Vous ne voulez tout simplement pas vous trouver là quand le prochain meurtre aura lieu.

De nouveaux automobilistes avaient rejoint le chauffeur de taxi, qui, exaspéré, les yeux exorbités, au bord de l'explosion, donnait de furieux coups de poing sur le toit de la limousine ; il voulait en finir avec ce fumier de richard qui l'ignorait. D'autres conducteurs se réchauffaient en frappant violemment contre les portières et le coffre de la luxueuse voiture. Leurs cris parvinrent à pénétrer les vitres épaisses, mais les jurons étaient étouffés, certains incompréhensibles, proférés dans une langue étrangère. Cependant, le sens en était clair. On pouvait lire sur les lèvres les mots « *enfoirés* » dans plusieurs langues.

Un bouchon se formait sur Central Park South.

Saint-John avait du mal à rester poli tant les exaltés se déchaînaient sur les vitres.

— Mallory, c'est de l'histoire ancienne, ça aurait dû être réglé depuis longtemps, avant votre naissance. Pendant la guerre, j'ai résolu les problèmes liés aux carnages qui me hantaient grâce à la religion…

— Vous n'avez rien résolu du tout. La culpabilité vous suit partout.

Elle avait touché son point faible, elle le lut dans ses yeux.

Un automobiliste au bout de la queue voulut se dégager en reculant dans la rue ; il heurta une charrette. Libérée de ses traits, la jument s'enfuit sur le trottoir, effrayant les piétons. Les défenseurs des animaux hurlèrent leur réprobation. La charrette renversée emboutilla davantage le passage et la queue déborda sur le croisement.

Un homme en costume gris plaquait sa carte d'identité sur la vitre pour que Mallory la lise. Sans la regarder, elle avait deviné qu'il s'agissait du détective de l'hôtel. Des hommes en tenue débraillée repoussèrent sans ménagement le détective afin de tambouriner aux carreaux. Les manifestants s'en prirent aux chauffeurs de taxi et l'échauffourée tourna à l'émeute.

— Je sais pourquoi vous vous enfuyez, dit Mallory avec un sourire aimable. Vous ne voulez pas assister au meurtre. Mais ça vous est égal qu'un type se fasse assassiner du moment que vous avez le dos tourné.

Le tintamarre des klaxons traversa les vitres insonorisées.

— Vous voulez que j'empêche les meurtres, je le sais. C'est pour ça que vous m'avez enfermée dans la plate-forme, n'est-ce pas ? C'était un message personnel. Je reconnais bien là une logique de flic. C'est vrai, nous ne croyons pas aux coïncidences.

Un homme coiffé d'un turban effectua un pas de danse sur le capot, puis sauta sur le toit sous les acclamations de la foule en délire.

— C'est aussi vous qui avez caché le cadavre dans la plate-forme. Vous vouliez qu'on me confie l'affaire… officiellement. C'est grâce à vous qu'on a ouvert l'enquête. Et maintenant, vous refusez de m'aider à arrêter l'assassin. Vous n'arrivez pas à choisir votre camp, n'est-ce pas ? Très bien, mais ne m'obligez pas à vous courir après. Restez à New York et assistez au meurtre. Ce sera votre pénitence pour votre rôle pendant l'épuration.

— Dans la guerre…

— Ah, ne recommencez pas ! Vous êtes tous pathétiques à vouloir jouer à la guerre. Futura est mort, n'est-ce pas ?

Saint-John grimaça. Mallory en conclut qu'il n'allait pas tarder à être assassiné, si ce n'était déjà fait. Saint-John leva les yeux vers le plafond de la limousine d'où les piétinements lui parvenaient.

— Décidez-vous, Saint-John. Vous ne pouvez pas rester neutre. Est-ce que Malakhai va mourir ? Ou Prado ? Vous savez très bien que je coincerai le dernier en vie, et que je devrai peut-être le tuer. C'est ça que vous voulez ?

La limousine se mit en marche, secouée de tous les côtés par des automobilistes enragés. La foule avait envahi l'allée pour mieux voir. Les badauds espéraient la destruction de la longue limousine noire. L'homme au turban s'élança dans une danse endiablée sur le toit qu'il défonça avec ses bottes de cow-boy. Il se mit à donner des coups de pied dans le pare-brise, mais le verre trop épais refusa de céder.

Seule Mallory restait sereine. Elle étudiait le visage

de Saint-John. Était-il en train de revivre l'époque du maquis et sa justice expéditive ? La foule en colère ? Les lynchages ? *Bienvenue dans ma guerre – New York, la ville de tous les plaisirs.*

Elle entendit les sirènes approcher. La lumière des gyrophares balaya l'allée, mais cela n'arrêta pas les forcenés.

— Le jour où Louisa est morte, vous lui aviez dit que les Allemands placardaient sa photo dans les rues. Ça veut dire qu'ils ne savaient pas où elle était... pas avant qu'un indic le leur dise. C'est pour ça que Malakhai portait un uniforme allemand lorsqu'il lui a tiré dessus avec l'arbalète, n'est-ce pas ? Il savait qu'ils...

— Oui, oui !

La limousine menaçait de se renverser. Saint-John s'agrippa au bras de la banquette pour garder l'équilibre. Son visage ne montrait aucune trace de peur, mais il ne pouvait contrôler la sueur qui perlait sur sa lèvre supérieure, dissimuler ses jointures qui blanchissaient. Une bagarre éclata entre les conducteurs et les chasseurs de l'hôtel ; le sang coula, les corps voltigèrent devant les yeux effarés de Saint-John.

— L'informateur, demanda Mallory dans un murmure... c'était Franny ?

Saint-John la regarda comme si elle était folle de garder son calme au milieu d'une émeute sanguinaire. Il s'attendait à tout moment à voir les excités forcer la limousine et le tirer hors de son siège. Près de lui, un visage ensanglanté s'écrasa contre la vitre ; Saint-John sursauta. Ce n'était pas de la peur que Mallory lut dans ses yeux, mais de la souffrance. Il voyait l'autre face du maquis, il n'était plus le bourreau, mais la victime de la foule en colère... C'était une vision nouvelle... un nouvel enfer.

— L'indic, c'était Futura ?

La limousine tangua. Les sirènes se rapprochaient.

Deux véhicules de police arrivèrent enfin à pénétrer dans l'allée. La limousine retomba aussitôt sur ses quatre roues.

— Non, ce n'était pas Franny.

Saint-John appuya sa tête contre le dossier, les yeux rivés sur la vitre dégoulinante de sang.

— C'était le boulot d'Oliver de dénoncer Louisa.

— Son boulot ? Vous l'avez donc tous tuée ?

*
* *

— Je préférais l'autre cadre, dit Nick Prado. Plus chargé en atmosphère. La cage du camé était un accessoire génial.

Il se campa devant la glace de la salle d'interrogatoire, époussetant une peluche imaginaire de sa cravate, une excuse pour s'admirer sans le faire exprès.

— Alors, Mallory, où est passé votre petit caniche ?

— Le camé ? (Elle referma la porte et la verrouilla.) On l'a expédié dans une cage plus grande, et quelqu'un lui a planté un couteau dans le dos. Les autres détenus vous raconteront quand vous les rejoindrez.

Prado sourit dans la glace.

— C'est une glace sans tain, hein ? fit-il en tapant dessus. On nous regarde ?

— Non, Prado. Quand vous avez la désagréable impression qu'on vous surveille… c'est moi.

Elle s'assit à la table. Un billet de théâtre était posé sur une épaisse chemise en papier kraft. Un coursier l'avait apporté à son bureau dans la salle de garde de la Brigade spéciale, emballé dans un prospectus.

Ainsi, Charles Butler allait présenter l'Illusion Perdue au Carnegie Hall. Son hommage à feu Max Candle devait suivre le numéro de Malakhai.

Qui avait eu cette idée ?

Prado tira une chaise et s'assit en face de Mallory.

— Je vois que vous avez appris la nouvelle, dit-il en tapotant du doigt le prospectus. Quel courage, notre Charles ! De nos jours, ils sont rares ceux qui survivent aux numéros d'illusionnisme de son cousin.

Il y avait une note de vantardise dans la voix de Prado, des inflexions fanfaronnes.

— Vous m'arrêtez ? (Il tendit les poignets en ricanant.) Dommage que vous ne soyez pas en uniforme. Dans mes fantasmes…

— Ne poussez pas votre chance, Prado. Je ne suis pas si loin d'obtenir un mandat. (Elle écarta le billet et le prospectus.) Comment allez-vous vous y prendre pour ne pas faire le numéro d'Émile – celui du pendu ? Treize marches pour monter en haut de l'échafaud branlant, vu votre vertige…

— Mon quoi ? Je ne sais pas de quoi vous parlez. J'ai déjà procédé à une répétition ce matin. Demandez à l'assistant d'Émile.

Non, elle ne pouvait pas se tromper !

Elle se pencha au-dessus de la table pour mieux juger sa réaction lorsqu'elle lui passa vivement une main devant les yeux. Il ne cilla pas, et ses pupilles furent longues à réagir au manque de lumière lorsqu'elle descendit le store. Enfin, elle lui jeta un crayon ; il ne réussit pas à l'attraper.

— Alors, Prado, combien de calmants avez-vous avalés pour escalader l'échafaud ?

Le regard de haine qu'il lui lança ne dura qu'une seconde.

— Très bien, fit-elle en posant les yeux sur la pile de dossiers, parlons de l'homicide d'Oliver Tree. (Elle feuilleta le premier dossier sans regarder Prado.) Vous étiez le seul à savoir qu'il envisageait de présenter ce numéro.

— Je vois que l'Illusion Perdue continue de vous obséder.

412

— Non, c'est fini. Oliver a livré la clé de tous les tours sur lesquels il travaillait – un cadeau à ses vieux amis. (Elle sortit un carnet dont elle se mit à tourner les pages.) Thanksgiving chez Charles. (Elle dévisagea Prado.) Vous avez dit que vous aviez reçu vos accessoires et vos instructions il y a des mois. Cependant, vous étiez le seul qui ne préparait aucun numéro pour le festival.

— Je m'occupais de la publicité. C'est un travail à plein temps.

— Non, vous étiez le seul à connaître la solution de l'Illusion Perdue. Au départ, Oliver n'avait pas l'intention de la présenter en public. Je crois qu'il connaissait ses limites. Il avait beaucoup de respect pour vous tous – les vrais magiciens. Les anneaux sur les piquets étaient trop hauts pour un homme de sa taille. Il avait construit la plate-forme pour un magicien plus grand, quelqu'un de la taille de Max Candle… ou de la vôtre.

Elle trouva enfin ce qu'elle cherchait, coincé entre deux feuilles.

— Oliver vous a invité à partager la vedette avec Franny Futura. Mais vous avez refusé. Vous l'avez convaincu de présenter le numéro lui-même… un coup publicitaire pour lancer le festival.

— Comment en êtes-vous arrivée à cette conclusion ?

Rien dans son expression ne disait à Mallory si elle avait visé juste.

— Le testament d'Oliver ne mentionnait pas la plate-forme. Ça m'a longtemps posé un problème. Puis, j'ai compris qu'il l'avait déjà donnée… à vous, justement. Ça, c'est important, parce que ça établit la préméditation. Vous avez apporté les clés des menottes au parc. Vous les avez polies pour qu'on les croie neuves.

Elle jeta la pochette de velours vert sur la table. Elle était protégée par un sachet en plastique – la marque d'un scellé.

— Vous avez échangé les pochettes. Celle-ci est la vôtre. C'est celle que j'ai récupérée sur le cadavre d'Oliver.

En réalité, c'était celle qu'elle avait prise dans la caisse à outils de Charles.

Prado examina la pochette avec un vague intérêt.

— Tous les apprentis de Faustine en possédaient des semblables.

Mallory feuilleta son carnet.

— Donc, vous admettez que vous possédiez la pochette verte. (Ce n'était pas une question, et elle ne lui laissa pas le temps de la contredire.) Ça ne vous dérange pas qu'on vous fasse une prise de sang, n'est-ce pas ? J'en ai besoin pour les tests d'ADN. Il me faut aussi le costume que vous portiez l'autre jour dans Central Park. Je dois le confronter aux fibres qu'on a retrouvées sur la pochette.

Le lieutenant Coffey ne lui accorderait jamais une rallonge de crédit pour effectuer les tests.

Mallory dévisagea Prado d'un air surpris qui n'aurait pas abusé un enfant de dix ans attardé.

— Non ? Vous refusez de coopérer ? Dans ce cas, lorsque je vous aurai inculpé, le meilleur avocat de New York ne m'empêchera pas de vous faire griller sur la chaise.

Elle reprit sa lecture du dossier.

— Bon, passons à la mort de Louisa. C'est plus compliqué que je ne le croyais. Je vous ai sous-estimé, Prado.

— Merci. Puis-je vous retourner le compliment ? Vous commencez à réfléchir comme un magicien.

— Certainement pas. Réfléchir comme un magicien, c'est une perte de temps. J'ai eu plus de mal à me mettre dans la peau d'un adolescent frivole, mais ç'a été payant. C'est vous qui avez ourdi le complot pour tuer Louisa. Quelle bêtise ! C'était bien trop compliqué – trop tape-à-l'œil. Ça revenait à accrocher un néon sur son cadavre. Je ne comprends pas comment vous avez pu vivre comme délinquant juvénile à Paris et vous en tirer. Ça, c'était fort.

— Je préfère les compliments plus subtils, Mallory.

— Vous avez commis tellement d'erreurs, les jurés vont mourir de rire.

— Assez de compliments, vous me faites rougir.

— Si Louisa n'était pas morte ce soir-là, les flics français en auraient eu les larmes aux yeux tellement ça les aurait fait marrer. Et ils vous auraient tous arrêtés. Futura aurait craqué le premier. Il a toujours été une épine dans vos pieds. Est-il déjà mort ?

— Quelles preuves avez-vous…

— Louisa était au courant de vos activités de faussaire. (Mallory brandit le vieux passeport.) Un mobile irréfutable. Futura et Saint-John étaient dans la Résistance. Elle avait donc quelque chose sur chacun de vous, même sur Oliver. Il hébergeait un prisonnier évadé. Aucun de vous ne pouvait laisser les Allemands la retrouver. C'est comme ça que vous avez convaincu les autres de participer aux préparatifs de l'assassinat de Louisa Malakhai.

Prado croisa les bras, arborant un sourire paternel.

Elle lui montra un fax du ministère de la Défense britannique, puis le posa sur la table devant lui.

— Après sa mort, vous êtes devenu soldat – assassin légal. C'est le meurtre de Louisa qui vous y a donné goût ? Quel pied ! Ah, vous avez aimé la guerre ! (Elle tapota la feuille.) Vous en avez tué des gens pour obtenir toutes ces médailles. Entre vous et Malakhai, vous avez dû exterminer une ville entière.

— Vous êtes née trop tard, Mallory. C'est rare qu'une femme sache apprécier…

— Je parie que Futura est encore en vie. Vous ne pouvez plus vous permettre une autre mort « accidentelle ». Vous l'avez juste mis au vert pendant quelque temps. Vous saviez que je le ferais craquer. Et Saint-John ? Son accident avec la corde tombait un peu trop bien.

— Vous croyez que j'ai essayé de le tuer ?

— Non, c'est Saint-John qui a eu l'idée de l'accident… et c'est pas la première fois qu'il fait le coup. Il jouait un rôle dans l'assassinat de Louisa, je le sais. Oliver l'avait dénoncée aux Allemands. C'était son boulot. Le minutage était délicat. S'il avait prévenu les Allemands trop tôt, ils auraient arrêté Louisa sur place. Il fallait qu'ils arrivent au théâtre juste à temps pour assister à son accident sur scène. Vous auriez dû donner le job d'informateur à Futura. À votre place, c'est lui que j'aurais choisi.

Prado secoua la tête en souriant.

— Franny aurait pissé dans son froc s'il avait dû aller voir les Allemands.

— C'est pour ça que je l'aurais choisi, persista Mallory. Il aurait fait un indic tellement crédible ! (Puis, comme si elle excusait la maladresse d'un enfant, elle déclara :) Mais, naturellement, je suis une pro, vous n'êtes qu'un amateur.

— Vous êtes une jeune femme passionnante, Mallory, dit Prado en agitant une main comme pour faire une concession. Bon, c'était une erreur de casting. Mais Oliver…

— Une erreur de casting ? Tout le monde s'accorde à dire qu'Oliver ne savait pas minuter un numéro. Lui confier ce job était une connerie de votre part. Mais vous avez eu de la chance. Ce soir-là, il a bien calculé son coup. Ensuite, il vous fallait un médecin pour déclarer la mort de Louisa. C'est Futura qui a joué le rôle.

— Franny était né avec les rides du souci. Ça le vieillissait. Inutile d'avoir recours au maquillage.

— Et il vous fallait un policier français afin qu'il rédige le rapport de l'accident. Le job d'Émile vous a enfin servi. Mais c'est vous qui avez terminé le complot. C'est vous qui avez transporté Louisa en coulisse. Et vous l'avez tuée.

— Astucieux, mais…

— J'espère que vous ne parlez pas de votre plan, Prado. J'ai rarement vu un truc aussi incroyablement stupide. Il y avait tellement de failles. Trop de personnes concernées. C'est digne d'un jeune écervelé de quinze ans.

Le sourire de Prado chancelait, mais il lui fallait encore des atouts dans sa manche avant de rafler la mise. Saint-John ne lui avait raconté la soirée que dans ses grandes lignes, et il avait refusé de parler de meurtre.

— Personne n'avait dit à Louisa ce que vous mijotiez. C'était votre idée. Vous vouliez de l'authentique, du vrai sang, une surprise non feinte. Avec tous les soldats dans la salle, vous ne pouviez pas vous permettre de mal jouer.

Il ne dit rien pour la contredire, et il était même flatté qu'elle apprécie ce détail.

— Encore une connerie, Prado !

Il parut légèrement ébranlé. Elle abattait ses cartes une à une.

— C'est une marque de fabrique qui vous tient à cœur, Prado. Vous l'avez encore utilisée le jour du défilé. Charles n'était pas au courant du coup de l'arbalète. C'est un acteur amateur et vous aviez besoin qu'il soit réellement surpris.

Prado regarda dans la glace.

Cherchait-il un réconfort dans son reflet ? Non, il ne pouvait s'ôter de l'idée qu'on l'observait depuis l'autre côté du miroir. Il souriait aux spectateurs éventuels.

Mallory pianota sur la table pour le ramener à la réalité.

— Bon, les Allemands débarquent pour arrêter Louisa. Malakhai est sur scène. Il porte un uniforme

417

d'officier SS et il braque une arbalète sur une femme sans défense.

Elle ouvrit un dossier et en sortit cinq feuilles écrites en polonais. C'était la contribution d'un agent du nom de Wojcick, qui, bien que ne lisant pas le polonais, croyait néanmoins qu'il s'agissait du testament de son grand-père. Autre donation à la cause, une vieille photographie épinglée sur la première page. Bien que le sujet fût d'origine allemande, il ressemblait au portrait que M. Halpern avait brossé de Louisa Malakhai, raison pour laquelle Mallory avait choisi ce cliché dans l'album familial du sergent Riker.

Elle brandit les feuilles afin que Prado les voie. Même en supposant qu'il comprenne le polonais, elle ne prenait aucun risque. Elle avait trouvé ses lunettes à double foyer en fouillant dans ses poches à la veillée funèbre d'Oliver. Il ne les aurait jamais portées devant une femme, admettant ainsi une faiblesse de l'âge.

Elle tapota la photographie.

— Le père de Louisa est mort en garde à vue, sans dénoncer personne. C'est pour ça que les Allemands voulaient tellement attraper sa fille.

Prado ne réagit pas. Il n'en savait pas plus que Mallory. Donc, Malakhai n'avait jamais raconté le passé de Louisa à ses amis.

— La tête de Louisa était mise à prix et des affiches avec sa photo recouvraient les murs de Paris. Comme on ne délivrait pas de visa de sortie, elle se serait fait arrêter avec vos faux papiers à la frontière. Tous les papiers étaient vérifiés avec précision, par téléphone et par câble. Il n'y avait aucun moyen de fuir la France. Il fallait qu'on la croie morte. Elle n'aurait alors qu'à se cacher en attendant la réouverture de la frontière espagnole. N'est-ce pas ce que vous aviez expliqué à Malakhai et aux autres ?

— Votre logique est sans faille. Ce n'était pas si mal

en une heure, vous ne trouvez pas ? C'est tout le temps que j'avais avant le spectacle.

— Pas si mal ?

Mallory faillit éclater de rire. Dire qu'on prétendait qu'elle n'avait pas d'humour !

— Un chimpanzé aurait trouvé mieux. Dites-moi plutôt comment vous avez convaincu les autres que ça pouvait marcher. Vous leur avez peut-être montré le certificat de décès avec la signature du médecin ?

Mallory tira une autre feuille, un document en français. Mais elle le remisa prestement dans le dossier, car c'était le certificat de baptême d'une Haïtienne d'une patrouille de Manhattan, et l'en-tête était imprimé en gros caractères.

— Nul, Prado. N'importe qui peut voir que ce n'est pas l'écriture du vrai toubib.

— La critique est facile. Laissez-moi vous rappeler que personne n'a contesté ce document depuis plus de cinquante ans.

— Émile a joué son rôle à la perfection, dit Mallory, admirative. Mais bien sûr, il avait l'air plus allemand que les Allemands. Ils étaient trop contents de lui laisser l'affaire sur les bras... après qu'il les eut convaincus qu'il n'avait pas l'intention de poursuivre l'officier SS. C'était à l'évidence un accident malencontreux, un numéro de magie qui avait mal tourné. Les Allemands étaient trop heureux de gober ça, je parie ? Tellement propre, tellement efficace. Et sans risque... parce que vous aviez un authentique cadavre à leur montrer. C'était votre rôle.

— Vous ne réussirez jamais à le prouver, Mallory.

— Si elle avait été appréhendée, elle se serait mise à table. Comme presque tout le monde.

Mallory remit de l'ordre dans ses dossiers.

— J'ai toutes les preuves matérielles. Les jurés adorent les choses concrètes. Si vous épargnez aux contribuables le coût d'un procès, vous éviterez probablement la peine capitale. Je ne vous le proposerai pas deux fois. C'est maintenant ou…

— Je tenterai ma chance au tribunal. Vous qui aimez les paris, en voilà un : Vous ne trouverez jamais un grand jury pour m'inculper.

— Vous êtes le rêve de tout procureur. Qu'ils soient français ou américains, ces fumiers sont des bêtes politiques. On peut bâtir une carrière avec une affaire comme la vôtre. Pensez, un meurtre avec un petit quelque chose en plus, la guerre, l'amour, la trahison… Les journaux vont se régaler. Mais je ne vous remettrai pas aux mains des Français. Ils risquent de ne jamais vous renvoyer à New York où vous grilleriez sur la chaise pour le meurtre d'Oliver.

« Votre dernière chance, Prado, dit-elle en agitant un autre classeur pour le bouquet final. Voici d'autres preuves. Mais je n'ai pas besoin de les montrer à votre avocat avant d'obtenir votre inculpation.

Le classeur contenait les nouvelles directives du maire pour verbaliser les citoyens qui ne lavaient pas leur papier d'aluminium avant de le jeter à la poubelle avec les verres et les boîtes de conserve. Elle le posa sur la pile de paperasse administrative inutile.

— Malakhai a mal visé le jour du défilé. Mais je suis sûre qu'il veut toujours votre peau. Je pourrais vous protéger.

— Je n'ai pas besoin de votre protection, merci.

— Cependant, vous faites le numéro du pendu… assommé de calmants. Je vois le meurtre d'ici.

Elle montra une feuille de papier avec le nom et l'adresse d'un médecin en en-tête.

— Vous la reconnaissez ?

C'était l'ordonnance de calmants qu'elle lui avait subtilisée dans la poche à la veillée funèbre d'Oliver.

— Il y a déjà eu un accident avec le numéro du pendu.

Et vous serez complètement dans les vapes pour la représentation. Sinon, vous seriez incapable de monter sur l'échafaud et le regarder s'écrouler. C'est ce qui se passe, n'est-ce pas ? L'échafaud se repliera et vous vous balancerez au bout d'une corde, treize marches au-dessus de la scène. Le coup a déjà raté une fois. Êtes-vous sûr que ce n'était pas une machination ? Êtes-vous bien certain que vous n'avez pas besoin de ma protection ?

Prado était en train de se ressaisir, il se composait une façade. Mallory s'aperçut qu'il venait d'avoir une idée. Il souriait de nouveau, maître de lui, confiant.

— Malakhai est effectivement un tueur. Pour ça, vous ne vous trompez pas. (Il prit le prospectus du Carnegie Hall et l'agita comme un drapeau.) Mais voilà de quoi méditer : Charles n'est pas aussi beau que son cousin. Néanmoins, je vous assure que lorsque Malakhai le regarde il voit le visage de Max Candle.

— Et après ? Max et Malakhai étaient amis.

— Croyez-vous ? (Prado se tourna vers la glace et tripota son nœud de cravate.) Malakhai a torturé son vieil ami pendant des années avec le fantôme de Louisa. Il l'amenait chez Max, la faisait asseoir à la table, dînait avec elle. Max était très amoureux de Louisa. Il avait eu du mal à encaisser sa mort. Or, voilà qu'elle sortait de sa tombe et qu'elle s'asseyait à côté de lui. Intéressant, n'est-ce pas ? D'autre part, il y a Charles. Max aimait son cousin comme un fils. Le saviez-vous ? Dommage que vous n'ayez pas résolu l'Illusion Perdue, juste pour éliminer les risques. Quand Charles présentera le numéro à Carnegie Hall, il ne devra pas se faire aider par Malakhai.

— Malakhai ne lui ferait jamais de mal.

— Êtes-vous prête à parier la vie de Charles là-dessus ?

Prado jeta un dernier coup d'œil dans la glace avant de se rasseoir.

— Le jour où Louisa est morte, j'ai fait un saut chez Oliver. C'était en début d'après-midi. Louisa et Malakhai occupaient la chambre juste au-dessus. On les entendait faire l'amour comme des bêtes. Le lit branlait, cognait violemment au plafond. Le pauvre Oliver rougissait comme une pivoine et faisait semblant de ne rien remarquer. Quel provincial ! Un vrai Américain ! Mais ce n'était pas Malakhai qui était au lit avec Louisa. Voyez-vous, Malakhai est entré dans la chambre d'Oliver pendant que le lit cognait. Oh, la tête qu'il a faite en regardant le plafond ! Il était ravagé. Non... anéanti. (Prado se pencha au-dessus de la table, un sourire narquois aux lèvres.) Êtes-vous certaine que Malakhai n'a pas voulu tuer sa femme ce soir-là ?

— Vous mentez. Max et Louisa lui avaient avoué leur liaison. C'est comme ça qu'il l'a su.

— C'est ce que Malakhai vous a dit ? Oh, ils ont peut-être avoué. Mais je vous assure, Mallory, que c'est par les échos de leur sarabande qu'il a découvert le pot aux roses. Ne laissez pas Charles...

— Il ne fera pas de mal à Charles.

— Non ? Ça ne vous étonne pas que Malakhai ait refusé de vous aider à résoudre l'Illusion Perdue ? Depuis combien de temps croyez-vous qu'il envisage de partager son numéro avec le cousin de Max ? (Il s'adressait à Mallory, mais il jouait en réalité pour son public imaginaire de l'autre côté du miroir.) Bon, Charles s'en tirera peut-être. On ne sait jamais. (Il prit son chapeau.) Vous m'excuserez ? Je dois répéter le numéro d'Émile. Il faudra peut-être que je me pende une dizaine de fois. C'est à force de répétitions qu'on atteint la perfection.

— C'est un numéro dangereux, Prado. Surtout défoncé aux cachetons. Saint-John a peut-être tiré sa révérence dans le seul but d'aider Malakhai à vous piéger.

— Et après ? Je sais que vous serez là – vous surveillerez mes arrières. Vous pourrez participer au bouquet final, Mallory. Mais il faudra faire vite... Tout est dans le minutage.

Il salua d'une main, toujours en direction des spectateurs qu'il croyait deviner derrière la glace sans tain.

— Prado ! lança Mallory lorsqu'il déverrouilla la porte.

Elle se leva et s'appuya des deux mains à la table, permettant à son blazer de s'entrouvrir pour qu'il voie son revolver.

— Si Franny Futura est mort, je vous tuerai. Et pas d'une simple balle – ce ne sera pas une mort rapide. Vous ne saurez jamais quel jour je viendrai. Ce sera peut-être dans un mois ou dans un an. Je peux être très patiente, vous savez.

De quoi le persuader qu'il n'y avait personne derrière la glace.

*
* *

Jack Coffey était assis dans le noir derrière le miroir. Mallory avait terminé son interrogatoire, il savait qu'il devait partir. Cependant, il continuait de la fixer à travers la glace sans tain. Elle se couvrait le visage à deux mains.

Il avait dépassé le simple stade du superviseur observant une affaire. C'était quasiment du voyeurisme. Il bougea sur son siège qui ressemblait à un fauteuil de théâtre. Bien que se sachant seul, il se tourna pour vérifier que la pièce était vide.

Pourquoi devrait-il se sentir coupable ? C'était Mallory qui avait menacé de mort un suspect. Elle avait peut-être eu seulement l'intention de lui flanquer la trouille. Mais Coffey se demandait néanmoins s'il devait la prendre au mot. Le principal était que Prado la crût. Ça aiderait peut-être Futura à rester en vie.

Son instinct lui disait de retirer l'affaire à Mallory. Mais qui d'autre aurait fait tant avec si peu ? Riker avait raison. L'inspecteur Markowitz avait été le meilleur flic de son temps, mais sa fille le surpassait.

Et elle était dangereuse.

Coffey se demanda à quoi elle pensait, figée comme une statue, immobile comme la mort. Ah, s'il pouvait voir son visage !

Comme en réponse à ses pensées, Mallory laissa tomber ses mains et se tourna lentement vers la glace. Elle n'avait pas le regard vague de Nick Prado, qui, lui, avait seulement soupçonné qu'on l'observait. Mallory regardait Coffey droit dans les yeux. Le fait qu'elle ne puisse pas le voir ne suffit pas à le rassurer. La paranoïa de Mallory aiguisait ses sens. Elle savait qu'il s'assiérait dans le fauteuil du milieu, elle savait exactement où seraient ses yeux.

Comment Lou Markowitz réagirait s'il revenait d'entre les morts pour voir sa fille ? Rirait-il ou pleure-rait-il ?

Comme si elle avait lu dans son esprit, Mallory sourit – juste comme son vieux, un sourire à la Markowitz.

Jack Coffey ferma les yeux et resta assis longtemps après que Mallory eut quitté la salle d'interrogatoire. Il entendit ses pas dans le couloir. Elle s'arrêta à la porte et tourna la poignée. Il se prépara à la confrontation. Elle allait le surprendre en train de mater une femme seule.

La porte s'entrouvrit de quelques centimètres. Mallory ne daigna même pas jeter un coup d'œil à l'in-térieur.

Pourquoi ? Elle savait qu'il était là.

Coffey entendit ses pas s'éloigner dans le couloir. Riait-elle ? Ou bien était-ce le rire de Markowitz ?

Un journal était étalé par terre, la une titrait sur la pendaison d'Émile Saint-John. Franny Futura gisait sur le lit, la tête sur l'oreiller. Il n'avait pas bougé depuis que la femme de ménage lui avait apporté le journal. Elle avait accepté une bague bon marché comme paiement car il n'avait pas un sou pour la soudoyer.

Il ne s'était pas changé depuis son arrivée. Ses valises étaient dans le placard ; il ne les avait pas ouvertes. C'était le résumé de son existence : toujours prêt à s'enfuir.

Il regardait les ombres ramper d'un côté à l'autre de sa chambre, grimper lentement le long du mur, certaines jusqu'au plafond. Maintenant, la nuit était tombée, les phares des voitures qui pénétraient dans le parking projetaient d'autres formes sombres et des éclairs de lumière sur les murs, le faisant sursauter à chaque fois. Les phares annonçaient l'arrivée d'un nouveau visiteur.

D'une minute à l'autre, maintenant.

Il avait vécu toute sa vie dans l'attente d'un coup frappé à la porte. Dans ses rêves, cela se passait toujours la nuit. Bien qu'ayant souvent imaginé l'instant fatidique, il ne voyait jamais au-delà du moment où la porte s'ouvrait. Or, de l'autre côté, quelque chose l'attendait.

Deux nouveaux phares balayèrent un mur, puis un autre, et s'éteignirent en laissant encore Franny Futura dans le noir. La peur était une masse énorme, vicieuse et cruelle. Elle s'asseyait sur sa poitrine et pesait de tout son poids, accroupie, prête à bondir. Il entendit une portière s'ouvrir puis claquer. Il suivit les bruits de pas à travers le parking. Ils passèrent devant sa porte ; il respira.

Les serrures et les barreaux étaient superflus. Il ne pouvait pas quitter la chambre du motel. Il allait rater le lever de rideau de son spectacle à Broadway, il devait se faire à cette idée, accepter l'échec.

Il s'assit sur son lit et se regarda dans la glace de la coiffeuse, espérant y voir le jeune Franny du théâtre de magie de Faustine, caché dans la lumière crue du projecteur, le seul endroit où il se sentait réellement en sécurité. Même aujourd'hui, n'eût été sa carrière sporadique, il n'aurait jamais quitté sa chambre. Mais il ne pouvait l'expliquer à son agent, qui l'incitait depuis des années à prendre sa retraite.

Il y avait quelqu'un derrière la porte ; il en était sûr.

Allongé sur son lit, les yeux grands ouverts, il attendit. Il avait attendu pendant plus d'un demi-siècle, plus d'un million de minutes, prêt pour cet instant.

Nick Prado ne frappa pas. Il ouvrit avec sa clé.

CHAPITRE 20

Le jeune homme se pencha pour lire le journal, mais il avait surtout l'intention d'en profiter pour piquer un roupillon. C'était l'heure creuse, l'heure de l'ennui, et le gérant de l'hôtel ne voyait pas au-delà des apparences.

C'est le parfum qui lui fit lever la tête. Une odeur de gardénia, une fleur qui lui rappelait les bals d'étudiants où, hélas, il faisait tapisserie.

Il avait devant les yeux une grande blonde en smoking aux lèvres charnues couleur de rubis. Un long manteau en cuir était plié sur son bras et son corps tout entier scintillait de paillettes noires. Il trouva son haut-de-forme merveilleux. Ça lui donnait l'air d'une actrice échappée d'un film en noir et blanc ; suprême audace, elle portait des lunettes de soleil à minuit.

— Louisa Malakhai, chambre 408, annonça-t-elle. Ma clé, je vous prie.

— Mais... madame, je vous croyais morte.

La blonde inclina la tête, n'appréciant apparemment pas l'humour.

— Je vous demande pardon ?

— Excusez-moi, madame Malakhai.

Il passa une main sur sa figure pour cacher les boutons qui y poussaient certainement en ce moment même.

— Ils ont probablement fait une coquille ! ajouta-t-il en laissant tomber le *Times* par terre.

— Mon mari a rempli le formulaire.

— Naturellement.

Il se tourna vers le clavier et entra le numéro de la chambre dans l'ordinateur. Louisa Malakhai était bien enregistrée. Il chercha parmi les cartes et sortit celle de la chambre 408. Oui, M. Malakhai avait signé pour son épouse. Mais d'après le journal, elle était morte depuis plus de cinquante ans.

Bel et bien morte !

Il la dévisagea un poil trop longtemps. Elle tambourina sur le bureau en acajou. Il remarqua qu'elle avait des ongles rouges.

Étrange cambrioleur qui se pointait en paillettes et haut-de-forme. Mais une morte est une morte, n'est-ce pas ? Un simple coup de fil dans la chambre du gentleman devrait…

— Mon mari dort. Je préférerais que vous ne le réveilliez pas.

Elle posa une main sur celle de l'employé pour l'empêcher de décrocher le téléphone. Il se figea au garde-à-vous. Son cœur battait à tout rompre.

— Mes bagages ne sont pas lourds. Je les porterai moi-même.

Elle tendit la main, paume en l'air, les doigts recourbés pour qu'il voie à quel point ses ongles ressemblaient à des griffes.

— La clé, je vous prie.

— J'aimerais voir vos papiers.

Un coin de ses lèvres s'affaissa, une manière subtile de lui montrer son indignation. Cela aurait pu être la réaction d'un cambrioleur comme d'un client banal – il n'y avait pas de détective dans tous les hôtels de New York. Rares étaient les voleurs qui ne pouvaient obtenir par la ruse la clé de leur victime, à condition d'opérer en

428

plein jour, quand les employés de l'hôtel étaient débordés. Mais on n'avait jamais vu ça pendant les heures creuses de la nuit. Le jeune homme se mordit la lèvre inférieure et maudit intérieurement son stupide excès de zèle.

Apparemment, elle s'était attendue à tomber sur un tel imbécile, car elle lui présenta un passeport tchèque. La photo était récente, ressemblante, mais la page semblait jaunie, bien trop vieille pour la photo. Elle recouvrit la date d'expiration de ses doigts. Était-ce fortuit ou délibéré ?

— La clé !

Cette fois, les politesses étaient terminées. C'était un ordre et rien dans son existence pleine d'acné juvénile et de bals du samedi soir sans cavalière ne l'avait préparé à affronter une telle blonde.

Il lui tendit sa carte électronique en la gratifiant de son sourire le plus doucereux.

— Votre anglais est excellent, madame Malakhai.

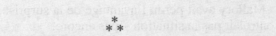

Le mince faisceau de sa lampe-stylo jouait sur le visage endormi de Malakhai. La lumière se déplaça d'un mur à l'autre de la chambre. Tout était exactement comme l'avait dit la femme de ménage ce matin. Le scepticisme du réceptionniste avait pris Mallory par surprise. Le reste du personnel s'était fait à l'idée qu'une femme occupait cette suite.

Mallory pénétra dans la salle de bains, mais elle ne trouva pas comme elle s'y attendait les cheveux roux sur la brosse et le peigne. Et contrairement à ce qu'avait dit la femme de ménage, il n'y avait pas de traces de rouge à lèvres sur les mouchoirs en papier jetés dans la corbeille. Le souvenir de Louisa s'estompait.

Mallory pivota brusquement quand une autre lampe s'alluma.

Malakhai se tenait derrière elle en robe de chambre noire dans la lueur de la lampe de chevet. Il lui tournait le dos, manifestement un mépris hautain pour la menace qu'elle pouvait représenter. La valise de Mallory était sur le lit, son revolver glissé à l'intérieur – elle ne pouvait fermer son smoking moulant à cause de la bosse qu'il faisait sous son aisselle.

Il l'ouvrit et en sortit le trousseau de clés de Faustine.

— C'est l'original, si ça vous intéresse toujours. Je ne vais nulle part sans lui. (Malakhai passa sa main au-dessus du contenu de la valise.) Ce n'est pas le nécessaire de toilette classique d'une jeune femme.

Il défit le linge dans lequel elle avait enveloppé la bouteille de vin qu'elle avait chipée dans la cave.

— Ah, les New-Yorkaises ! Quel chic !

Il déballa deux verres à pied. Lorsqu'il fouilla de nouveau dans la valise, sa main frôla le revolver, mais lui préféra le tire-bouchon au manche de nacre.

Mallory avait perdu l'avantage de la surprise. Elle ne contrôlait pas la situation – pas encore.

— Vous vous êtes arrangé pour que Charles présente l'Illusion Perdue au Carnegie Hall, dit-elle d'une voix accusatrice.

— Charles a été invité à présenter un hommage à Max Candle.

Malakhai n'était pas du tout sur la défensive ; il déboucha la bouteille en souriant.

— Je lui ai fait cadeau de quelques tours que Max faisait pour chauffer la salle – mais pas le final. C'est Charles qui a eu l'idée de l'Illusion Perdue. Il fait ça pour vous, Mallory. (Il huma l'air avec affectation.) Votre parfum est un peu violent. Louisa était plus discrète. (Il évalua le smoking moulant et le haut-de-forme.) À part ça, c'est assez réussi.

Elle s'assit sur le rebord du lit. Les choses se présentaient mal.

— Avez-vous expliqué à Charles comment ce tour fonctionnait ?

— Non, il a trouvé le mode d'emploi tout seul.

Malakhai remplit les deux verres de vin.

— Mais ce n'est pas celui de Max ?

— Venez au spectacle. (Il lui tendit un verre.) Vous jugerez par vous-même.

— Vous ne lui ferez rien ?

— Bien sûr que non, répondit Malakhai, choqué et incrédule. J'ai vu Charles grandir. Comment pourrais-je…

— Il ressemble beaucoup à Max Candle, n'est-ce pas ?

— S'il était aussi beau que Max, il n'aurait pas besoin de risquer sa peau pour vous séduire. (Il s'assit à l'autre bout du lit et leva son verre.) Mais ça ne marchera pas, hein ? Il n'est pas votre genre. Je pense que j'aurais peur d'un type qui le serait.

Il but, ratant l'expression de colère qui assombrit le visage de Mallory. Elle fixa l'oreiller sur le côté intact du lit.

— Vous avez oublié le bonbon à la menthe, remarqua-t-elle.

Il tourna son regard vers le bonbon enveloppé dans du papier d'argent. Mallory nota la tristesse dans ses yeux.

— Il est temps de renoncer, dit-elle. Elle est partie, n'est-ce pas ?

Il secoua la tête sans quitter l'oreiller des yeux.

Mallory poussa son avantage.

— Si, vous le savez. Il vous reste encore quelques souvenirs, mais vous avez de plus en plus de mal à l'imaginer, hein ? Qu'allez-vous perdre encore demain ? Si

431

vous tuez Nick Prado, je vous collerai au trou. Au bout d'un certain temps, vous ne vous rappellerez même plus pourquoi vous êtes enfermé.

Le sourire qu'il lui adressa la frustra.

— Croyez-vous que ça enlèverait tout le plaisir de la chose ?

— Je préférerais épingler Prado pour le meurtre d'Oliver. Que pensez-vous qu'il ait fait à Franny Futura ?

— Aucune idée.

Il s'adossa à la tête de lit. Mallory fit tournoyer le vin dans son verre, qu'elle posa ensuite sur la table de chevet sans y avoir touché.

— Vous savez très bien qu'il est obligé de tuer Futura. (Elle le dévisagea, espérant l'impressionner avec sa moue de mépris.) Prado aura besoin que quelqu'un porte le chapeau quand on découvrira le corps. Vous êtes le pigeon rêvé – un vieillard atteint de démence. Vous vivez dans un asile.

Malakhai vida son verre, puis haussa les épaules. Il se tourna vers la fenêtre par laquelle on apercevait les lumières de la ville et le flot chatoyant de la circulation.

— Je vous assure, je n'ai aucune idée de l'endroit où se trouve Franny. Je ne vous mentirais pas.

— Mais vous ne m'aideriez pas non plus.

Elle se préparait à le punir en évoquant de nouveau Louisa, mais elle remarqua que le bonbon avait disparu, et qu'un creux en forme de tête se dessinait maintenant sur l'oreiller. Une ombre rampa le long du mur dans le coin de son champ de vision, mais elle refusait de donner à Malakhai la satisfaction de tourner la tête vers lui.

Chassant ses tentatives de diversion, elle se concentra sur les points faibles qu'elle lui connaissait.

L'ombre se rapprochait, grandissait, menaçait de la frapper. Avant d'avoir pu se retenir, elle plongea un bras

432

par réflexe vers la valise ouverte où était toujours son revolver.

— Max Candle aimait-il autant la guerre que Prado ?

Au lieu de s'emparer du revolver, elle saisit le verre de vin.

Malakhai interpréta son geste comme une demande, attrapa la bouteille de bourgogne et lui remplit son verre.

— Non, Max n'aimait pas la guerre. La boucherie l'écœurait.

— Vous disiez que la guerre était sublime.

— Le sublime peut être merveilleux ou horrible, mais toujours exaltant. Pour Max, la guerre était l'occasion de savoir de quel bois il était fait. Il s'est conduit en héros, mais a ensuite rangé ses médailles dans un tiroir.

Mallory but une gorgée de vin, et cette fois, la dégusta.

— Et Oliver ?

— On l'avait envoyé aux États-Unis pour un entraînement de base. Il y est resté. L'armée l'a affecté au ravitaillement. Pauvre Oliver. Il rêvait d'action et il a fini dans les bureaux. (Malakhai berça la bouteille dans ses bras.) Chacun de nous a vécu la guerre à sa manière. Nick a adoré ça, mais Émile n'y a vu qu'une affaire d'honneur et de devoir. Et Franny était tout entier occupé à survivre.

— Et vous ?

— Je croyais avoir tué ma femme. C'était ce qui me hantait. La guerre se déroulait autour de moi sans que je m'en rende compte.

— Mais après la guerre, quand vous avez revu Émile, il vous a raconté ce qui s'était réellement passé pour Louisa.

Sur la table de chevet, le verre d'eau portait une trace de rouge à lèvres. Quand avait-il fait ça ? Dans le cendrier une cigarette portait elle aussi une tache de rouge rubis.

— C'est un interrogatoire très raffiné, Mallory. (Il but une gorgée de vin et soupira.) C'est donc ça la brutalité policière. Je ne comprends pas pourquoi certains s'en plaignent. Mais vous ne savez pas…

— Je sais tout ! Louisa ignorait ce que vous complotiez. Elle comptait gagner la frontière après le spectacle.

— Comment avez-vous…

— Louisa croyait qu'elle allait jouer comme tous les autres soirs. Quand vous l'avez blessée, sa surprise n'était pas feinte.

— Non, elle n'aurait jamais cru que je puisse la blesser… jamais.

— C'était l'idée de Prado, n'est-ce pas ? Louisa croyait que Max Candle ferait le numéro avec le fil et le ruban, pas avec le vrai carreau. Mais Max n'a pas pu suivre le plan de Prado.

— Max ne supportait pas l'idée. Il adorait Louisa.

Pas autant que vous.

— On ne pouvait pas quitter la France, dit Mallory. Et Louisa ne pouvait pas rester. Les Allemands devaient la croire morte. Il y avait des soldats dans la salle, ils auraient vu si la blessure était fausse et la terreur feinte. Or, rien ne pouvait autant effrayer Louisa qu'un uniforme nazi. Et ça, c'était votre idée. Vous connaissiez ses points faibles.

— Vous êtes douée pour torturer les gens, Mallory. Je me demande où vous avez appris ça.

— La blessure devait être authentique – il fallait du vrai sang. Sa vie en dépendait. C'est Max qui aurait dû faire le numéro. Mais il ne pouvait s'y résoudre. C'est pour ça que vous avez pris sa place, et que vous portiez l'uniforme d'un officier SS. Vous l'aimiez assez pour l'effrayer et la blesser… afin qu'elle vive.

Malakhai dévisagea Mallory avec une surprise extrême. Il ne l'avait probablement pas soupçonnée d'avoir assez d'humanité pour flairer le subterfuge.

— Et pendant qu'elle mourait ? demanda Mallory en se rapprochant. Vous devez savoir ce qui lui est venu à l'esprit. Votre femme a renoncé trop vite, Malakhai. Vous le savez bien. Vous avez vu plus de morts que moi. Vous savez qu'il n'est pas facile de tuer quelqu'un. Et savez-vous pourquoi elle a cessé de lutter ? Pendant que l'autre fumier l'assassinait, elle croyait que vous vouliez qu'elle meure.

Au temps pour l'humanité. Malakhai en laissa tomber son verre.

— Vous êtes la femme la plus impitoyable que j'ai jamais rencontrée.

Mallory se rassit, quelque peu déçue, tout en s'appliquant à lui faire comprendre qu'elle n'était pas vexée le moins du monde.

— Mais impitoyable ou pas, je suis dix fois pire. J'ai fait des choses horribles quand je n'avais encore que dix-huit ans.

— Je vous bats, ricana Mallory. On m'a cataloguée comme psychopathe quand j'avais onze ans.

Était-il impressionné ? L'enjeu était désormais la maîtrise de soi.

— Vous mentez, Mallory. Impitoyable, c'est le seul compliment que vous méritez.

Dans une affaire où les preuves manquaient, tout reposait sur sa capacité à le battre sur le terrain de la cruauté.

— C'est vrai. J'ai tout ce qu'il faut pour serrer ce fumier. Vous pouvez me faire confiance, je suis capable de tout.

L'expression de Malakhai montrait clairement qu'il ne la croyait pas.

— Helen, ma mère adoptive, a déchiré le rapport du psychiatre en mille morceaux. C'est vous dire à quel point il était mauvais.

La violence de sa mère avait piqué la curiosité de

Kathy. Longtemps après l'heure du coucher, elle s'était relevée pour aller récupérer les bouts de papier dans la corbeille. Elle s'était enfermée à clé dans sa chambre, et avait patiemment recollé les morceaux, comme un puzzle, puis elle avait lu le rapport. La première page résumait le diagnostic dans un langage compréhensible pour tous… même pour une enfant de onze ans.

Elle se souvenait encore de s'être regardée dans la glace, les yeux blessés par les qualificatifs, comprenant peu à peu que le visage d'ange qu'elle voyait cachait en réalité un monstre.

— Je me souviens encore du test, reprit-elle.

Le médecin lui avait dit qu'il n'y avait pas de réponse bonne ou mauvaise, juste des choix. Elle avait compris par la suite qu'il avait menti.

— Je n'ai eu qu'une bonne réponse.

Elle avait été entourée à l'encre rouge – sans doute un prix de consolation pour sa mère adoptive. Le docteur Brenner savait qu'Helen ne supportait pas de voir souffrir les animaux.

— Il m'a demandé de choisir entre un sac plein d'or et un vieux chat galeux. Lequel des deux sauverais-je d'une maison en feu ? J'ai choisi le chat… parce qu'il était vivant.

Et parce que la réponse aurait plu à Helen.

— Encore la mauvaise réponse ! s'esclaffa Malakhai. Nous, nous aurions pris l'or. (Il se tourna vers la fenêtre.) Il recommence à pleuvoir.

— Donnez-moi Prado, dit-elle en se penchant vers lui. Tout ce qu'il me faut, c'est une déposition. J'effacerai tout pour Oliver et Louisa. C'est mon boulot, je fais ça très bien.

Mieux que vous – comme monstre, je vous bats à plate couture. Comme l'avait dit Émile Saint-John, elle était née pour faire ce travail.

Malakhai l'observa.

— J'essaie de vous imaginer en psychopathe en socquettes. (Il se détourna pour se servir un autre verre.) Je n'y arrive pas.

— Je peux faire tomber Prado. Vous voulez qu'il souffre ? Je peux aussi m'en occuper.

Bien décidée à lui démontrer qu'elle était un monstre sans pitié, Mallory rampa sur le lit, s'approcha de Malakhai par-derrière et lui souffla à l'oreille :

— Vous ne trouvez pas bizarre que Max n'ait pas eu de lettre d'adieu ? Sinon, il vous l'aurait dit, n'est-ce pas ? Il vous a bien parlé de son journal. Vous ne vous êtes jamais posé la question ?

— Non, pas du tout. Vu que Max s'enfuyait avec elle, pourquoi lui aurait-elle dit adieu ?

— Ce n'était pas ce genre d'adieu, vous le savez très bien. Elle savait qu'elle avait peu de chances de franchir la frontière. (Mallory leva son verre.) Croyez-vous qu'elle voulait aussi que Max se fasse tuer ?

Là, Malakhai dressa l'oreille.

Elle s'agenouilla sur le lit, à côté de lui, tout près, et il lui remplit de nouveau son verre.

— Votre femme a écrit cette lettre après ses aveux dans le parc. (Maintenant, on ferre tout doucement.) Elle n'avait pas le temps d'écrire plus d'une lettre. Ça lui a pris tout son temps. C'est une très belle lettre. Ensuite, elle l'a cachée dans une chaussure. Elle ne voulait pas que vous la trouviez avant qu'elle ait passé la frontière… ou qu'elle soit morte.

Le sourire qui étira les lèvres de Malakhai était triste et empreint d'ironie.

— Où voulez-vous en venir ?

— Louisa était plus retorse que vous ne le croyiez.

— Vous ne pouvez pas savoir…

— Max était amoureux d'elle. Ce n'était pas difficile de l'attirer dans son lit. Elle a soigneusement planifié

437

son coup. Vous saviez qu'elle vous trompait avant qu'elle ne vous l'avoue dans le parc.

— Arrêtez, Mallory.

— Vous êtes entré dans la chambre d'Oliver pendant que votre épouse était en haut dans la vôtre en train de secouer le lit comme un prunier. Elle faisait l'amour avec son amant, et elle ne se cachait pas – bien au contraire. Je suis même prête à parier qu'elle avait tout calculé pour que vous la surpreniez dans les bras de Max. Vous insistez toujours sur l'importance du minutage, Malakhai.

— Ça suffit ! (Il lui saisit le bras.) Je ne veux plus entendre le nom de Louisa dans votre bouche.

— Mais vous n'êtes pas monté dans la chambre, n'est-ce pas ? Non, vous êtes parti. Et vous ne lui auriez jamais rien dit. C'est pour ça qu'elle a été obligée de vous faire ses aveux dans le parc. Elle a même amené Max avec elle comme preuve.

Il la serra plus fort. Il lui faisait mal, mais elle ne l'aurait montré pour rien au monde. Elle sourit, au contraire.

— Émile lui avait dit qu'il était dangereux de rester à Paris. Elle ne voulait pas retourner au camp, subir les interrogatoires. Quand elle a décidé de gagner l'Espagne, vous lui avez dit que c'était suicidaire.

— La frontière était fermée et la police avait sa photo.

Il la repoussa avec tant de hargne qu'elle roula à l'autre bout du grand lit.

— C'était du suicide !

— Mais Louisa le savait déjà. (Mallory se rapprocha de nouveau en rampant.) Émile lui avait dit la même chose. Elle voulait quand même tenter le coup.

Il leva la main, prêt à la gifler, mais elle l'ignora.

— Auparavant, elle devait s'assurer que vous ne tenteriez pas de la suivre. Elle ne voulait pas que vous mouriez avec elle. Elle devait vous forcer à la détester. C'est pour ça qu'elle a couché avec votre meilleur ami. Louisa se préparait à se suicider, mais elle voulait que vous viviez. C'était ça, son plan.

Malakhai laissa retomber sa main. Il secoua lentement la tête tout en articulant un *non* muet.

— Vous lui avez tiré dessus avec l'arbalète en lui laissant la vie sauve. D'une certaine manière, elle a fait la même chose pour vous.

Il se plia lentement en deux, comme si Louisa l'avait effectivement touché, et il se couvrit le visage à deux mains. La pluie ruisselait sur les carreaux, obscurcissant le monde extérieur, les étoiles et les lumières de la ville, la terre et les cieux – tout avait disparu.

CHAPITRE 21

Les trente musiciens de l'orchestre se joignirent aux spectateurs pour applaudir l'homme en smoking blanc et en haut-de-forme. Malakhai se tenait sur la scène de la plate-forme et son ombre se découpait sur les rideaux rouges suspendus à la barre transversale. Tout en haut du mur du fond, un écran vidéo reproduisait son image en dix fois plus grand.

Les spectateurs se levèrent en hurlant : « *Encore !* *Encore !* » Ils tapaient des pieds, frappaient dans leurs mains.

Sur un geste de Malakhai, les musiciens se levèrent pour recevoir leur part de bravos. Il y avait déjà eu cinq rappels. Maintenant, les mille spectateurs criaient comme un seul homme :

— *Louisa, Louisa, Louisa…*

Dans le noir, Mallory observait par une étroite ouverture dans la porte des coulisses. Le magicien se tourna vers elle et lui fit signe de venir.

Elle ? Non, bien sûr que non.

— *… Louisa, Louisa…*

Une porte s'ouvrit lentement et une ombre parut sur la scène éclairée. Les contours de la silhouette étaient flous, la forme indistincte, mais elle bougeait, elle semblait même respirer, et Mallory fut sur ses gardes – *elle se méfiait d'elle.*

— … *Louisa, Louisa…*

Mallory regarda dans tous les sens, vers la rampe des projecteurs au plafond, vers les câbles, puis vers les lumières des balcons, cherchant les ficelles et les trucages qui permettaient ce miracle.

Le chef d'orchestre leva sa baguette et le silence se fit cependant que chacun retenait son souffle, tendant l'oreille pour entendre les notes de musique.

La silhouette fila sur scène, frappée par un projecteur qui ne réussit pas à effacer son ombre. Les cordes jouèrent des notes légères tandis que Louisa courait le long du mur du fond. Puis, son ombre s'allongea sur l'escalier de la plate-forme cependant qu'elle grimpait les treize marches au rythme des tambours, des hautbois et des violoncelles qui reproduisaient les battements de son cœur. Lorsqu'elle atteignit la petite scène en haut de la plate-forme, elle s'approcha de Malakhai et ils s'inclinèrent tous deux en se tenant par la main.

Le public se leva, des vagues déferlèrent depuis les premiers rangs jusqu'aux baignoires, puis des balcons au plafond, accompagnées par un tonnerre d'applaudissements – hommage à une morte.

La musique changea de forme, changea de cadence, s'éloigna des notes classiques du *Concerto de Louisa*. Seuls quelques instruments continuèrent de jouer, des cordes et des cuivres. Riker s'était trompé : on pouvait danser sur cette musique.

Louisa dansait, elle.

Malakhai se tourna vers sa femme et leurs deux ombres se déployèrent sur le rideau rouge. Les applaudissements noyèrent presque la musique lorsque le couple se mit à danser à petits pas.

L'homme disparut derrière le rideau. Son ombre resta avec Louisa dont la silhouette s'affina pour prendre la forme d'un jeune elfe. Le décor vira à l'indigo, et la musique mourut dans un tintement de cymbales – à l'instar d'un carillon d'étoiles en chute libre.

Mallory pensa à l'une des années 40, un bon cru pour le vin et la vie. Les gars étaient ensemble, Louisa encore en vie. Malakhai avait changé son haut-de-forme pour une casquette, il était de nouveau jeune et il dansait avec son épouse. Un par un, les instruments se turent. Les amants se tournèrent lentement vers le public, se rapprochant peu à peu l'un de l'autre sur un riff de trompette. La dernière note mourut.

Le public se déchaîna, emplissant la salle de cris, de sifflets et de bravos. Les applaudissements continuèrent longtemps après que les projecteurs se furent éteints et que les deux ombres eurent disparu dans le noir.

Mallory fixait le panneau central sur le côté de la plate-forme, mais personne n'apparut à la porte de la chambre. Malakhai était-il à l'intérieur ou derrière le rideau ?

On annonça un bref entracte. Les spectateurs quittèrent la salle. Mallory traversa les coulisses, se frayant un chemin parmi le flot des machinistes qui transportaient les pupitres et les chaises des musiciens. L'Illusion Perdue de Max Candle ne serait accompagnée que du tic-tac des mécanismes d'horlogerie des arbalètes.

Mallory longea la scène pour examiner les rideaux à l'arrière de la plate-forme. Le magicien n'était pas là. Elle alla au panneau central et appuya sur la clenche. La porte s'ouvrit sur la chambre intérieure allumée, mais Malakhai n'y était pas non plus. Mallory franchit deux autres portes et suivit le dernier musicien dans le hall.

Les coulisses étaient illuminées par deux moniteurs et une ampoule suspendue au-dessus d'une console d'éclairage abandonnée. L'éclairagiste se dirigeait vers la sortie de la 56e Rue en fumant une cigarette.

Où étaient les policiers en tenue qu'elle avait postés aux portes ?

Elle entendit une conversation à voix basse. De l'autre côté d'une pile de meubles entassés, elle trouva Malakhai. Il avait revêtu un costume foncé et une cravate, et il discutait avec l'agent Harris.

Ah, un des policiers était tout de même fidèle au poste !

— Harris, où est votre coéquipier ?

Malakhai répondit à sa place.

— L'agent Briant est là-bas, dit-il en désignant la porte qui ouvrait sur la scène.

Mallory suivit son geste et aperçut Charles avec le second policier en train d'installer les socles sur la plate-forme. Malakhai posa une main sur l'épaule d'Harris.

— Et l'agent Harris rejoindra son partenaire avant la fin de l'entracte.

— Il ne prend pas ses ordres de vous, Malakhai.

— De vous non plus, déclara Harris, sans cacher son impatience. Nous avons été invités, Mallory. Personne ne nous a demandé de monter la garde.

Il se dirigea vers la scène.

Mallory consulta sa montre. Riker était-il déjà arrivé ? Elle calcula vingt minutes d'embouteillage entre le théâtre de Faustine, au nord, et Carnegie Hall, au sud.

À la porte, Malakhai observait les officiers qui transportaient la cible ovale en haut de la plate-forme.

— Vous ne pouvez pas reprocher à Harris sa mauvaise humeur. C'est un artiste, à présent. Combien de flics ont-ils la chance de jouer à Carnegie Hall ? Et vous, Mallory, aimeriez-vous monter quelques minutes sur scène ? Charles aura peut-être besoin d'une assistante.

— Vous disiez que Max Candle travaillait toujours seul.

— Mais Charles n'est qu'un amateur, doué, certes,

mais un amateur quand même. Alors, quoi de neuf ? Franny a-t-il fait son numéro au théâtre de Faustine ?

— Non, Riker m'a dit qu'un autre magicien l'avait remplacé. Le gérant du théâtre n'a pas entendu parler de lui depuis qu'il a disparu.

— Quel dommage ! Il attendait cette occasion depuis si longtemps. Il doit être anéanti.

— Non, il est sans doute mort. (Mallory épia des signes d'affolement sur le visage de Malakhai, mais il resta de marbre.) Ça vous est égal que Prado s'en tire ? Vous trouvez qu'il n'a pas assez tué ? Aidez-moi. Donnez-moi quelque chose que je puisse utiliser contre cette crapule.

— Très bien, fit-il, et il montra la plate-forme du doigt. Je vais vous dire comment j'ai découvert qu'Oliver avait saboté l'Illusion Perdue.

Sur la plate-forme, on avait tiré les rideaux et la cible était suspendue entre les piquets. Les deux agents grimpaient les marches avec le mannequin de démonstration cependant que le public reprenait sa place. Lorsque le silence se fit, Charles s'avança au bord de la scène pour présenter le numéro qu'il dédia à son célèbre cousin, Max Candle.

Malakhai parla à l'oreille de Mallory pour couvrir la voix de Charles qui racontait l'histoire de l'Illusion Perdue.

— Oliver aurait pu éviter trois des carreaux. Max faisait exprès de batailler avec les menottes tout en évitant les trois premiers. Mais Oliver n'a même pas essayé. Quand il s'est aperçu que la clé était coincée dans la serrure, il a compris que le dernier carreau se planterait dans son cœur.

— Dites-moi quelque chose que j'ignore !

Elle dirigea son regard au-delà de la porte vers la scène. Les agents, qui avaient terminé d'attacher le mannequin à la cible avec leurs propres menottes, redescendaient l'escalier.

— Regardez bien les carreaux que les policiers chargent dans les magasins, dit Malakhai en fixant la plateforme. Rien ne les bloque. Chaque arbalète tirera son carreau.

Charles désigna tour à tour les quatre socles ; les policiers armèrent les arbalètes et actionnèrent les touches qui enclenchaient les mécanismes d'horlogerie. Le volume des tic-tac augmenta à mesure que chaque socle était mis en marche, que les roues dentées tournaient, que les drapeaux rouges s'élevaient lentement vers la détente des arbalètes. Un silence de mort planait dans la salle, les spectateurs étaient hypnotisés par le bruit.

Malakhai pointa le mannequin de démonstration écartelé sur la cible.

— Personnalisons le problème, dit-il. Supposons que le mannequin soit Charles et que le mécanisme soit réglé pour le tuer. Vous voulez le sauver, mais vous ne pouvez intervenir dès le premier carreau. Ça bouleverserait ses réglages et il recevrait le carreau dans le cou… comme Oliver.

Le premier carreau fusa. Il traversa la gorge du mannequin d'où la sciure gicla et se répandit sur la scène.

— Si vous ne pouvez empêcher la première arbalète de tirer, je vous suggère d'intervenir entre le deuxième et le troisième carreau. Vous n'avez que quelques secondes pour courir entre les tirs.

Un des tic-tac s'arrêta et le deuxième carreau se ficha dans la jambe droite du mannequin.

— Vous le sauverez si vous réussissez à démonter l'arbalète la plus proche de vous. Vous ne pouvez pas simplement retirer la fiche qui enclenche la détente – il vous faudrait une clé. Charles l'a solidement fixée.

Une autre arbalète tira et le carreau perça la jambe gauche du mannequin.

— En quoi ça m'aide à serrer Nick Prado ?

— En rien. Mais ça sauvera peut-être Charles. (Malakhai se dirigea vers la sortie.) Je vous avais dit qu'il risquait d'avoir besoin d'aide, excusez-moi, je ne peux pas rester pour le numéro.

Le dernier carreau déchira la poitrine du mannequin.

— Vous n'irez nulle part, Malakhai !

Les policiers allèrent chercher le mannequin étripé sur la plate-forme.

Malakhai jeta un coup d'œil sur la pendule murale.

— Nick aura bientôt fini son numéro. Je ne veux pas rater le final. Il faut vraiment que je file.

Mallory lui empoigna le bras.

— Ne touchez pas à Prado. Laissez-le-moi.

Il se tourna vers elle et, avant qu'elle puisse réagir, il lui tenait le visage entre les mains et l'approcha doucement du sien. Elle n'eut pas le temps de s'arracher à son étreinte ; il effleura ses cheveux et lui déposa un baiser sur la joue. Bien que peu habituée aux contacts intimes et à la chaleur humaine, elle ne fit rien pour l'arrêter. Alors, il la prit par les épaules et la tint à distance.

— Au cas où je ne me souviendrais pas de vous la prochaine fois, expliqua-t-il.

— Je serai juste derrière vous. Vous n'aurez pas le temps de m'oublier.

— Non, Mallory. Il faut que vous restiez pour sauver Charles. Je vous jure que rien dans les magasins ne bloquera les carreaux.

Charles était arrivé en bas des marches.

— Vous voulez que je…

— Croyez-moi, Mallory. Les arbalètes vont tirer, et il n'arrivera jamais à se libérer des menottes. C'est vous qui m'avez fait comprendre… la nuit dernière, quand vous m'avez demandé si je ferais du mal à Charles. Sans vous, je n'aurais jamais trouvé. N'oubliez pas, Charles fait ça pour vous impressionner, vous ne réussirez jamais à l'empêcher de faire le numéro. Vous serez peut-être obligée de l'assommer.

Mallory reporta son attention sur la scène. Les policiers saluaient le public. Vu la tournure que prenaient les choses, ils n'accourraient jamais à la rescousse si elle les appelait à l'aide.

— Vous ne lui feriez pas de mal, c'est impossible !

— Non, j'aime Charles. Et à votre manière particulière, je crois que vous avez aussi de la tendresse pour lui.

— Je ne marche pas, Malakhai. Vous ne le laisseriez pas mourir.

— Je ne vous ai jamais menti, Mallory.

Et il lui tourna le dos.

— Arrêtez ! Arrêtez ou je tire !

— N'oubliez pas, si vous ne pouvez pas l'empêcher de monter sur la plate-forme, il faudra démonter la dernière arbalète du socle.

Il avait déjà atteint la sortie.

Mallory dégaina et s'apprêtait à viser sa jambe.

Que se passait-il ?

Le revolver était bien trop léger. Elle appuya sur la détente. Clic. L'accessoire de théâtre n'était même pas chargé.

Le baiser ! Il avait profité du baiser pour remplacer son revolver par un jouet. Et maintenant, il était déjà loin.

Charles alla à la première arbalète avec le policier qui devait démarrer le mécanisme. Plantée entre la scène et la sortie, Mallory maudit Jack Coffey de ne pas lui avoir accordé de renforts.

— Attends ! s'écria-t-elle. (Elle courut sur la scène et attrapa Charles par le bras.) Tu ne peux pas continuer.

Charles jeta un coup d'œil par-dessus son épaule vers les trois mille spectateurs haletants.

— C'est pourtant ce que je vais faire.

Un frémissement parcourut la salle. Elle avait cependant parlé à voix basse.

— Si tu veux bien m'excuser, Mallory, dit-il en se dégageant, je dois…

— Malakhai a truqué le numéro. Si tu continues, tu vas mourir.

Des rires éclatèrent dans la salle. Mallory aperçut le micro accroché au revers de Charles.

— Mallory, dit-il à haute voix. C'est un numéro en solo.

Les rires redoublèrent. Le visage béat de Charles était un handicap au poker, mais il se prêtait mieux à la comédie.

Mallory recouvrit le micro d'une main.

— Tu ne peux pas le faire, Charles. La clé ne marchera pas.

Charles sourit.

— C'est Malakhai qui te l'a dit, hein ?

Il se tourna vers le public pour annoncer d'une voix de stentor :

— Elle ne veut pas que je fasse mon numéro. Elle dit que c'est trop dangereux.

Les rires étaient désormais dirigés contre Mallory. Elle sentit le rouge lui monter au front.

— Si tu t'entêtes, je vais démonter les arbalètes. Je ne déconne pas, Charles.

Elle se dirigea vers l'arme en question.

— Tu permets ? (Charles lui saisit le poignet.) Nous en parlerons une autre fois.

Il la souleva et la jeta sur son épaule comme si elle ne pesait pas plus qu'un sac de plumes. Il la porta à l'autre bout de la plate-forme. Une trappe s'ouvrit.

— Non ! hurla-t-elle en le bourrant de coups de poing, oubliant que pour un homme de sa taille cela équivalait à une attaque de moucherons.

Le public rugissait de joie.

— Non !

Il déposa Mallory sur le sol, à l'intérieur de la plate-forme. Elle atterrit sur les fesses, et ne sentit pas son téléphone portable qui aurait dû se trouver dans la poche arrière – il n'y était plus.

Maudit Malakhai !

La porte se referma en claquant. L'abat-jour en fer projetait une flaque de lumière crue sur le sol et le plafond était plongé dans le noir. Mallory se releva et tambourina contre la cloison en bois.

— Laisse-moi sortir !

Le silence s'abattit dans la salle et Mallory entendit le déclic du premier mécanisme à travers la paroi. Quelques secondes plus tard, le deuxième socle était armé. Le tic-tac s'intensifia avec la mise en marche de chaque mécanisme. Elle perçut les pas de Charles au milieu des marches.

— Arrête ! hurla-t-elle. Redescends, sinon tu vas mourir !

Il donna un coup de pied dans une marche et elle entendit sa voix amplifiée lancer :

— Tais-toi ! Tu m'empêches de me concentrer.

Les rires fusèrent de nouveau. On se moquait d'elle.

— Charles ! Arrête le numéro tout de suite !

Il était parvenu sur la petite estrade en haut des marches.

— Ça suffit ! tonna-t-il.

Rires.

Mallory leva les yeux au plafond. Charles avait dit qu'il n'y avait pas d'issue hormis la porte sans poignée, mais la chambre, dans la cave de Charles, possédait deux sorties. Malakhai avait dit que la reproduction d'Oliver était trop parfaite. L'original présentait peut-être une faille.

Le tic-tac résonnait fortement. La trappe s'ouvrit dans le plafond haut de près de trois mètres, et les pinces en zigzag s'élevèrent sur scène. Mallory entraperçut le pantalon de Charles quand il s'écarta de la cape soutenue par l'armature métallique. Afin qu'elle ne puisse pas grimper à l'échelle, la trappe se referma. Elle ne pouvait pas l'atteindre par le mur mais l'autre trappe, derrière le rideau, se trouvait en haut de l'échelle. Elle tira sur le ressort qui empêchait la trappe de s'affaisser. Il aurait fallu qu'elle soit dix fois plus forte que Charles pour l'ouvrir avec la main, et les leviers de commande se trouvaient sur scène.

Maintenant, le corps de Charles devait être écartelé sur la cible, les chevilles dans les bracelets métalliques, les poignets dans les menottes de la police new-yorkaise. Les pinces en zigzag s'abaissèrent par la trappe qui s'ouvrit de nouveau hors d'atteinte de Mallory. Le bruit du tic-tac s'accrut. Non – c'était une fausse impression, due à la panique.

Elle entendit l'audience haleter. Le premier carreau était parti et Charles hurlait.

— Attendez ! Ça ne fonctionne pas !

La réplique préférée de Max Candle.

À moins que Charles ne vienne juste de découvrir que la clé des menottes ne fonctionnait pas ? Les premiers rangs étaient occupés par des magiciens et par les amis de poker de Charles. Ils connaissaient tous la réplique ; aucun d'eux ne volerait à son secours. Et les deux flics empêcheraient les bons Samaritains de grimper sur scène.

Le public hoqueta de nouveau. Charles avait-il évité le deuxième carreau ? Il appelait toujours au secours. Mallory disposait de vingt secondes pour atteindre l'arbalète.

Comment Malakhai avait-il trouvé la sortie ? L'issue devait se trouver à hauteur du sol, et cependant il n'avait pas utilisé la porte sur le côté. Elle escalada l'échelle, sur la paroi du fond, et appuya sur les lattes du panneau central. Charles hurlait. Un autre carreau avait jailli, Mallory sursauta comme si elle avait été elle-même touchée.

Du calme. Pas de panique, c'est pas le… Ses doigts rencontrèrent la pression, une sorte d'élasticité dans une latte qui déclenchait l'ouverture. La porte s'ouvrit et la lumière l'aveugla. Elle se précipita. Charles écarquillait les yeux de terreur, mais sur son visage le tragique virait au comique. Ses chevilles étaient toujours attachées, ses poignets enserrés dans les menottes reliées aux piquets. Il ne restait plus qu'un socle en action. Charles serra le poing et tira de toutes ses forces, arrachant le bracelet du piquet. Sa main se libéra, entraînant avec elle un éclat de bois.

Mallory gardait les yeux fixés sur l'arbalète qui allait le tuer. Elle fonça, elle y était presque. Charles allait mourir. Elle referma les mains sur l'arbalète – trop tard. La corde se détendit avant qu'elle déloge la crosse du socle.

Charles poussa un cri de douleur.

Mallory se retourna et vit le carreau planté dans sa poitrine tandis qu'il cessait de se débattre. Il ne tenait pas le carreau dans la main ; il s'affaissa, retenu par une menotte, les yeux fermés.

Mallory eut l'impression d'être comme un rêveur marchant sous l'eau. Les sons étaient étouffés, ses gestes ralentis. Elle s'aperçut qu'elle tenait toujours la crosse de l'arbalète. Les policiers en tenue se précipitaient. Le docteur Slope abandonna sa femme et son fils et grimpa sur scène. Il dépassa la jeune femme en courant, fonça vers l'escalier. Soudain, tout se déroula en accéléré. Les jambes de Mallory étaient trop lourdes. Chaque pas lui demandait un effort. Ses mains étaient glacées, crispées sur la crosse de l'arbalète.

C'était comme une répétition du final d'Oliver… avec des acteurs différents. Les policiers allongèrent

451

Charles avec précaution, comme s'il n'avait pas déjà dépassé la souffrance. Edward Slope s'agenouilla près de lui, posa une main sur son cou, cherchant désespérément un pouls qui ne battait plus.

Mallory arriva enfin près du corps. Il n'y avait pas de magie. Charles Butler était mort pour de bon.

Le docteur Slope se releva et se tourna vers la salle. D'une voix forte, il annonça :

— Voilà, c'est ça le showbiz !

Quoi ?

Les spectateurs applaudirent à tout rompre quand Charles se releva pour saluer. Il arracha le carreau de sa poitrine. Sa chemise était déchirée, et Mallory vit en un éclair la cotte de mailles et le cylindre qui retenait le carreau.

Elle lâcha machinalement l'arbalète.

Edward Slope se pencha à son oreille.

— J'ai répété ma réplique toute la journée.

Mallory le gifla si fort qu'elle laissa la marque de ses doigts sur sa joue.

Tout le monde s'esclaffa, sauf Edward Slope. Il hochait la tête d'un air malheureux.

— Je croyais que tu savais, Mallory. Je croyais que tu étais dans le coup.

L'éclat de bois pendait avec la menotte du poignet de Charles. Mallory vit alors le tenon dans le bois. Elle leva les yeux vers le piquet et remarqua la mortaise. Malakhai avait donc raison ; Oliver avait trop bien construit la copie, il avait omis un détail.

Un piquet truqué pour préparer la fuite.

Ça laissait juste assez de manœuvre pour éviter le carreau mortel. Charles avait donc arraché le carreau de la cible et l'avait enfoncé dans le cylindre sur sa poitrine.

— C'est donc ça ?

Elle enrageait. Le public jubilait. Sa voix avait été

amplifiée par le micro de Charles et son visage furieux figurait, plusieurs fois agrandi, sur l'écran géant.

— C'est tout ?

Charles lui adressa son sourire idiot.

— Comme tu ne trouvais pas la solution… dit-il en riant si fort que ses mots se perdirent pour tout le monde, sauf pour Mallory. Malakhai s'est moqué de toi. Les menottes n'étaient pas censées s'ouvrir. C'est la seule erreur d'Oliver.

Mallory entendit Robin Duffy l'appeler du premier rang où il se tenait avec le rabbin et Mme Kaplan. Elle se tourna vers lui.

— Kathy, lança-t-il avec un sourire admiratif, tu as été merveilleuse.

— Donnez-moi un revolver ! ordonna-t-elle aux policiers qui se tenaient sur la petite estrade.

Les spectateurs rugirent de plaisir, les policiers s'esclaffèrent. Mallory essaya d'arracher le revolver de l'étui de Harris. Il éclata de rire et le brandit en l'air. Elle se tourna vers l'agent Briant. Comme un gamin dans une cour de récréation, il agita le revolver hors de son atteinte.

Elle n'avait jamais connu une telle humiliation, elle résista néanmoins à l'envie de décocher un coup de pied dans les testicules de l'agent Briant ; il y avait trois mille témoins dans la salle, c'eût été pire que de dégommer un rat malade.

Elle se baissa pour ramasser l'arbalète. Son geste déclencha un torrent de rires. Et ceux-ci redoublèrent avec chaque carreau qu'elle retira de la cible.

*
**

Malakhai ne lui avait donc pas menti. Les arbalètes avaient toutes tiré et Charles n'avait pas détaché les menottes.

Mallory donna au chauffeur de taxi l'adresse du théâtre où Nick Prado devait faire son numéro. Le chauffeur conduisait lentement, les yeux rivés sur le rétroviseur, le regard effaré, tandis qu'elle chargeait le magasin de son arbalète.

Il regrettait sans doute que son taxi n'ait pas de vitre de séparation blindée, une économie ridicule à New York. Bizarrement, à cause de ce manque de protection, Mallory le rangea dans la catégorie des hommes prudents, qui ne prenaient que des passagers sans risque – bonnes sœurs, filles scouts et clients aisés. Qui savait ce qu'une arbalète était capable de faire au cours du trajet ?

Elle songea ensuite que le chauffeur possédait peut-être un pistolet. Les gens armés se trimballent dans une fausse bulle de sécurité, croyant avoir le temps de dégainer en cas de problème. On n'avait jamais le temps. Beaucoup de chauffeurs de taxi morts étaient armés.

Le dernier carreau tomba dans le magasin. Mallory se pencha vers le chauffeur.

— Prêtez-moi votre téléphone mobile.

Le taxi décrocha son téléphone du tableau de bord et le jeta par-dessus son épaule. Mallory composa le numéro de Riker.

Réponds, Riker !

Pourquoi Malakhai avait-il attendu si longtemps ? Il avait eu bien d'autres occasions de tuer Nick Prado.

Elle consulta sa montre. C'était presque l'heure de la fin du numéro du pendu. Prado était sans doute trop défoncé pour monter sur l'échafaud bancal. Il ferait une cible facile.

— Allô, ici Riker, dit la voix à l'autre bout du fil.

— Est-ce que Nick Prado est toujours sur scène ? Tu le vois ?

— Non, il était parti avant que j'arrive. Je ne crois pas que…

— Parti ?

— Oui, ils ont interverti les numéros. Le sien est passé pendant que j'étais au théâtre de Faustine.

Maudit lieutenant Coffey ! Avec un seul homme de plus, elle aurait couvert les trois salles.

— Riker, essaie de trouver Prado dans la coulisse. Malakhai arrive et il a un revolver.

— Bon Dieu !

— Je suis en…

La communication fut coupée. *Ah, il ne manquait plus que ça !* Elle lança le téléphone sur le siège avant.

— Faudra le recharger, conseilla-t-elle.

Ça devenait trop compliqué. Ce n'était pas du tout le style de Malakhai. Plutôt celui de Prado avec son sens du spectacle, ses plans alambiqués. C'était presque comme si le roi de la pub avait tout orchestré.

Mais oui, bien sûr !

— Demi-tour ! s'écria-t-elle. Direction le théâtre de Faustine.

— Comme vous voudrez, princesse.

Le taxi se rangea contre le trottoir, attendit que la voie soit libre et effectua un demi-tour tout à fait interdit.

— Vous avez une arme ? demanda Mallory à l'oreille du chauffeur.

Il se retourna, plus surpris qu'effrayé, et son expérience de New-Yorkais reprit le dessus.

— Ma p'tite dame, vous avez déjà de quoi tuer un ours avec votre foutue…

Mallory lui colla son insigne sous le nez.

— Quand je vous demande votre arme, faut me la montrer. C'est la loi.

— Un flic ! Pourquoi ne pas… ah, merde ! (Ses mains crispées sur le volant se détendirent.) Putains de flics à la manque !

Il ouvrit sa boîte à gants. Les lumières de la ville s'insinuaient par les vitres du véhicule qui roulait au pas.

Des gouttes de pluie ricochèrent sur le pare-brise pendant que l'homme faisait son inventaire.

— J'ai un tuyau de plomb, un rasoir, un couteau. (Il brandit un aérosol.) Ça, c'est de la moutarde, un vieux modèle. (Il sortit une autre bombe.) Ça, c'est du poivre. Mais j'ai pas de revolver. Satisfaite ?

Dans une ville où chaque habitant possède deux armes mortelles, impossible de trouver un revolver quand on en avait besoin !

— Mettez la gomme ! ordonna-t-elle. Et vous pouvez brûler les feux rouges. Ça sera votre pourboire. (Elle jeta deux billets de vingt dollars sur la banquette avant.) Ça, c'est pour la course. J'ai pas besoin de reçu.

Le taxi accéléra. L'argent est plus efficace qu'un insigne de flic à Manhattan.

Un jeune homme se tenait devant l'entrée des artistes du théâtre de Faustine. Il portait un uniforme de portier démodé et une toque verte assortie. Il jeta sa cigarette sur le trottoir et resta bouche bée, sans penser une seconde à barrer le chemin à la femme armée d'une arbalète.

Dans le théâtre, un homme en combinaison faisait une réparation de dernière minute sur une fenêtre neuve quand Mallory déboucha, poussant la porte à la volée. Pas plus que le portier, l'ouvrier n'essaya d'empêcher la furie de foncer vers les coulisses.

Mallory s'arrêta près d'une poubelle et scruta les couloirs formés par les décors en contreplaqué. Il y avait trop de caisses et de cartons, trop de cachettes. Elle franchit le rideau tiré. Elle avait maintenant une vue dégagée sur l'homme en tenue de soirée qui annonçait au micro le numéro suivant ; celui de Franny Futura.

Cela ne surprit pas Mallory.

Le public applaudit avec un certain enthousiasme le numéro hypermédiatique qui avait attiré la foule. C'était une ville de joueurs. En bons New-Yorkais, chacun avait probablement parié sur la vie du magicien : viendrait, viendrait pas ? Était-il mort ou vif ? Mallory voyait presque l'argent changer de main dans le noir.

Nick Prado était dans la coulisse ; elle arriva par-derrière sur la pointe des pieds.

Un homme en bleu de travail était accroupi au-dessus de sa caisse à outils. L'ouvrier prudent se leva lentement et s'éloigna de Mallory avec précaution, abandonnant son matériel dans son empressement à éviter qu'on lui réclame une intervention.

Mallory tapa sur l'épaule de Prado et se recula aussitôt hors d'atteinte. Lorsqu'il se retourna, il parut à peine surpris.

— Ah, Mallory ! Comment allez-vous, ce soir ?

N'eût été l'arbalète, on aurait pu croire à une rencontre fortuite. Elle visait ses yeux.

Il était de nouveau défoncé aux cachetons. Il réagit trop lentement. Combien de comprimés avait-il avalés pour avoir le courage de faire le numéro du pendu ?

Il désigna l'arbalète du menton.

— Ça me plaît. Ça vous va mieux qu'un revolver.

Elle jeta un coup d'œil aux gens qui s'activaient derrière le rideau. Deux machinistes assemblaient une longue table noire. Un autre apportait un caisson en bois dans lequel étaient disposés des roues dentées et des ressorts.

— Voilà, dit Prado, Franny est toujours en vie. Ça vous ennuie, Mallory ? J'espère que vous n'aviez pas misé d'argent sur votre théorie bizarre.

Mallory porta son regard vers la passerelle au-delà de la cantonnière, puis vers la tige verticale qui pendait au-dessus de la scène. Elle se terminait par un rasoir en forme de croissant argenté, un objet cruel, biseauté… et familier.

— Ce n'est pas une réplique, observa-t-elle. Ça vient de la cave de Charles.

— Exact, acquiesça Prado. Il l'a prêté. Franny ne voulait pas risquer sa peau avec le matériel foireux d'Oliver.

— Vous ne serez pas tranquille tant qu'il ne sera pas mort, n'est-ce pas, Prado ?

— Vous croyez que j'ai trafiqué le numéro de Franny ? Impossible. Il ne le fait pas à la manière de Max.

— Parce qu'il n'en connaît pas les détails. Oliver ne lui a pas envoyé les plans du pendule. Il lui a fait cadeau de l'Illusion Perdue – la plate-forme et les arbalètes.

— Mes compliments, Mallory. Oui, c'était drôlement gentil de la part d'Oliver. Les numéros de Franny étaient tellement démodés ! L'Illusion Perdue lui aurait valu le succès. Naturellement, Franny n'avait pas le courage de la présenter. Il a refusé l'offre. Le pauvre Oliver était trop naïf. Il croyait que tout le monde avait aussi bon cœur que lui.

— Oui, Oliver était courageux. C'était facile de le pousser à faire l'Illusion Perdue. Je sais que vous avez organisé le show de Central Park… comme vous avez arrangé le meurtre d'Oliver. Vous avez même écrit les invitations. La formulation n'était pas dans le style d'Oliver – tout le monde l'a reconnu.

— C'est Franny qui a assassiné Oliver, déclara Prado d'un air déçu. Je pensais que vous auriez deviné.

— Et Louisa ?

— C'était aussi Franny. Émile vous le confirmera. Je l'ai seulement portée dans la coulisse, je n'avais que quelques gouttes de sang sur ma chemise ; Franny en était couvert.

Bien qu'il s'empressât de faire porter le chapeau à Franny, Mallory savait qu'il disait la vérité.

— Vous avez effrayé Franny, vous l'avez poussé à tuer Louisa – c'est la seule chose astucieuse que vous ayez faite.

Prado n'apprécia pas ; il ne voulait pas de compliments en demi-teinte.

Elle lui braqua l'arbalète sur le cœur.

— Vous saviez que Malakhai viendrait ce soir. C'était sa dernière chance. Il devait exécuter Franny tant qu'il se rappelait encore pourquoi il le faisait. Vous avez écarté Futura pour trafiquer les ficelles, le minutage, orchestrer le tout.

— Vous m'accordez trop de crédit.

Cependant, son sourire disait assez qu'elle ne lui en accordait pas assez.

Le rideau s'ouvrit et Franny Futura se découpa dans la lumière du projecteur, souriant, aux anges. Derrière lui se tenaient six assistants à la cape écarlate, le visage caché sous le capuchon. Mallory détailla les six hommes. L'habit déguisait leur taille, mais s'ils avaient à peu près la même que le magicien en smoking, aucun n'était assez grand pour être Malakhai.

— Il est tellement peureux, dit Mallory. Difficile de l'imaginer en train de tuer Louisa. Mais vous lui avez assuré qu'une fausse mort ne tromperait jamais les Allemands. Et vous aviez raison. Vous l'avez donc travaillé au corps, vous l'avez rendu fou de trouille, hystérique. Que lui avez-vous dit ? Que Louisa savait qu'il travaillait pour la Résistance ?

Prado semblait s'amuser.

— À l'époque, je ne savais même pas que Franny était dans la Résistance, figurez-vous.

— Mais vous saviez que Saint-John en faisait partie. C'est vous qui l'avez balancé à Futura. Vous avez dénoncé votre meilleur ami pour faire monter les enchères. La peur ne suffisant pas, vous avez fait passer le crime pour un acte de patriotisme.

Prado cilla et il resta bouche bée, interdit – à court de mots. Ce n'était pas seulement l'effet stupéfiant des calmants. Elle avait deviné juste.

Elle se tourna vers le public, fouilla la salle des yeux à la recherche de Malakhai. Des jeunes gens en bleu de travail et de vieux messieurs en smoking se rassemblaient dans les coulisses à l'autre bout de la scène. Mallory fit signe à Prado de passer devant.

— Prado, je sais que c'est vous qui menez les opérations. Vous voulez que Futura meure devant tout ce monde. Ça vous fait jouir, hein ? C'est vous qui avez trafiqué le numéro ? Ou est-ce Malakhai ?

— Je ne suis pas ici pour...

— Nous allons monter là-haut. (Elle désigna de la pointe de l'arbalète l'échelle qui menait à la passerelle.) Pas de témoin. Les gens ne regardent jamais en haut.

Prado s'arrêta devant l'échelle qu'il fixa d'un œil inquiet. Ses réflexes étaient peut-être ralentis par les calmants, mais la peur se lisait sur ses traits.

— Mallory, si vous croyez réellement que le numéro de Franny est trafiqué, pourquoi n'arrêtez-vous pas tout simplement le spectacle pour vérifier ses accessoires ?

— Ce n'est pas aussi facile que vous semblez le croire. Montez !

Prado venait de lui confirmer qu'elle ne trouverait aucune preuve de sabotage. Si elle interrompait le spectacle, elle deviendrait la risée du public pour la deuxième fois de la soirée.

Et la menace ne viendrait pas de la salle non plus. Elle savait que Malakhai n'allait pas risquer un autre tir de loin, pas avec un revolver. Il lui avait volé le sien pour s'en servir de près, tirer à bout portant.

Prado posa une main hésitante sur un barreau. Elle le poussa avec l'arbalète. Il grimpa lentement vers le pont suspendu qui enjambait la scène. Les yeux fermés, il s'agrippait aux barreaux avec tant de force qu'il avait du mal à détacher ses mains pour passer à l'échelon suivant.

Mallory le suivait, pointant son arbalète dans le creux de ses reins. Il posa un pied sur la petite plate-forme métallique. Mallory monta derrière lui.

— Avancez ! ordonna-t-elle.

Il ouvrit les yeux, incrédule, et secoua la tête.

L'effet des calmants s'estompait-il ?

Elle enfonça l'arbalète dans ses reins. Il avança d'un pas à contrecœur et la passerelle branla sous lui. Il s'agrippa à la balustrade. Mallory le poussa de nouveau, il avança. La passerelle se balançait à chacun de ses pas. Il se figea pour qu'elle s'arrête ; Mallory remua exprès pour qu'elle oscille de nouveau.

— C'est bon ! soupira-t-il.

Et il avança encore.

Parvenue au milieu du pont, Mallory lui ordonna de stopper. Elle regarda en bas. Un cercueil en verre était maintenant posé sur la longue table noire. Futura était debout devant un micro tandis que ses assistants transportaient un mannequin en chiffon en dansant des claquettes. De la musique jaillit des haut-parleurs dans les coulisses. C'était un air connu sur lequel Mallory ne parvint pas à mettre un nom.

— De la musique enregistrée et des danseurs, marmonna Prado. Franny a engagé des danseurs !

Il serra fort la balustrade et pencha la tête pour regarder en bas. Mallory n'aurait jamais cru qu'il oserait. Ce qui le terrifiait le fascinait aussi.

— Le mannequin est tout ce qu'il reste d'un merveilleux numéro d'illusionnisme. Franny voulait utiliser une citrouille pour la démonstration ! Vous imaginez ?

— Ah, vous l'avez donc aidé à monter le numéro ?

Elle avait perçu de fausses notes dans sa voix hésitante, comme une bravoure forcée. Elle étudia son expression ; non, il n'était pas suffisamment terrifié. Combien de comprimés avait-il avalés pour exécuter le numéro du pendu ?

— Vous auriez dû avouer à Émile que vous aviez le vertige. Il ne vous aurait pas demandé de faire son numéro.

— Je n'ai pas le vert...

Elle remua pour balancer la passerelle de droite à gauche. Prado s'agrippa de toutes ses forces à la balustrade. Ses yeux étaient grands ouverts, il regarda la scène avec l'expression horrifiée de celui qui voit un train dérailler. Dans son esprit, il tombait déjà.

Sur scène, le mannequin était couché dans le cercueil et Franny Futura en séparait les deux moitiés pour exposer son ventre de chiffon. Le pendule commença à se balancer en descendant lentement. On entendait à peine les rouages bien huilés des leviers et des ressorts qui gouvernaient le mouvement de balancier et la descente du rasoir.

Prado parlait entre ses dents serrées.

— On ne voit pas Malakhai.

— Oh, il est là, assura Mallory en fouillant des yeux les coulisses où des ouvriers et des machinistes s'agitaient.

Mais Malakhai n'aurait jamais tiré depuis les coulisses – trop risqué.

Prado, dont le teint devenait cireux, arborait un sourire sombre. Sa folie des grandeurs se heurtait à sa peur de tomber. Les calmants le soutenaient. Il était loin de la phobie paralysante que Mallory avait espérée. Elle agita légèrement la passerelle. Lorsqu'elle obtint toute son attention, elle cessa le mouvement. Elle lui enseignait le protocole du rat de laboratoire. S'il faisait ce qu'elle lui demandait, elle ne l'effraierait pas... enfin, pas trop.

En dessous, le pendule prenait de la vitesse tandis que l'arc du rasoir s'agrandissait.

— Je croyais que c'était Émile qui avait appris à Malakhai comment sa femme était morte. Je me trompais, hein ? C'était vous.

Elle secoua la passerelle et Prado réagit plus vite cette fois-ci.

Il opinait d'un air de dire : « *Tout ce que vous voudrez.* »

— Après la guerre, vous vouliez que Malakhai tue Futura. Ça aurait supprimé le seul témoin de votre rôle dans la mort de Louisa.

Le pendule était arrivé à hauteur du cercueil. Quatre jeunes gens dansaient des claquettes en agitant leur cape écarlate autour du magicien en smoking. Deux d'entre eux recouvrirent les moitiés du cercueil de tissus, masquant le ventre du mannequin.

Mallory se pencha vers Prado, sachant qu'il ne détacherait jamais ses mains de la balustrade pour essayer d'attraper son arbalète.

— Futura était un trouillard-né, n'est-ce pas ? Lorsqu'il a lu l'invitation d'Oliver, il a presque perdu la boule. J'ai les écoutes téléphoniques. (Un mensonge, bien sûr.) Je sais qu'il vous en a parlé.

S'était-elle trompée ? Entre les calmants et sa peur de tomber, l'expression de Prado demeurait indéchiffrable. Mallory attendit qu'il ait pris plusieurs respirations profondes.

— Vous avez organisé le meurtre d'Oliver, je le sais. (Elle ne pouvait pas se tromper sur ce point.) Et je sais aussi que c'était dans le seul but de créer un mobile pour celui de Futura. C'est bien votre style, trop complexe, trop fouillis – digne d'un adolescent stupide.

Prado parut authentiquement indigné.

— Je n'ai jamais tué…

Elle balança de nouveau la passerelle. Prado était écarlate, le souffle court. Après l'avoir puni pour son mensonge, elle cessa d'agiter la passerelle.

— Il faut donc deux meurtres pour effacer votre rôle dans la mort de Louisa ? Vous ne pouviez pas vous permettre de la laisser s'enfuir avec vos faux papiers. Il fallait trouver un moyen de la tuer à Paris.

— C'est Franny qui a tué Louisa !

Elle balança la passerelle ; il tomba à genoux, les mains toujours crispées sur la balustrade, les yeux fermés.

— Tout le monde était en danger… Émile était…

Elle agita la passerelle avec une telle force qu'elle se balança violemment. Il ouvrit les yeux, les roula en arrière, ne laissant paraître que le blanc.

— Non, Prado. Saint-John avait la réputation d'être un bon flic doté de solides instincts. Il a toujours su que Louisa représentait un risque, il savait qu'elle était recherchée. Il savait garder ses secrets. Pas vous. Vous avez d'abord essayé d'effrayer Futura. Du coup, il a voulu s'enfuir, n'est-ce pas ? Alors, vous lui avez dit que Louisa trahirait Saint-John si les Allemands la captureraient vivante.

Prado gémit ; Mallory agita la passerelle. Lorsqu'il fut sur le point de vomir, elle arrêta le mouvement.

— Vous avez envoyé Futura en coulisse tuer Louisa qui était déjà blessée. Vous lui aviez dit que ça serait facile, rapide – qu'il devait juste maintenir le coussin sur son visage.

Futura savait-il comment on tue un être humain ? Les autres le savaient-ils ? Ce n'étaient que des gamins.

— Quand Louisa s'est débattue, il a dû avoir la trouille de sa vie. Deux êtres effrayés, l'un tuant l'autre.

« De la terreur pour eux deux. Et les Allemands étaient juste à la porte.

Le pendule oscillait entre les deux parties du cercueil. La sciure volait. Mallory secoua de nouveau la passerelle, puis s'arrêta en remarquant la tache humide entre les jambes de Prado. Il empestait l'urine.

— Levez-vous !

Prado eut du mal à obéir. Il baissait la tête pour cacher son humiliation.

— Futura ne l'a pas tuée pour sauver sa peau, dit Mallory. Il se serait enfui s'il s'était cru menacé. Je connais ce genre d'homme. (L'expérience de la rue.) Comme la peur ne marchait pas, vous avez dénoncé Émile Saint-John. Il fallait jouer serré. Les Allemands étaient là – vous n'aviez pas le temps de réfléchir. Vous lui avez peut-être rappelé que la femme de Malakhai avait déjà trahi. Et Futura, terrorisé, est allé dans la coulisse assassiner Louisa. Il pleurait probablement tout en l'étouffant. Pauvre type. Il croyait agir pour le mieux – un acte d'héroïsme.

Lorsque Prado releva enfin la tête, il s'était repris.

— Franny a tué Louisa, martela-t-il. Ça ne vous étonne pas que Malakhai ait attendu si longtemps pour se venger ?

Il espérait peut-être passer un marché, lui faire miroiter une solution.

— Ça ne prend pas, Prado. Je suis déjà au courant.

Le pendule s'éleva de nouveau, l'arc de cercle rétrécissait tandis qu'il disparaissait derrière la cantonnière.

— Après avoir raconté à Malakhai ce qui était réellement arrivé à sa femme, vous avez dû l'avoir mauvaise qu'il ne tue pas Futura... qu'il lui pardonne pour le meurtre de Louisa.

Elle surveilla le regard de Prado pour voir si elle avait commis une erreur, mais il était sincèrement étonné.

— Ensuite, Oliver a été assassiné, et ça a tout changé. Malakhai s'est senti responsable – vous avez tout fait pour. C'est pour ça qu'il a essayé de tuer Futura pendant le défilé.

« Il y avait une marque personnelle dans la méthode de Malakhai, une forme de pardon... presque de miséricorde. Franny Futura n'aurait jamais vu le fusil. Il n'aurait pas eu le temps d'avoir peur.

— Mallory, si j'avais un chapeau, je me découvrirais. Vous êtes sans doute le meilleur flic de la terre.

C'était du Prado tout craché. Un flic moins perspicace n'aurait jamais pu confondre le grand Nick Prado. Sa mégalomanie reprenait le dessus, chassant la peur.

— Vous avez vraiment travaillé Malakhai au corps, hein ? (Elle remua la passerelle pour le faire réagir.) Vous lui avez dit que s'il s'était occupé de Franny après la guerre, Oliver serait encore en vie.

— Oui, et j'ai échoué – mais pas vous.

Cette fois, il ne tomba pas à genoux. Il fixait Mallory droit dans les yeux. Elle était sa persécutrice… mais elle lui servait aussi de bouée de sauvetage.

— Je n'aurais jamais réussi sans vous, Mallory. C'est vous qui lui avez expliqué comment Louisa était morte, comment elle s'était longuement débattue, combien elle avait souffert. C'est vrai, j'ai dit à Malakhai que Franny l'avait tuée. Il est allé demander des détails à Émile. Émile lui a assuré que la mort avait été rapide, presque douce. Si Franny n'avait pas tué Oliver…

— Il ne l'a pas tué. C'est vous qui avez remplacé les clés.

Elle guetta sa réaction. Les calmants ralentissaient ses réflexes, mais ils diminuaient aussi sa capacité à masquer la surprise. Elle ne s'était pas trompée. C'était bien lui.

— Futura ne s'est même pas senti menacé par l'invitation d'Oliver, je parie ? La guerre était finie pour tout le monde, sauf pour vous. La peur n'agissait plus. Encore une erreur, Prado ?

Un sourire se dessina lentement sur ses lèvres.

— Non ? (Elle s'était donc méprise.) Je parie que vous vous êtes servi de l'invitation pour vendre le meurtre à Malakhai. Vous n'en avez même pas parlé à Futura.

Oui, c'était ça. Son air suffisant s'estompa, et ses

mains glissèrent sur la balustrade, laissant une traînée de sueur sur le métal.

— Vous lui avez dit que Futura avait peur d'Oliver ? Je parie que vous lui avez mis cette idée dans la tête avant le spectacle de magie dans le parc. Mieux valait laisser Malakhai trouver tout seul.

Elle secoua fortement la passerelle qui se balança presque à la verticale.

— Pourquoi Malakhai n'a-t-il pas tué Futura le jour du défilé. S'il avait raté sa cible, il aurait recommencé. Mais il n'a tiré qu'une seule balle.

Prado agrippa la balustrade, mais ses mains étaient glissantes de sueur. Il perdit l'équilibre et tomba à genoux tandis que Mallory gardait la position du félin prêt à frapper.

— Assez ! cria-t-il, les yeux fermés.

Elle cessa le balancement et attendit qu'il reprenne le contrôle de ses nerfs. En dessous, les danseurs faisaient toujours des claquettes.

Prado s'essuya les mains sur son costume. Haletant, il desserra sa cravate.

— Je regardais Malakhai quand il a reposé son fusil. Il n'avait plus le cran de tuer. J'ignore pourquoi. Il allait encore se défiler.

Prado reprenait le dessus ; il retrouva le sourire.

— C'est là que vous l'avez asticoté, Mallory, et vous ne l'avez plus lâché. Finalement, il est revenu me voir – le même adorable garçon que j'avais connu. Hier soir, il pleurait de rage – prêt à tuer n'importe qui. C'est vous qu'il faut féliciter pour ça.

Le pendule était immobile et Mallory voyait nettement le ventre du mannequin déchiré en deux. Les assistants le soulevaient du cercueil. La jeune femme reporta son attention sur les coulisses.

— Il est en bas avec un revolver, dit-elle. Ça ne faisait pas partie de votre plan, n'est-ce pas ? Dans votre version, Futura mourait pendant son numéro, hein ? Coupé en deux par le rasoir ?

Elle lut effectivement la surprise dans ses yeux.

Elle braqua l'arbalète sur la scène. D'où elle était, elle ne distinguait pas la taille des danseurs. Elle avait eu tort de monter sur la passerelle.

Prado regardait aussi en bas, sans doute pour se prouver qu'il en était capable.

— Et si vous ne voyez pas Malakhai ? Vous ne pouvez tout de même pas lui tirer dessus sans…

— C'est ça que vous voulez, hein ? Vous ne voulez pas que j'empêche le meurtre. Si je descends Malakhai avant, Franny se mettra à table. Oh, oui, il parlera ! Il chantera !

Le pendule reprit son mouvement de balancier, descendant lentement vers la scène.

— Je ne tirerai pas juste pour le blesser, assura-t-elle. C'est une question de respect.

Prado grimaça. Il comprit qu'il était toujours en vie parce qu'il appartenait à une catégorie moins honorable.

Mallory posa son arbalète. Il réagit trop tard lorsqu'elle lui saisit le bras et le lui retourna derrière le dos. Elle le poussa contre la balustrade, écrasant son ventre contre le métal, lui coupant le souffle. La passerelle oscilla fortement, menaçant de les projeter tous deux sur la scène. L'arbalète glissa sur le rebord ; d'un coup de pied, Mallory l'envoya valser au milieu de la passerelle.

— Vous êtes hors jeu, mon vieux. Quelle idée de croire que vous pourriez me battre en combat singulier. Vous ne pouvez pas, Malakhai si. C'est pour ça que je dois le tuer à vue. (Elle lui tordit le bras plus fort.) Je me suis bien fait comprendre ? Si vous m'aidez à l'arrêter, vous aurez encore le temps de vous en tirer ou de disparaître.

Mallory le lâcha et récupéra l'arbalète. Prado respirait à fond ; il regardait en bas – jouant avec l'idée de la chute. Les calmants faisaient peut-être encore leur effet. En dessous, les assistants aidaient le magicien à monter dans le cercueil en verre.

— Alors, Prado, que se passe-t-il maintenant ?

Il regarda l'arbalète pointée vers la scène.

— Vous n'allez pas tuer un danseur, dit-il d'une voix qui avait retrouvé son calme. N'importe qui pourrait le faire.

Les assistants firent glisser les deux parties du cercueil, dévoilant la ceinture du smoking de Futura. Ils passèrent ensuite les mains et les pieds du magicien dans les trous du cercueil et lui attachèrent les menottes aux poignets et aux chevilles.

— Les menottes sont truquées, expliqua Prado. Il n'y aura pas de problème avec la clé, cette fois. Franny n'aurait jamais pris ce risque.

Les assistants drapèrent les deux moitiés du cercueil de tissu rouge.

— Il sera hors du cercueil dans une ou deux minutes, assura Prado. Naturellement, s'il était plus jeune et plus souple, il ôterait les menottes de ses chevilles et se recroquevillerait dans la partie supérieure. C'est une autre version.

L'un des assistants se planta devant le cercueil pour en cacher la séparation aux spectateurs. Il sortit un épais rouleau de tissu noir de dessous sa cape et le plaça dans le cercueil.

— C'est un truc pour faire croire au public que Franny est encore dedans quand le rasoir descend. Il est de la même couleur que le smoking.

L'assistant fourra un tas de tissu rouge dans la moitié supérieure.

— C'est une cape de rechange pour Franny. Il la revêtira lorsqu'il roulera hors du cercueil. Les parois arrière s'abattent. Ensuite, il se mêlera aux danseurs.

Un homme drapé d'une longue cape rouge sortit à croupetons de la partie supérieure.

— C'est Franny, dit Prado. Comptez les assistants. Ils sont sept maintenant. Ils n'étaient que six au début.

Le pendule recommença à se balancer au-dessus de la séparation entre les deux moitiés du cercueil.

— Il y a un micro dans la moitié supérieure, dit Prado. Dans une minute, un appareil enverra un nuage de fumée sur scène. Ça masquera le fil pendant que l'assistant branchera le micro. C'est un très vieux système audio, presque aussi vieux que Franny. Quand vous entendrez sa voix sur scène, il sera dans la coulisse en train de hurler dans un haut-parleur.

Le pendule s'abaissa peu à peu.

— Quand Max faisait ce numéro, il ne recouvrait pas le cercueil. On le voyait taper des pieds contre le verre tout en hurlant. On voyait le rasoir découper sa ceinture de smoking. Pas de sang factice, rien d'aussi grossier. Mais les spectateurs auraient juré qu'ils voyaient le sang de Max ruisseler devant eux. La version de Franny est édulcorée. Aussi ennuyeuse que la pluie.

Prado parlait trop – il cherchait à gagner du temps. De sa main libre, Mallory l'agrippa par le col et lui maintint la tête par-dessus la passerelle.

— Vous ne vous en tirerez pas s'il meurt, menaça-t-elle.

Il tordit le cou pour la gratifier d'un sourire. La sueur dégoulinait de son visage, ses yeux étaient exorbités… mais il continuait de sourire.

— Je croyais que vous seriez plus compréhensive, Mallory. Votre métier est de rendre la justice.

— Non, d'autres s'en chargent. Je me contente de représenter la loi. Sinon, je vous balancerais par-dessus bord vite fait. Rendre la justice est facile. Ce que je fais est bien plus dur.

Prado avait beau avoir peur, son sourire s'étirait

d'une oreille à l'autre. Étaient-ce les calmants ? Ou la visait-il comme avec un revolver ? Oui, il ne cherchait qu'à maîtriser le minutage. Il était capital que Futura meure le premier.

Le septième assistant quitta la scène. Les six autres dansaient pendant que le pendule s'approchait du cercueil. En coulisse, une porte se ferma. Futura était-il déjà là-bas ? Malakhai l'attendait-il ? Elle avait raté quelque chose. C'était pour cela que Prado souriait.

Mallory traversa la passerelle en courant et descendit par l'échelle. Et si le revolver n'était qu'un leurre ? Malakhai projetait-il de faire subir à Futura le même sort qu'à Louisa – dans une réplique de la même pièce en coulisse ?

La voix de Futura parvint par le microphone caché dans le cercueil.

— Attendez, il y a un problème !

Simultanément, Mallory entendit la voix dans les coulisses, étouffée par les parois. À quatre échelons du sol, elle sauta de l'échelle et visa la silhouette encapuchonnée qui s'y dirigeait.

— Arrêtez, Malakhai ! Arrêtez, ou je vous descends !

Il passa derrière une colonne en plâtre. La transformation était parfaite. Sa cape rouge avait disparu quand il émergea en costume sombre et cravate. Il tenait à la main, le bras le long du corps, le revolver qu'il avait subtilisé à Mallory.

Depuis la scène, la voix de Futura hurlait à l'aide. Des nuages de fumée se déversaient sur les planches, recouvrant les fils électriques. Mallory percevait la voix de Futura dans la pièce des coulisses d'où il pouvait brailler à son aise dans son microphone.

— Il faut arrêter, Malakhai. J'ai trois carreaux dans le magasin. Rendez-moi mon revolver. Tout de suite, ou je tire !

— Je sais. Vous auriez été fantastique pendant la

471

guerre. Ah, je me trompe d'époque ! L'autre soir, Riker m'a dit que vous aviez grandi avec les westerns.

Il lui montra le revolver dans sa paume ouverte.

Du bout de son arbalète, elle lui fit signe de le poser par terre.

Il obéit.

— Alors, vous avez aimé le numéro de Charles ?

— Lancez-le vers moi.

Les haut-parleurs beuglaient. Le pendule devait continuer d'osciller. Mallory refusa de regarder vers la scène ; c'était un leurre.

— Lancez-le tout de suite !

Il donna un coup de pied dans le revolver qui glissa jusqu'à Mallory. Tout en pointant son arbalète sur Malakhai, elle se baissa pour le ramasser. En un dixième de seconde, elle avait vérifié les chambres visibles, chacune remplie d'une balle.

— Il est toujours sage de vérifier tout le magasin. (Il s'adossa à la colonne et croisa les bras.) J'ai peut-être enlevé la première balle. L'Illusion Perdue vous a déçue ? Vous ne m'avez toujours pas dit.

— Charles n'a pas élucidé le tour, lui non plus, n'est-ce pas ?

— Non, mais Max aurait été fier. J'ai assisté aux répétitions de Charles. Il a pris de sacrés risques – et tout ça pour vous. Quand je pense à vous deux – je vois des fantômes.

— Vous saviez que je n'aurais jamais réussi à le dissuader.

— Non, même avec un pistolet sur la tempe.

— Ça aurait pu mal tourner.

— En effet. Et Charles le savait. Le truc de Max était moins dangereux, mais plus spectaculaire. Comment avez-vous deviné que Charles s'était trompé ?

— Ce n'était pas… suffisant. Juste une histoire d'esquive, pas de magie. Il aurait dû y avoir de la magie.

— Ainsi, mes cours vous ont profité. Charles a tiré le meilleur parti de l'affaire, il a choisi le comique. Mais Max choisissait l'impossible et obligeait les spectateurs à y croire. Je pourrais vous montrer, mais j'aurais besoin de l'arbalète.

— Naturellement !

— Ah, Mallory, toujours aussi sceptique !

Il tendit la main, croyant sans doute qu'elle allait lui donner son arme.

— Pourquoi hésiter ? Vous avez le revolver. Une balle est plus rapide qu'un carreau, tout de même ! Vos cow-boys de cinéma ont dû vous l'apprendre. Si vous voulez toujours savoir comment marche l'Illusion Perdue, je vous montrerai. Si vous attendez jusqu'à demain, je risque d'avoir une autre attaque. Et vous ne saurez jamais…

Elle secoua la tête. Cela n'arriverait pas.

— Mais, Mallory, vous aimez tellement vivre sur le fil du rasoir. Qu'est-ce qui peut vous arriver de pire ? Un duel ? Une épreuve de force ? Donnez-moi l'arbalète. Si vous voulez savoir comment fonctionne le tour, ça vous coûtera quelque chose – un risque.

— Jamais de la vie.

— Je ne vous ferai pas de mal. Je ne vous ai jamais menti.

L'idée était séduisante. Elle avait de meilleurs réflexes que lui. Et elle ne croyait pas qu'il souhaitait la tuer, mais elle n'avait jamais fait confiance à personne. Pointant le revolver sur le cœur de Malakhai, elle renversa l'arbalète et les trois carreaux tombèrent au sol. Alors, seulement, elle la lui tendit.

Malakhai s'en empara.

— Mais j'ai aussi besoin des carreaux.

Il s'agenouilla pour les ramasser en l'interrogeant du regard.

— Allez-y, dit-elle. Mais si vous armez l'arbalète, je vous tue.

— Compris. (Il introduisit les carreaux un à un dans le magasin.) Max utilisait toujours trois carreaux. Vous vous demandez pourquoi, n'est-ce pas ?

Il se releva ; elle pointa le canon de son revolver sur son visage. Bien qu'ayant été entraînée à viser la poitrine, une cible plus conséquente, viser sa figure lui rappelait qu'elle était décidée à le tuer.

Derrière elle, la musique se tut, mais les danseurs continuèrent leurs claquettes cependant que Futura hurlait toujours. Mallory entendit le sifflement. Ce devait être le bruit du pendule fendant l'air. Elle appuya légèrement son doigt sur la détente pour sentir le contact froid du métal, mais elle se retint de presser davantage.

Il lui tendit l'arbalète.

— Tenez. Le tour est prêt. Il vous suffit d'armer et de me tirer un carreau dans le cœur.

— Tiens donc ! fit-elle.

Elle ne s'y risquerait jamais. Il fallait deux mains pour armer l'arbalète, et elle refusait de rengainer son revolver. Elle prit l'arbalète avec sa main gauche, la droite continuant de braquer le revolver sur sa figure.

— Allez-y ! l'encouragea-t-il. Si vous voulez la solution, il faudra me tirer dessus.

Le crissement des parasites accompagnait les hurlements de Futura. Malakhai jeta un coup d'œil vers les coulisses.

— C'est l'ennui avec les truquages techniques. Maintenant, tout l'effet est gâché. Vous êtes prête pour de la vraie magie ?

Il étendit les bras pour lui offrir une cible facile.

— J'attends ma flèche, Mallory. (Il lui sourit avec une infinie douceur.) Vous ne pouvez pas ? Eh bien, dans ce cas, j'ai une affaire à terminer. Je n'avais pas besoin de votre arme pour ça.

Il était sur le point de se détourner lorsqu'elle l'arrêta.

— Un pas de plus… et je tire.

Mais elle ne visait pas pour tuer, refusant d'être le pantin de Nick Prado.

Malakhai leva une main pour lui montrer une lime. Il la lança en direction de la caisse à outils abandonnée par le machiniste.

— Je vous ai dit que je n'avais pas besoin de revolver. Vous auriez dû faire plus attention à mon jeu du bonneteau. Désolé des dégâts que j'ai occasionnés à votre arme ; naturellement, je paierai les réparations.

Mallory devina ce qu'elle allait voir avant d'examiner le chien. Il avait limé le goujon.

Elle rengaina son revolver et braqua l'arbalète sur lui.

— Ah, voilà qui est mieux, dit-il. Mais je ne crois pas que vous en serez capable. Bon, je dois y aller. Il suffit de quelques secondes pour tuer quelqu'un quand on sait s'y prendre. Or, moi, je sais.

— Malakhai ! (Elle arma l'arbalète, abaissant le levier pour tendre la corde.) Vous savez que je tirerai.

— Vraiment ? Dans le dos ? Comment expliquerez-vous ça ? Je ne suis pas armé. (Il était presque arrivé à la porte de la pièce du fond.) Vous avez trop confiance dans votre monstruosité. Personnellement, je crois que vous n'avez pas le cran.

— Arrêtez !

— Le numéro de Franny est presque terminé. Il faut que je me hâte.

Mallory ne visa pas pour le blesser, elle choisit l'endroit où le carreau lui traverserait le dos pour lui transpercer le cœur. Elle appuya sur la détente. Le corde se détendit avec un bruit sec, et au même instant, Malakhai se retourna. D'un geste vif, il attrapa le carreau au vol.

Impossible !

Elle connaissait la vélocité d'une flèche. Il n'avait pas pu faire ça, et cependant il tenait le carreau à la main.

— Apparemment, je vous ai mal jugée. (Il revint vers elle d'un pas nonchalant, le sourire aux lèvres.) Désolé. Vous ne m'en voulez pas ?

— Vous avez attrapé le carreau !

Elle vérifia le magasin. Le coup n'était pas parti ? Elle arma de nouveau l'arbalète et visa le cœur.

Il approchait toujours.

— Ça ne marchera pas non plus, cette fois.

L'espace entre eux deux se rétrécissait. Futura hurlait toujours dans la petite pièce.

Mallory appuya de nouveau sur la détente. La corde se détendit, mais le carreau ne partit pas.

— Vous avez enrayé l'arbalète ? C'est pas comme ça que…

— Exactement comme ça que Max faisait. Vous avez quand même ressenti un léger coup de fouet, non ? Oh, je vois la confusion. Comment les carreaux atteignent-ils le mannequin, puis s'enrayent quand il s'agit d'une cible humaine ? Ah, vous n'allez pas aimer du tout.

Il dévissa l'embout.

— Ça allonge le carreau, expliqua-t-il. Ainsi, seul le premier tombe juste dans le magasin – celui qui sert pour la démonstration avec le mannequin. Lorsqu'on charge le deuxième carreau, le plus long, on en pique le bout dans le bois du magasin. Et le troisième carreau ? C'est pour que le public ne voie pas que le précédent n'est pas parti.

— Mais les flics ont chargé les magasins…

— Pas quand Max faisait le numéro. Ils se contentaient de lui tendre les carreaux, tous identiques, tous de même longueur, et il les chargeait. Oliver et Charles ont lu le mode opératoire à l'envers. Quand Max chargeait le deuxième carreau, il en dévissait le bout.

Il tendit le carreau à Mallory qui le réclamait.

— Ce n'était donc que ça ? Max avait truqué l'arbalète ?

— Oh, non ! Il avait truqué deux carreaux. La solution de Charles était bonne, mais lorsque Max faisait ce tour d'illusionnisme, l'effet était génial, électrifiant. Il évitait les deux premiers tirs, et la tension était insoutenable pendant qu'il se débattait avec les menottes. Ensuite, il brisait le piquet et le public se mettait à hurler. La troisième arbalète tirait, il attrapait le carreau au vol dans un tonnerre d'applaudissements. Et le dernier tir ? On avait l'impression qu'il était en retard, qu'il n'arriverait pas à attraper le dernier carreau avant qu'il ne lui perce le cœur. Et il mourait sur la cible. Aussi, lorsqu'il revint d'entre les morts et qu'il arracha la flèche de son cœur, un spectateur du premier rang s'évanouit.

— Il avait donc caché deux carreaux sous sa veste ?

— Tout juste. L'effet était fantastique.

— Mais le carreau coincé dans le magasin aurait pu être délogé par la secousse du premier tir.

— C'est effectivement arrivé au cours d'une répétition avec le mannequin. Évidemment, la possibilité existait. Le soir de la représentation, lorsque je vis Max recevoir la flèche en plein cœur, j'eus un doute. Seul un type aussi grand que Charles pouvait éviter le carreau mortel. Même avec une main libre, Max n'avait pas beaucoup de place pour manœuvrer. Sachez tout de même que Charles a risqué sa vie. Il faut un sacré courage. C'est pour ça que personne n'a volé le numéro à Max.

Malakhai la regarda en souriant utiliser un carreau pour débloquer celui qui était dans le magasin. Elle n'avait pas renoncé à lui tirer dessus.

Derrière elle, la musique se remit à jouer.

— Et maintenant, dit-il, le meilleur pour la fin.

Il tira sur ses manchettes, indiquant qu'il ne dissimulait rien en dessous. Puis il lui tendit ses deux poings fermés.

Il déplia lentement les doigts pendant que Mallory

entendait un cri de douleur parvenir de deux directions à la fois, sur scène et en coulisse. Elle tendit l'oreille pour percevoir la réaction du public, un murmure d'effroi poussé par cent voix en même temps. Le cri se fit plus perçant cependant que Malakhai ouvrait grands ses poings comme s'il agissait sur la douleur de l'infortuné magicien comme un ventriloque.

Mallory tourna son attention vers la scène où le pendule décrivait un large arc de cercle entre les deux parties du cercueil de verre. La lame du rasoir était maculée de rouge.

— Max Candle n'utilisait pas de sang dans son numéro.

— Non, Mallory. Franny non plus.

— Il n'y a pas de micro dans le cercueil.

— Si. Mais Franny y est encore.

Il la rattrapa par une main lorsqu'elle voulut se précipiter sur scène. Lorsqu'il l'attira à lui, l'arbalète tomba par terre.

— C'est la sono que vous entendez dans la coulisse. Il n'y a aucun truquage – pas cette fois. Tout est réel.

Mallory essaya de se dégager. Elle leva la jambe, mais elle avait besoin d'espace pour décocher son coup de pied dans les parties. Il lui tordit vivement le poignet et elle se retrouva prisonnière dans ses bras.

— Le pendule ne s'arrêtera pas sur votre ordre, Mallory.

Il parlait d'une voix douce, raisonnable… un assassin au sang froid. C'est cette voix calme qu'elle ne supporta pas ; c'était comme s'il croyait agir normalement.

— Ce n'est pas un mécanisme qu'on peut actionner, Mallory. Il doit aller au bout de son mouvement. Cette machine se fiche que vous soyez un flic.

Elle lutta pour se libérer. Il la serra plus fort contre lui… comme un amant, comme un geôlier.

Futura poussait un cri de douleur ininterrompu.

— Vous voulez savoir ce que je faisais pendant la guerre ? lui susurra Malakhai à l'oreille. Eh bien, regardez.

— Non ! Arrêtez ! cria-t-elle aux danseurs. Déplacez le cercueil de l'axe du pendule !

Les cris de Mallory se mêlaient aux hurlements de Futura. Les assistants faisaient face au public, ils dansaient, ignorant les appels à l'aide… et la musique jouait toujours. Le cœur de Mallory battait à l'unisson des piaillements de terreur de Futura.

— La justice, Mallory, murmurait Malakhai. Justice pour Louisa, justice pour Oliver.

Le pendule éclaboussait la scène de sang, des gouttes giclaient sur le costume des danseurs qui faisaient encore des claquettes, le dos tourné au cercueil.

Malakhai raffermit sa prise.

— Vous voyez ces gens dans le fond de la salle ? (Deux silhouettes se levaient au dernier rang.) Ils viennent secourir Futura. Ils arriveront trop tard, bien sûr, mais ils auront au moins essayé. Ils ne sont que deux. Regardez les autres spectateurs.

Un cri de femme s'éleva dans la salle au-dessus des hurlements d'agonie qui parvenaient du cercueil.

— Pensez à Oliver Tree, Mallory… aux quatre carreaux. C'était votre Oliver, n'est-ce pas ? Vous l'appeliez toujours par son petit nom.

Du sang aspergea le rebord de la scène. Le pendule décrivait un arc de plus en plus grand et des gouttes rouges tachèrent les robes de deux femmes du premier rang. L'une d'elles criait aussi fort que Futura, et avec la même note douloureuse. Le reste du public était cloué sur place, silencieux, sauf les deux hommes qui couraient dans l'allée centrale.

— Ils ne sont que deux, répéta Malakhai.

Du sang atterrit sur les vêtements d'une femme du deuxième rang. Le pendule s'éleva de nouveau, humide et rouge. Du sang dégoulina sur le visage d'un homme du premier rang, de même que sur celui de son voisin. Les deux secouristes grimpèrent sur scène.

— Regardez les gens du premier rang, Mallory. Ils voient bien que quelque chose ne tourne pas rond… ils le savent depuis longtemps. Ils savent que Franny agonise, et cependant, ils n'arrivent pas à détacher leurs yeux du spectacle. Ce n'est qu'un théâtre… une petite fenêtre sur la Seconde Guerre mondiale… sur la réalité de ce que nous avons tous vécu. Vestige d'une minute d'horreur.

Les deux hommes qui volaient au secours de Futura ne purent approcher du cercueil. Ils furent aussitôt entourés par les capes rouges des danseurs en formation serrée. Une mare de sang se formait sous la table.

Un cri aigu de femme fusa en harmonie avec les gémissements en provenance du cercueil, en écho à ceux des coulisses, et avec le crissement des haut-parleurs.

Soudain, les cris cessèrent… ceux de Mallory comme ceux de Futura.

Le pendule continua d'osciller en silence, de trancher dans les chairs, de briser les os, insensible à la souffrance comme à la mort. Le sang se raréfia, il n'en restait plus assez pour renouveler les éclaboussures.

Les morts ne saignent pas.

Malakhai lâcha Mallory.

— Maintenant, vous savez ce qu'était la guerre, Mallory. N'était-ce pas sublime ?

La musique s'arrêta, la danse aussi. Le silence tomba lorsque les danseurs et les deux secouristes s'approchèrent du cercueil.

Mallory s'effondra par terre. Épuisée, vidée, elle laissa toutefois éclater sa rage. Elle martela le plancher à coups de poing jusqu'à ce que la douleur lui amène les larmes aux yeux.

Malakhai s'agenouilla à côté d'elle ; Mallory se détourna pour cacher sa peine.

— Vous êtes un imposteur, dit-il en lui caressant les cheveux. Vous avez davantage de compassion que ces spectateurs dont le visage est couvert de sang – ceux qui se sont contentés de regarder.

Elle voulut lui décocher un coup de poing.

Plus rapide, il lui attrapa la main.

— C'est vrai, vous avez essayé de me tuer. On ne pourra pas vous enlever ça. Et je ne crois pas que vous soyez impitoyable… si ça peut vous consoler.

Il se releva lentement, lâchant le poing de Mallory, qui avait peu à peu perdu de sa vigueur.

— Nous ne pouvons pas tous être des monstres, Mallory. Comme je le disais… vous n'avez pas les qualités requises.

Tête basse, elle replia ses jambes et écouta les pas de Malakhai s'éloigner, puis la porte qui se referma. Pardessus les bruits de la salle, elle entendit le hurlement des sirènes dans Broadway – qui se rapprochait. Elle ferma les yeux et se balança, les genoux entre les bras, abattue et blessée par sa minute de guerre.

CHAPITRE 22

Même à cette distance de la scène, l'air était moite de sang. En outre, ça puait la défécation et la nourriture à moitié digérée, vestiges du dîner que Franny Futura avait ingurgité avant d'être coupé en deux.

À son arrivée, le sergent Riker avait trouvé Mallory penchée au-dessus du cercueil. Elle l'avait laissé laver le sang sur ses mains mais l'avait repoussé lorsqu'il avait voulu essuyer son blazer en cachemire, étalant le sang avec du papier de soie trempé.

Elle était maintenant assise derrière un bureau, près de la porte qui ouvrait sur la scène. Une lampe projetait son ombre immobile sur un mur de casiers. Elle semblait insensible aux odeurs, au va-et-vient des agents, des inspecteurs, des membres de l'équipe scientifique et du district attorney. Elle était complètement aveugle à ce qui l'entourait.

Riker savait qu'elle se repassait dans la tête la mort de Franny Futura, recherchant ses propres erreurs ou imperfections.

Or, il fallait que cela cesse.

Il prit le gobelet en carton que lui apportait un machi-niste et lui donna cinq dollars de pourboire pour sa peine. Mallory bigla vers le gobelet avec suspicion, ce que Riker prit comme un signe encourageant.

— C'est de l'eau, dit-il en lui mettant le gobelet dans la main.

Elle but une gorgée.

— C'en est pas !

— Ah, tu as senti l'alcool ! Mais il y a aussi de l'eau. Bois tout, mon petit. C'est plein de vitamines.

Il avait l'impression qu'elle avait aussi besoin d'une transfusion de sang. Il jeta un coup d'œil vers la scène où deux hommes soulevaient le cadavre du cercueil. Lorsqu'il se retourna vers sa coéquipière, elle avait avalé le contenu du gobelet qu'elle froissait maintenant dans son poing. Encore un signe encourageant.

— Ils m'ont pigeonnée, Riker.

C'était vrai, et ils s'en tireraient probablement, mais il n'avait pas l'intention de le lui dire. Il sortit son calepin.

— Le premier flic sur les lieux a recueilli les dépositions des assistants du vieux magicien. Ils croyaient tous que la voix qu'ils entendaient dans le cercueil provenait d'un haut-parleur.

— Oui, un émetteur-récepteur. La sono se trouve dans une pièce des coulisses. Ça fonctionne comme un Interphone avec une touche.

— Les magiciens ont juré avoir vu Futura quitter le cercueil avant que le pendule n'entame sa descente. Comment se peut-il…

— Ce ne sont pas des magiciens, contesta Mallory. Juste des danseurs. Ils ont effectivement vu un homme vêtu d'une cape rouge. Mais c'était Malakhai. Il s'est faufilé sous le tissu du cercueil et en est ressorti au bon moment. Les danseurs étaient trop occupés à faire des claquettes, aucun d'eux n'a remarqué que Malakhai était plus grand. (Elle leva les yeux vers la passerelle.) Si je n'avais pas été là-haut, je l'aurais coincé.

— Ne t'accable pas, mon petit. Ça te dit quelque chose ? interrogea-t-il en lui tendant une clé. Nous l'avons trouvée près du corps. On dirait que Futura l'a laissée tomber avant d'avoir pu ouvrir ses menottes.

Elle jeta à peine un coup d'œil sur la clé.

— C'est probablement celle de Malakhai. Franny n'utilisait pas de vraies menottes. Malakhai a remplacé les menottes truquées par des vraies. C'est comme ça qu'il l'a assassiné.

— Ah ! Et c'est lui qui a laissé la clé par terre ? Astucieux. On ne prouvera jamais que c'était un meurtre.

— Je n'ai pas vu Malakhai monter sur scène, je ne l'ai pas vu se cacher sous la table. Prado servait de leurre. Si je ne peux pas lui coller le meurtre d'Oliver sur le dos, je le poursuivrai pour avoir prémédité celui-là.

— Je ne crois pas, mon petit. Malakhai est passible de non-assistance. Il n'y a rien pour accuser Prado de préméditation.

Riker approcha une chaise de celle de Mallory et s'y assit à califourchon, les bras croisés sur le dossier.

— On n'a même pas de mobile.

— J'aurais dû tuer Malakhai, dit Mallory. Je le savais. Encore une erreur.

Riker jeta un coup d'œil vers Jack Coffey qui arrivait, un imperméable trempé sur l'épaule. Le lieutenant avait-il entendu la dernière remarque ?

Coffey s'arrêta devant le bureau. Il avait sa tête des mauvais jours.

— Je viens juste d'en terminer avec Prado, dit-il. Il prétend que vous avez contribué à la mort accidentelle de Futura. Il dit que vous l'avez empêché d'intervenir…

— Prado a planifié l'homicide, coupa Mallory. Le numéro pouvait se dérouler sans aide. Tout a marché comme sur des roulettes. Franny Futura est réellement mort.

Riker lui mit une main sur l'épaule pour l'empêcher de se lever de sa chaise.

— Du calme, mon petit. Personne ne croit qu'il s'agit d'un accident. Mais Prado a juste pourri l'affaire. Les journalistes diront que c'est de ta faute. Ensuite, ils critiqueront tout le service.

Coffey s'assit sur le rebord du bureau.

— Prado affirme que cette version ne figurera pas dans sa déposition officielle. Quand il m'a dit ça, ça sentait le marché. Je vous soutiens dans cette affaire, Mallory, mais nous ne pouvons arrêter ni l'un ni l'autre. Ils sont libres.

Mallory semblait bien trop calme.

— Avez-vous bien vu ce qu'ils ont fait ? Ça ne vous a pas fait gerber ?

Riker observait les mains de Mallory, croisées l'une sur l'autre pour cacher son léger tremblement. Ce n'était pas le signe qu'elle était à bout de nerfs, plutôt un avertissement, indiquant qu'elle était sur le point de perdre son sang-froid, son jugement et son poste. Elle arrivait encore à contenir sa rage, mais pour combien de temps ?

Le lieutenant Coffey fit signe à un homme qui se tenait près de l'échelle de la passerelle. La vingtaine, le teint terreux, il était vêtu d'un imperméable foncé.

— C'est Crane, l'assistant du district attorney, un vrai con. C'est lui qui est chargé de l'affaire, et il prétend qu'il n'y a pas lieu d'ouvrir une enquête.

Crane se joignit aux trois autres, mais à distance respectable de Coffey. Il regarda Mallory de haut. Riker devina que c'était pour la remettre à sa place. Mais elle le toisait de son côté, détaillant ouvertement l'imperméable bon marché, digne d'un salaire de débutant. Même Riker voyait que les manches étaient trop longues. Le tailleur de Mallory aurait craché dessus.

— J'ai cru comprendre que tous les tours de Max

Candle étaient dangereux, dit le minable d'une voix nasillarde désagréable. Et que dire de ces gens que vous accusez ? Des anciens combattants tous les deux décorés. Des héros. Celui sur lequel ils prennent exemple est Émile Saint-John, un ancien chef de bureau d'Interpol. (L'assistant du district attorney s'appuya à deux mains sur le bureau, bien trop près de Mallory.) Vous avez complètement déconné, inspecteur. Si quelqu'un poursuit la ville pour votre rôle dans cette mort, je vais vous jeter…

Il perdit le fil de son baratin qu'il avait dû longuement répéter. Bien que Mallory n'eût pas bougé, même un imbécile comme Crane avait compris qu'elle crevait d'envie de lui faire mal et que les coups n'allaient pas tarder.

L'attorney adjoint recula, se rapprochant de Coffey tout en faisant mine de rajuster sa cravate. Puis, il étira le coin de ses lèvres dans un sourire qui se voulait méprisant – il l'étudiait laborieusement chaque matin en se rasant devant sa glace.

— C'était un accident, dit-il, ça saute aux yeux. Le magicien a laissé tomber la clé des menottes. N'importe quel idiot aurait compris ça. Alors, pourquoi dois-je expliquer des banalités pareilles à un flic ? Réfléchissez, bon Dieu ! Ouvrez les yeux ! Vous pigez ce que je vous dis, inspecteur ?

Demain matin, Mallory deviendrait la risée du cabinet du district attorney. Cette fois, elle allait devoir supporter l'humiliation – à moins que… Elle allait se lever de sa chaise lorsque Riker la rattrapa par le pan de son trench-coat.

Jack Coffey souriait de façon démoniaque, presque comme Mallory dans ses plus beaux jours.

— Qu'est-ce que vous faites, Riker ? Si elle veut se farcir la fouine, c'est son problème.

Riker lâcha le trench-coat et dirigea son regard vers la

pancarte au néon au-dessus de la porte, plissant les yeux comme s'il avait du mal à lire le mot « Sortie ».

Ce fut au tour de Mallory de sourire.

— Attendez, j'ai changé d'avis, fit Coffey en tapotant la poitrine du district attorney adjoint de deux doigts insistants, ce qui eut pour effet de le faire reculer d'un pas. Vous êtes un connard, Crane. J'ai vu les preuves… toutes les preuves. (Il martela de nouveau la poitrine de Crane pour étayer ses dires.) Elle a tout pour ouvrir une enquête. Simplement, vous êtes trop bête ou trop trouillard pour l'admettre.

Le visage du substitut devint flasque. Il encaissait le choc. Dans la hiérarchie des flics et des procureurs, une chose pareille n'aurait jamais dû lui arriver.

— C'est visiblement votre première affaire, dit Coffey. Je ne vais donc pas énumérer vos erreurs dans mon rapport. Sinon, votre patron me demanderait pourquoi je ne vous ai pas botté les fesses.

Quelles erreurs ?

Riker savait que le district attorney ne se mettrait jamais du côté de Jack Coffey. Le lendemain matin, il engueulerait le lieutenant pour avoir transgressé les règles de bienséance. Quand les jeunes princes du cabinet du procureur étaient contrariés ou tout simplement vexés, la pratique courante était de se servir des flics comme punching-ball. Un attorney expérimenté savait cela. Crane était donc probablement bien un débutant.

Riker reconnut sans peine la tactique utilisée. Le lieutenant Coffey avait pris des leçons auprès de Mallory.

Les ennemis n'avaient qu'à bien se tenir !

Coffey consulta sa montre.

— Écoutez, Crane. Je vais vous donner le signal du départ avec dix secondes d'avance.

Il marcha sur Crane qui recula ; l'attorney ne bombait plus le torse pour faire croire à tout le monde que c'était lui le patron. Visiblement déboussolé, il se demandait sans doute quel faux pas il avait commis, quel fait crucial il avait ignoré – signes évidents du débutant. Le lieutenant Coffey l'avait bien identifié : c'était une fouine. Il s'en alla furtivement, refermant doucement la porte derrière lui. Dans l'esprit de Riker, c'était bon signe. Si Crane avait envisagé des représailles, s'il fourbissait une vengeance dans sa tête, il aurait claqué la porte.

Victoire sur toute la ligne.

Coffey était tourné vers la scène lorsqu'il déclara à Mallory :

— Vous n'irez nulle part avec cette affaire. Ce n'était pas le crime parfait, mais presque.

Il regarda l'équipe du médecin légiste recoller les deux morceaux du cadavre pour le glisser dans un long sac en plastique noir dont ils refermèrent ensuite la fermeture Éclair.

— Vous n'avez aucune chance d'obtenir les aveux de Prado pour sa participation. Et aucune preuve matérielle de meurtre. Bon, Malakhai pourra toujours jouer la carte de la démence. Supposez que vous lui soutiriez des aveux. Le témoignage d'un fou ne compte pas, sa parole ne vaut rien contre celle de n'importe qui.

Mallory décroisa les mains et les posa sur les bras de sa chaise en bois.

— Si nous allions devant un jury, dit-elle d'une voix sans timbre, j'exposerais toute l'affaire de A jusqu'à Z.

Coffey secoua la tête. Pour la première fois, il semblait réticent à gagner un duel contre elle.

— Tout dépend de votre témoignage, Mallory. Nick Prado ruinera votre crédibilité s'il affirme que vous avez précipité la mort de Futura.

Il enfila son imper tandis que le brancard passait, poussé par les hommes du médecin légiste.

— Je suis désolé que vous n'ayez pu sauver le vieux, mais je suis content que vous ayez essayé. (Le lieutenant regarda le corps enfermé dans son sac en plastique disparaître derrière la porte.) Mallory ? Si je vous avais donné les renforts que vous réclamiez…

— Ça n'aurait rien changé, assura-t-elle, la tête calée contre le dossier de sa chaise. Absolument rien.

Coffey se détourna et se dirigea vers la sortie.

Riker approcha sa chaise de Mallory.

— Tu as tout foutu en l'air, mon petit. Si tu avais dit que c'était de la faute de Coffey, tu aurais pu utiliser ça contre lui tout du long. Il n'y a rien comme la culpabilité pour mener quelqu'un par le bout du nez. (Il lui posa une main sur le front.) Tu es sûre que ça va ?

Elle le repoussa.

— Pas de fièvre, remarqua Riker. Ma foi, ton vieux disait qu'en grandissant tu deviendrais classieuse. Pour moi, c'est la seule explication.

C'était donc comme ça qu'elle le remerciait pour avoir épinglé la fouine ! Jack Coffey avait fait cela avec style, un beau geste sans une goutte de sueur… et juste pour aider Mallory à sauver la face. C'était presque romantique !

Naturellement, le stress ferait tomber les derniers cheveux de Coffey pendant la nuit, mais au réveil, Riker le trouverait quand même superbe.

Mallory dégaina son revolver et le posa sur le bureau.

— Qu'est-ce qu'on a d'autre ? Rien ? Je parie que personne ne se rappelle avoir vu Malakhai au théâtre. Exact ?

— T'as deviné.

Riker ne quittait pas le revolver des yeux. Lorsqu'un flic était impliqué dans une fusillade mortelle, la coutume exigeait que ses collègues montent la garde pour l'empêcher de se suicider, mais Mallory n'aurait pas droit à ce service pour une mort accidentelle.

— Et le mobile du premier meurtre ? Tu crois qu'Oliver Tree savait comment Louisa était morte ?

— Non, c'était juste un petit vieux sympathique.

(Elle prit son revolver et joua avec.) Et il était courageux, n'est-ce pas ? Tu imagines, toutes ces flèches !

— Oui, il était courageux.

Riker comprit à quel point Oliver Tree avait compté pour elle. Mais elle appelait déjà le dernier cadavre par son prénom, et cela l'inquiétait. Elle prononçait son nom d'un ton trop possessif à son goût.

Mallory n'en avait pas encore terminé.

— Tu as fait tout ce que tu pouvais. Ce n'est pas de ta faute si… (Il la regarda tirer le chien en arrière.) Mallory, Coffey a raison. Tu ne peux rien faire de plus.

Rien de légal, en tout cas.

Il fixait le revolver. Même sans ses lunettes, il voyait bien que le percuteur était endommagé. Même si la question le hanterait longuement par la suite, il ne lui demanderait jamais comment c'était arrivé. Il lui posa une main sur l'épaule et exerça une légère pression.

— Tu es seulement humaine, mon petit.

Mallory sourit.

— Mais tu n'en es pas tout à fait sûr, hein, Riker ? (Elle rengaina son revolver abîmé.) Tu me reconduis ?

— Bien sûr. Tu veux te changer ?

— En quelque sorte.

*
* *

La longue pièce était lambrissée d'une boiserie sombre. Des canapés rouges et des chaises étaient disposés de façon à permettre les conversations en groupe et le mur du fond, derrière le bar en acajou, était garni de bouteilles et orné d'un grand miroir. Devant le manque de clients, une serveuse tuait le temps en discutant à voix basse avec le barman. Ils étaient bien trop loin pour qu'on les entende.

Près de la porte voûtée du salon, Mallory contemplait la grande salle à manger à travers un étroit couloir. Elle observait le garçon circuler entre les tables chargées de nourriture et de vins. Il n'avait pas encore trouvé Malakhai parmi les clients.

C'était comme une fenêtre ouverte sur une autre époque. Des fourrures étaient posées sur le dossier des chaises occupées par des femmes qui ne craignaient pas les sermons des écologistes. La fumée s'élevait de longs fume-cigarettes, et les bijoux chatoyaient aux mains et aux cous des dîneurs. Les bouchons de champagne sautaient bruyamment, une musique d'un autre âge flottait dans l'air. Un couple dansait un slow entre les tables, et d'autres délinquants se levèrent pour les rejoindre.

C'était une soirée privée où personne ne se souciait des interdits municipaux en vigueur.

Derrière Mallory, la pluie de décembre tambourinait sur les carreaux.

Malakhai émergea de la salle à manger et se dirigea vers le salon. Il était content de voir Mallory. Peut-être se méprenait-il sur le sens de sa visite, croyant qu'elle acceptait sa défaite avec élégance.

Elle se sentit plus légère à mesure qu'il approchait. Son cœur se mit à battre, si toutefois elle en avait un. Sa gorge se serra. Elle reconnut les symptômes ; ils venaient avec le chagrin, mais elle ne les comprenait pas – pas ici, pas maintenant. Elle mit cela sur le compte de la fatigue nerveuse qui accompagnait la fin d'une enquête. Elle était venue en finir avec Malakhai une bonne fois pour toutes.

— J'espère que vous me laisserez payer la réparation de votre revolver, Mallory.

— Ne vous inquiétez pas pour ça. (Elle défit la ceinture de son trench-coat.) J'ai des tas d'armes. (Elle ouvrit son blazer pour qu'il voie son .38 dans son holster.) Celui-là marche très bien.

Il était trop près d'elle. Elle sentit son pouls s'accélérer. Et que dire de ce frisson d'excitation sous sa peau ?

Les nerfs, ce n'étaient que les nerfs. La soirée avait été longue, mais elle touchait à sa fin.

— Vous venez à la fête ? Ou vous comptiez seulement opérer des arrestations pour danse interdite ?

Mallory porta son regard vers la salle.

— Je croyais qu'ils auraient annulé… à cause de l'accident.

— La plupart de ces gens étaient au Carnegie Hall ce soir, dit Malakhai. Personne n'est encore arrivé du théâtre de Faustine. J'ai peut-être oublié de mentionner l'incident.

— Mais vous vous rappelez avoir tué un homme. Vous savez bien que je vous coincerai pour ça.

— Ah, l'arrestation… tout est là, n'est-ce pas ? Nick affirme qu'il n'y aura pas d'arrestation. Moi, j'ai davantage confiance en vous. Naturellement, quand vous aurez réussi à ouvrir une enquête, je ne me souviendrai probablement plus pourquoi vous m'arrêtez. J'espère que ça ne vous gâchera pas le plaisir. J'ai horreur de vous décevoir.

Il paraissait perfidement sincère. Aucun sarcasme dans sa voix. Il se rapprocha encore de Mallory.

Elle ne recula pas, se contentant de l'avertir d'un hochement de tête de ne pas aller trop loin.

— J'obtiendrai un mandat d'amener avant que votre cerveau ne tourne en bouillie.

Il s'esclaffa comme si c'était d'une drôlerie infinie.

— Les crises sont de plus en plus fréquentes. Des années entières sombrent dans l'oubli.

— Donc, j'avais raison. Louisa a disparu ?

— Depuis longtemps.

— Cependant, elle était là quand vous avez tiré sur Futura. Elle vous a empêché de le tuer, n'est-ce pas ?

Il secoua la tête, dérouté.

Encore un mystère qu'elle n'aurait donc plus à résoudre… comme pour la façon dont il faisait apparaître l'ombre de Louisa. Curieusement, Mallory avait davantage confiance en Louisa que Malakhai lui-même. Si elle n'était pas morte une seconde fois, Franny serait peut-être encore en vie.

— Pour l'instant, dit Malakhai en avançant la main pour lui caresser les cheveux, c'est juste vous et moi. (Il baissa la tête pour coller son visage contre celui de Mallory.) J'espère mourir avant de vous oublier, Kathy Mallory.

Elle écoutait la pluie tambouriner sur les vitres, derrière elle. Les secondes passèrent. Il l'enlaça par les épaules et la conduisit vers la salle à manger.

— Allons rejoindre la fête, dit-il d'une voix raffermie. Profitons de ce que je me souviens encore comment on danse.

Mallory se dégagea brutalement ; cependant, il n'arrivait toujours pas à la considérer comme une ennemie... Comment lui faire comprendre qu'il avait tué le mauvais cheval ? De l'autre côté du couloir, Nick Prado les observait avec grand intérêt.

En choisissant les mots justes et le bon moment, elle pouvait braquer Malakhai contre Prado et commettre le meurtre parfait par procuration.

Prado était un serial killer ; il était doué, il avait trois morts à son actif. Mallory l'avait sous-estimé – grave erreur. Mais désormais, elle pouvait faire mieux que lui, plus vite... et s'en tirer les mains propres. Prado mourrait et Malakhai serait effectivement détruit lorsqu'il comprendrait qu'il avait tué le mauvais coupable. Tout le monde aurait sa part de justice.

Elle ouvrit négligemment le pan de son blazer pour qu'il voie le holster. Il avait du doigté, il lui avait déjà subtilisé son arme ce soir. Il fallait juste qu'elle lui désigne la cible.

Facile, trop facile.

Cependant, avec regret, elle referma son trench-coat

et sangla la ceinture d'un geste sec. La justice n'était pas de son ressort, elle se contentait de faire respecter la loi.

Prado se fondit parmi les convives. Une occasion de manquée.

Mallory reporta son attention sur Malakhai, prête à commencer sa lente destruction. Elle le ferait sans se presser, de la meilleure manière possible – mensonge après mensonge.

En la voyant fermer son vêtement, il avait dû interpréter son geste comme le signal d'un adieu car la déception se lisait dans ses yeux. Mallory avait tous les sens en éveil, rien ne lui échappait, ni les scintillements des paillettes dans la salle derrière lui, ni les flammes oscillantes des chandeliers, ni le tintement des verres. Une bouteille se fracassa par terre, et des éclats de rire flottèrent dans l'air avec la musique.

La tête penchée, il essayait de la comprendre.

— Je ne vous reverrai plus, n'est-ce pas ?

— Si, quand je viendrai vous arrêter demain matin. Le mandat arrivera sur mon bureau à neuf heures.

Mensonge.

— Il n'y aura pas de poursuites pour…

— C'est Prado qui vous l'a dit ? Il réfléchit comme un amateur, et il complote avec la même naïveté.

— Vous n'avez aucune preuve.

— Si… des preuves solides pour le meurtre de Louisa. *(Des preuves très fragiles.)* C'est lui, le mobile pour le crime de ce soir.

— Mais vous ne pouvez pas démontrer que sa mort n'était pas un accident.

— Je peux. J'ai votre témoignage le soir du poker et un interrogatoire *post mortem* conduit par le docteur Slope, le médecin légiste. Le témoignage d'un expert est considéré comme une preuve recevable. *(Certainement pas, mais ça sonnait juste.)* J'ai des preuves matérielles… vos clés de menottes du théâtre de Faustine. Je parie que c'est Nick qui vous a soufflé l'idée de la laisser près du cadavre – une grave bêtise. J'ai demandé des tests pour l'ADN qu'on a prélevé grâce à l'huile sur vos doigts. *(Heller éclaterait de rire s'il entendait ça.)* Vous pourrez plaider la démence. Vous pourrez invoquer Louisa, lui faire faire quelques tours bon marché devant le tribunal. Mais on me citera à la barre et j'expliquerai comment Franny est mort.

Malakhai lui prit le menton et tourna sa tête vers lui.

— Vous l'avez appelé par son prénom. Vous ne vous intéressez plus aux crimes de Franny, n'est-ce pas ? (L'incrédulité était perceptible dans sa voix.) Tout a changé.

Elle repoussa sa main.

Il la laissa tomber le long de son corps.

— Franny était le maudit chat dans un immeuble en flammes, c'est ça ?

De quoi parle-t-il ?

Il lut la question sur son visage.

— Le rapport du psychiatre, expliqua-t-il. La seule question à laquelle vous aviez bien répondu ; celle dont vous êtes réellement fière. Vous vouliez sauver votre maudit chat des flammes… juste parce que Franny est un être humain…

Les mots moururent dans sa gorge. Il fixa Mallory comme si elle l'avait en quelque sorte trahi avec son unique réponse juste.

— Je suis navré, Mallory.

— Ça ne suffit pas. Et ça n'a rien à voir avec moi. Un homme est mort ce soir. *(Le mauvais cheval.)* Vous paierez pour ce crime. *(Tout ce sang !)*

— Vous savez bien que le jugement n'aura pas lieu avant un an. Les médecins m'assurent que je ne vivrai pas jusque-là.

— Je sais.

Mais il y avait tous ces cris, toute cette souffrance. Franny n'arrêtait pas d'appeler à l'aide.

— Alors, à quoi bon, Mallory ?

— Il me reste encore Prado et Émile Saint-John.

Malakhai agrippa le dossier d'un fauteuil en cuir, comme s'il avait besoin d'un soutien.

Mallory se prépara à l'achever. Ils étaient presque arrivés au bout.

— Je vais demander un mandat d'arrêt pour trois personnes agissant en association de malfaiteurs. Le dossier sera plus solide avec vous trois. Vous ne pouvez pas tous plaider la démence ! Prado n'a pas vu jusque-là – un putain d'amateur !

— Émile n'a rien à voir là-dedans.

— Je le sais. Et vous croyez que ça va m'arrêter ? S'il avait accepté de coopérer… *(S'il avait trahi ses amis.)* Il a entravé le cours de la justice.

Il avait compris pourquoi Franny avait tué Louisa. Mallory lui avait donné le mobile le jour où elle lui avait parlé de la trahison de Prado. Saint-John avait choisi de ne pas accabler les survivants en leur disant la vérité. Mallory n'avait pas ses réticences – néanmoins elle n'alla pas jusqu'à dire à Malakhai qu'il avait tué le mauvais coupable.

Malakhai était déjà salement blessé – tous deux l'étaient. Mallory ne pouvait chasser les images du rasoir aiguisé du pendule tranchant les chairs.

— Saint-John était un excellent flic, dit Mallory. Il a toujours été le plus solide d'entre vous – mais aussi le maillon faible – trop soucieux de la morale pour commettre un meurtre de sang-froid. (Elle entendait encore les cris de Franny.) Le rôle de Saint-John était tellement passif qu'il s'en tirera en témoignant contre ses complices. Mais nous savons tous les deux qu'il ne le fera jamais. Je vous coincerai tous. (Elle se força à sourire et donna le même poids à chaque mot de son numéro de bluff.) Je ne peux pas perdre.

— Vous avez tort, Mallory. Émile est innocent.

— Il avait connaissance de faits criminels. C'est tout ce dont j'ai besoin pour une inculpation de complicité. (Le sang aspergeait les spectateurs du premier rang.) Et voilà la transformation de l'essai. (Malakhai, entendez-vous le pendule fendre l'air ?) Je n'aurai même pas à le prouver. Saint-John signera des aveux complets et épargnera à l'État le coût d'un procès. Et comme il acceptera de porter le chapeau, il le portera pour vous et pour Nick. Il ira en taule à votre place, il mourra même peut-être pour vous.

Pénitence pour le bourreau du maquis.

— Il est innocent !

Mallory entendit les hurlements de Franny. *Tant de souffrance !*

— Je me fiche de qui plongera, déclara-t-elle. Tant que quelqu'un paie. (Elle voyait le sang gicler du pendule et éclabousser les visages du premier rang.) Je n'ai plus de temps à perdre avec vous. Je passerai un marché avec Saint-John.

Elle tourna les talons et se dirigea vers la porte, suivie de Franny, blessé, dégoulinant de sang, et qui appelait à l'aide.

— Mallory ?

Malakhai la rejoignit et lui posa les mains sur les épaules pour l'empêcher de partir. Elle sentit son visage dans ses cheveux.

Le sang, tout ce sang !

— Supposez que j'épargne à l'État le coût d'un procès, souffla-t-il. Si j'avoue, vous n'aurez pas besoin de faire plonger Nick ni Émile, n'est-ce pas ? Ils n'auront même pas besoin d'être au courant de notre conversation.

Mallory vit l'ombre glisser le long du mur, mais il n'y

avait personne pour la projeter. Elle ferma les yeux, épuisée, elle voyait des choses qui n'existaient pas. Franny pleurait.

— Peu m'importe. *(Tout ce sang !)* Du moment que quelqu'un paie. (Mieux valait une condamnation que rien du tout.) Toutefois, il y a des conditions.

Mallory devançait la tactique de la défense qui démolirait l'affaire avant qu'elle vienne devant le tribunal. Sentait-elle l'odeur des gardénias ? Avait-elle jamais été aussi fatiguée ? Elle entendait Riker lui seriner qu'elle était humaine, après tout. Mais sa voix fut noyée par celle de Franny, qui ne cessait de pleurer et de hurler.

Il fallait aussi que cela cesse, et vite.

Ah, oui, l'avocat… Avec un certificat psychiatrique, n'importe quel étudiant en droit obtiendrait l'invalidation des aveux signés.

— Il y a des conditions.

Elle ouvrit les yeux. Il n'y avait pas d'ombre le long du mur, et à l'intérieur de son crâne, les cris avaient cessé.

— Vous renoncerez à vos droits à un avocat lorsque vous rédigerez votre déposition. Vous ne ferez pas jouer les circonstances atténuantes… pas de rapports médicaux, pas d'évaluation psychiatrique.

Elle sentit son haleine dans sa nuque. Ses cheveux se hérissèrent.

— Vous renouvellerez vos aveux devant les jurés. Après la sentence, on vous conduira en garde à vue.

Une forme sombre bougea à l'extrémité de son champ de vision, une ombre qui couvrait toute la surface du mur, prête à frapper.

Non, c'est une illusion, il n'y a rien.

— Ensuite, vous irez droit en prison. Pas d'ajournement, pas d'appel pour gagner du temps.

Il n'y avait plus personne pour projeter une ombre ; Louisa était morte depuis un demi-siècle.

— D'accord, accepta Malakhai. Demain matin, je coucherai tout ça sur papier. Et ce soir, nous scellerons notre marché avec un verre... une dernière coupe de champagne.

— Je ne trinquerai pas avec vous, dit Mallory en se retournant.

Abattu, Malakhai laissa retomber ses bras le long de son corps.

— Non, fit-il, bien sûr.

Il était complètement brisé. Il y avait sur son visage plus de chagrin qu'elle n'en avait jamais vu. Il inclina la tête dans une sorte de révérence fantomatique, puis se détourna et traversa le hall en se frayant un chemin parmi les convives. Elle le regarda se fondre dans la foule.

— Vous ne trinquerez pas avec moi non plus, j'imagine ?

La porte d'entrée se referma tandis que Saint-John s'approchait. Il ne portait pas de parapluie, et la pluie goutta du rebord de son chapeau lorsqu'il le toucha pour saluer Mallory.

— Il faut savoir choisir son camp, n'est-ce pas ?

Mallory opina.

— Vous êtes un bon flic, Mallory.

Sur ce compliment, il se dirigea vers la salle à manger où Charles Butler se leva de sa chaise pour l'accueillir avec une grande tape dans le dos. Une jeune brune fonça sur Nick Prado, une coupe de champagne à la main. Il l'enlaça et l'entraîna vers la piste de danse. Le champagne coulait à flots, la fumée montait au plafond. Mallory entendit les notes aiguës d'un rire de l'autre côté du couloir.

C'était toujours ailleurs que la vie battait son plein.

ÉPILOGUE

Charles Butler n'avait pas été invité aux funérailles. Il aurait du mal à encaisser, mais il était nul dès qu'il s'agissait de dissimuler. Mallory s'était préparée à ce décès depuis longtemps, bien décidée à ce que l'enterrement de Malakhai ne devienne pas une affaire médiatique.

Elle s'était rendue à la prison avec une suite de croque-morts et avait pris livraison du corps aux premières heures de l'aube. Le cercueil était déjà dans l'avion avant que les premiers journalistes atteignent les grilles du pénitencier.

Mallory ne voulait ni vol de colombes, ni tours d'illusionnisme, ni cohorte de magiciens en satin blanc. Elle s'était hâtée de transporter le corps de Malakhai dans cette terre étrangère. Maintenant, elle se tenait devant le monument commandé à un tailleur de pierres français plusieurs mois avant la mort de Malakhai. Il reposerait dorénavant avec son épouse, sous la même dalle de marbre.

Elle n'aurait jamais pu faire tout cela sans les relations d'Émile Saint-John. Le cimetière, lieu historique fermé depuis longtemps, n'acceptait plus d'inhumation. Saint-John s'était occupé des formalités, avait marchandé avec les fonctionnaires, rempli des tonnes de paperasses pour agrandir le terrain alloué à Louisa. Il ne s'était attribué aucun mérite, expliquant modestement que les Français préféraient toujours l'amour à la bureaucratie.

Il leva les yeux vers le ciel de Paris, puis les baissa pour lire un passage de l'Ancien Testament. Il avait fait la même chose pour l'enterrement de Franny. Par la suite, Saint-John et Mallory n'auraient plus besoin de se rencontrer dans de telles circonstances.

La couverture de sa bible s'ouvrit pour laisser échapper deux colombes. Saint-John leva la tête d'un air d'excuse car cela ne figurait pas dans leur accord.

— Une vieille habitude, se justifia-t-il. Elles se sont envolées.

Il reporta son attention sur le texte de Salomon et lut le *Cantique des Cantiques*.

Mallory suivit des yeux le vol des colombes sans entendre les vers qu'il récitait ; ils ne signifiaient rien pour elle. Elle était de même restée sourde aux suppliques de l'aumônier de la prison qui avait demandé que Malakhai parte en état d'ignorance – il avait appelé cela état de grâce – afin d'aller vers Dieu l'âme lavée de ses péchés.

Mallory n'avait pas d'âme – du moins avait-elle entendu les rumeurs selon lesquelles elle en était dépourvue, et elle l'avait lu dans les pages déchirées de l'évaluation psychiatrique d'une enfant. Et elle ne croyait pas en Dieu, même si elle avait une expérience personnelle de la réalité de l'enfer, de ses flammes et de ses tourments.

Après une crise sévère, Malakhai s'était réveillé dans sa cellule, aussi innocent que le jeune homme de 1942, sans comprendre quel crime il avait commis. Bien que la justice ne soit pas de son ressort, Mallory, qui avait déjà du mal à faire respecter la loi, s'était dérangée pour lui expliquer les raisons de son emprisonnement… à chaque visite autorisée jusqu'à sa mort. Elle lui avait apporté le portrait de Louisa fait par M. Halpern et lui avait relaté tous les détails de son histoire d'amour telle qu'il la lui avait racontée lui-même. Elle avait conduit le jeune homme effrayé à travers toutes les étapes de sa vie pour reconstruire l'homme adulte – l'empêcher de sombrer dans la folie.

Elle l'avait sauvé des flammes.

Longtemps après que Saint-John eut quitté le cimetière, les fossoyeurs patientèrent à l'écart, appuyés sur leur pelle, attendant que la jeune Américaine se décide enfin à laisser le mort en paix.

Un journaliste arriva devant la grille en fer forgé – première mouche sur un cadavre encore frais. Puis un deuxième, un troisième, un essaim de journalistes et de photographes, bourdonnant et mitraillant.

Dans un autre espace-temps plus sombre, à l'autre bout du monde, Nick Prado contemplait par la fenêtre les lumières de Chicago. Derrière lui, la télévision diffusait le reportage sur la mort de l'homme qui avait étripé Franny Futura.

Les imbéciles !

Les journalistes ne comprennent jamais rien. Malakhai avait été l'un des plus grands, il méritait une meilleure rubrique nécrologique. Pour couronner le tout, les médias avaient anobli Franny ; sous la plume des gratte-papier, le vieux cheval de retour était devenu un magicien légendaire.

Ah, Célébrité... pute frivole et inconstante !

Il jeta un coup d'œil vers le téléphone. Il mourait d'envie de parler à son vieil ami, mais Émile Saint-John ne répondait plus à ses appels. Les six derniers mois depuis la mort de Franny n'avaient été qu'un long repas de cendres.

Le banquet de Mallory.

L'appellerait-elle encore ce soir ? Non, sans doute pas.

Il l'avait si souvent vue dans la rue. Au début, il avait cru à une illusion – son visage dans la foule – car Mallory ne vivait pas à Chicago. Mais chaque fois qu'elle lui était apparue, les dates correspondaient aux billets d'avion de première classe et aux locations de limousine facturés sur ses cartes bancaires.

Drôle de petite.

Il avait payé les factures sans rechigner.

Mais, bien sûr, elle était folle.

Il avait aussi fait preuve de générosité quand une importante somme d'argent avait été illégalement transférée depuis son compte d'entreprise pour régler les funérailles de Franny. Mallory avait un excellent goût pour les tombes luxueuses avec vue sur le lac. Franny aurait adoré le mausolée de marbre au bord de l'eau.

Il avait tranquillement réapprovisionné le compte de l'entreprise avec son propre argent.

Autre initiative créatrice, elle avait vidé le compte de plusieurs clients. Grâce à ses talents en informatique, elle lui avait acheté des paquets d'actions pour son portefeuille personnel. Une cohorte d'avocats et d'experts-comptables avaient retracé les circuits empruntés et avaient renvoyé l'argent à ses propriétaires respectifs afin d'éviter les poursuites pour détournement de fonds. Mais ses propres pots-de-vin bien intentionnés, destinés aux victimes lésées, avaient entraîné d'autres poursuites pour obstruction et subornation de témoin. Il avait passé une journée entière à échapper aux nombreux agents munis d'un mandat d'arrêt.

Sans oublier la somme modique réglée pour un monument commandé à un tailleur de pierres français longtemps avant la mort de Malakhai – petit souvenir de l'enfer lui rappelant qu'un vieil ami croupissait, mourait en prison tandis que lui, Nick, respirait l'air raréfié d'un penthouse.

De peur qu'il n'oublie, Mallory l'avait réveillé toutes les nuits par un coup de téléphone muet. Il savait que c'était elle, même si elle ne parlait jamais et que le numéro de l'appel n'avait jamais été découvert par les systèmes d'identification ni les pièges téléphoniques. Et lorsqu'il quittait Chicago, les appels arrivaient directement dans sa chambre d'hôtel, sans que les standardistes puissent retracer leur origine.

Coups de fil fantômes.

Savait-elle à quel point cela affectait son sommeil ? ses rêves ? Il soupçonnait qu'elle appelait uniquement pour entendre le son de sa voix, une réponse à la question muette sur sa santé – Quoi ? Pas encore mort ? Clic.

En réalité, elle raccrochait toujours d'un coup sec – encore en colère après tout ce temps.

Maintenant, il prenait des médicaments pour dormir et cependant il se réveillait toujours fatigué. Du coup, il prenait d'autres médicaments pour tenir le coup dans la journée.

Ce matin, il avait trouvé une enveloppe sur sa table de chevet. Elle contenait les reçus pour ses propres dépenses funéraires. Mallory avait choisi une fosse commune, métaphore tout indiquée pour un homme qui n'avait plus d'amis. Il avait reconnu son parfum dans l'air. Heureusement, il n'avait pas ouvert les yeux pour la surprendre chez lui.

Il ne s'était pas tout à fait remis de sa visite dans sa chambre à coucher. Cette nuit, en se réveillant, il l'avait trouvée assise à côté de lui, ses yeux verts brillant d'un vif éclat, si intense, si lumineux. Il avait entraperçu ses griffes de prédateur, prêtes à se refermer sur sa proie, à la déchiqueter. Peu après, les lumières s'étaient éteintes et Mallory s'était évanouie. Cette fois, elle n'avait pas facturé le prix de ses billets d'avion sur sa carte bancaire.

Était-elle réellement venue ? Avait-il seulement imaginé son parfum ?

Son domestique avait peut-être reçu l'enveloppe d'un coursier et l'avait laissée sur la table de chevet pendant son sommeil.

Nick ne lui poserait jamais la question.

Il consulta sa montre. Maintenant, Malakhai devait reposer en terre de France, sous la Ville Lumière. *Bonne nuit, cher ami. Mes respects à Louisa.*

Les journalistes ne viendraient pas avant l'aube. Il regarda son reflet dans la glace, et scruta la pièce pardessus son épaule.

Lors d'une de ses visites à Chicago, Mallory lui était soudain apparue dans la glace d'une vitrine devant laquelle il s'était lui-même arrêté pour se regarder. Elle ne lui avait pas parlé ce jour-là. Il avait contemplé son reflet en silence, effaré, tandis que les mains de la jeune femme se transformaient en griffes, prêtes à lui lacérer le dos… ou à le pousser à travers la vitrine. Il ne s'était pas retourné, ne l'avait pas vue disparaître dans la foule. Il avait gardé les yeux fixés sur la glace, s'apercevant avec une clarté nouvelle dans la lumière crue du jour – il avait vu des rides qu'il n'avait jamais remarquées auparavant, des veines dans le blanc des yeux, et des vaisseaux capillaires éclatés sous sa peau fine comme du papier. Le jeune homme de Faustine n'existait plus. Pas plus qu'il ne retrouvait la beauté de sa jeunesse dans les nombreuses glaces de son penthouse.

Il avait continué de chercher Mallory dans la foule. *Un si joli minois, mais si froid et si dément.*

Il contempla son reflet dans la baie vitrée de son penthouse.

Lorsque meurt la beauté… qu'advient-il ensuite ?

Des heures passèrent pendant qu'il observait le ciel s'éclaircir. Puis le téléphone sonna sur la petite table à côté de lui – ce devait être Mallory. Apparemment, elle n'avait pas pris le temps de visiter Paris. Il décrocha et écouta le silence attendu à l'autre bout du fil.

Le pouls bat toujours ?

Il n'entendit que les bruits de fond d'une rue animée. Appelait-elle d'une cabine publique ou d'un téléphone portable ? Finalement, il brisa le silence.

— Non, Mallory, je ne suis pas encore mort.

Il entendit le combiné s'abattre sur son socle à l'autre bout du fil, et il reconnut instantanément sa manière de raccrocher.

Il courut à la porte d'entrée et vérifia les cinq serrures – juste au cas improbable où elle lui rendrait une autre visite. Trois des serrures étaient neuves et garanties incrochetables, mais il la soupçonnait d'avoir déjà réussi à en crocheter deux lors de visites antérieures. Il joua aussi avec l'idée qu'elle avait mis son téléphone sur écoute, bien qu'aucun des spécialistes qu'il avait consultés n'ait découvert de trace de micro ou de puce électronique. Mais ces mêmes spécialistes n'avaient pas réussi à retracer ses appels.

Nick retourna dans le salon, ouvrit la porte qui donnait sur la terrasse et s'aventura dehors. C'était une nuit d'un calme rare pour une ville qu'on surnommait Windy City [1]. Il marcha jusqu'au parapet de pierre et regarda par-dessus le rebord. Malgré le brouillard des cachets et de l'alcool, il avait quand même le vertige, la sensation de tomber ; c'était l'irrésistible appel du vide.

Il lui avait fallu des mois pour s'approcher du rebord. Et maintenant qu'il avait trouvé le dosage parfait de sédatifs et de bourbon, il était libre de contempler la vie des insectes tout en bas, sur le trottoir, de minuscules

1. La ville venteuse. *(N.d.T.)*

passants se hâtant de-ci, de-là, aux premières heures de l'aube, sortant des night-clubs et des bars de nuit. De si loin, il ne distinguait pas les prostituées des crieurs de journaux.

Il tourna la tête pour regarder par-dessus son épaule.

Non, Mallory n'était pas là.

Elle avait raison – c'était elle qui avait le rôle le plus difficile. Il lui avait d'ailleurs rendu hommage. Les mémoires du grand Nick Prado reposaient sur sa table basse. Mallory y était citée dans une note en bas de page pour trois crimes parfaits. Il s'était longuement étendu sur sa grandeur – afin que le monde apprécie à leur juste valeur les efforts de la jeune inspectrice et comprenne pourquoi elle avait échoué.

Le manuscrit était soigneusement rangé dans une grande enveloppe adressée à un célèbre agent littéraire. Il détaillait dans une lettre les raisons de son coup publicitaire : booster la vente aux enchères du siècle des droits de reproduction. Il avait inclus un press-book. Les photographies en noir et blanc avaient toutes été prises quand il était jeune et beau. Il avait passé des heures à les choisir et à brûler celles qui ne lui rendaient pas justice. Toutes ses imperfections étaient désormais détruites. Dans son portrait préféré, il n'avait que dix-neuf ans, et le cliché se trouvait sur le dessus de la pile afin que les journalistes aient une photo à joindre à leur rubrique nécrologique.

Il regarda de nouveau dans la rue. C'était presque l'aube. Il avait choisi l'heure par respect pour les appareils photo. Le ciel serait juste assez éclairé pour une bonne toile de fond, mais pas trop.

Tout est dans le minutage.

Les quotidiens et les chaînes de télévision régionales avaient été prévenus à temps pour les informations du matin. Le premier journaliste et son cameraman étaient déjà à pied d'œuvre en bas dans la rue. Nick chaussa ses lunettes afin de mieux voir une des fourmis sortir d'une camionnette avec son équipement vidéo. D'autres arrivaient dans des voitures de tourisme. Après avoir compté une équipe pour chaque chaîne, et quelques autres fourmis qui représentaient les radios et la presse écrite, il ôta ses lunettes.

Il ne se laissait jamais photographier avec elles.

Ainsi, ils étaient tous là, et à l'heure. Nick ne les avait jamais déçus, ses coups publicitaires étaient toujours au top. Celui qu'il leur avait promis égalerait les tours du grand Max Candle.

Le rebord de la terrasse était assez large pour qu'un homme corpulent y fasse le tour de l'immeuble à l'aise, mais depuis la rue cela devait sembler dangereux. À New York, Mallory le verrait sur sa télévision, car la retransmission serait sans doute nationale, et même internationale, en direct par satellite. Les directeurs de chaînes en saliveraient. Son spectacle ferait grimper les chiffres des ventes d'espaces publicitaires au-delà de leurs rêves les plus fous. Pendant les heures de son épreuve, les journalistes spéculeraient sur les raisons de sa longue promenade dans les nuages et se demanderaient – non pas s'il allait sauter – mais quand.

Merci, Mallory.

Tout en méditant sur ces fortes pensées, il regarda de nouveau par-dessus son épaule. Satisfait d'être seul, rassuré par l'état de ses nouvelles serrures, il grimpa sur le rebord, persuadé que c'était une idée à lui.

Il avait toujours maintenu qu'il en finirait quand il aurait épuisé ses six dernières minutes de bonheur, et il devait rendre justice à Mallory pour cela. Mais du moins n'avait-elle pas programmé la date et l'heure. Elle était certes impitoyable, mais elle n'avait pas ce talent. C'était lui qui décidait du minutage.

Pris d'un doute, il regarda une dernière fois derrière

lui. Ses mémoires se trouvaient toujours sur la table basse, et Mallory n'était pas en vue.

Idiot ! Bien sûr qu'elle n'est pas là !

Cependant, à trop penser à elle, il fit un faux pas, et son pied heurta le rebord.

Il s'envolait !

Trop tôt !

Trop tard. Il battit follement des bras comme pour prendre la pose du saut de l'ange : la tête pointée vers la rue, les membres étendus tandis que l'air fusait tout autour de lui, lui fouettait le visage, s'engouffrait dans sa bouche, l'empêchant de respirer. Les fenêtres éclairées des immeubles se fondirent en un seul et interminable ruban jaune électrique. Et la chaussée montait au-devant de lui, prête à l'embrasser, tandis qu'il se précipitait vers les fourmis qui, en bas, attendaient de le prendre en gros plan.

Il ne lui restait plus que quelques secondes pour se féliciter, car Max Candle n'aurait jamais surpassé son apothéose.

Il sourit pour les caméras.

*
* *

Telle fut du moins son intention.

Les caméras de télévision filmèrent une expression d'horreur extrême, mais seul l'enregistrement de son cri obtint l'autorisation de passer aux infos du matin.

Plus tard, la police de Chicago dénombra cinq serrures à la porte d'entrée ; or, malgré un tel luxe de précautions, la porte était grande ouverte. La fouille de l'appartement ne permit pas de retrouver de lettre expliquant un suicide, ni de papiers personnels d'aucune sorte. Selon une photographie déchirée trouvée sur sa table basse, on en déduisit qu'il avait eu avec un jeune homme une liaison qui avait mal tourné, et son décès fut donc enregistré comme un suicide d'amoureux trahi.

Il restait un aspect singulier à cette mort par ailleurs banale d'un publicitaire : une femme avait été vue dans la rue lorsque la première équipe de télévision était arrivée. Bien qu'on n'eût aucune photo claire de son visage, on affirma qu'elle avait regardé vers le ciel quelques minutes avant que le plongeur n'apparaisse sur le rebord de sa terrasse. Mais ce n'était pas son intuition qui lui valait l'honneur d'être citée aux infos ; c'était son attitude pendant qu'un être humain courait à sa mort – quand tous les yeux étaient braqués sur le corps agité et hurlant.

Son accoutrement passa inaperçu jusqu'à ce qu'on regarde les films et les photographies avec soin. Dans les clichés à grand angle pris de tous côtés par des photographes et des cameramen frénétiques, la grande blonde tournait le dos au spectacle qui se déroulait dans le ciel. Elle était en train de s'éloigner du cirque – lorsque se produisit l'impact.

www.pocket.fr
Le site qui se lit comme un bon livre

Informer
Toute l'actualité de Pocket,
les dernières parutions
collection par collection,
les auteurs, des articles,
des interviews,
des exclusivités.

Découvrir
Des 1ers chapitres
et extraits à lire.

**Choisissez vos livres
selon vos envies :**
thriller, policier,
roman, terroir,
science-fiction...

POCKET

Il y a toujours un Pocket à découvrir
sur www.pocket.fr

Achevé d'imprimer sur les presses de

BUSSIÈRE

GROUPE CPI

à Saint-Amand-Montrond (Cher)
en octobre 2004

POCKET - 12, avenue d'Italie - 75627 Paris Cedex 13
Tél. : 01-44-16-05-00

— N° d'imp. : 45057. —
Dépôt légal : novembre 2004.

Imprimé en France